even

ALLE DAGEN

Terézia Mora

Alle dagen

Vertaling Nelleke van Maaren

2005

DE BEZIGE BIJ

AMSTERDAM

De vertaling is mede tot stand gekomen met een subsidie van het Goethe-Instituut te Amsterdam.

De vertaler heeft een beurs ontvangen van het Fonds voor de Letteren.

www.debezigebij.nl

Hartbrekende en/of komische verhalen, daar heb ik het over. Extreem en potsierlijk. Tragedies, kluchten, echte tragedies. Kinderlijk, menselijk, dierlijk leed. Echte ontroering, geparodieerde sentimentaliteit, sceptisch en eerlijk geloof. Vanzelfsprekend over catastrofes. Natuurlijke en andere. En vooral: wonderen. De vraag daarnaar is altijd heel groot. We kopen wonderen van overal. Of eigenen ze ons gewoon toe. De wonderen zijn er voor ons allemaal. Niet voor niets heten we de tijd der wonderen. Zij hebben de martelaren en wij hebben de wonderen. U begrijpt me wel.

Vooral de romaanse landen zijn er rijk aan. Het goede oude Babylon. En natuurlijk Transsylvanië. De Balkan etc. Beheerst u werkelijk al die talen? Alle tien?

Iemand die eruitziet als Christus zonder baard kan toch geen leugenaar zijn? Of Raspoetin. Raspoetin is beter. Achter uw rug zal ik u zo noemen, afgesproken? Nieuws van Raspoetin? Verder doet het er niet toe, zei de man, een redacteur, tegen Abel Nema, toen hij hem voor het eerst en het laatst zag. Wat mij betreft liegt en/of verzint u wat. Het belangrijkste is dat het goed is. U begrijpt me?

Goed, goed, goed. Heel goed. Overigens is liegen helemaal niet nodig. Het leven is vol vreselijk toeval en talloze gebeurtenissen. U begrijpt me wel.

0. NU

Weekend

Vogels

Laten we de tijd *nu* en de plek *hier* noemen. En beide als volgt beschrijven.

Een stad, een wijk in het oostelijk deel ervan. Bruine straten, lege of met onduidelijke goederen gevulde opslagruimtes en volgepropte mensenpakhuizen, die zigzag langs de spoorlijn lopen en in plotseling doodlopende straten op een bakstenen muur stuiten. Een zaterdagochtend, sinds kort herfst. Geen park, alleen een miniem, verwaarloosd driehoekje zogenaamd gemeentegroen, omdat er een leeg plekje was overgebleven op het punt waar twee straten in een spitse hoek samenkwamen. Plotselinge stormvlagen vroeg in de morgen – dat komt door de diepe kloven in de stratenaanleg, zo'n *ziekenfondsgebit* – rukken aan een houten draaischijf, een oud speelding dat aan de rand van het groen staat. Daarnaast de lege draagring van een afvalbak, de bak zelf ontbreekt. Hier en daar ligt er afval in het struikgewas in de buurt, dat het met aanvallen van klappertanden probeert kwijt te raken, maar meestal vallen er alleen ritselende bladeren op beton, zand, glasscherven en platgetreden gras. Twee vrouwen, en even later nog eentje, op weg naar of van hun werk. Snijden de hoek hier af, lopen over het paadje dat het groen in twee driehoeken verdeelt. Een van de vrouwen, nogal zwaarlijvig, haalt in het voorbijgaan twee vingers over de rand van de houten schijf. De voet van de schijf piept, het lijkt op de schreeuw van een vogel, of misschien was het echt een vogel, een van de vele honderden die langs de hemel trekken. Zwaluwen. De schijf draait wankelend rond.

De man had er ook ongeveer uitgezien als een vogel, of als een vleermuis, een reusachtige vleermuis, zoals hij daar hing, zeiden ze, de panden van zijn zwarte jas fladderden af en toe in de wind. Eerst dachten ze, zo verklaarden de vrouwen later, dat iemand zijn jas daar had vergeten, op die kledenklopstang of wat het ook was, een klimrek misschien. Maar toen zagen ze dat er aan de onderkant handen uit hingen, witte handen, de toppen van de gekromde vingers raakten bijna de grond.

Op een zaterdagmorgen in de vroege herfst vonden drie arbeidersvrouwen op een verwaarloosde speelplaats in de buurt van het station de vertaler Abel Nema ondersteboven aan een klimding hangen. Zijn voeten waren met zilveren tape omwikkeld, een lange, zwarte trenchcoat bedekte zijn hoofd. Hij schommelde licht heen en weer in de ochtendwind.

Lengte: ongeveer ... (heel lang), gewicht: omstreeks ... (heel mager). Armen, benen, romp, hoofd: smal. Huid: blank, haar: zwart, gezicht: ovaal, wangen: ovaal, ogen: smal, beginnende traanzakken, voorhoofd hoog, haargrens hartvormig, linkerwenkbrauw laag, rechterwenkbrauw opgetrokken – een gezicht dat in de loop der jaren steeds asymmetrischer is geworden, met een wakkere rechter- en een slapende linkerzijde. Een man die er niet slecht uitziet. Maar *goed* is anders. Tussen half genezen oude wonden een stuk of zes nieuwe. Maar afgezien daarvan:

Iets is er nu toch anders, dacht zijn vrouw Mercedes toen ze later naar het ziekenhuis werd geroepen. Misschien komt het omdat ik hem voor het eerst zie slapen.

Niet echt, zei de dokter. We hebben hem in een kunstmatig coma gebracht. Totdat we weten hoe het met zijn hersens is gesteld.

En omdat het geweldpleging is – want tenslotte kun je, hoe knap je ook bent, jezelf niet in zo'n situatie brengen – stelt ook de politie vragen. Wanneer je je man voor het laatst hebt gezien.

Mercedes kijkt lang naar het gezicht.

Bijna had ik gezegd: Als ik er goed over nadenk: nog nooit. Maar ze zei toch: Dat was ... eh ... bij onze scheiding.

Koren

Op een zaterdag ruim vier jaar geleden kwam Abel Nema te laat op zijn huwelijk. Mercedes droeg een zwarte, rechte jurk met een witte kraag en had een bos witte margrieten in haar hand. Hij kwam, zoals altijd, in verkreukelde zwarte kleren, zocht lang met trillende vingers naar zijn legitimatiebewijs, het zag ernaar uit dat hij het niet zou vinden, maar toen vond hij het toch, in de zak die hij als eerste had doorzocht. Bij de scheiding, op een maandag ... geleden, kwam hij weer te laat, ik had het al gedacht, na een tijdje weet je dat, ook toen er nog tijd genoeg was, een kwartier voor de afgesproken tijd, toen Mercedes en de gemeenschappelijke advocate elkaar ontmoetten. Wilt u dat werkelijk? had de advocate gevraagd, toen ze haar in de arm namen. Daar was hij overigens min of meer op tijd verschenen, maar had vervolgens geen woord gezegd, alleen geknikt bij alles wat Mercedes zei. Weet u het zeker? vroeg de advocate achteraf. Misschien kan ieder beter een eigen ... Nee, zei Mercedes. Er is geen sprake van een conflict. Plus de kostenbesparing.

Het was dus te voorzien dat het ook deze keer weer niet van een leien dakje zou gaan, waarom zou het uitgerekend deze keer van een leien dakje gaan? Ze stonden in de hal van het gerechtsgebouw, de advocate zei iets, Mercedes zei niets, beiden wachtten. Buiten balde zich een laatste gloeiende hitte samen, alsof de scheidende zomer met een hoogrode kop nog een keer zijn muil opensperde om je (Mercedes, het is haar associatie) heet en verachtelijk in het gezicht te briesen, maar hierbinnen trok het kil en koud op van de lange, groenige vloer.

Toen het mobieltje van de advocate afging, resteerden er nog vijf minuten tot de afgesproken tijd, en natuurlijk: hij was het. Mercedes spitste haar oren, of ze hem kon horen en hoe hij klonk, maar er was niets te horen, alleen de echo's in de gang en de advocate die hmm-aha-begrijp-ik-in-orde zei.

Hij belde, zo meldde ze, om te laten weten dat hij onderweg was, nou ja, zo goed als, er was namelijk een probleem. – Waarom verbaast me dat niets? Elke keer dat die man op weg wil gaan, waarheen ook, doet zich een probleem voor. – Deze keer was het probleem dat hij een taxi moest nemen, dat was het probleem niet, het probleem was dat hij die niet kon betalen, helaas had hij op het moment vrijwel geen geld, maar hij moest die taxi nemen, anders zou hij het niet halen naar het gerechtsgebouw, en zeker niet op tijd.

Begrijp ik.

Ze bleven nog even naast elkaar in de hal staan, toen zei de advocate dat ze nu naar buiten ging om voor het gerechtsgebouw op hem te wachten. Mercedes knikte en ging naar het toilet. Ze hoefde niet naar het toilet, maar ze kon daar ook niet in de hal blijven staan. Ze waste haar handen, stond met druipende handen voor de spiegel en keek naar haar eigen gezicht.

Vrouwenstem (zingt): Do-o-na no-o-bis pa-a-cem pa-cem. Doooo-naa no-o-bis paaaa-cem.

Mannenstem (zingt samen met haar): Do-o-na no-o-bis pa-a-cem pa-cem. Doooo-naa no-o-bis paaaa-cem.

Andere stemmen (zingen mee): Do-o-na no-o-bis pa-a-cem pa-cem. Doooo-naa no-o-bis paaaa-cem.

Allen: Do-na. No-bis. Pa-a-cem, pa-cem. Doooo-naa no-o-bis paaaa-cem.

Vrouwenstem: Do-o-na no-o-nobis …

Mannenstem: Do-o-na no-o-bis.

Vrouwenstem (tegelijkertijd): Paa-cem pa-cem.

Mannenstem: Paa-cem pa-cem.

Vrouwenstem (tegelijkertijd): Doooo-naa no-o-bis.

Andere stemmen (tegelijkertijd): Do-o-na no-o-bis.

Mannenstem (tegelijkertijd): Paa-cem, pa-cem.

Andere stemmen: Paa-cem pa-cem.

Mannenstem (tegelijkertijd): Doooo-naa no-o-bis.

Vrouwenstem (tegelijkertijd): Paaa-a-cem.

Andere stemmen (tegelijkertijd): Doooo-naa no-o-bis.

Allen: Paaa-a-cem. (Een beetje concentratie en je krijgt het wel op een rijtje.)

In de hal was het niet te horen, alleen hier: In de buurt of verweg repeteerde een koor, of wat dan ook, een vredesgebed, maar waarom op maandag tussen de middag, lunchpauze, ze gebruiken hun lunchpauze op maandag om Dona nobis pacem te zingen. Hoe lang al, geen idee, in elk geval onvermoeibaar. Vrede in ons hart, vrede in ons hart, vrede, vrede.

De donkere lippenstift is ongewoon. Het spitse hartje van haar bovenlip. Waarom moet je je voor je scheiding opmaken? Andere vrouwen komen en gaan, kijken ook in de spiegel, hun donkere of lichte lippen, Mercedes kijkt naar hen in de spiegel, zij kijken naar Mercedes of kijken niet, ze gaan weg, Mercedes blijft. Met een papieren handdoekje je mond afvegen is riskant. In de haartjes eromheen blijft rood hangen. Een mond als frambozensiroop. Nu hangen de mondhoeken naar beneden. Ik ben niet zozeer geïrriteerd als wel bedroefd. Vrede, vrede, vrede.

Maria vol van de genade der gevangenenbevrijding, zei Tatjana tegen Erik. Onze vriendin Mercedes is getrouwd met een soort genie uit Transsylvanië of zoiets die ze uit het vuur of zo heeft gered.

Eigenlijk, zei Miriam, de moeder van Mercedes, is er niets met hem mis. Een beleefde, stille, knappe man. En tegelijk is alles aan hem mis. Ook al kun je het moeilijk omschrijven. Hij heeft iets *verdachts*. De manier *waarop* hij beleefd, stil en knap is. Maar misschien is dat altijd zo als je hoogbegaafd bent.

Wat wil dat zeggen: *hoogbegaafd*? Nou ja, hij weet het een en ander. Kent een paar talen. Naar verluidt. Want in de praktijk hoor je hem nauwelijks een woord zeggen. Dat is misschien een symptoom. Maar de reden is het niet.

Hij heeft dezelfde problemen als elke andere emigrant: hij heeft papieren nodig en hij heeft taal nodig, zei op een eerder tijdstip professor Tibor B. tegen Mercedes, destijds zijn levensgezellin. Dat laatste heeft hij opgelost door eenvoudig volmaakt te worden, en dat meteen tien keer, en wel voornamelijk – je gelooft het gewoon niet – door zijn talen in het taallaboratorium te leren, precies wat ik zeg: van bandjes. Het zou me niet verbazen als hij nog nooit in levenden lijve met een Portugees of een Fin heeft gesproken. Daarom is alles wat hij zegt zo … hoe moet ik het zeggen … zo zonder *plek*, zo duidelijk als je het nog nooit hebt gehoord, zonder accent, zonder dialect, niets – hij spreekt als iemand die nergens vandaan komt.

Een geluksvogel, zei iemand die Konstantin heette. Ik zeg tegen hem: Jij bent een geluksvogel. Dan kijkt hij me aan alsof hij er geen woord van begrijpt. Terwijl dat toch zijn specialiteit moet zijn, niet? Al denk ik persoonlijk dat zijn eigenlijke specialiteit is dat mensen in hem geïnteresseerd zijn hoewel hij daar niet het minste of geringste voor doet. Ze denken over hem na en ergeren zich naderhand, want dan blijkt dat hij de hele tijd dat je tegen hem hebt zitten praten, alleen maar naar je mond heeft gekeken, alsof uitsluitend de manier waarop je je spiranten vormt voor hem van belang is. De hele rest, de wereld met man en muis, interesseert hem geen zier. In de wereld en niet in de wereld leven. Zo eentje is het.

Een barbaar, zei een vrouw die Kinga heette. Dat ben je.

Trouble, gewoon trouble, zei Tatjana. Dat zie je op het eerste gezicht, tenzij je blind bent of Mercedes heet. In feite, zegt ze, is het een schijnhuwelijk. Dat zijn haar woorden: In feite. Een schijnhuwelijk. Daarmee heeft hij zijn twee problemen in een klap opgelost. Gefeliciteerd. En wat haar betreft …

Hoe kom ik ertoe over anderen te oordelen? Er kunnen redenen zijn die van buiten – Mercedes vertrekt haar mond, het spiegelbeeld glimlacht – van *buiten*, vanwaar anders! niet te zien zijn. Ogenschijnlijk verliezen ze *gewoon opeens* hun verstand. En daar komt die man, Abel Nema, zo'n veelbelovende jonge man, *de eerste vrije generatie! met de wereld aan haar voeten*. Geniet van het korte moment dat het duurt, want het kan zo voorbij zijn. Je hebt nog niet rondgekeken of er breekt iets los, er breekt iets uit, laten we zeggen: een burgeroorlog – begrijpen doe ik het nog steeds niet, nagenoeg *voor onze voordeur!* Wat begrijp je precies niet? – en dat was het dan, zorg vooral dat je land verovert. Tien, nee, intussen dertien jaar geleden moest A.N. zijn vaderland verlaten, dat was vast niet gemakkelijk, maar sindsdien was alles min of meer normaal. Zoals je dat noemt. Een man met opmerkelijke talenten, tien jaar, tien talen geleerd en onderwezen, en ook *met een zekere persoonlijke uitstraling*, uiteindelijk zelfs met een echtgenote, stiefkind en staatsburgerschap. Heeft zijn plek gevonden, zijn rustige hoekje aan de rand van het feestje, en toen, ruim een jaar geleden, het was een zaterdag, nee al zondag, eerder genoemd feestje, stond hij op, ging weg en *bestaat sindsdien nagenoeg niet meer*. Hij heeft zich teruggetrokken in die *potsierlijke, ja belachelijke* (alle cursivering van Mercedes) woning met dat *fantastische* uitzicht op de spoorlijn en niets dan een matras en een koudwaterkraan en hij doet *niets*, behalve van overal en nergens potsierlijke, ja belachelijke verhalen bij elkaar te halen voor een *uiterst dubieuze* agent ten behoeve van potsierlijke, ja belachelijke *prulblaadjes*, zeven dagen per week. Wat moet ik verder nog zeggen.

Do-o-na no-o-bis. Op zeker ogenblik heb je lang genoeg in de spiegel gestaard. Je bent wat je bent. Op je tenen – waarom? – naar het raampje. Daarachter een grijze binnenplaats, waaruit die geur opstijgt die grijze binnenplaatsen eigen is, geparkeerde auto's, daarboven de lucht. Iets harder: Do-o-na no-o-bis. Maar echt goed kun je niet horen waar het vandaan komt. Alsof het van alle kanten komt. Voor het raam tralies. Hier worden ook gewone zaken behandeld. *Straf*zaken. Ik kan dus niet door het wc-raampje vluchten. Mercedes doet het raam dicht. Het koor is nog steeds te horen.

En weer in de hal staan, er zijn ook anderen en, dat is opvallend, ze kijken allemaal in dezelfde richting, de lange, groenige gang in. Als op een perron staan ze hier, gezichten vol verwachting in de richting gekeerd waar binnenkort iets of iemand moet verschijnen; de lucht die hij voor zich uit stuwt is al te bespeuren.

Toen hij inderdaad verscheen, eigenlijk maar een kwartier te laat, zag hij er lang niet zo imposant uit als je had kunnen verwachten op grond van de wind die hij in het voorveld had veroorzaakt. Wel lang, maar spichtig, geen trein maar een seinpaal, een streep in het landschap, als je je ogen dichtknijpt, smelt hij aan de zijkanten weg. Van voren gezien leek het of hij geen vin zou verroeren. Staan en wachten.

Op een zaterdag vier jaar eerder kwam Abel Nema te laat op zijn bruiloft. Hij zei dat hij *een beetje* verdwaald was en glimlachte, ik kan niet precies zeggen hoe. Mercedes glimlachte ook en vroeg niet waarom hij geen taxi had genomen. En *misschien* iets anders had kunnen aantrekken. Het glinsterende zweet in de open kraag boven de verkreukelde rij knopen is het duidelijkste beeld dat Mercedes van haar bruiloft is bijgebleven. Dat, en de geur die opsteeg toen hij midden in de toespraak van de vrouwelijke ambtenaar van de burgerlijke stand, niet op een bepaald punt, want wat ze zei was nauwelijks verstaanbaar – Misschien kunt u de toespraak bekorten of helemaal weglaten om de tijd in te halen, zei Mercedes, maar de vrouw keek haar niet-begrijpend aan, haalde adem en ratelde gewoon alles af, wat het ook was, over liefde en wet op de grondslagen van de burgerlijke samenleving – en ik dacht steeds: ik trouw nu, ik trouw, toen hij dus opeens: diep zuchtte. Zijn borstkas, zijn schouders zetten uit en zakten weer in, en daarbij steeg een stroom lucht op, een merkwaardig mengsel van de geur van zijn jasje waarin stof en regen zich vermengden, de doorgezwete wasmiddelgeur van zijn hemd, zijn huid eronder, alle zeep-, alcohol-, koffie- en talgnuances en iets als rubber, om precies te zijn latex, met een licht synthetisch vanillearoma, ja, ze dacht de geur van een condoom waar te nemen, plus de geur van een in de hitte van een zolderkamer smeltend computertoetsenbord, met witte kringen in het zwarte vuil op de plek waar de vingers de toetsen raken, enzovoort, nog meer bekende geuren, maar die doen niet echt ter zake, want wat werkelijk op dat moment van wezenlijk belang was, was iets dat de bruid Mercedes niet had kunnen benoemen, het rook naar een wachtkamer, naar houten banken, kolenkachels, verbogen rails, een papieren zak met resten cement, zout en as die op een beijzelde straat in het struikgewas was gegooid, azijnbomen, messingkranen, pikzwart cacaopoeder en: naar eten zoals ze nog nooit heeft gegeten, enzovoort, iets zonder einde waarvoor ze geen woorden meer heeft, stijgt uit hem op alsof hij het in zijn zakken meedroeg: de geur van het vreemde. Ze rook *vreemd-zijn* aan hem.

Echt verrassend was dat niet. Een zeker *aura* was er al eerder, al bij de eerste keer toen hij voor haar deur stond, een beetje belachelijk in zijn ouderwetse trenchcoat die van zijn schouders hing. De hele man was een diagonaal, als het ware tussen de twee tegenoverliggende hoeken van de deurpost gespannen. Destijds kon ik daar nog niets mee beginnen. Jaren later, voor de ambtenaar van de burgerlijke stand, had die diepe zucht haar zo aan het denken gezet dat ze pas weer bij zinnen kwam toen hij zijn arm knikte om haar met zijn elleboog onopvallend een por in haar zij te geven. Ze keek om zich heen, niet naar hem maar naar achteren, naar de rijen stoelen waar naast Tatjana haar zoon Omar zat, als enigen in de lege zaal, geacht bruidspaar, geachte gasten. Omars ogen glansden beide tegelijk, zowel het grotere van glas als het levende oog, hij was net zeven geworden, hij knikte: Zeg ja. Zeg nou …

Oui, yes, da, da, da, si, si, sim, ita est.

Later kwam die geur steeds vaker terug, hij viel ook niet te verbergen met de aftershave die ze van tijd tot tijd in huis rondsproeide, en het allerduidelijkst helemaal aan het einde – daaraan merkte ze dat het werkelijk het einde was.

En toen hij eindelijk verscheen, was dat natuurlijk ook nu weer zo. Ondanks de hitte droeg hij zijn oude, zwarte trenchcoat die achter hem aanfladderde (de tocht?), hoewel hij deze keer niet in zijn gebruikelijke snelle, op een vlucht gelijkende tempo liep, lange passen, gebogen bovenlichaam, maar juist langzaam en stijf. Hij trok met zijn been. Hij kwam de hal binnengehinkt, met de kwieke advocate achter zich aan. Doorweekt van het zweet, ook dat klopte. Nieuw waren: de schaafwond op zijn kin, de bloeduitstorting op zijn rechterjukbeen, een buil op zijn achterhoofd en het eerder vermelde hinken. Zijn haar piekte, bij het haastige scheren waren bosjes stoppels blijven staan, aan zijn oor en hals glinsterde iets – alles bij elkaar zag hij eruit alsof hij net van een robbertje vechten kwam. Maar zijn stem klonk als altijd, eigenlijk was dat het enige dat nog niet strookte met de indruk van toenemende algemene ontreddering. Nooit eerder heb ik mijn moedertaal, die niet de zijne is, zo perfect horen spreken, hoewel hij geen woord meer zei dan absoluut noodzakelijk was, deze keer twee:

Hallo Mercedes.

Nog tien minuten voor het tijd is, zei de advocate. We moeten voortmaken.

De onbekende grootheid

Net toen zijn wanhoop zo groot was dat hij na uren of misschien dagen van krankzinnige pijn ten slotte zo ver was dat hij op het klamme linoleum tussen badkuip en wc-pot knielde en zijn God smeekte hem te vergeven wat hij zo dadelijk ging doen en hem te helpen het te volbrengen, aan de vooravond dus van zijn al lang geplande zelfmoord, verdween de chaosonderzoeker Halldor Rose uit het vliegende vliegtuig waarmee hij terugkeerde van een congres. Drie dagen later werd hij gezien op een brug. Hij stond de wolken na te kijken die in een lange v-vormige formatie voorbijtrokken. Terwijl hij ze nazwaaide, bleef aan de andere kant van de weg een psychiater staan die Adil K. heette, hij stak na enig aarzelen de rijbaan over en sprak de fysicus aan. Halldor R. deelde mee dat hij drie dagen eerder in eigen persoon ten hemel was gevaren en daarnet weer op deze brug was neergezet.

Op de vraag waarom hij dacht dat hij ten hemel was gevaren, antwoordde hij dat hij dat niet dacht, maar zeker wist.

Op de vraag welke hemel het was geweest, antwoordde hij: Wat bedoelt u met welke hemel?

Op de vraag hoe het daar was geweest, antwoordde hij dat hij dat helaas niet kon zeggen.

Op de vraag of hij wist waarom hij ten hemel was gevaren, antwoordde hij: Natuurlijk vanwege mijn vredelievendheid. Omdat hij de meest vredelievende mens op aarde was.

Op de vraag waarom hij was teruggekeerd, antwoordde hij: Om dezelfde reden. Ik ben teruggekomen als levend bewijs van het feit dat de vredelievende liefde het hoogste goed is dat God ons heeft geschonken en dat elke handeling die daarmee in strijd is, een belediging van de schepping is en dus een aanslag op God.

Op de vraag van pater Y.R. of God nog iets anders had gezegd, antwoordde hij: *Gezegd* had God helemaal niets, God had geen taal nodig. Hij had die zekerheid alleen in zijn bewustzijn geprent.

Op de vraag of dat alles was geweest, antwoordde hij: Ja. Dat wil zeggen, hij wilde er nog aan toevoegen dat hij de hele tijd volledig bij bewustzijn was geweest, zelfs bij heel helder bewustzijn, zonder de gebruikelijke chaotische vertroebelingen in zijn denken en voelen. (Denkt na.) Zoals voor de geboorte of na de dood. Zo ongeveer. De vragen waren niet beantwoord, er hadden eigenlijk geen vragen meer bestaan. Ook de lopende band van de tijd had niet bestaan. Hij was verbaasd te horen dat er intussen drie hele dagen waren verstreken. Dit, dat de tijd geen rol meer speelde, was voor hem als natuurwetenschapper een heel bijzondere ervaring geweest. Wellicht moest hij veel opnieuw uitdenken. Daarom wilde hij ook zo snel mogelijk weer aan het werk, als de heren er niets tegen hadden.

Wat er van de verkondiging van de vredelievendheid zou worden?

Dat wist hij ook niet. Hij had deze twee dingen begrepen: de vredelievendheid en de vraag naar de tijd. God liet je de vrije keuze aan welke vragen je je in het leven wilde wijden. Hij als wetenschapper had zojuist besloten de vraag van de tijd te onderzoeken. De vredelievendheid kon wellicht door pater ...

Waarop pater Y.R. antwoordde: ...

Paniek is geen toestand van de mens. Paniek is de toestand van deze wereld. Allemaal de onbekende grootheid P.

Eigenlijk was *tot kort voor het einde* alles normaal. Het weekend voor zijn scheiding bracht Abel zoals gewoonlijk door: voornamelijk thuis. Hij begon tegen vier uur 's morgens, logde in, doorzocht de gebruikelijke bronnen naar de gebruikelijke berichten, kopieerde ze en voorzag ze direct van een titel. 's Middags sliep hij een paar uur, werd tegen zonsondergang weer wakker en liep naar het balkon om ernaar te kijken.

Als je in Abel Nema's huis door de smalle deur in het dak naar de metalen kooi buiten klimt, word je op winderige dagen door de wind tegen de muur geduwd. Alsof je vaart, met een huis vaart, zo'n gevoel is het, maar natuurlijk blijft alles op zijn plaats of vaart mee, alleen zie je dat misschien na een poosje niet meer vanwege de tranen die de wind langs je slapen drijft. Een doodlopende straat aan de rand van een smalle, doolhofachtige strook oud industriegebied aan de oostkant van het spoor, in Abels straat staan maar aan één kant huizen. Aan de andere kant een bakstenen muur, daarachter zeventien paar rails en daar weer achter: de stad die zich eindeloos uitstrekt in een oneindig vlak landschap dat verdwijnt in de oneindige nevelen voordat het de hemel heeft kunnen bereiken. Een land dat wijdopen ligt voor alles wat komt: mens, dier of weer. De spoorstrook die de stad in verschillende vormen doorsnijdt, maar in feite in twee helften verdeelt, is op dit punt het breedst: aan de ene kant het elegantere, rijkere, ordelijkere westen, aan de andere het via de oostelijke uitgang van het station te bereiken 'Eiland der Dapperen' – een voormalig industriegebied vol kleine bedrijven waar men, nadat alles – het abattoir, de bierfabriek, de molen – het loodje had gelegd, aanvankelijk zenuwzieken, moeilijk opvoedbare tieners en bejaarden had ondergebracht, vervolgens, tijdens een paar zogenaamde gouden jaren, had geprobeerd er een exclusieve woonbuurt voor jonge yuppen van te maken en het gebied uiteindelijk definitief had prijsgegeven aan de *loosers* die hierheen bleven stromen, alsof iemand tegen hen had gezegd: neem de oostelijke uitgang.

Op zaterdagavond stond Abel dus na gedane arbeid op zijn balkon. Onder hem, achter de bakstenen muur, schoven de treinwagons heen en weer als balletjes op een telraam. Later, toen het al donker was, reden er steeds meer auto's de doodlopende straat in, parkeerden in rijen dicht tegen de muur tot er geen plaats meer was. Degenen die later kwamen, keerden moeizaam: het geluid van hard rubber dat op het asfalt draaide, daartussen het geklik van hakken die vlak voor de geschrokken opflitsende autolampen de straat overstaken. De tent aan het afgesloten einde van de doodlopende straat heet Het gekkenhuis en vijf dagen per week vieren ze daar met nooit verminderende heftigheid, werk en feesten, dag na dag, het rituele gebonk van de drums slaat als een plotselinge golf door de straat als de deur open- of dichtgaat. Dan weer abrupt: stilte.

Nadat Abel een tijdje op het donkere balkon had gestaan, keerde hij terug in de enige kamer, die zogenaamd bespottelijke kamer, hoewel die naderhand – vermoedelijke illegaal – verbouwde zolderruimte eigenlijk alleen wat kieren en spleten vertoonde. Wie dat ook gedaan mocht hebben had getracht er alles aan ruimte uit te halen wat erin zat, maar daardoor was alleen de hoeveelheid nutteloze ruimte groter geworden: spitse hoeken en onbruikbare gaten waarin zich van alles ophoopt, duisternis en stof, niet meer gebruikte dingen die opzij werden geschopt of door de tocht erheen gewaaid en zijn blijven liggen. Abel haalde een paar zwarte kledingstukken uit de hoeken, stopte ze samen met de grijs geworden lakens in een rugzak, daalde de vijf trappen naar de straat af en was de enige daar die niet in de richting van het café, maar de andere kant op ging, zigzaggend tussen opgedirkte, halfnaakte vreemden door rechts afsloeg en vervolgens weer naar rechts: een 24-uurs wasserette. Daar zat hij een paar uur en staarde naar het ronde venster van de wasmachine. Daarbinnen was alles zwart. Een sok met een lichtgrijs werkje onder het elastische boord viel steeds op dezelfde plaats terug. Abel zat helemaal achter in de wasserette, waar het spoelwater in een betonnen bak in de hoek stroomde en door een roestige ijzeren buis wegvloeide. Als hij niet naar het draaiende zwart keek, keek hij naar het kolkende witte schuim. Later begon het licht te worden en ging hij naar huis. In de doodlopende straat zwom hij opnieuw tegen de stroom in, deze keer als enige niet weg van de bar, maar ernaartoe. Later werd het kabaal buiten minder en hij ging achter de computer zitten. Later luidden de klokken van twee kerken in de buurt. Hij trok de rolgordijnen voor de ramen naar beneden om te voorkomen dat het licht het beeldscherm onleesbaar zou maken. Later – de vier cijfers in de rechterbenedenhoek van het beeldscherm gaven aan dat het midden op de middag was, en naast de (ogenschijnlijk) ronddraaiende kleine wereldbol stond: onbekende zone – rinkelde de telefoon.

Hallo moeder.

Ze heet Mira. Dertien jaar geleden hebben ze elkaar voor het laatst gezien, vlak voordat ze hem in staat stelde te vluchten voordat hij in dienst moest. Sindsdien telefoneren ze eens in de maand, meestal op zondagmiddag.

Ik bel je terug.

Goed.

Ze legt neer. Hij belt terug. Vraagt hoe het met haar gaat.

Ze zegt dat het goed met haar gaat.

Ze zwijgen een tijdje. De lijn kraakt en piept, dat is altijd zo, kraken en piepen, een openbare telefooncel.

Hij vraagt of ze heeft moeten wachten op de cel.

Ze zegt ja, maar het werd nu beter. De nieuwsberichten zijn begonnen. Ze kan drie televisietoestellen achter gordijnen zien. Of het al donker was bij hem?

Nog niet helemaal.

Krak, piep, krak.

Luister, zegt Mira. Ze moet hem iets vertellen. Beter gezegd: iets rechtzetten dat ze hem vroeger eens heeft verteld.

De laatste tijd belt ze op en zet dingen recht. Mijn moeder is een leugenaarster. Niet crimineel. Alleen uit fantasie of solidariteit. Ze drukt haar medeleven uit in de vorm van leugens. Ja, ik weet waar u het over hebt, wij hadden ook joden in de familie. We hebben nooit joden in de familie gehad. Ik weet het, zegt Abel. Ook geen vliegtuigpionier. Geen partizanen. Zijzelf werd nooit door een kwaadaardige professor in een radioactieve kamer opgesloten en was ook nooit getuige geweest van een aanval van een haai. Ik weet het, zegt Abel, ik weet het.

Deze keer gaat het om iets anders, zegt ze. Ze zegt dat ze Ilia heeft gezien.

Wie?

Je vriend Ilia.

Zwijgen.

In het begin zei ze dat de stad in feite dezelfde was gebleven. Afgezien van wat er kapot was – het hotel, de bibliotheek, het postkantoor, een paar winkels – was alles nog zoals het geweest was. Behalve de mensen. Je had de indruk dat het er meer waren dan vroeger, alsof van de ene dag op de andere, door een wonder of een slechte grap, de volledige bevolking was vervangen. Overal alleen maar vreemde jonge mannen. Komen uit de dorpen. Of god mag weten waarvandaan. Worden nieuw geboren.

Het is oorlog geweest, zegt Abel.

Ja, dat weet ik.

Later begon ze te vertellen dat ze nu af en toe ook bekenden zag. Van een paar werd gezegd dat ze dood waren of in Duitsland, maar zij had ze gezien. Liep op straat, droeg een papieren zak, ik weet zeker dat hij het was, hij woont alleen niet meer waar hij vroeger woonde.

Met Ilia heeft ze zelfs gepraat, zegt ze. In levenden lijve. Hij was bij haar gekomen, hij moest een tijdje zoeken omdat ook zij niet meer woonde waar ze vroeger had gewoond. Hij had nu een baard als een monnik.

Hm, zegt Abel en gaat rechtop in zijn stoel zitten. Tegen zijn moeder zegt hij dat Ilia een jaar geleden dood is verklaard.

Weet ik, zegt Mira. Dat was een vergissing.

Pauze.

En, heeft hij ook iets gezegd?

Hij vroeg hoe het met me ging. Toen vroeg hij naar jou. Ik heb hem verteld waar je nu woont. Toen lachte hij en zei: Nou ja! Wat een toeval! Dat is precies waar hij heen vliegt, morgen al. Hoor je me? Hij kan er morgen al zijn.

Hallo?

Ben je helemaal niet blij? We dachten dat hij dood was en nu blijkt hij springlevend te zijn. Is dat niet fantastisch?

Godsoordelen

Soms ben ik helemaal vervuld van liefde en toewijding, zei Ilia. Zo volkomen dat ik niets anders ben dan die liefde en toewijding. Dat duurt een paar minuten. Soms maar een paar seconden. Ik kom boven en zie: het waren maar een paar seconden. Voordat ik bovenkom, zie ik mezelf van buiten. Ik zie mezelf in extase en herken het als een pose. Op het moment dat ik het als pose herken, verandert mijn toewijding in scepsis, dus van geloof in niet-geloof. Wanneer ik in die scepsis verkeer, en dat gebeurt vaak, beschouw ik mezelf in mijn eerdere toewijding, met alles wat daar bij hoort aan overduidelijk bijgelovige rituelen die ik alleen of met anderen uitvoer, als dom en belachelijk. Wanneer ik in het geloof ben, en ook dat ben ik vrij vaak, zie ik mezelf in mijn scepsis als dom en afschuwelijk. Dat zijn mijn twee toestanden. Het een of de ander, en soms allebei tegelijk.

Destijds, vijftien, twintig jaar geleden, woonden ze in een klein stadje in de buurt van drie grenzen. Een stad met een kopstation, in rechte lijn ongeveer even ver van de drie dichtstbijzijnde hoofdsteden verwijderd, een rustig, donker eiland op de plek van een vroeger moerasgebied. Er heerste een landklimaat, de grond was vruchtbaar, de omgeving wat doorgaans mooi wordt genoemd: heuvels, velden, bossen, kleine meertjes. Van boeren afstammende leraren, rechters en horlogemakers vormden de gebruikelijke provinciale aristocratie, de onverbeterlijke geeuwers bij de concertabonnementen. Alsof er nog zoiets als *burgerlijk* leven bestond, hoe beperkt ook, omgeven door dictatuur, angst voor atoombommen en economisch verval. Was er een theater voor bezoekende toneelgroepen, een hotel, een postkantoor, een ruiterstandbeeld, uitgezette wandelpaden? Ja. Gotiek, renaissance, barok, eclectische stijl, postmoderne misdaden? Ja. Godshuizen van de volgende religies. Plaveisel. Verlichting. Groen. Abels ouders waren leraar, zij uit een dorp in de buurt, hij een weeskind uit het buitenland. Drie van de vier seizoenen werden op school doorgebracht, in de zomer nodigde Andor Nema zijn vrouw Mira en zijn zoon Abel in een hemelsblauwe auto en reden ze kriskras het land door, zo ver als ze maar konden komen.

Hij luisterde dan naar luide schlagermuziek en zong mee. Af en toe draaide Mira de radio op klassiek en vroeg of ze niet hier of daar even konden stoppen voor een of andere bezienswaardigheid. Meestal veranderde Andor al tijdens het allegro weer van zender en raasde alle kerken en de meeste streekmusea voorbij. Barbaar! schreeuwde Mira tegen het autolawaai, de muziek en het gezang van haar man in. Abel op de achterbank nam geen deel aan de ruzies van zijn ouders om de radio en het culturele erfgoed. Hij drukte zijn gezicht tegen de zijruit en keek naar de hemel die nu eens zus, dan weer zo draaide en overigens dezelfde kleur had als de auto, behalve dat de wolken boven wit dan wel zwart waren, en hier beneden roestkleurig. Wat er verder nog te zien viel: vogels en boomtoppen, kaal of met bladeren, hele steden die alleen uit daken, schoorstenen en antennes bestonden. En vooral: condensstrepen. Veel condensstrepen. De hemel was toen dichtbevolkt. En ergens komt het moment dat je moet overgeven.

Ik heb er genoeg van, zei Mira tegen haar zoon. Blijf alsjeblieft rechtop zitten en kijk recht vooruit.

Hij bleef betrekkelijk rechtop zitten, maar keek niet recht vooruit. Hij keek verder naar de wereld boven zijn hoofd totdat zijn ogen pijn begonnen te doen, en met de misselijkheid werd het ook niet beter.

Kijk hierheen, zei Mira. Kijk naar ons. Wij zijn hier.

Dat waren, kort samengevat, de eerste twaalf jaar. Hemel, aarde. Op de laatste schooldag van het dertiende jaar, acht uur voor het begin van de zomervakantie, stond Andor Nema vroeg op en verliet het huis, er zorgvuldig voor wakend zijn vrouw of zijn zoon wakker te maken. En hij kwam nooit meer terug.

Mira en Abel reden de hele zomer door het land, en door alle aangrenzende landen die in aanmerking kwamen. Ik heb mensen ontmoet van wie ik nooit eerder had gehoord. Behalve: Ik houd van je en wil je me een kus geven? kon mijn moeder niets zeggen, Abel tolkte, vreemde vrouwen streelden over zijn glanzende, in een scheiding gekamde haar. Toen was de zomer voorbij, het geld op en van Andor geen spoor. Op de laatste druppel benzine reden ze de stad weer binnen.

Moge hij vervloekt zijn! Geen plek op aarde zijn eigen kunnen noemen! Mogen vruchten in zijn handen beschimmelen, ijzer verroesten, water vervuilen, goudklompen in paardenvijgen veranderen, moge alles wat hem lief is verloren gaan, moge hij verhongeren of, beter nog, onteerd en door een verminkende ziekte sterven, of nog beter, nooit sterven, eeuwig moeten voortleven, die klootzak! Klootzak! Klootzak!

Vroeger was er aan het einde van de zomer altijd die week dat zijn ouders werkten aan het nieuwe lesurenschema en Abel op vakantie ging bij Mira's ouders, in het dorp. Een eenzame week, met kikkers in de laaiende hitte, kippenerf en doorgeschoten sla. In het huis de piepende adem van grootvader als tegenmaat van het luide getiktak van de staartklok, en vooral de onophoudelijke scheldlitanie van grootmoeder die ze, als een tuffende hulpmotor, blijkbaar nodig had om de dag door te komen. Ze mompelde en klaagde, en vervloekte in feite iedereen. Riep God de Heer, zijn enige Zoon en diens lieftallige Moeder, de onbevlekte Maagd, aan om gerechtigheid te doen wedervaren en bij voorkeur iedereen te verdelgen. Later stierf grootvader, hij had het nog vrij lang uitgehouden met zijn halve long. En toen niet veel later Abels vader, die klootzak!, verdween, ging oma op de verweesde kant van de echtelijke sponde liggen. Zo had Mira zich de *wederzijdse steun* niet voorgesteld, maar ik was nu eenmaal mijn leven lang laf. Abel sliep, als altijd, in een zijkamertje, in feite een grote muurkast in de hal, en hoorde elke avond door de schrootjeswand hoe zijn grootmoeder haar ex-schoonzoon vervloekte, mogen zijn ogen, mag zijn hart, totdat Mira haar verbood zijn naam ooit nog te noemen, damnatio memoriae, en daarna werd het wat beter. Het schooljaar begon en Abel leerde Ilia kennen.

De zon brandde op het schoolplein, het appèl aan het begin van het schooljaar duurde *uren*. Destijds bestond er nog discipline: ze stonden op het handbalveld in hun witte overhemden als bloeiende bomen, en toen vielen ze gewoon om, alsof de wortels het op een windstille dag niet meer konden houden. De een na de ander klapte tegen het harde betonnen plaveisel dat was samengesteld uit heel veel grijswitte deeltjes en flikkerde als een magisch beeld. Abel keek óf naar die deeltjes óf naar de lucht totdat hij duizelig werd.

Denk je dat er daarboven iets is?

Abel keek naar beneden. Voor hem stond een kleine, donkere jongen met een rond hoofd. Handen achter zijn rug in elkaar gehaakt, en hij keek hem streng aan.

Wat moet dit voorstellen, een examen? Antwoord minder vriendelijk dan het had kunnen zijn: En jij?

De kleine haalde zijn schouders op. Vanwege zijn handen achter zijn rug kwam zijn hele bovenlichaam in bewegiging.

Abel dacht aan satellieten, ruimteschepen, raketten, bommen, buitenaardse zaken. Zijn ze goed- of boosaardig? Zal de rotzooi over ons hoofd worden uitgestort? Zal het zo groot zijn als een hele stad of niet groter dan een auto?

Wat?

Satellieten, zei Abel. Maar meestal zie je alleen vliegtuigen.

Meestal? De kleine lachte.

Wie ben jij, wijsneus, verwaand kwastje ...

Zijn naam was Ilia, en hij dacht aan God. Misverstandje. Hij lachte weer. Deze keer duidelijk om zichzelf.

Alsof hij gekomen was om te zien wat er in de aanbieding was, met zijn vinger naar die ene had gewezen en gezegd had: Jij. Zodat de rest hem verder niet meer hoefde te interesseren. Abel Nema, uitverkoren door Ilia Bor uit vierhonderdvijfenzestig menselijke wezens. Net als de stad. En Nema. Zoals het Niets?

Nee, zei Abel en werd vuurrood. Niet zoals het niets. Het is een
...se naam.

Ik snap het, zei Ilia. Zijn ogen glansden.

Zijn moeder was pianolerares, zijn vader zakelijk leider van het
theater, vrome, vlijtige mensen, in de woonkamer tjingelde de
hele middag klassieke Weense muziek, twee straten verder gaf
Mira bijles tussen de kastenwand en de bank. Ilia en Abel brachten de tijd tussen het uitgaan van de school en het invallen van
de duisternis op straat door. Hun spel heette: godsoordelen. Ilia
had het verzonnen.

De kwestie is dat mijn vader tot God is gekomen en niettemin
geen priester is geworden. Nu is het de taak van zijn enige zoon
hem gelukkig te maken. Om priester te worden is geloof niet absoluut noodzakelijk, dat is duidelijk. Daar gaat het niet om.
Waar hij het over had, zei Ilia, was of hij er ooit in zou slagen een
ware gelovige te worden. Hij was bang dat dat niet mogelijk was.
Hij leed, naar het scheen, aan de ziekte scepsis, en als ik zeg lijden, dan bedoel ik echt *lijden*, maar ook aan de ziekte bijgeloof.
Hij had dat spel ten dele als godslastering, ten dele als smeekbe-
de bedacht. Geef me een teken.

Ze kwamen tegen twee uur 's middags uit school, liepen door de
Smalle Straat, over de Zoutmarkt de Jodenstraat in, over de
Grote Markt, door de Voorste Poort naar de Kleine Ring. Bij elk
kruispunt, splitsing etc. bleven ze staan en gingen pas verder als
hun een teken werd gegeven. Zegge en schrijve vijf jaar lang kregen ze er niet genoeg van. Abel liep met zijn vriend waarheen
deze dacht gestuurd te worden, door alle straten van de stad.
Abel zweeg meestal, Ilia praatte: over God en zichzelf en soms
over de wereld. In de hele stad stonden ze bekend als *de grafspo-
ken, de studiehoofden,* en *de homo's.* Iemand wilde hen *vanwege
dat alles* opwachten, een paar lieden spraken af elkaar in een bepaalde straat te ontmoeten, maar er verscheen niemand. Daarmee was het afgelopen.

Aanvankelijk spraken ze nog over de interesses van Abel: ruim-
tevaart en technologie, maar dat alles was kinderspel in vergelijking met die Ene Grote Vraag. Maar na vijf jaar – het was hun

laatste gemeenschappelijke schooljaar voor het eindexamen, het laatste jaar dat ze in deze stad woonden – had ook Ilia niets meer te zeggen. Ze liepen vrijwel zonder te spreken naast elkaar voort. Ik weet nog steeds niet waar. Abels ideeën over de toekomst draaiden in een kringetje rond. Om precies te zijn: hij had helemaal geen ideeën, met talen en wiskunde kun je nog alles worden. Op dit moment waren er andere dingen. Lichamen. Dat van Ilia was smal, niet erg lang, maar ook niet zwak. Als ze bij zo'n kruispunt stonden, krabde hij soms aan zijn neus. Zijn brilmontuur rammelde. Zijn haar glom vochtig. Hij had mooie handen. Dat was alles wat er van hem te zien was. Gezicht, handen. Omdat Abel zoveel groter was, trok hij zijn schouders op als hij naast hem liep, hij had het gevoel dat hij lomp en onbehouwen was in vergelijking met de innerlijke en uiterlijke proporties van zijn vriend. Hij stelde zich hem voor als geestelijke, met de geestelijkenvrouw die erbij hoorde, en moest hoesten. Ze stonden bij een kruispunt in de buurt van het station. Abel hoestte.

Dit laatste jaar was begonnen als alle jaren ervoor. Het begon met mededelingen over prijsverhogingen waarop in de maanden daarna verdere prijsverhogingen volgden. Begin april kwamen de eerste protesten, al waren die niet hier. Er werd, zoals al jarenlang, gemompeld over een latente crisis in het land, al was ook dat niet hier. Het identiteitsbesef van de minderheden roerde zich. Ilia en Abel roerden zich niet.

Het kruispunt bij het station was een T-kruising. Rechts of links. In feite maakte dat niets uit. Beide richtingen leidden ooit weer naar huis. In het oude centrum van de stad lagen de ringstraten als uienschillen om elkaar heen en kwamen ten slotte op de Grote Markt bij elkaar. Lang gebeurde er niets. De honden jankten. (Dat hondengejank. Uitgerekend dat zal hij zich altijd herinneren. Dat huiveringwekkende geluid *van thuis*.) Toen was het weer stil en plotseling werd Abel overvallen door dat verlangen, en in de stilte zei hij:

Ik houd van jou.

Dat weet ik, zei Ilia zonder aarzelen, zakelijk zoals hij altijd alles zei. En op die manier ging hij door. Hij wist het en hij keurde het af. Hij voelde zelfs een soort lichamelijke afkeer als hij eraan dacht. Daarom zou hij direct na het eindexamen stad en land verlaten. Hij ging in het buitenland studeren en wilde geen contact meer hebben met Abel.

Hij moet het al maanden hebben geweten. Je moet je vroeg aanmelden. Al maanden lang was elke emotie van hem een leugen geweest. Wat hij zei, de gebruikelijke dingen, hoe hij het zei, de klank van zijn stem, zelfs hoe hij zich bewoog. Als hij bleef staan en als hij verderliep. Leugens.

Abel liet zich tegen de ruwe, warme muur achter zijn rug vallen. Leunde tegen de muur, in de eigen geur van zomerwarme muren langs drukke stadsstraten, hij merkte hoe die eruit opwalmde, die hondengeur. Je zou moeten kunnen huilen. Het was donker, ze stonden in de buurt van een lantaarnpaal, Abel leunde tegen de muur en huilde niet, Ilia stond naast hem, wachtte of wachtte niet, stond te staan, keek ergens heen met schuin gehouden hoofd. Farizeeër, dacht Abel, hij voelde hoe hij hem begon te haten en dat hij werkelijk zou moeten huilen: om die haat. Dat die er is. De jongen die tot dan toe nooit innerlijke martelingen had gekend, leerde ze op deze straathoek kennen. Wat tekens aangaat was het misschien geen overdadige oogst, maar aan levenservaring is hij er zeker niet armer op geworden. Dat is alles. En dan is het herfst, en Abel vlucht. Vlak na deze laatste wandeling braken er gevechten uit, alsof ze erop hadden gewacht tot het eindelijk vakantie was.

Proces-verbaal

Blijf thuis, hoor je me, blijf thuis, zei Mira door de telefoon. Ga niet weg. Hij kon elk moment verschijnen, zei ze. Misschien morgen al.

Oké, zei Abel. Ik zal op hem wachten.

Pakte zijn jack en ging het huis uit. En omdat het de nacht voor de belangrijkste afspraak van de afgelopen jaren was, na *zoiets*, moet je ergens heen, dat is begrijpelijk. Die tent aan het eind van de doodlopende straat heet Het gekkenhuis.

Wat voor verklaring kan de eigenaar van nachtclub 'Het gekkenhuis', Thanos N. (Wat is dat voor naam? Een Griekse. Het tegendeel van Thanatos), aan de politie en de media geven met betrekking tot de gebeurtenissen die zich op deze zondag in zijn etablissement hebben afgespeeld?

Geen.

We kunnen dus zeggen dat het een heel gewone avond was?

Hangt ervan af wat je daaronder verstaat.

Goochemerd.

Het thema van dat weekend was: een orgie in het oude Rome.

Orgie.

Ja.

De grootste toeloop was natuurlijk op zaterdagavond, maar die ging naadloos over in de zondag, we hebben de club geen moment gesloten hoewel de rotzooi zich opstapelde, tussendoor schoonmaken gaat bij zulke mensenmassa's nu eenmaal niet (Kunnen we dat alsjeblieft schrappen?), daarvoor zijn de maandag en dinsdag, dan hebben we onze zogenaamde vrije dagen, als we tenminste nog leven.

Het hele weekend dus bijna voortdurend auto's, hoge hakken, tamtam. De binnenplaatsen voor de club waren net zo vol als de tent zelf, zo klonk het in elk geval, want veel te zien is er niet. Het gekkenhuis bevindt zich op de derde binnenplaats van een vroegere graanmolen. In de eerste dringt nog wat licht van de straat door, maar op de tweede is het al zo aardedonker dat hij doorgaat voor darkroom (Kunnen we dat alsjeblieft …) en op de derde ging de enige lamp, een rode boven de deur, steeds aan en uit omdat het contact niet in orde was. De mensen op de derde binnenplaats lichtten rood op, verdwenen weer in het duister en als ze opnieuw opdoken, waren ze totaal veranderd van samenstelling.

Wanneer Abel N. op de derde binnenplaats arriveerde is onbekend. Op zeker moment was hij er gewoon, hij stond tegen een van de ijzeren palen geleund die het gammele voordak voor de ingang stutten, en hij deed: helemaal niets. Later ging de stalen deur naar de club open, nog meer rood licht en warmte walmden naar buiten alsmede een ongelooflijk kabaal, van nul tot honderd. De dikke, kaalhoofdige reus in de deuropening is Thanos. Hij is in een strakke leren broek geperst en draagt een van een laken vervaardigde toga over zijn zwart behaarde mannentieten. Van wat hij zei was in het heidense kabaal geen woord te verstaan.

Ik zei: de party heeft een thema. Óf jullie komen gekostumeerd óf jullie komen naakt, geen spijkerbroeken.

Waarop de mensen op de binnenplaats zich zonder zichtbare aarzeling begonnen te ontdoen van hun kleren. Vanuit de tweede binnenplaats naderde een onvaste lichtstraal: een broodjesverkoper op de fiets. Bellend reed hij om de mensen heen die op één been rondhinkten: Iemand broodjes? Een paar hielden inderdaad op zich uit te kleden, kochten iets te eten en bleven op de binnenplaats. Anderen dansten onder Thanos' okselholte de club binnen. Voordat de deur voor de rest in het slot viel, strekte een lange, harige arm zich uit, pakte de volledig geklede, nietgekostumeerde man bij de ijzeren paal beet en trok hem door de snel smaller wordende deuropening naar binnen.

Vervolgens was Thanos verdwenen, wat raar is omdat in de club zoveel mensen waren samengeperst dat je geen voet meer kon verzetten. Plotseling had Abel (waarvandaan?) een glas in zijn hand, vond een minuscuul plekje aan de rand van een nis en ging daar zitten.

Op het uur dat de mens alleen is en/of in gezelschap van zijn geesten, in de nacht van zondag op maandag, zat Abel N., vertaler uit en in tien talen, aan de rand van een nis op de uiterste rand van een bank binnen in een vroegere graanmolen. Diep achter in de nis, onder dekking van het glazenwoud op tafel, werd gecopuleerd. Senatoren met hun maîtresses, soldaten, gladiatoren, dichters met lauwerkransen op het hoofd, nobele dames, maar de meesten waren slaaf, naakt op de lichtgevende tekens op hun huid na, en ze dansten of keken toe. Ze stonden en zaten zo dicht op elkaar gepakt alsof ze zich in de buik van een overvol schip bevonden, en ook het kabaal was daarnaar. Tegen de donkere zoldering, tussen galerijen die zich tot in het oneindige uitstrekten, flitste in het wisselende licht een mechanisch vlechtwerk van touwen en tandraderen met een onbekende functie op. Alsof het aan een pianosnaar was opgehangen en elk moment midden in de zaal kon neerstorten.

Nu of later – Abels glas was in elk geval nog of weer vol – betrad een wellustige knaap met krulhaar het toneel, naakt op het goudstof na dat hem van top tot teen bedekte, boog zich voorover, keek Abel diep in de ogen en liet een klein wit pilletje in zijn glas vallen. Het tolde bruisend rond in de donkere vloeistof. Het haarloze geslachtsdeel van de knaap op dezelfde hoogte als het glas. Abel dronk het glas in een teug leeg. Glinsterend cherubijnenachterwerk dat vervloeide achter de bodem van het glas. Een ingestanst nummer: 1034. Toen was alles weg.

Tunne sa belesi houkutenel smutni filds.

Wat? vroeg de engel. Abel had zijn enkel vastgepakt. Goed dat hij net voorbijkwam. Zijn krulhaar was naar zijn vergulde oor verschoven. Vanaf grote hoogte keek hij op hem neer. Die brabbelende vent die zijn enkel niet losliet, schudde alleen zijn hoofd.

Wat is er met hem aan de hand?

De dansers trokken Thanos' toga van zijn schouder, die viel op Abels gezicht, nee, op zijn nek, zijn hoofd hing intussen naar beneden. Thanos trok de toga weg, hurkte neer, zijn leren broek piepte, hij nam het hangende hoofd in zijn handen. Grote, zwarte, rollende pupillen, vlierbessen in roodachtig sap. Niet doodgaan, alsjeblieft niet doodgaan.

Hij gaat heus niet dood van een beetje zoetstof.

Wat …?

Het was echt maar een grapje, meer niet, ik weet ook niet wat er met hem aan de hand is.

Mijn beste stamgast om zeep helpen, zou ik je niet aanraden!

Bewust of onbewust hield hij Abels oren dicht met zijn handen. Prima, dacht Abel en verloor het bewustzijn.

Zoetstof dus? En hoe verklaart u dan dat bijna iedereen die bewust of onbewust zo'n pil heeft ingenomen symptomen vertoont van een psychedelische roes? Inclusief verlies van tijdsgevoel en geheugen?
Tijdsgevoel.
Wat?
Niets.

De volgende keer dat Abel zijn ogen opende, zat hij niet meer op de bank en ook niet op de vloer ervoor, waar hij uiteindelijk was beland. Hij lag in een kamer die hij niet kende. Muren, vloer, zoldering rood, de lucht warm en poederachtig. Ik kan me niet herinneren dat ik hier ooit ben geweest. Ik kan me herinneren dat ik hier nooit eerder ben geweest. Hij voelde voorzichtig om zich heen: zijn vingertoppen verdwenen in pluche. Op de tast bereikte hij een deur. Daarachter: een gang met andere deuren. Ofwel die gang is heel lang ofwel ik kom heel langzaam vooruit. Rondom gesteun, gekreun, gehamer en gemaal, maar niemand te zien. Eén keer bleef hij met zijn tenen in de vloerbedekking haken, struikelde, klapte tegen een wand, verder niet erg, hij liet zich op de grond glijden. Dat was weer zijn uitgangspositie. Niet helemaal. Naast hem was een paar te zien, een man en een vrouw. Ze copuleerden. Abel deed alsof hij naar hen keek. De man legde zijn wang tegen die van de vrouw. Wang aan wang keken ze terug, één vergroeid hoofd. Later krabbelde Abel overeind. Achter een deur bevond zich een heel klein kamertje waarin mensen als bezems stonden. Of omgekeerd. Achter de volgende: een spiegel. Portret van de kunstenaar als doodshoofd. Een plotselinge tochtvlaag rukte de deur uit zijn hand. Dicht. Een dikke caesar met een lauwerkrans liep langs, het schouderstuk van zijn toga waaide op, zijn leren broek piepte. Hij was al weer weg, verdwenen achter een (welke?) deur, alleen zijn geur bleef hangen. Hier was het niet meer zo warm. Dan wordt je hoofd helderder. En het lawaai. Stampen van machines en een eindeloze toonladder die regelrecht de hemel in orgelt. Daar moet ik heen.

Voor hem gingen naakte armen op de tast door de gangen. Zien eruit als die van mij. Hij keek langs zijn lijf naar beneden en stelde vast dat niet alleen zijn armen naakt waren, maar ook zijn schouders, borst en buik. Even later zag hij dat hij niet alleen geen jasje en overhemd droeg, maar dat ook zijn schoenen en sokken ontbraken. Het enige kledingstuk dat nog aanwezig was, was een zwarte broek. Hij maakte rechtsomkeert, terug naar de plek waar hij had gelegen, net om de hoek, tastte de vloer af, misschien ben ik wel blind geworden, maar: nee, niets. Wellicht had hij zich toch in de kamer vergist, want ook het naakte paar van eerder was er niet meer. Hij ging verder terug, overlopen, deuren, kamers, kon verder niets vinden, woelde door de koppen van een paar vloermoppen – heel even dacht hij dat zijn overhemd daar zou kunnen zijn – maar zag toen dat hij grijze draden tussen zijn vingers hield, het vuil dat zich erin had verzameld bleef aan zijn vingers kleven. Hoewel hij nu dieper dan ooit in het labyrint was doorgedrongen, werd het tomeloze gebrul om hem heen alleen maar luider. De machines dreunden in zijn buik. Hij maakte opnieuw rechtsomkeert, naar buiten, Thanos zoeken, vragen wat dit moest voorstellen, waarom ben ik halfnaakt en waar zijn de afgelopen uren gebleven?

Het was maar een grapje, heeft hij gezegd.
Wie?
De engel.
Een als engel verklede naakte man?
Ja.
Een grapje.
Ja.
In het bloed van de onderzochte personen is gevonden: aspartaam. Wellicht ging het bij de zoetstof inderdaad om zoetstof.
Iemand heeft zoetstof in de drankjes gedaan.
En die symptomen?

Hebben ze zelf opgeroepen. Massahysterie. Als u het mij vraagt.
Zoals Pinksteren.
Zoals wat?
Pinksteren.
Wat is dat nou voor gebazel?

Buiken, armen, oksels, geschoren koppen, ellebogen. Van alle
kanten porren tussen zijn ribben. Abel stompte in het wilde weg
terug, de vloeistof in een glas klotste over de rand, een mondvol
vloeistof belandde op een dijbeen in een netkous, het glas, re-
flex, haalde uit en trof hem op zijn jukbeen. Hij tolde rond.
Hopla, zei een vrolijke kaalkop en ving hem op onder zijn oksels. Hopla, zei hij en wierp hem zwierig terug, een te kleine vis
terug in het water. Terwijl hij heen en weer vloog, werd er op
zwart licht geschakeld en hij verloor opnieuw alle oriëntatie,
werd blind heen en weer gegooid totdat hij uiteindelijk struikelend de vestibule binnenviel, tegen de rug van de eigenaar.
Thanos keek niet eens om. Hij had wel wat anders te doen. De
vestibule stond boordevol min of meer naakte mensen. Ze brulden: Jullie hebben gezegd dat we onze kleren op de binnenplaats
moesten achterlaten. Nu zijn ze verdwenen. Bovendien was hun
herinnering aan de laatste drie uur verdwenen. Een grof schandaal was het!
Sorry, zei Abel en wurmde zich langs Thanos' zweet, drong zich
tussen de andere naakte mensen door, hun huid bleef aan de zijne kleven. Slakkensporen. Merktekens van zeker twintig vreemden op mij. Sorry. Hij zag nog hoe een van de mannen, degene
die het hardste schreeuwde, Thanos te lijf ging. Hij besprong
hem als een dier, gehurkt, het touwtje van zijn tanga flitste op
tussen zijn billen.

Er breekt een vechtpartij uit in een massa waarin je nauwelijks
rechtop kunt staan. Abel werd er eerst in gezogen, terug in de
vestibule, en vervolgens uitgespuugd op de binnenplaats. Weer
botste hij tegen iemand op. Tussen het gerinkel en zijn stap lag
een fractie van een seconde: eerst viel het glas, toen trapte hij er

met zijn blote rechtervoet in, pijn, hij verloor zijn evenwicht, maar nu is er natuurlijk niemand om hem op te vangen, hij viel tussen de menigte door op het plaveisel. Stootte zijn hoofd, bleef liggen. Terwijl hij op de grond lag, zag hij hoe de naakte figuren de rudimentaire hoop kleren op de binnenplaats doorzochten.

Zouden we kunnen zeggen dat er een massale paniek is uitgebroken?

Iemand had iets over politie gezegd, waarop ze allemaal als gekken begonnen te rennen, over alle drie de binnenplaatsen naar buiten. Klepperende hoge hakken, doorzwikkende enkels. Ze liepen met opgetrokken schouders, zijn string was van goud, die van haar van zilver. Zij liep struikelend, haar rechterhak sleepte over de stenen. Trrrrrr. De volgenden hadden blote voeten, de ene had twee neongroene cirkels op zijn billen. Hinkelden weg. Buiten in de doodlopende straat startende auto's, ruzie om een taxi, ten slotte stapten ze alle vier in, hectische draaimanoeuvres.

Nadat een scherpe naaldhak zich in zijn zij had geboord, was Abel naar een donkere, rustige hoek van de derde binnenplaats gekropen, waar hij niet meer was te zien en niet meer kon zien waar hij was beland. Zijn tastzin zei: een zak cement naast een plastic emmer met een scherpe rand. Au, hij trok snel zijn vingers terug. Of de snee onder zijn grote teen ernstig was zou hij later wel zien, nu was het alleen donker, glibberig en pijnlijk. Later constateerde hij dat er weliswaar van alles weg was, geld en legitimatiebewijs, maar dat hij zijn huissleutel nog had, misschien in de broekzak waarop hij had gelegen of hoe dan ook. Dat wilde zeggen dat hij in elk geval niet nog een keer terug hoefde naar de club om Thanos naar die spullen te vragen. Vermoedelijk toch zinloos. Hij krabbelde overeind en hinkte bloedend achter de anderen aan, want dat van de politie was serieus, en ik moet morgen, beter gezegd vanochtend, ergens zijn.

Sorry. Bij het instappen in een auto stootte een vrouw met haar blote heup tegen hem aan. Abel bleef staan en drukte zich tegen de bakstenen muur, de auto begon omstandig te draaien. Uit de zijstraat kwamen politieauto's de hoek om en moesten plotseling remmen omdat de engel voorbijgevlogen kwam. De pruik in zijn hand, zijn eigen haar kleefde donker en nat tegen zijn hoofdhuid, hij droeg een veel te groot zwart overhemd dat van zijn schouders gleed en bijna tot zijn knieën reikte en dat hem (Abel) ergens bekend voorkwam. Uit de achterste politieauto stapte iemand, te laat, hij gaf het meteen op, de engel verdween in de zijstraat. Restte alleen nog de auto met het naakte paar. De man stapte uit, liep naar de agenten toe met zijn handen voor zijn borst geheven en een stomme grijns op zijn gezicht. Onopvallend schoof A.N. langs de muur voorbij de politiewagens. Toen hij zijn voordeur opende en achterom keek, zag hij zijn eigen voetsporen in bloed en cement op straat: witte hielen, rode tenen.

Over de verblijfplaats van de zogenaamde engel kan de bareigenaar geen informatie geven. Maar waar je ook bent, ik zal je weten te vinden en dan scheur ik je hol open. Door jouw stomme grap is mijn tent gesloten. Want sommigen hadden weliswaar alleen maar zoetstof in hun glas, maar anderen zaten tot hun kruin vol met ruim een dozijn verschillende drugs, van god mag weten waar meegebracht, alleen de dj had er al drie.
Tot zover in kort bestek het weekend van Abel Nema.

Mercedes

In vergelijking daarmee had Mercedes weinig spectaculairs meegemaakt. De laatste tijd is het eigenlijk in het algemeen zo mooi stil om me heen geworden. De week die voorafging aan het uitspreken van de scheiding bracht ze grotendeels alleen door. Omar was naar een zomerkamp en met hem was de halve stad naar buiten getrokken. Er was plaats om te parkeren. Ze luisterde door het open raam naar de zomer, de geluiden uit het park in de buurt. Er schenen daar heel wat mensen te zijn, maar als je hier naar buiten keek, zag je niemand. Mercedes woont in een van die *aardige* straten met een rij loofbomen aan elke kant. De bladeren glinsterden. Het was mooi.

Op zaterdag stond ze zoals gewoonlijk vroeg op: vogels kwetterden, ze deed haar gewone ronde door het huis. Slaapkamer, Omars kamer: leeg, dat wil zeggen vol met spullen, maar zonder hem. Die spullen had Mercedes neergezet waar ze nu stonden, Omar liet iets als *wonen* koud. Het enige dat hij eigenhandig had opgehangen waren twee plaatjes boven zijn bed: een kleurensonografie van een menselijk brein en de enige tekening die hij ooit, met behulp van een passer en een liniaal, had vervaardigd: een vierkant in een cirkel in een vierkant in een cirkel enzovoort. Als je hem vraagt wat het is, antwoordt hij: Een cirkel in een vierkant in een cirkel in een ---(Omar is een slim kind. Een geboortemankement. Als hem wordt gevraagd waar hij zijn linkeroog heeft gelaten, antwoordt hij: Dat heb ik ingewisseld voor wijsheid.)

Mercedes liep verder, naar de badkamer, wierp zoals te verwachten was een blik in de spiegel. Standaardhoogte. Haar hoofd in de onderrand, bijna op het planchet. Twee bijna even versleten tandenborstels staken in het beeld: een rode en een groene. Ze koos de *hare*: de rode. Terwijl ze haar tanden poetste, staarde ze naar een beginnende pukkel op de punt van haar neus. Drukte hem uit, opende *zijn* helft van het spiegelkastje en desinfecteerde het wondje met aftershave. Vervolgens verwisselde ze het gebruikte wegwerpscheermes voor een nieuw, pleister en aspirine met *gangbare* sporen van gebruik waren er nog voldoende. Hoewel dat nu eigenlijk geen rol meer speelt. Ze sloeg de deur weer dicht, de spiegel trilde.

Met *zijn* geur vlak bij haar neus door de woonkamer, naar de keuken, thee zetten, terug naar de woonkamer. Op de ladekast tussen de twee kleine houten beeldjes – een Afrikaanse denker en twee lichtgekleurde handen met lange vingers – de familiefoto's: Omar, Omar en zijn moeder, Omar en zijn stiefvader, trouwfoto. Ze zette haar kopje neer en belde het telefoonnummer voor noodgevallen van Omars kamp, maar legde meteen weer neer, want ze had het nummer nog niet ingetoetst of buiten zette een kabaal in dat elk woord zinloos zou hebben gemaakt.

Elke dag om twaalf uur 's middags, alsmede op zon- en feestdagen bijna permanent – om 7:50, 8:15, 10:15, 11:05, 12:00, 12:20 uur etc. – versta je in het park en de omgeving daarvan steeds een kwartier lang je eigen woorden niet. De klokken van de twee kerken bij het park luiden. De katholieke kerk aan de zuidkant begint, de gereformeerde in het noorden sluit er met een vertraging van een minuut of drie bij aan. Het is hard. Zo hard zou midden in de stad niet mogen. Zo hard dat de gedachten uit je hoofd en de dingen uit je handen vallen. Een kwartier lang houdt iedereen op te doen wat hij net aan het doen is. Parkbezoekers, muziekschoolleerlingen, zenuwpatiënten, bezoekende familieleden, bejaardenhuisbewoners, daklozen en echtgenotes laten hun handen rusten en zitten roerloos en verdoofd onder deze hemelhoge kouwe drukte. Later, in de middag toen het ergste gebeier voorbij was, vermande Mercedes zich en ging naar buiten, naar het park, om ergens heen te gaan *want dat is goed*. Misschien is er ergens een eenzame bank. Maar er was geen eenzame bank, dus ze liep steeds door, tweemaal rond het stoffige pad langs de rand van het park. Rondom haar picknicks, voetballen, frisbees, de groep zwervers aan de zuidkant kampeert hier ook nog steeds. Andere wandelaars, honden, joggers trokken langs haar heen. Een groepje, allemaal gestoken in eendere sporthemden met diverse vredestekens, leek zich te oefenen in sprinten. Nu eens vervielen ze in keihard rennen alsof ze op de vlucht waren, dan weer draafden ze vredig voort. Ze sleepten behoorlijk met hun voeten, in de verte waren ze nog te horen en ze deden een hoop stof opwervelen. Mercedes knipperde met haar ogen. Toen ze voor de derde keer met stof overdekt was en voor de tweede keer door de honden van de daklozen was besnuffeld, gaf ze het op. Omdat ze er toevallig voor stond, nam ze nog een slok water uit een drinkfonteintje en keerde terug naar huis.

Toen ze weer voor de spiegel stond, constateerde ze dat haar gezicht roodverbrand was, maar dat interesseerde haar verder

niet. De rest van de middag besteedde ze aan het lezen van een manuscript dat ze moest corrigeren, totdat ze verstrikt raakte in een vrij lange zin waarvan de betekenis zich in bijzin na bijzin steeds verder ontvouwde, zoals het hoort, maar vlak voor het einde raakte er iets in de knoop en opeens wist je niet meer …
Ze probeerde het een paar keer, maar elke keer sloeg de verwarring eerder toe, op zeker moment was al vlak na het begin niet meer duidelijk waar het eigenlijk over ging, zat er niet een tegenstrijdigheid in?
's Avonds was ze bij vrienden uitgenodigd. Ze haalde haar vriendin Tatjana af – Je gezicht is vuurrood. Ik weet het – en samen reden ze de stad uit.

Hij heet Erik, een oude vriend en kleine uitgever van teksten over eigentijdse geschiedenis, bovendien haar baas, zijn vrouw heet Maya, ze hebben twee leuke dochters en een huis buiten de stad. Een minuut nadat ze terug waren van vakantie, belde hij haar al. Alsof hij haar vanuit de aangrenzende tuin toeriep. Of, beter gezegd, vanuit twee tuinen verder. Heb je me gemist?! Ik heb je gemist! Zonder jou kan ik niet leven! Je moet onmiddellijk hierheen komen! Niet vandaag, maar morgen! Morgen is het zaterdag! Je komt bij ons in ons idyllische huisje in het al wat overrijpe, maar des te bedwelmendere latezomergroen! Neem Omar mee!
Die is naar een vakantiekamp.
Wat mij betreft de heks dan (Tatjana)! Zeg tegen haar dat ze mijn persoonlijke gast is!

Eindelijk! riep hij nu. Het blauwe overhemd spande over zijn buik, uit de mouwen staken stevige bruine armen, hij drukte Mercedes tegen zich aan, haar gezicht belandde tussen zijn borstbergen, en toen ze weer opdook, was ze roder dan ooit.
Maya glimlachte tegen haar.
Waar precies over is gepraat, kan met de beste wil van de wereld niet worden weergegeven. Een zomerfeestje zoals er zoveel zijn. Mercedes ging in een eenzame stoel voor de terrasdeuren zitten

en keek naar buiten, de duisternis in. De nieuwe wind had de muggen uit de tuin verdreven, dat is goed, niemand hoefde te stikken, ze konden twee ramen en een deur naar het terras openzetten, met later tsjirpende krekels, maar ze zaten hier nu wel binnen onder de zoldering, late, trage muggen. Soms vermande zich er eentje of liet gewoon los en dwarrelde naar beneden. Pets! Tatjana sloeg op haar bovenarm, knipte het muggenlijk met twee vingers weg en kruidde de vloer ermee. Erik ging op de leuning van Mercedes' stoel zitten, zijn grote, warme lichaam puilde over het hare.

Wat is er met je?

Niets.

Later reden ze terug naar de stad. Tatjana liet zich bij een café afzetten. Mercedes houdt niet van cafés, bovendien moest ze de volgende ochtend vroeg op. Vervolgens lag ze tot drie uur wakker, vergat de wekker te zetten en had zich zondagmorgen bijna verslapen.

De stad is niet eindeloos, op een bepaald moment laat je ook de laatste bedrijfsgebouwen achter je en rijd je lang tussen rijen bomen, velden en struikgewas totdat je ruim een uur later bij de bossen arriveert. Hoe weinig geconcentreerd ze was merkte ze toen ze voor de zoveelste keer het gevoel had dat ze net wakker werd: opeens was ze heel ergens anders in het landschap. Dan dacht ze dat ze verkeerd was gereden, tengevolge daarvan reed ze werkelijk verkeerd, nam een afslag te vroeg en kwam bij een vervallen huis uit. Achter het hek sprong een horde wilde honden heen en weer. Achteruit weer weg, langs een vijver, een schietstand, een kartingbaan en landbouwmachines, totdat de tegemoetkomende colonne auto's van andere ouders haar eindelijk de juiste weg naar het kamp wees. Omar was de laatste, hij zat op het trapje voor de blokhut naast een zwak uitziende jongen, de zoon van een van de leraren; ze tekenden x'en en o's in een raster dat ze in het zand hadden getrokken. Mercedes verontschuldigde zich bij alle betrokkenen dat ze zo laat was, het kon niemand iets schelen.

Omdat het zo uitkwam, gingen ze op de terugweg bij de grootouders langs.

Je gezicht is vuurrood.
Weet ik.
De tuin was bruinverbrand, de keuken leek een verwarmde kas, Mercedes ging naar de woonkamer waar het niet zo licht was.
Hallo, had Felix Alegre, pseudoniem Alegria, detectiveschrijver en grootvader van Omar, even eerder tegen zijn kleinzoon gezegd. Hoe was jouw ochtend? Ik heb die van mij niet verspild, maar een nieuw verhaal voor Piraat Om bedacht!
De reden dat ik met schrijven ben begonnen, had Alegria al op een eerder tijdstip gezegd, vermoedelijk ook tegen Omar, was dat het leven me van het begin af aan te inspannend leek. Door alles en iedereen die ik tegenkwam raakte ik in verwarring en dat beroofde me bijna van mijn levenslust. Ik voelde me woedend en machteloos. Alles had die uitwerking, behalve de figuren die ik vanaf mijn vroegste kinderjaren zelf bedacht. Ik ben blij en trots dat ik erin ben geslaagd intussen alles wat ik tegenkom zo te bekijken alsof ik het zelf had verzonnen. Sindsdien kan ik iedereen liefhebben.
Succes heeft hij echter pas sinds hij de eenogige zwarte detective Piraat Om heeft bedacht die steeds als hem wordt gevraagd waar zijn andere oog gebleven is antwoordt: Ik heb het ingewisseld voor wijsheid. In het nieuwste verhaal krijgt Piraat Om het te doen met een oerconservatieve tot extreem rechtse politicus die spoorloos verdwijnt op de avond dat hij verrassend tot burgemeester van een kleine stad is gekozen. Om hem te vinden moet Piraat Om de hele verkiezingscampagne, die hij heeft proberen te verdringen, nog eens in alle details opnieuw beleven, de afschuwelijke redevoeringen op video bekijken, je weet wel, die types die appelleren aan alles wat slecht is in ons: afgunst, gierigheid, angst, haat, en dan nog diep ontroerd zijn door wat voor goede mensen zijzelf zijn. Het wordt een van de moeilijkste zaken voor P.O. Van hoofdstuk tot hoofdstuk moet hij politieke discussies met mede- of tegenstanders voeren, dus in bei-

de gevallen, Hallo, liefje! – Mercedes zwaaide alleen en ging in een schommelstoel in de hoek zitten – met potentiële moordenaars.

En waar is hij dan? Die politicus? vroeg Omar.

Dat weet ik nog niet. Misschien wordt het nooit opgelost. Begrijp je wel? Die vent is volstrekt onbelangrijk. Of er een moord is gepleegd of niet is onbelangrijk. Hoewel, politieke moorden … Waar het om gaat, is … Hoe was het bij de padvinders? Miriam kwam uit de keuken en zette rinkelend een blad met limonade neer.

Dat doet ze altijd. Ook al ben ik midden in een zin. Ik vertel over mijn roman, die overigens voor ons brood op de plank moet zorgen, en dan komt zij binnen en praat erdoorheen.

Omar is niet alleen verstandig en mooi, hij is ook beleefd. Hij antwoordde …

Een ogenblik, zei Alegria. Weliswaar begrijp ik niet waarom iemand, ook al is hij tien jaar oud, vrijwillig in de diepste diepten van onze wouden rondspookt, maar ik hoop in elk geval ook daaruit een verhaal of in elk geval een zin te kunnen distilleren, zoals uit alles, dus kom op, vertel maar, zei hij en hij had intussen een notitieblok en een potlood in de hand.

Hij kan zoveel kapsones hebben. Maakt demonstratief aantekeningen om mij te laten zien dat hij beledigd is. Hoe kan hij denken dat ik dat met opzet doe? Als ik steeds zou wachten totdat hij is uitgesproken, zouden we omkomen van dorst.

We hebben een dood meisje in een holle boomstam gevonden, zei Omar. Ze was naakt. We hebben lang naar haar geslacht gestaard.

Dood meisje, holle boomstam, geslacht, noteerde zijn grootvader.

Ik zie wel dat er met jullie geen verstandig woord te wisselen valt, zei Miriam. Ze aarzelde of ze beledigd zou zijn en wierp een blik op haar dochter. Is die er eigenlijk wel? Zit daar stil in de donkerste hoek van de kamer, je weet niet waar ze naar kijkt.

Natuurlijk is dat niet echt gebeurd, zei Omar. Maar ook zo was het heel interessant. Flora, fauna, mensen. Het grote afscheids-

kampvuur is niet doorgegaan vanwege het gevaar voor bos-
brand, en toen ze dachten dat ik slijp hebben een paar jongens
mijn ooglapje opgelicht en met een zaklamp in mijn oogholte
geschenen, omdat ze nieuwsgierig waren of ze mijn hersens
konden zien. En dat is wel echt gebeurd.

Dat heb je me helemaal niet verteld, zei Mercedes. De eerste zin
die ze zegt sinds de begroeting.

Het is niet gemakkelijk om hoogbegaafd te zijn, zei Omar en
haalde zijn schouders op.

We zouden, zei Alegria nadenkend, een volgend verhaal in de
jeugd van de held kunnen laten spelen. Dan zouden we eindelijk
horen of niet horen wat er achter het ooglapje zit of zat. En het
dode geslacht als katalysator. Voor wat dan ook.

Tussen twee haakjes, zei Miriam nu tegen haar dochter. Is er iemand gestorven?

???

Waarom draag je dan zwart in deze hitte? Je gaat scheiden, je
wordt geen weduwe.

Mercedes kwam opeens overeind. De schommelstoel bewoog
krakend.

Is er wat? (Alegria met een lieve glimlach.)

Ik krijg morgen een nieuw glazen oog, zei Omar.

Op de terugweg zijn ze toen ook nog in een file terechtgekomen,
daar stonden ze, een in de hitte bevroren stroom terugkerende
uitstapjesmakers in de ondergaande zon – maar dat terzijde.

En nu dit.

Sorry, zei Mercedes in de hal van het gerechtsgebouw, ik verstond je niet. Wat zei je?

Radio

Hij had zijn moeder naar de honden kunnen vragen. Of de honden nog altijd zo jankten als het donker werd in de stad, of wat
er met ze was gebeurd. In plaats daarvan kwam Abel N. per ongeluk in een orgie terecht, kreeg drugs toegediend, werd be-

roofd, raakte in een vechtpartij verwikkeld en trok een bloederig spoor tot aan zijn badkamer, die geen deur heeft, er staat alleen een los muurtje in de kamer met een badkuip en een wc erachter, en verloor daar ergens voor de tweede keer die nacht het bewustzijn.

Toen hij weer bijkwam, was het nog steeds donker. De bloedkorst op zijn rechtervoet trok. Hij liet het bad vollopen, ging erin liggen, zijn voet voorzichtig op de rand van het bad, boven hem een paar drooglijnen, en hij viel weer in slaap. Plotseling schrok hij op omdat iemand naast hem uit volle borst brulde:

We zullen worden verlost! We zullen intreden in een nieuw tijdperk op aarde en het zal een tijdperk van liefde en licht zijn! Alle vernietigende energie van de afgelopen eeuwen zal ten goede worden gekeerd! Het tijdperk der oorlogen zal worden afgewisseld door een tijdperk van vrede! Een nieuw bewustzijn zal de mens worden gegeven, haat, nijd, geweld, onderdrukking en uitbuiting zullen van de aarde verdwijnen! Liefde, vreugde en geluk zullen hun intrede doen!

Beng! Hij schoot overeind, een koude golf klotste uit de badkuip op het linoleum, zijn gewonde voet viel in het water. Hij trok hem direct weer op. De korst bleef heel. Hij legde zijn hiel weer op de rand.

Het gebrul was op zich niets bijzonders. *Die verdomde radiowekker.* Niet die van hem, maar van zijn buurman, een fysicus die Rose heette, en het ding stond ook niet hier, maar achter de muur – wat helaas geen verschil maakte. Tussen de twee flats was vroeger een verbinding geweest, later werd die met latjes en gaas afgesloten en er werd een keukenkast voor gezet. Dat helpt niet. Normaal gesproken zette de buurman na een paar seconden in elk geval het geluid zachter. Deze keer niet.

Helaas, helaas, werd uit de kast geroepen en de twee borden en het ene glas erin maakten tsjilpende geluiden, *hebben we ons wat dat betreft verrekend! Astrologen hebben aan de hand van betrouwbaar berekende sterrentabellen bewezen dat het door de profeten beloofde aanbreken van het tijdperk van de Waterman niet tussen het jaar negentienhonderdvijftig en tweeduizendvijftig zal*

plaatsvinden! We zullen nog 360 jaar op het gouden tijdperk moe-
ten wachten!

Wat was dit bijvoorbeeld weer voor weekend?! Het weer en de situ-
atie in de wereld bezorgen ons slapeloze nachten! Het stof uit de
Sahara veroorzaakt geïrriteerde ogen en droogt onze kelen uit!
Volgens een enquête werd alweer zo- en zoveel liter van alle moge-
lijke troep gedronken! Is het dan een wonder dat we denken bij vol-
le maan weerwolven in onze straten te zien? Misschien wel, maar
misschien was het ook uw buurman uit de naaktbar! Een politie-
razzia heeft in de nacht van zondag op maandag een stuk of vijfen-
twintig naakte mensen uit de seksbar Het gekkenhuis de straat op
gedreven! Iemand had drugs in de glazen van de barbezoekers ge-
daan en hun daarna van hun kleren beroofd! Een grof schandaal is
zoiets! Ongeveer tegelijkertijd voorzagen onbekende daders de
witte vredeszwanen in het Grote Park van veren! Vlieg, vogel,
vlieg! Nog geen week geleden is het kunstwerk, een kopie van de
aan paus Pius XI geschonken porseleinen sculptuur van twee zwa-
nen, plechtig aan de noordzijde van het park opgesteld! Tussen
bloemperken met uitzicht op het groene water glansden ze vredig
in de zon! Igor K., actiekunstenaar, stond aan de rand op een kam-
peerstoel, zijn grote voeten staken eroverheen en hij brulde: Weg!
Letterlijk: met de leugen en de kitsch! Mijn verontwaardiging is a)
van esthetische, b) van morele, en dus c) van politieke aard. De
morele, en dus de politieke leugen openbaart zich in het esthetische
en wordt daardoor des te zichtbaarder. Maar zelfs wanneer in po-
litiek-moreel opzicht niet zou worden gelogen, was de esthetische
leugen alleen al voldoende om mijn verontwaardiging te wekken.
Ik ben verontwaardigd, zei I.K. Vervolgens ging de kunstenaar te-
rug naar zijn kelder en zette zijn actie 'Honger' voort die hij voor
het protest had onderbroken. De videodocumentatie van de per-
formance bewijst: de kunstenaar I.K. is niet verantwoordelijk voor
de veren op de zwanen. Het origineel van het beeldhouwwerk staat
onbeschadigd in het Vaticaans Museum naast een vitrine met een
misgewaad uit de zestiende eeuw dat van boven tot onder met zes-
armige serafijnen is geborduurd!

Het badwater was koud, een vettig laagje had zich erop gevormd. Ook op zijn ogen was iets dergelijks ontstaan, het duurde een tijdje voordat hij min of meer scherp zag. Het laagje vet was goudkleurig en het bedekte, voorzover hij kon zien, zijn hele lichaam. Alsof de engel over zijn hele lichaam had afgegeven, hoewel ik me niet kan herinneren dat ik hem heb aangeraakt. Ja, toch wel, een keer, aan zijn enkel. Hij bekeek zijn vingers: verschrompeld en goudkleurig. Dat hij dat zou moeten kwijtraken, schoot hem te binnen, en pas daarna waarom dat juist nu een probleem was. Opnieuw heftig geklots, geen idee hoe laat het is, in elk geval veel te laat.

Rillend uit bad stappen, haastig afdrogen. Aan een touwtje boven de badkuip hing een vuil stuk spiegel. Daarin, ver achter de kalkpailletten, een paar vaag zichtbare ogen, bloed in voorname bleekheid, rood en wit zijn de kleuren van de ochtend. De radio, alsof hij vijf centimeter van zijn oor stond.

Wat is er verder? Wat zeggen de ziekenhuizen, politiebureaus en zielszorgtelefoonlijnen? Zaterdag heeft een man een kettingzaag gekocht, zondag heeft hij daarmee zijn onderbeen afgezaagd terwijl zijn gezin in de kerk zat. De werkloze man speculeerde op zijn arbeidsongeschiktheidsverzekering. Hij bloedde dood in de badkuip. Wat komt er hierna? Over het geheel genomen hetzelfde als altijd, zou ik zeggen. Een vluchtelingenboot voor de kust gezonken, een indianenoverval op een nederzetting, veertien doden, bosbranden woeden, waterstanden stijgen, terug in de bomen, het tribunaal in H. heeft langzamerhand niet voldoende getuigen meer, weer een stuk of zes bedrijven verworden tot pennystocks, desalniettemin beginnen we vol goede hoop aan een nieuwe werkweek. Het verkeer is moordend. We bekrachtigen ons voornemen atoomwapens in te zetten tegen de volgende staten, U luistert naar radio Paradiso, welkom bij de freakshow, mensen, welk ---
Nu had Abel het trappenhuis verlaten.

Dat allemaal te vertellen, bij voorkeur ook nog chronologisch, zou onmogelijk en overbodig zijn geweest, dus hij zei tegen zijn vrouw alleen dat hij de afgelopen nacht was uitgegaan en dat zijn jasje was gestolen. Met alles wat erin zat. Legitimatiebewijs, geld, creditkaart. Nu schiet hem te binnen dat hij die niet heeft laten blokkeren. Het enige dat hij in zijn zak heeft zijn een paar munten, nog een wonder dat hij hier is met het enige dat hem nog rest, als teken van zijn goede wil: zijn verlopen paspoort. Wat?

Dat was het enige officiële document dat hij nog had, met een foto van tien jaar geleden. Misschien helpt het.

Zeg dat het niet waar is!

De vrouwelijke rechter keek hen aan. Keek de advocate, Mercedes, de man met de zwarte trenchcoat en het blauwe oog aan, bekeek de pas, weer Mercedes en de advocate. Dat land bestaat helemaal niet meer. Ze klapte het paspoort open en dicht.

Ja, maar rijbewijzen zijn tenslotte ook nog geldig, zei de advocate.

Maar dit hier niet. De rechter keek het nog eens na.

Het paspoort was niet lang na het huwelijk verlopen. Dat schoot Mercedes nu te binnen. Rode vlekken in haar gezicht.

En ik kan niet iemand scheiden die helemaal niet bestaat, zei de rechter.

Dat is de oorspronkelijke naam. Van voor het huwelijk. Het trouwboekje, souffleerde de advocate.

Ja, zei de rechter en bekeek het trouwboekje. Inderdaad.

Ze vergeleek nog eens de foto en de man. Voor het eerst dat ze hem eigenlijk wat langer aankeek. Tot dan: alsof zijn aanwezigheid *hiermee* niet was gegarandeerd. Lengte, kleur van de ogen (in het paspoort staat blauw, maar de rechter zag dat ze lila zijn). Bijzondere kenmerken: geen.

Tja, zei de rechter.

Het gaat nu alleen om een intentieverklaring, zei de advocate. Dat ze beiden verklaren, ja, we willen scheiden, de rest wordt immers pas later beslist ...

Niettemin moet ik weten wie hier zijn intentie verklaart, zei de rechter.

Iemand van straat gehaald. Dat komt voor. Ze keek Mercedes aan. Leuk, geschrokken kind. Spijt me zeer. U raakt die man niet kwijt. Vandaag niet.

Eerst klapte ze de ordner dicht, toen trok ze haar duim uit het paspoort en gaf het terug aan – vermoedelijk – Abel Alegre, geboren Nema.

Wat kun je dan doen?

Samen verlieten ze het gebouw: Abel, zijn nog steeds echtgenote Mercedes en hun gemeenschappelijke scheidingsadvocate. Stonden ze op de trap voor de ingang, twaalf uur 's middags, verkeerskabaal, zon, wind, een koor repeteerde Dona nobis pacem, maar dat hoorde hier alleen nog Mercedes. De advocate was in grafietgrijs gekleed, de andere twee in het zwart, een kleine rouwstoet.

Mogen we je feliciteren? vroeg Tatjana.

Wat doen jullie hier? Mercedes keek Omar aan. Dat was niet afgesproken. Dat zij er zouden zijn als ze naar buiten kwamen. Lief scheidingspaar, beste gasten.

Toen ze hem vertelde dat ze dus nu gingen scheiden, keek Omar Mercedes niet aan, hij zei alleen: Jammer.

Nu keek hij haar weer niet aan, hij keek naar Abel: Ik wil graag afscheid nemen. Maar in plaats van tot ziens zei hij: Hallo spion. Hoe gaat het, piraat?

Mijn oog is te klein geworden Vandaag krijg ik een nieuw. Van hier gaan we meteen naar het ziekenhuis. Bij verandering van de oogholte moet er een nieuwe prothese worden aangemeten. Prothesen van kunststof hebben het voordeel dat ze niet breken als ze op de grond vallen. Maar ze zijn duurder en vereisen meerdere bezoeken aan de oogarts.

Begrijp ik, zei Abel.

Pauze. Zon, wind, verkeer, drie vrouwen, een kind, een zwarte man.

En? Zijn jullie nu gescheiden?

Abel schudde van nee.

Wat heb je gedaan?

Ik heb mijn identiteit laten jatten.

Tatjana lachte luid. De blik van Mercedes.

Je hebt iets in je hals, zei Omar.

Hij greep ernaar.

Aan je oor.

Hij wreef zijn vingertoppen tegen elkaar. Er glinsterde iets van goud. Mercedes zette een zonnebril op: Laten we gaan.

Tot ziens, zei Omar en hij stak zijn hand uit naar Abel.

Abel pakte zijn hand, trok met behulp daarvan de jongen naar zich toe en kuste hem op zijn wang.

Bel me wanneer u uw nieuwe papieren hebt geregeld, zei de advocate en nam afscheid met een handdruk.

I. GODZOEKERS

Reizen

Gebroken ramen

Wat gebeurt er na het einde der dingen?
Het begint! Nu! Collega's! Het ware leven!
Een eindexamenfeest of toch meer een orgie, iedereen brulde
als ... (een mager speenvarken) tussen de dikke stenen wanden
van de kerker onder de grote markt, tegenwoordig een kelder-
kroeggewelf, jonge mensen in zwart-witte kleren in de damp,
rondom hen in het met kalk besprenkelde aardrijk de brokstuk-
ken van oude tijden: koppen, torso's en voeten van steen. Dat is
ook het feestelijke einde van onze ... (*gouden*) jeugd. Verveeld
rondhangen in brave kleren rond logge houten tafels. Veel tegen
elkaar te zeggen was er niet, wat moet je ook zeggen, tegen wie.
Het beste is zo snel mogelijk dronken te worden, in geval van
nood knijp je je huilneus dicht, op de een of andere manier krijg
je de troep wel door je keel: geel, rood, met bubbels, maar het
beste is het glasheldere spul. Er komt een moment dat iemand
de moed en de tijd gekomen acht om met veel kabaal op het rus-
tieke tafelblad te klimmen en iets over het leven! te schreeuwen.
Het leven! Staat wankelend op de tafel, schreeuwt tussen twee
snikken door, nu eens is het lachen, dan weer huilen: leven! Het
ware leven! Vrienden! Nu! Wij! Ingeklemd tussen onze vaders
en onze zonen. Onze ... Wat wou ik ook weer zeggen? Zit klem.
Vaders. Geeft niet! Nu! Nieuw! En ook oud! Alles is hier! Wij! Ik
zeg ...! Ik houd van jullie, jongens!
De met kousen beklede benen van een onbekend meisje glansden, ze snikte opeens: ik houd van je! en sloeg een arm om Ilia's
hals.
Laten we gaan, zei Ilia tegen zijn buurman.
De meisjesarm gleed dood en wit weg langs zijn rug en bleef liggen.

Eerst liepen ze vijf jaar lang door de stad – hoeveel uur? Hoeveel kilometer? Een keer om de hele aarde? Minder? Meer? Maakt het uit? – daarna deden ze eindexamen. De daaropvolgende zuippartij verlieten ze voortijdig. Ze liepen rechtdoor totdat het hoofdpostkantoor in de weg stond, rechts om het gebouw heen, verder richting station. Ze zwegen al een hele tijd, de stad rondom hen eveneens, of nee, integendeel, er was zelfs behoorlijk wat herrie, werk, feesten, ruzies, maar altijd ergens anders, zeker een straat verder. Waar zij waren was alles stil en leeg. Ze liepen tot de laatste zijstraat voor het station. Het was steeds Ilia, de tekenontvanger, die de volgende richting aangaf. Nu bleef hij staan. De wijzers van de stationsklok lichtten wit op tegen de zwarte hemel. Abel telde de uren. Nog zesendertig. Dan zouden ze op pad gaan, de rest van de zomer door het land trekken. Waarheen dan ook. God zegene de greep. Laten we verdwalen. Dat voorstel kwam van Abel. Ilia knikte. Ze hadden geen auto, zelfs geen rijbewijs, we nemen dus maar de trein.

Eigenlijk had hij willen wachten tot ze op een betere plek waren, een kust, een uitzichtpunt, iets met sfeer en betekenis, maar toen keek Abel naar de zwevende klok en hij moest aan de arm van het meisje denken, aan die volstrekt onbetekenende arm, en hij zei:

Ik houd van jou.

De minutenwijzer van de stationsklok versprong.

Dat weet ik, zei Ilia.

Later stak hij zijn hand naar hem uit. Abel leunde tegen de muur, Ilia stond voor hem, hield zijn hoofd schuin en toen, waarschijnlijk minuten later, strekte hij zijn lege handpalmen uit: Kijk, ik draag geen wapen. Maar hij keek nog steeds ergens anders heen, opzij. Abel begon langs de muur naar beneden te glijden, in de richting van het schimmelende vuil op het trottoir. Hé! zei Ilia en balde zijn uitgestrekte hand tot een vuist voordat hij hem terugtrok. Geïrriteerd, verachtelijk: Hé! Dat hielp. Abel hield op met naar beneden glijden, zette zich af tegen de muur en liep weg.

Hij ging naar links, Ilia moet – zo stel je je voor – de tegenoverliggende richting zijn uitgegaan of misschien bleef hij – wie zal het weten – daar nog lang staan. Abel keek niet meer om.

Een uit zijn baan geraakt flipperballetje in de smalle stegen van de oude stad: Hij rende, struikelde, botste tegen muren. Steeds als dat gebeurde, bleef hij even staan en keek om. Niet of *hij* achter hem aan kwam. Ilia met zijn hartkwaal die niet aan gymnastiek hoefde mee te doen, zou hij dat eigenlijk kunnen, zo hard rennen, maakt niet uit, hij moet niet, hij moet toch ---. Hij keek *gewoon* om, kijken wat er te zien is, hoe het er nu uitziet. Zo'n ogenblik dat alles je vreemd voorkomt. Totdat hij op zeker moment echt niet meer wist waar hij was.

Kan ik me hebben vergist in straten waar ik duizend keer gelopen heb? Is dat denkbaar? Hij sloeg nog een paar keer een hoek om, luisterde ingespannen naar het lawaai van de onzichtbare anderen, wat doen ze en waar? Op het marktplein misschien, maar welke kant op is dat nu? Na een poosje had hij de indruk dat hij weer op de weg naar het station was. Ook goed. Maar dan bonst zijn hart weer: Wat als *hij* daar nog staat?

Toen de straten steeds steiler werden, werd hem duidelijk: zonder het te merken was hij al achter het station beland, hij moest het spoor zijn overgestoken en hij was nu op weg naar de bergen. Steeds meer bestond het trottoir uitsluitend uit trappen, hij liep snel naar boven alsof hij haast had, de ijzeren leuning – voor zover er een leuning was – wiebelde zodra hij losliet. Later waren er geen trappen en ook geen huizen meer, alleen nog het slechte, grove asfalt van de weg, met de afbrokkelende scherpe randen. Deze weg ken ik, hij gaat naar een uitzichtpunt boven, het doel van tientallen uitstapjes, maar nooit midden in de nacht. Tussen de bomen was het aardedonker, hier en daar had je gewoon je ogen dicht kunnen houden alsof je in een droom loopt. Hij wist: dit is de weg naar de toren, maar hij lijkt nu eindeloos, ik kan me niet voorstellen dat ik er ooit aankom. Dit is een van die eindeloze droommarsen waarbij het enige dat er gebeurt is dat de berg steeds steiler wordt. Hij boog zijn bovenlichaam voorover om de stijging van de weg te compenseren. Zijn vingertoppen raakten het asfalt. Op handen en voeten lopen bleek goed te gaan, hij bleef het doen. Het eerste werkelijk bijzondere dat ik in mijn leven heb gedaan, op vier benen door een aardedonker bos lopen. De sterren schenen op de glanzende stof op zijn rug. Pas toen hij voor de uitkijktoren stond, kwam hij overeind.

Wat er in de volgende minuten? uren? gebeurde, is niet precies bekend. Hij zal naar de lichtjes van de stad hebben gekeken die hij nog nooit zo had gezien, omdat hij nooit eerder 's nachts op de berg had gestaan. Hij bekeek de stad vanuit dit nieuwe perspectief en voelde, afgezien van een rare pijn die zijn hele lichaam vulde: helemaal niets. Een klein stadje, in de buurt van drie grenzen, een kopstation, een weidse hemel, honden. Was ik ooit gelukkig?

Ja, zolang hij hem had. De rest van het leven hierboven doorbrengen? De kluizenaar van de uitkijktoren worden? Tussen ingekraste liefdesverklaringen, obsceniteiten en andere bewijzen van menselijk leven wonen? Elk moment van de dag dat je wakker bent het stratenlabyrint beneden bekijken? Want van nu af aan is alles de rest geworden en interesseert het me niet meer.

Er arriveerde een auto. De inzittenden, een liefdespaartje, zagen hem niet, ze hadden te veel haast. Ze begonnen te copuleren. Abel wachtte totdat de autoruiten voldoende beslagen waren om er ongezien langs te lopen. Later was hij minder geconcentreerd en gleed uit op de afbrokkelende kant van de weg. Hij viel op zijn achterwerk, gleed op zijn hielen en handpalmen naar beneden, stopte, bleef nog even zitten en stond toen op. Zijn voetzolen en handen deden pijn, in de schaafwonden zaten kleine, bebloede steentjes die er geleidelijk weer af vielen, net als de langzaam opdrogende bosgrond van de rug van zijn pak, gaf niets, hij liep naar beneden, naar de stad.

Was *dat* nou alles?

Er was nog één ander ding. Dat raam, begane grond, achter het theater, in die straat zonder naam omdat het helemaal geen

straat was, niets dan een inham met alleen een paar parkeer-
plaatsen voor auto's met vergunning, de artiesteningang van
het theater en het eerder genoemde raam ertegenover. De vensterbank zo laag dat het (vroeger, soms) eenvoudiger was op de
ruit te kloppen en direct de kamer in te klimmen dan de hoek
om te gaan en de voordeur te gebruiken. Abel kwam van de
berg, liep door het stadspark, over het spoor, en was al in zijn
straat. Hij liep langs het huis waarin zijn moeder en oma sliepen, stak twee kleine pleintjes over die elk een standbeeld hadden, liep om het theater heen en stond voor het raam. De naakte
lamp boven de artiesteningang scheen op zijn rug, hij zag zichzelf als silhouet in de donkere ruit. Erachter bewoog niets. Om
hem heen hamerde, rinkelde, rammelde, jankte en juichte het
des te luider, het moet een waanzinnig feest zijn, of misschien is
het niet meer dan een hallucinatie, want te zien was er nog
steeds niets. Hij wachtte een tijdje en trapte toen zijn spiegelbeeld in. Eerst de linker-, toen de rechterruit. De scherven vielen
naar binnen, op het bed. Hij zag de lakens grijsachtig oplichten,
verder bewoog er niets. Of hij wachtte het niet af.

Eerst houden twee mensen als vanzelfsprekend van elkaar, dan
haten ze elkaar op dezelfde manier, en de overgang van de ene
toestand naar de andere duurt even kort als het moment dat nodig is om het te begrijpen en valt geen van beide partijen erg
moeilijk – en dat is wat werkelijk pijnlijk is. Zei: ik houd van je,
zei: maar ik niet van jou, ging weg, zwierf rond, klom op een
berg, kwam weer naar beneden, viel, stond op, trapte een ruit in,
ging naar huis, trok de deuren van de wandkast dicht en ging op
bed liggen. Later schrok hij wakker omdat een hartaanval hem
uit bed slingerde.
Het bed was geen bed, maar een matras in de garderobekast in
de hal. Tijdens zijn val sloeg hij tegen de triplexwand, dat moet
een heidens kabaal hebben gegeven, hij kwam met zijn gezicht
op de kastbodem terecht en bleef liggen. Hij drukte zijn natte
voorhoofd tegen de vloerbedekking, het stof knerste, hij ademde zo goed en kwaad als het ging en luisterde, omdat hij niet an-

ders kon, hoe zijn hart, hart, hart bonkte. Door mijn gehijg trilt de wereld.

Is alles in orde? riep Mira buiten voor de kast.

Hij hield zijn adem in, dat was eenvoudiger. Helaas werd het branden op zijn borstbeen daardoor heviger. Concentreer je op iets anders, op de geluiden buiten: radio, vaatwerk, een verre, bijbelse litanie. Blijkbaar was grootmoeder in de keuken, dus is het morgen. Of alweer avond.

Abel? Mira moest nu heel dicht bij de kast staan.

Zo dadelijk is het beter, zo dadelijk is het, zo dadelijk …

Misschien heeft hij alleen in zijn slaap …, zei Mira, die al wegliep. Met zijn arm tegen de wand. Langzaam wordt hij daar toch werkelijk te groot voor.

Hij bleef liggen, gezicht, zweet, stof, hij wachtte tot het ergste voorbij was en sloop toen, op een *onbewaakt ogenblik*, naar de badkamer, naar de spiegel. Hij had zijn jukbeen geschaafd – bij de val van de tien centimeter dikke matras op de bodem van de kast (!) – alleen een klein rood vlekje, maar duidelijk te zien.

En wat is dit?

Toen hij uit de badkamer kwam, stond Mira in de kast met zijn pak in de hand. Van boven tot onder smerig. Wat is dit? Aarde? En: Jezus – nu zag ze zijn gezicht – wat zie jij eruit!

Wat heb je gedaan?

De hele nacht rotzooi getrapt in de stad. Gezopen, gevochten, flessen kapot gesmeten. (grootmoeder) Ik kon niet slapen, moest dat kabaal aanhoren.

Etalages, zei Vesna, tante Vesna, de beste vriendin van zijn moeder – Een lesbienne! (oma) – Verstandige ogen, een grote neus in een bruinig gezicht, een diepe, rauwe stem: ze hebben etalages ingegooid.

Wie heeft etalages ingegooid? (Mira).

Er verandert niets, mompelde grootmoeder. Ze worden alleen steeds wilder. Goddeloos, rauw, verdorven.

Wie? vroeg Mira.

Waarom zouden scholieren die voor hun eindexamen zijn geslaagd zoiets doen? vroeg Vesna.

Er is niet altijd een waarom, zei grootmoeder.

Vesna lachte: Dat klopt!

Het leven is zo gauw kapot, zei Mira.

Ze praatte in feite tegen haar zoon met de schaafwond in zijn gezicht. Ze nam in elk geval aan dat de vlek er nog zat, want *mijn enige zoon* aankijken durfde ze al uren niet meer. Ik weet het niet, er is iets veranderd. Letterlijk van de ene dag op de andere.

Ook Abel keek niemand aan. Ze zaten in een restaurant op zondagmiddag, zoals anders ook bij bijzondere gelegenheden, *de drie Parcen en ik.*

Wilder en wilder, mompelde grootmoeder. Ik begrijp niet hoe je zoiets leuk kunt vinden.

Later kwamen twee politieagenten het restaurant binnen, bleven lang in de buurt van de ingang staan, praatten met de hoofdkelner en tuurden het restaurant in. Abel tuurde terug, maar ze waren niet geïnteresseerd. Ze vertrokken weer.

Later tijdens het eten sijpelde het gerucht door, alsof de discrete kelners het op hun dienbladen door de zalen droegen, dat gisternacht inderdaad de halve winkelstraat in elkaar getremd was (Ga er in godsnaam niet heen! Straks arresteren ze je nog. En bovendien is zoiets geen toeristenattractie), maar de eindexamenscholieren waren het niet geweest, of niet alleen geweest, niet van het begin af aan. Toen ze uit hun ondergrondse hol kwamen wankelen, was *het* al lang aan de gang, en ze waren zover heen dat ze helemaal niet begrepen waar het om ging, ze lachten alleen hysterisch en stampten rond op de scherven, in hun ogen weerspiegelde het knetterende vuur van een winkelruimte, maar dat doofde later, de plastic vloer brandde slecht, het stonk alleen verschrikkelijk, en blijkbaar had iemand getekend voor de aflevering van zo- en zoveel springstof en ontstekingsmechanismen.

Wat dan nog? vroeg Mira. En: Kunnen we misschien over iets anders praten?

Bij het dessert dronken de vrouwen likeur, Abel moest ook wat proeven, hij pakte het glaasje en goot het in een teug achterover, het was zoet, gaf niet. Mira glimlachte verlegen, grootmoeder klakte met haar tong, Vesna lachte waarderend en goot ook een glas achterover. Tsj, tsj, zei grootmoeder.

Mira opende haar handtas, waarin een envelop met pas opgehaald geld voor het eten zat en een andere die ze aan Abel gaf.

Dank je, zei Abel.

Ik zou 'm eerst maar openmaken, zei tante Vesna.

Het was een lot voor de autoloterij, laagste klasse.

O, zei Abel, die geen rijbewijs had, dankjewel.

Hij schoof het lot terug in de envelop, legde de envelop naast zijn bord, pakte het lepeltje en ging door met zijn toetje.

Het spijt me dat ik geen auto voor je kan kopen, zei Mira.

Nadat ze in de zomer na Andors verdwijning tevergeefs hadden rondgereden, had ze de hemelsblauwe auto verkocht. Bovendien verkocht ze Andors kleding en boeken of ze gaf ze weg, en ze scheurde zijn foto's uit de albums.

Een beleefde zoon zou nu iets zeggen, maar Abel zei niets.

Hallo, zei Mira, kijk ons eens aan. Hier zijn we.

Een lot uit de loterij, zei Vesna later. Ik zou niet weten waarmee je je kind beter het leven in kunt sturen. Het leven is een gok, m'n jongen. Als ik jou was had ik hem een rol fiches voor het casino gegeven, daar zou hij betere kansen hebben. Misschien zou hij daar een paar louche figuren leren kennen, dat zou zijn vooruitzichten pas werkelijk goed doen. In de toekomst komt de onderwereld hier vast en zeker aan de macht, het is van belang aan de goede kant te staan, persoonlijk zou ik liever een geslaagde maffiabaas als zoon hebben dan ...

Dan wat?! schreeuwde Mira.

Grootmoeder mompelde verwensingen: Afschuwelijk wijf, zigeunerin, roddelaarster.

Ze is een prima kerel, zei Mira.

Nu ben ik aan de beurt! zei grootmoeder. Uit een grote mannenzakdoek haalde ze een doos. Daarin zaten de onderscheidingen van grootvader, die uit de oorlog en die voor uitmuntende arbeid, een hele blikken doos vol blik. Zelfs Mira begon ervan te blozen. Abel legde het loterijlot op de onderscheidingen, sloot de deksel en deelde mee dat hij de rest van de zomer op reis zou zijn.

Drie vrouwengezichten.
Met wie? Met Ilia?
Nee.
Met wie dan?
Met niemand. Alleen.
En Ilia?

Maar hoe dan?
Met de trein.
En waarheen dan?
Dat wist hij niet precies. (Leugen.)
Zwijgen.
Hij is nu een volwassen man, zei Vesna, keek hem over haar acne-littekens en komkommerneus heen in de ogen en gaf hem een buitenlands bankbiljet dat voor onze omstandigheden heel royaal was. Het zal wel ergens goed voor zijn.

Hondsdagen

Verdwenen: De burgemeester van een kleine plattelandsge-meente in D. tijdens het feest ter gelegenheid van zijn herverkie-zing. De chaosonderzoeker Halldor Rose die van een congres kwam. De vroegere jeugdkoorleider N.N., die zo- en zoveel da-gen geleden uit Boca de Inferno in Portugal is vertrokken om het euraziatische continent te voet tot aan de punt van het schiereiland Kola te doorkruisen. Op twaalf juni twintig jaar ge-leden, 's morgens vroeg op de eerste dag van de zomervakantie: Abel Nema's vader.
Een halve Hongaar, de andere helft onduidelijk, hij zei dat hij het bloed van *alle minderheden in de buurt* in zich droeg, een vreemdeling, een zigeuner, een stemmenimitator en avonturier die op twee fluiten tegelijk en op de balalaika kon spelen, en Joost mag weten wat nog meer. Er kwamen steeds nieuwe as-pecten van hem boven water, dat was irritant en indrukwek-kend, zei Mira, zolang je in iemand wilt geloven, is zoiets in-

drukwekkend. Vast en zeker binnenkort alcoholist, zei oma toen ze zag hoeveel Turkse koffie hij kon drinken, maar hij piekerde er niet over zich aan prognoses te houden, hij bleef tot het laatst toe een verrassing.

Om zes uur 's ochtends op de eerste dag van de zomervakantie stond hij voor het huis op straat en uit de richting van het station kwamen de stralen van de zon recht op hem af. Een dikke gouden pijl die naar hem wees, met een hitte en een helder licht alsof het al twaalf uur 's middags was. Dat het in feite al aanzienlijk later was, dacht Andor Nema, en dat hij eigenlijk niet veel tijd te verliezen had. Of iets dergelijks. Het laatste dat Abel, die in zijn kast lag, van hem hoorde was het geluid van de zeven stappen die hij nodig had om de hal door te lopen. Een-twee-drie-vier-vijf-zes-zeven. De deur. Zachtjes open, nog zachter dicht. Een uur en veertig minuten later, was Andor niet meer in de stad. Hij ging zoals hij was gekomen: met lege zakken, misschien wat kleingeld, een pakje sigaretten, een zakdoek. Achter bleven zijn lege kleren, een rammelende auto en een doos vol briefkaarten.

Voordat Andor Nema zijn enige zoon Abel verwekte, had hij twaalf geliefden gehad. Van die twaalf was er een door eigen hand overleden en een woonde in een psychiatrische inrichting. Met de anderen wisselde hij briefkaarten. Die bewaarde hij samen met oude liefdesbrieven en foto's in een doos. Mira lachte: IJdele haan.

Alles wat ik kan, heb ik van vrouwen geleerd, zei Andor. Dit is mijn leraressencollege. Zij zullen altijd bij me zijn.

Mira lachte: De twaalf nornen.

Dertien, liefje, zei Andor, dertien.

Mira bloosde.

Hij had niet de waarheid gesproken. Hij nam de doos niet mee. Mira wachtte een week en toen reed ze, aanvankelijk slecht, ze had in geen jaren meer gereden – Abel, hoe is het met je? Ik moet zo meteen kotsen – de tien vrouwen af die in aanmerking kwamen (dus niet dood of krankzinnig). Tien vrouwen stonden in negen deuropeningen (een keer waren het zusters die zich inmiddels weer hadden verzoend en zelfs samenwoonden), staarden naar de jongen en schudden hun hoofd.

De laatste die ze bezochten – eigenlijk hadden we hier meteen kunnen beginnen – heette Bora. Voor Abel was dat destijds een mannennaam, maar er stond een vrouw in de deuropening. Als enige woonde Andors eerste liefde alleen, in hetzelfde eenkamerwoninkje van twintig jaar geleden, in zo'n woonkazerne die kenmerkend was voor Andors geboortestad, met lange gangen en de stank van gas. De jongen keek eerst naar boven, naar het vierkant hemel boven de binnenplaats: leeg, toen naar beneden, naar de mat voor de deur. De vrouw zag hij alleen vanaf haar taille: de rok van de vroegere uitgaansjurk van haar moeder ('Je bent een hoer, liefje') van okerkleurige ruwe zijde, die zij in huis afdroeg. Aan weerszijden gaapten twee lege twijngaren ceintuurlussen waardoor hij in de flat kon kijken (niets, donker), en daaronder haar benen en voeten in houten sloffen. Grote, mannelijke voeten. Net als de anderen keek ook mevrouw Bora de jongen aan en zei, net als de anderen, dat ze niet wist waar Andor was. Het is zo lang geleden. Dat moet u geloven.
Mira geloofde haar niet, maar ze ging weg. Eerst vroeg ze nog of ze gebruik mocht maken van het toilet.
Ga uw gang, zei Bora en wees naar een deurtje in de verste hoek van die ene kamer.
Hoe heet je, vroeg ze aan de jongen toen ze alleen waren.
Hij zei zijn naam.
Dank u wel, zei Mira. Ze liepen terug naar de auto. Mira ging achter het stuur zitten, Abel op de achterbank. Zo bleven ze twee dagen lang zitten. Midden in de zomer. Temperatuur in de schaduw: vijfendertig graden, in de auto zeker twee keer zo hoog, en geen wind door het open raampje, alleen de langzaam binnen sijpelende stank van mens, dier en machine. Mira moest óf volkomen overtuigd óf radeloos zijn geweest. Ze bleven in de auto zitten en hielden de ingang van het gebouw in de gaten. In plaats van het toilet van Bora gebruikten ze dat van een kelderkroegje

in de buurt, waar het zo donker en koud was dat de drinke-broers midden in augustus verkouden werden. Niezend zaten ze in hun stamcafé. En? zeiden ze tegen de magere, timide jongen, en? zeiden ze tegen de vreemde, welgevormde vrouw. Wat staat die duistere blik haar goed! Gaat arrogant, zonder een woord te zeggen in en uit!

Ze wonen in een blauwe auto, vertelde de ene zuipschuit aan de andere. Wat is daar aan de hand, ze ziet er toch heel behoorlijk uit, een lerares zou je zeggen. Waarom woont ze in een auto? Er moet een man in het spel zijn. Een man van hier, op wie die buitenlandse vrouw wacht. De vrucht van hun liefde zit op de achterbank. Als de mannen na uren in de kille kelder weer in de hitte boven kwamen, kregen ze een klap op het hoofd met de hamer van hun roes en ze vergaten de vrouw in de auto weer, maar de volgende dag kwam in de mooie, naar wijn geurende kille put alles weer terug en ze begonnen van voren af aan. Op de een of andere manier stoorde de hemelsblauwe auto de drinkebroers. Ze zouden het ergens moeten melden, zodat er iemand komt. Maar waar moet je in zo'n geval heen? Later kregen ze een idee. Ze zetten iemand bij de deur.

Ze komt, zei de uitkijk en struikelde de trap af. Ze namen allemaal hun posities in, dat wil zeggen, ze bleven waar ze waren en deden alsof ze de drinkers waren die ze waren. Mira kwam binnen, liep het café door en drukte de deurklink van het toilet naar beneden. Bezet.

Ze keek rond: één piepkleine ruimte, in het duister glazen en mannen die roerloos en witglanzend als wassen beelden waren verstard in verschillende, maar sterk op elkaar lijkende drinkhoudingen en hun blikken op haar gericht hielden. Hierbij was alleen nog een heel zacht gegiechel nodig, bron onbekend, om haar duidelijk te maken dat dit een valstrik was. Een grap. Ze wist zeker – waarom? – dat het een grap moest voorstellen en niet iets anders, wat ook mogelijk was geweest. Iets gevaarlijkers, maar niettemin voelde ze nu voor het eerst deze zomer in plaats van woede en vastberadenheid: zwakte en angst. Met veel herrie draaide ze een stoel in de buurt naar zich toe en ging zitten. De wassen beelden kwamen onmiddellijk tot leven, rukten op in haar richting, hun oogjes glinsterden blij, hun woorden onbegrijpelijk, en ze schoven haar glazen en flessen wijn en sodawater toe. De sodawaterfles klokte alsof hij zo dadelijk in tranen zou uitbarsten.

Ik zal zo dadelijk in tranen uitbarsten. Een mooi tafereel: een vrouw uit het niets klaagt tegen leeftijdsloze, bezopen, vreemde mannen haar leed over haar ontrouwe geliefde, en hoewel ze haar taal niet beheersen, begrijpen ze haar, want die taal is universeel en ze zullen, al kunnen ze haar niet helpen, in elk geval haar mening delen en in hun eigen taal schelden op de klootzak, zoals het hoort, want zelfs zo'n verlopen alcoholistenbestaan kent meer moreel gevoel dan ---

In de stralende vierhoek van de voordeur liepen twee vrouwen-enkels-kuiten-knieën voorbij, al het andere was weggevaagd in het witte licht. De jongen buiten in de auto.

Neem me niet kwalijk, zei Mira en stond op. De vreemde taal verlamde de mannen opnieuw, zwijgend keken ze haar na.

Ze reden terug. Toen ze de stad uit waren, stopte Mira langs de weg en urineerde achter een struik. Abel telde de tegemoetkomende auto's. Duizend, duizendéén.

Een vrouw genaamd Bora

Verdwenen, zeven jaar later, na het verlaten van een eindexamenfeest en een aansluitende wandeling: Ilia B. Abel wachtte nog een paar dagen of er misschien toch iets gebeurde, of hij of *iemand* zich zou melden, maar er gebeurde niets. Of Ilia eigenlijk nog in de stad was is onbekend. Ten slotte vertrok ook Abel. Hij nam de trein. Boemelde met onbekenden door onbekende provincies. *Kijk, de bomen lopen.* Sommige dorpen leken vastgesnoerd in louter kabels. Omdat hij nauwelijks geld had, nam hij boemeltreinen, maar verder verloor hij geen tijd. Hij reisde meteen naar het juiste station.

Het was zomer, net als toen, het station vol oranjekleurig licht. Op twee verdiepingen plus een souterrain stonden, hurkten en lagen mensen tussen bagage, wachtten op een trein of woonden hier. Voorzichtig, zonder op slapers te stappen of een picknick om te gooien, liep Bora tussen hen door, van de markthal in de richting van de trolleybus. In de golven die van de perrons kwamen, kruisten nog meer mensen met nog meer bagage haar pad, ze moest voortdurend uitwijken en opzij stappen, je reinste volksverhuizing. Later dacht ze dat ze wellicht al een hele tijd in dezelfde ruimte op weg waren geweest, hij ergens tussen de dwarsliggers, want veel tijd was er niet verlopen, de boodschappen stonden nog in de zak op tafel, de houten slippers die ze had uitgetrokken waren nog lauwwarm, toen er werd gebeld.

Op blote voeten stond ze in de deuropening, eerste verdieping rechts, groene deur, ovaal emaillen bordje: nr. 3.

Wie zoekt u?

Ik heet ..., zei Abel. Ik ben de zoon van ...

Jezus, zei ze en kromde haar blote tenen op het steen.

Laten we eerst eens aan de keukentafel gaan zitten, hier, twee stappen achter de voordeur, wacht, ik zet die zak boodschappen weg. Door het glas in de deur valt een beetje daglicht van de binnenplaats, het reikt net tot de tafel waaraan ze zitten, de rest van de lange, smalle kamer is donker. Achterin schemert een wit douchegordijn.

Niet achter dat gordijn hield Andor zich destijds verborgen, maar in het kamertje vlak naast het toilet dat Mira gebruikte. Hij kon zijn vrouw horen plassen. Bora ging naar haar werk of boodschappen doen, en ze deed alsof ze de opvallende hemelsblauwe auto niet zag die een paar huizen verderop in de straat stond. De jongen scheen last te hebben van de hitte, hij lag in elkaar gerold op de achterbank. Toen ze er twee dagen later nog steeds waren en ze zag hoe de vrouw de kelderkroeg in ging terwijl de jongen in de auto bleef, gooide ze ten slotte de voordeur open zei: Verdwijn uit mijn huis.

Hè, zei Andor, nu meteen?

Verdomme nog aan toe, zei Bora.

Toen Andor buiten kwam, wankelde hij en knipperde met zijn ogen in de hitte. De jongen op de achterbank sloot zijn ogen. Mira ging op een koele stoel zitten. Toen ze weer opstond en naar boven kwam, was de straat leeg.

Het spijt me, zei de jongen. Dat ik mijn ogen heb dichtgedaan.

Nee, zei Mira, het spijt mij.

Of Andor de hemelsblauwe auto heeft gezien, is onbekend. Zijn rug in de zijstraat, zijn lichte broek met uitlopende pijpen flitste op in de zon. Of misschien heb ik het gedroomd. Kijk vooruit, zei Mira tegen Abel, anders word je weer misselijk.

Bora denkt dat het een kwestie van seconden moet zijn geweest. Het spijt me verschrikkelijk. Het laatste dat ze heeft gehoord is dat hij met veertig anderen op een werf in Frankrijk werkte, maar dat is jaren geleden, en wie weet of het eigenlijk klopt. Hij weet niets van scheepsbouw. Voorzover ik weet. Aan de andere kant. Alles is mogelijk. Andor, het weeskind met de twaalf moeders. Na elkaar en deels gelijktijdig.

Ze neemt de jongen van top tot teen op: een lange negentienjarige, wat magerder, bleker en getekender dan normaal. De twaalf uur in de trein die hij achter de rug heeft zijn hem aan te zien en bovendien draagt hij ook die geur mee, de geur van de trein die hij nooit meer helemaal kwijt zal raken. Hij heeft de ogen van zijn vader, ogen die hier in het donker zwart lijken, maar Bora weet dat ze in werkelijkheid de kleur van een razende hemel hebben: lila en grijs. In zijn onuitgeslapen gezicht schemert zijn moeder door, maar beslissend is iets anders, iets van het bestaan waarvan hij geen idee heeft, maar dat Bora des te beter kent. Dit er-is-geen-woord-voor, de *provocatie* die hij uitstraalt en die bij iedereen die hij tegenkomt tot *nervositeit* leidt, tot de drang op de een of andere manier met hem te maken te willen hebben. Zolang hij *met z'n tweeën* was, kwam dit talent – laten we het zo noemen – niet tot bloei. De *ander* schermde hem af. Misschien was hij ook nog te jong. Maar nu, zei Vesna na het dessert, nu is hij een man. Al tijdens de eerste eenzame treinreis waren automatisch alle ogen op hem gericht. Hij deed alle moeite uit het raam te kijken, maar bij ons kun je doen wat je wilt, *lezen* (bijvoorbeeld), het is uitgesloten dat je met rust wordt gelaten. Aardige mensen, medereizigers, vooral oudere, spraken hem vertrouwelijk aan: Wie ben je, jongen, waar kom je vandaan, waar ga je heen? Zich een weg banen van de waarheid naar de leugen, de van nature aanwezige verlegenheid nog een beetje overdrijven, maar altijd beleefd: Uit S. Op weg naar familie. Naar een *tante*.

O ja? vroeg de man in burger. Hij werd al voor de tweede keer in dezelfde trein gecontroleerd. Intussen had iedereen in de wagon het verhaal even goed kunnen vertellen als hijzelf. O ja? vroeg de man in burger. Hoe heet uw tante en waar woont ze? --- Wat is er aan de hand? Heeft hij de vraag niet begrepen? Hij kan toch wel een naam en een adres verzinnen.

Nu laat u de jongen met rust, zei de oude vrouw na de derde keer. Hij heeft net eindexamen gedaan, ik ken hem, een prima jongen, nu laat u hem rustig naar zijn tante reizen.

De man in burger bekeek zijn legitimatiebewijs heel nauwkeurig en vervolgens nog een keer zijn gezicht, alsof hij zich dit gezicht wilde inprenten. Toen hij eindelijk was verdwenen, gaf de oude vrouw Abel een stuk chocola: Hoe heet je, lieve jongen? --- Zo ging het, zo zal het in de toekomst iedereen vergaan: liefhebben of doden. Bij Bora voor het eerst. Ergens bestaat er vast en zeker familie, zegt ze troostend. Maar terwijl ze het zegt, is ze al zo jaloers dat haar stem breekt. *Zij* wil deze jongen houden, zij, zij, zij. Nu, onmiddellijk, aan zich binden, hem verzorgen, hem helpen, voor hem optreden, hem ... Het is toch van de gekke.

Abel schudt van nee.

Dank u, hij wil niets eten.

Drinken?

Dan knikt hij toch. Ze zitten aan de keukentafel, hij met de deur in de rug, zij tegenover hem.

Zij drinkt wijn, hij water en een borrel. Het wordt avond. Raar, denkt Bora, daarnet was het toch nog ochtend. Ze heeft nog steeds geen schoenen aan, de druppelende alcohol in haar maag geeft kleine hoeveelheden warmte af. De jongen op de stoel tegenover haar verroert zich niet. Ik zet de boiler voor je aan. Knikte hij of niet? Ze gaat weer zitten. De avondgeluiden. Buren, lopen, schoenen, sleutels, lichtschakelaars, water, bloempotten. Katten, duiven, een huilend kind, een kinderliedje. Een slecht afgestelde radio, populaire muziek, zonder veel bassen. De straatlantaarn voor het huis gaat zoemend aan. Auto's, autoportieren, gevloek, voetgangers. Vrouwen, mannen. Het traliescherm van een levensmiddelenwinkel in de buurt. Een boormachine, een raam dat opengaat. Mannen op een plein in de buurt die plasticringen naar hun honden gooien. Gefluit boven beton. Een groep geslaagden voor het eindexamen. Lichamen, geroep, gelach. Later een orkestrepetitie. New World Symphony. Adagio. Later tv-toestellen. Later stilte. Later dronken mensen, dan weer stilte. Het aan- en uitfloepen van de gasboiler. Nu kun je je uitkleden. Het water is warm.

Haar tong is na het lange zwijgen en drinken zwaar geworden: Ik ga naar bed.

Ze maakt een veldbed van wollen dekens voor hem op waar een beetje plaats is, aan de andere kant van het kleed, tussen de toiletdeur en het bureau; zelf gaat ze in het bed liggen. Sluit haar ogen en vraagt zich af of ze niet moet doen of ze slaapt als hij binnenkomt, of hem juist moet aanspreken, en of hij eigenlijk vermoedt dat ze al zestig is. Bijna. Mevrouw Bora denkt aan seks met de zoon van de man wiens eerste liefde ze was en – door de alcohol of iets anders – de tranen schieten in haar ogen. Maar voordat ze onder haar oogleden uit kunnen wellen, valt ze in slaap.

Wakker worden! Wakker worden! De deur naar de binnenplaats staat open, het raam in de kamer ook, maar het helpt niets, hier kun je niets regelen om te luchten.

Wakker worden! Wakker worden!

Ze kneedt woest in zijn gezicht. Hij zit nog steeds op de keukenstoel, met zijn schouders en hoofd tegen de muur geleund.

O God! Ze snikt, pakt met de ene hand de ketel die op het fornuis staat, met de andere een krant, wappert ermee, laat hem vallen, pakt het water en dept zijn voorhoofd. O godogodogodogod.

Het water loopt in zijn ogen. Het is het water waarin ze de vorige dag eieren heeft gekookt. Zout en azijn zitten erin, maar misschien is dat juist goed. De eerst keer dat hij beweegt: hij knijpt zijn ogen dicht, en het leek of hij ook steunde. Alles in zijn gezicht heeft dezelfde tint: waskleurig.

Wakker worden, schreeuwt Bora. Je moet wakker worden! Ik weet dat het pijn doet, maar je moet wakker worden! Er is gas! Hoor je me?

Verroert geen vin. Maar hij ademt. Bora hoest, het gaat over in een onderdrukt snikken. Pakt hem onder zijn oksels, trekt hem van zijn stoel, de stoel valt om, het kabaal echoot over de binnenplaats. Ze moet draaien, met hem, om tussen de tafel en het fornuis door te kunnen, ze blijft haken aan het hengsel van de waterketel en veegt die van tafel. Voordat de ketel op de grond terechtkomt, valt hij op Abels dijbeen, een restant water sijpelt weg in zijn broekspijp, een stukje eiwit blijft liggen op de donkere stof.

Die verdomde boiler die ze voor hem heeft aangestoken en vervolgens is vergeten. 's Nachts moet het vlammetje zijn uitgegaan. Toen ze 's morgens haar ogen wilde openen, kon ze ze nauwelijks open krijgen, de wekker ging af, hoe lang al?, gewoonlijk word ik voor de wekker wakker, en als ze had vergeten hem te zetten, zouden ze misschien nooit meer wakker zijn geworden, maar nu wrong ze haar ogen open, met verschrikkelijke hoofdpijn, alles, haar ogen, haar oren, haar neusslijmvliezen leken open geschaafd, haar mond als met metaal beslagen, en dan die duizeligheid, vrijwel op handen en voeten naar de keuken. En sindsdien probeert ze hem wakker te krijgen.

Sleept hem over de stenen vloer naar de deur, steunt, het kost haar grote moeite. Het zijn maar een paar stappen naar de drempel, maar ik dacht ik krijg het nooit voor elkaar. Haar vingers boren zich diep in zijn oksels, eindelijk in de deur, ze legt hem voorzichtig neer, zijn hoofd voorzichtig op haar vlakke handen. De drempel ligt nu onder zijn nek, zijn hoofd buiten in de gang en is vanuit de deur van de buurvrouw te zien, Bora wijst ernaar, daar, dat hoofd dat daar ligt, bel alsjeblieft meteen een ambulance.

En de gasfabriek? vraagt de buurvrouw. Bora schudt haar hoofd.

In zulke gevallen moet je de gasfabriek bellen, zegt een andere buurvrouw.

In het kwartier voordat de ziekenwagen arriveert, staat iedereen die thuis is op de galerijen te kijken naar het hoofd dat beneden op de gang ligt, op de mat naast de bloembak.

Wonder

Goedemorgen, ik heb uw zoon gedood.

Nee.

Ogodogodogod, zei Bora en liep heen en weer in het ziekenhuis – met iemand spreken, de artsen hebben geen tijd, een co-assistent met zomersproeten onderzoekt hem gewetensvol, meet polsslag en bloeddruk, lijkt radeloos, praat kalmerend –, door de stad naar huis, thuis. Het doorzoeken van zijn spullen leverde een telefoonnummer met een buitenlands kengetal op, daarachter tussen haakjes: (school). Ze schreef het nummer over en ijsbeerde door de kamer, het papiertje in haar hand verkreukelde, het potloodschrift vervaagde. Bellen, niet bellen. Uiteindelijk schoot haar te binnen dat Mira eigenlijk niets zou kunnen doen, zelfs als ze erin zou slagen haar op de hoogte te stellen. Hiernaartoe komen? Alsof dat zo eenvoudig was, dat ging niet meer zo gemakkelijk – de toestroom op het station is in de twee dagen dat hij nu slaapt, verdubbeld, als dat al mogelijk was, er komt oorlog, of het is al oorlog. Godgodgod.

Ze ging op de keukenstoel zitten waarop ze eerder tegenover hem had gezeten. Het is toch voldoende als ik haar op de hoogste stel als hij dood is. Hallo, ik heb uw zoon vermoord.

Prime bjen esasa ndeo, zei de jongen. *Prime.*

Wat?

Songo. Nekom kipleimi fatoje. Pleida pjanolö.

Wat zegt hij? Luistert u, zuster?

Drie mannen die stuk voor stuk zijn vader konden zijn, een zelfs zijn grootvader, staan om zijn bed. Ze dragen pyjama's, ochtendjassen en verbanden. Buigen zich over hem heen als treurwilgen. Met haar lichaam schuift de zuster de takken uiteen, komt naderbij en voelt zijn voorhoofd.

Vast en zeker de koorts, zegt ze. Hij komt uit het buitenland.

Je denkt dat je verstaat wat hij zegt, en dan blijk je het toch niet te verstaan, zegt de een, de jongste die een gestreepte badjas draagt. Duitse, Russische woorden. De andere versta ik niet. Er is ook iets in onze taal bij.

Ze staan. Later gaat de oudste op het bed ernaast zitten omdat hij moe is. Een tijdje zegt de jongste niet veel meer. Dan begint hij weer. De drie zitten of liggen in hun bed en luisteren gespannen. Soms zijn er woorden te verstaan, maar over het geheel genomen ...

Avju mjenemi blest aodmo. Bolestlju. Ai.

Is het hier soms de sterfkamer? vraagt de gestreepte en kijkt de twee anderen met glinsterende ogen aan. Hè? Wat denken jullie? (Grijnst.) Je kent toch die mop over de sterfkamer?

De andere twee mompelen. De grootvader trekt de deken over zijn blote voeten.

Kent u de mop over de sterfkamer? vraagt de gestreepte aan de zuster.

De zuster antwoordt niet, ze neemt Abels pols op.

Iedereen kent die mop over de sterfkamer, zegt de Derde Man.

Geen onzin kletsen, zegt de zuster. Er sterft hier niemand.

Ze stopt de deken rond Abel in. Alsof dat nodig was. Alsof hij zou bewegen.

Maar wat heeft hij?

De zuster haalt haar schouders op.

Abel zucht.

Hij heeft gezucht.

Daarna: niets meer. Hij slaapt.

Drie dagen waarin zijn toestand niet wezenlijk veranderde. De koorts steeg en daalde naar willekeur. Soms praatte hij, vooral in het begin, tegen het eind werd hij steeds rustiger, hij zuchtte alleen nog, en ten slotte ontwaakte hij op de derde dag. Aan zijn bed stonden drie bejaarde mannen.

Hallo, zei de jongste in de gestreepte badjas die vreemde talen kent. Zo, wakker?

Kijk nou. God, wat heeft die jongen een ogen!

Begrijp je wat ik zeg? vroeg de gestreepte.

Hij knikte, met vertraging. De drie mannen braken letterlijk in gejubel uit. Hij begrijpt het! Ze zeiden nog andere zinnen tegen hem, hij trok bij elke zin een gezicht alsof hij een openbaring hoorde, en aan het eind knikte hij telkens, alsof hij een punt zette. Ja, ja, ja, ja.

Zeg niets, zei Bora, kuste hem overal en drukte zijn hoofd tussen haar borsten. Zeg niets, zeg niets, zeg niets.

Hij zei niets. Aanvankelijk luisterde hij alleen. De laatste jaren was hij de moedertaal van zijn vader bijna vergeten, tegen Bora zei hij niet meer dan drie geradbraakte zinnen, en nu was het zo dat hij elk afzonderlijk woord, elke zin die hij hoorde onmiddellijk in zich opnam en hoewel hij nog niet alles begreep, merkte hij al waar ze een fout maakten, hij zag de zinsconstructies voor zich alsof ze als kleine takkenstelsels uit de mond van zijn medepatiënten groeiden. Hij staarde hen aan.

Ergens, mompelde de grootvader tegen de Derde Man, ergens kijkt hij me te lang naar hetzelfde punt.

Later vroeg Abel aan Bora of ze hem munten of een kaart voor een telefoongesprek naar het buitenland kon lenen, en ze was zo gelukkig dat ze niet eens merkte hoe zijn grammatica en zijn uitspraak waren veranderd.

Zonder te weten wat hij wilde zeggen belde hij Mira.

Alsof ze buiten adem was: Waar ben je? Heb je hem gevonden?

Stilte. Haar jagende ademhaling.

Nee.

Moge de duivel hem …! Waar ben je? Ben je bij haar? Blijf daar

of ga ergens anders heen, probeer hem te vinden, die klootzak,
als je hem een keer nodig hebt!, maar kom niet terug. (Ze barstte
in tranen uit:) Lieve god, je studie! (Ze hield op met huilen. Ver-
volgde, opgewonden:) Er is een oproep voor militaire dienst
voor je gekomen. Ze halen jongemannen uit bussen en trams.
Luister goed, zei Mira, heb je iets om te schrijven? Schrijf op.
Ze gaf hem een naam en adres, een telefoonnummer had ze he-
laas niet. Hij zou in B. wonen. Hij moest het in B. proberen.
Een vreemde naam op de achterkant van Bora's briefje.
Heb je het opgeschreven?
Ja, zei Abel.
Zwijgen.
Alles in orde met je?
Ja, zei Abel.
Hij luisterde aandachtig naar de lijn, waarin hij zeker nog tien
andere stemmen hoorde. Bovendien hoorde hij de stemmen op
de ziekenhuisgang en in de kamers, de televisie in de tv-kamer,
er stond een Engelstalige zender aan.
Ik denk dat ze al heeft opgehangen, zei Bora zacht, pakte de
hoorn uit zijn hand en legde hem neer. Ze sloeg een arm om zijn
schouder en bracht hem terug naar de kamer.
Wat zich in die drie dagen in Abel Nema's brein afspeelde is niet
precies na te gaan. Hijzelf heeft er geen herinnering aan, alleen
een idee van. Ongeveer alsof iemand de afzonderlijke stukjes
van een schuifspelletje zolang heen en weer had geschoven dat
er een volledig nieuw beeld was ontstaan. Zo herstructureerde
iets, zo herstructureerde zich het labyrint in Abel Nema's tot
dan toe in alle schoolvakken evenzeer getalenteerde en ongeïn-
teresseerde verstand net zolang totdat alles wat tot dan toe een
rol had gespeeld, de prop van herinnering en projectie, verleden
en toekomst dat de gangen verstopte en kabaal maakte in de kamers, ergens was opgeslagen, in geheime muurkasten, en hij nu
leeg en klaar was voor een enkele vorm van kennisopname: die
van taal. Dat is het wonder dat Abel Nema is overkomen.
Een marmeren plaquette zal ik schenken en van nu af aan
vroom zijn, zei Bora en maakte een lunchpakket voor hem klaar.

II. DE BEZOEKER

Hysterie, Lamento

Spijziging I. Konstantin

Ze kwamen samen het gerechtsgebouw uit, ze hielden rekening met elkaar, onopvallend pasten de vrouwen zich aan aan het tempo van Abel. (Nee, ik ben niet boos, ik wil het alleen achter de rug hebben.) In de hal hoorden ze nog net de laatste sequens van het klokgelui van twaalf uur 's middags, het hield op toen ze de deur naar de straat openden. Ze stonden op de trappen, hij wat duizelig in de plotselinge vloed van licht, het was al een tijd geleden dat hij voor het laatst had gegeten. Plus het bloedverlies – maar dan werd dat alles opeens onbelangrijk, want de jongen stond er, een onverdiende vreugde. Hij trok hem naar zich toe en kuste hem. Daarna liep hij, *hinkte* hij naar het park, omdat het vlakbij was, het bloed stond in zijn schoen, maar tot daar ging het nog.

Zo'n park is goed, op een bank zitten, nadenken, even maar. De zwervers aan de zuidkant die hier de hele zomer zijn: We denken even na. In de geur van het gemartelde gras, van de planten die onder de dorre droogte lijden, van de niet-werkende fontein, van henzelf, hun honden, hun eten dat ze elke middag afhalen bij de gaarkeuken van de kerk. Afgezien daarvan verzetten ze geen poot. Ze zitten de hele dag en nacht in de halve cirkel van stenen zitnissen, nagenoeg symmetrisch, zes aan elke kant. In het midden troont een dikzak, zijn ene knie wijst naar het zuidwesten/westen, de andere naar het zuidoosten/oosten alsof hij het opperhoofd van deze haveloze Olympus is, aan zijn voeten een geplaveide zon en in het middelpunt daarvan een drinkfonteintje. Het is kapot. Het water klatert op de grond. Wat de honden niet oplikken, loopt tussen de voeten van hun baasjes. Links achter de struiken een openbaar toilet, rechts twee gaaskooien voor voetballers en een bank waarop nooit iemand zit, zelfs in deze lunchpauze niet, nu het park vol kantoorpersoneel zit. De Thaise wasserij met de kapotte, voortdurend jengelende deurbel ligt recht achter die bank, een merkwaardig gejank dat niemand lang uithoudt. Abel leek het niet uit te maken, zodra hij zat viel hij in slaap.

Kijk eens aan, zei Konstantin Tóti, wat zeg je me daarvan.

De dag was beroerd begonnen voor Konstantin T., met het ontwaken namelijk: *beroerd. Het* zat in zijn hoofd en verstopte alles. Met behulp van water – koud, in zijn ogen gewreven en lauwwarm, gedronken – werd het langzaamaan beter. Dat was het tot het ontbijt. Later dacht hij dat het beter zou worden in de (frisse) lucht, maar het ging niet beter. Hij werd duizelig en was al te ver van huis en de gaarkeuken was nog niet open. Zo meteen val ik flauw. Hij moest bij een kiosk een broodje kopen. Zoiets kan je hele dag bederven. Die paar belachelijke centen voor dat papkartonnen ding. Woedend en begerig de tanden erin zetten, afscheuren. Zo door het park lopen.

Aan de noordkant waren twee jonge criminelen bezig met hun taakstraf. Ze maakten het gevederde zwanenbeeld van de vrede schoon. De geur van secondelijm en oplosmiddel, donsjes die als late zaden door de lucht dreven. Kussendons, van ganzen of eenden, een paar witte kippenveren ertussen, en als basis: veel kunststofwatten. Een vrouwelijke en een mannelijke politieagent stonden erbij om toezicht te houden, en eveneens twee Russen uit het nabije bejaardenhuis.

Waar ik vandaan kom, doen ze dat als studentengrap.

Dat was vast Oeljanov, de anarchist.

De oude Russen lachten.

Komt u uit Rusland? vroeg Konstantin met het broodje in zijn hand. Belarus, zei de ene nors, de ander keek alleen wantrouwend. Toen gingen ze weg, praatten verder, zachter dan zo-even. Anderen kwamen en gingen, fotografeerden de steeds kaler wordende zwanen. Een hondensitter kwam naast de agenten staan. De honden onrustig door de geur, de veren. Toen de agente zich bukte om een spaniël te aaien, liet de hondensitter zich met haar schouder tegen de bovenarm van de agent vallen. Kort en licht, alsof het toeval was, even haar evenwicht verloren, maar het was geen toeval. Een van de twee jongeren en de voorbijganger K.T. hebben het gezien. De agent is bijna twee meter lang en blond. Zij nauwelijks een meter vijftig, met zwart haar. Haar schouder raakte hem vlak boven zijn elleboog. Zijn collega kwam weer overeind, het meisje met de honden vertrok. Met open mond staarde Konstantin haar na. Toen naar de agent. De reus merkte dat hij hem aankeek en keek terug. Alsof hij me haat. Ergens achter de bomen luidden kerkklokken: vier keer licht, twaalf keer donker, blikken, blikken. Toen de klokken begonnen te luiden, gaf de smeris het eindelijk op. Opgelucht, een beetje triomfantelijk en toch weer bezorgd wikkelde Konstantin de rest van het broodje in het meegeleverde, te kleine en van vet doortrokken servetje en stak het in zijn broekzak. Dat zag er belachelijk uit, maar wat wil je. Hij ging weg.

Toen hij bij de gaarkeuken arriveerde, waren ze net bezig de laatste restjes uit de pannen te schrapen. Hij had alle tijd genomen, de ergste honger was voorbij, bovendien wilde hij niet in het grootste gedrang ... Een tijdje spiedde hij vanuit de struiken, maar vandaar kon hij niet voldoende zien, dus hij liep naar het kapotte drinkfonteintje en spreidde zijn benen zodat het water niet recht op zijn schoenen droop. Een paar waterdruppels natuurlijk toch. De zon scheen op zijn groene trui. Te warm. Dat komt omdat ik in een huis woon waar zelfs de vliegen niet overleven. Als ik uit het raam kijk, kan ik niet zien of we een hittegolf of vorst hebben. Terwijl hij dronk, keurde hij vanuit een ooghoek de resten op een plastic bordje dat een dakloze op het plaveisel had gezet. Noedels met rode saus en sla. Het plastic bordje werd leeg gelikt door een hond. De hond at ook de sla op. Vlak bij de gaarkeuken kwamen hem ook nog twee mannen tegemoet. De een had een roestige fiets aan de hand. Lekkere, zoete, groene thee, zei hij tegen de ander. De ander knikte.

We hebben niets meer, zei de vrouw van de gaarkeuken. Zo'n strenge goedaardige.

Konstantin keek in een pan. Noedelresten op de aluminiumbodem.

Ze zijn koud, zei de vrouw. De saus is ook schoon op.

Konstantin keek in een andere pan. Aan de zijkant kleefden nog sausresten en onderin in de hoeken ook.

Ook de strenge vrouw bezag de stand van zaken, schepte ten slotte (zucht) een grote soeplepel noedels op en gooide die in de vrijwel lege sauspan. Roerde de noedels met de lepel om, aluminium kraste op aluminium, totdat ze min of meer rood zagen. Ze weer bij elkaar schrapen is moeilijker. Ze trekken stuk en glibberen weg. Een grote soeplepel kapotte noedels.

Waar is uw bakje?

Mijn bakje?

Uw bord, uw blikken nap, uw plastic doosje.

Konstantin breidde zijn armen uit. Niets. In de ene broekzak de bobbel van een sleutelbos, in de andere ongetwijfeld een verfrommelde zakdoek. Het broodje. Kreukels. Stop niet altijd alles in je broekzakken.

De vrouw, met de (zware) lepel in haar (reumatische) hand, bukte zich, probeerde een plastic bordje van onder de tafel te voorschijn te trekken. Er zat zo'n ander geribbeld, krakend wegwerpbord aan vast, ze probeerde het met vier vingers vast te houden en de twee borden met haar duimnagel van elkaar te scheiden. In haar andere hand nog steeds de soeplepel.

Laat mij …

Geeft niet. Ze kletste de noedels in de twee borden. Hier.

Dank u.

Hier, een plastic lepel en hier, een plastic beker, lauwwarme thee.

Moge God het u vergelden.

Ze keek hem aan. Ze gelooft dat vrome gedoe van mij niet. Ze begon weer met de pannen te rommelen. Konstantin stond ervoor en at. Af en toe hief hij de beker van de tafel en dronk thee. Lekkere, zoete, groene thee. Een tweede vrouw en een franciscaner monnik hielpen de eerste vrouw met opruimen. De monnik had een lange witte baard die bijna zijn hele gezicht aan het oog onttrok, maar zijn lichaam en ogen waren die van een jongeman. De vrouwen praatten, de monnik niet. Knikte alleen of schudde zijn hoofd, al naar gelang.

Heeft hij een zwijggelofte afgelegd?

Pardon?

De monnik.

Nee.

Ik wist niet dat het hier een klooster was.

Het is geen klooster. Bent u klaar? Heeft het gesmaakt? Geef mij het bord maar.

Konstantin veegde zijn mond af.

Geloofd zij de Heer.

Zelfs daar zei hij niets op. Onder zijn mond is de baard in tweeën gedeeld. Achter de spleet rood littekenweefsel. Wie heeft zijn gezicht stukgesneden? Konstantin keek hem in de ogen om te zien of hij misschien knap was geweest. Ervoor. Toen vergat hij dat.

Ik, ik loop dus rond met de gedachte, neemt u me niet kwalijk dat ik u lastigval met mijn met conjunctieven en leugens doorweven gestamel, maar ik, Konstantin Tóti, voel de dringende behoefte me een tijdje in een klooster terug te trekken, het gaat zowel om wetenschappelijk werk als om een innerlijke inkeer die noodzakelijk is geworden, misschien ga ik zelfs zover dat ik zelf monnik word, ja ik overweeg serieus monnik te worden, dat idee heb ik als kind al eens gehad, toen ik elf of twaalf was, Fulbert heeft Abelard laten castreren, kortom: ik heb wat rust, inkeer en toewijding aan God nodig. Het gaat er op dit moment om dat K.T. voor de keuze staat onder te duiken of de wet te overtreden door valse papieren aan te schaffen. Hij is heel bang voor het aanschaffen van valse papieren, hij heeft een fout gemaakt en zijn echte naam gezegd, maar die moest hij toch zeggen, of niet. Natuurlijk zegt hij daar hier niets over, zodat u niet denkt dat ik een crimineel ben, nog niet. Ik kan me indenken dat ik me pater Pierre zou noemen, en verder heb ik gehoord dat

er bepaalde beurzen voor jonge wetenschappers en christenen

Neem me niet kwalijk, zei de strenge vrouw. Mijn excuses, pater.
Dan bent u hier aan het verkeerde adres. Waarom gaat u niet
naar ...
Langzaam word ik (Konstantin) echter ongeduldig: Neem me
niet kwalijk, maar ik praat met de pater.
Keek de pater vol verwachting aan. De vrouw eveneens. Er ont-
stond een korte pauze.
Echoehia, zei de pater na een tijdje.
Trok een kruis over Konstantins verblufte gezicht en liep weg.
Bent u nu tevreden?
Wat is er met hem aan de hand?
Er is niets met hem aan de hand. U hebt het toch gehoord of
niet?
Wat heeft hij gezegd?
Het spijt hem, neem ik aan. En mij ook. En nu moet u echt gaan.
Wat is er met hem? Waarom heeft hij die witte baard?
Moet u alles weten?
Waarom is het een geheim?
Het is geen geheim. Het gaat u alleen niets aan. We sluiten nu.
Het is toch geen schande ...
Alstublieft.
Wat heb ik verkeerd gedaan?
Ze zei niets meer, wapperde alleen nog met haar handen. Naar
buiten, naar buiten. Hij liep achteruit voor haar uit.
Waarom bent u toch zo onvriendelijk? Hè? Nu praat u zeker ook
niet meer met mij? Wat ---
Buiten, voor de deur. Glanzende, laatzomerse bomen, schoon-
heid. Konstantin constateerde dat hij genoeg had gegeten. Meer
dan genoeg. Het geld voor dat broodje had hij in zijn zak kunnen houden. Het restje vormde langzaam een grote vetvlek op
zijn broekzak.
Vervolgens stond hij weer bij het drinkfonteintje, honderd meter verder en je hebt alweer dorst, weer water op je schoenen en
toen: Wat zeg je me daarvan! Een ogenblik later zat hij op de

parkbank in de buurt van de Thaise wasserij, de deurbel jengelde, naast hem zat, met vooroverhangend hoofd, te slapen: de
(bijna) gescheiden vertaler Abel Nema. Konstantin Tóti wachtte tot hij wakker werd en zei:
Zozo. Jij bent dus ook nog hier.

Spijziging II. Tibor

Hij had alleen een papiertje met die naam. Stond vroeg in de
ochtend op een ruw, vuilkleurig perron, Abel Nema, negentien
jaar oud, net *hier* aangekomen, en hij had een briefje met een
onbekende naam in zijn hand. Het papiertje was door de tijd en
de afstand verkreukeld, het handschrift nauwelijks nog te ontcijferen, ten dele omdat het al begon op te lossen in de achtergrond, ten dele omdat het gewoon *anders* was geworden.
Eerst zag het ernaar uit dat hij nooit meer wakker zou worden,
hij sliep drie volle dagen achter elkaar, en toen hij eindelijk weer
bij zijn positieven was, waren er allerlei symptomen. Het begon
ermee dat hij op de terugweg van het toilet naar de ziekenzaal de
weg kwijtraakte en ronddwaalde – hoe lang? – door de zieken-
huisgangen totdat Bora hem vond. Arme jongen. Helemaal in
de war. Daarbij kwam dat hij, sinds hij weer wakker was, nauwelijks meer sliep, een-twee uur per dag, maar misschien had hij
daarvoor gewoon te veel geslapen. Een ander symptoom was, is,
dat hij het briefje rustig had kunnen weggooien of helemaal
niets had hoeven opschrijven, want hij had de naam direct in
zijn geheugen geprent en wist dat hij hem niet meer zou vergeten, omdat hij vanaf nu nooit meer iets zou vergeten dat met
taal te maken had en te herinneren was. Toch kon hij er niet toe
komen het papiertje weg te gooien. De nieuwe constellatie, in
zijn brein en van de dingen om hem heen, leek nog te broos. Alsof er, zodra er maar iets, hoe klein ook, uit deze nieuwe structuur zou worden verwijderd of zou afbreken, iets zou scheuren
dat niet mocht scheuren, dat maar net begonnen was. Of het nu
goed of slecht was, het was het enige dat mogelijk was.

85

Stond op het perron, hetzelfde jaargetijde, hetzelfde weer als nu, de eerste kou, de naar as ruikende wind uit het oosten kondigde de herfst aan. Aan de overzijde van het perron een uitsnede van de stad: een door draden doorsneden hemel, een paar flatgebouwen, waaronder een waarin hij de komende vier jaar zal wonen, daar, op de tiende etage, maar dat wist hij nu natuurlijk nog niet. Het station was destijds nog niet zozeer een 'shopping experience' als wel een overslagstation: grijs en stinkend naar vuil, veel minder protserig. Zoals daarbij paste zag hij dan ook geen trappen van het perron naar beneden, alleen een hellende afrit, een enorme, geribbelde afrit die voor veel meer was gemaakt dan voor die paar mensen die hier 's morgens vroeg op pad waren. Kudden rundvee uit Texas. Hij liep naar beneden.

Beneden volgde hij de wegwijzers door de gebruikelijke stationsecho's en -belichting. Links en rechts getallen en trappen, later een rij gebroken witte bagagekluizen, toiletten en telefoons. Ten slotte kwam hij bij een klein postkantoor. Hij vroeg om een telefoonboek.

De naam en een nummer. Opschrijven of niet?

Neem me niet kwalijk, hoe kan ik hier opbellen?

Meteen op zijn eerste dag, in het eerste uur schonk een naar drankzucht en strijdlust neigend, nors iemand hem twee munten. Abel zei beleefd dank u tegen de overwoekerde nek van zijn weldoener, maar die was allang doorgelopen. Je goede daad voor vandaag.

Vervolgens verontschuldigde hij zich opnieuw. Hij had deze naam opgekregen. Hij kwam uit S.

Aha, zei de stem aan de telefoon. Slepend, ver weg. Wakker gebeld? Hoe laat is het eigenlijk? Vroeg.

U bent net aangekomen?

Ja.

Waar?

Op het station.

Ik begrijp het.

U neemt de metro, rijdt tot dat en dat station, dan rechts, links, enzovoort. Al tijdens de routebeschrijving aan de telefoon begreep Abel er niets van, en zodra hij had neergelegd waren ook de toevallige fragmenten verdwenen die hij een ogenblik had weten vast te houden. Deze stad heeft een van de meest overzichtelijke openbaarvervoersnetten ter wereld. Abel staarde naar het spinnenweb, staarde. Intussen hadden de hellingen en trappen zich gevuld, opeens was het zo lawaaiig geworden als het misschien nog nooit was geweest – *Die uit stille provincies komen* – en er waren zoveel reizigers dat je bijna geen voet meer kon verzetten. Sorry, stamelde hij. Sorry.

Waarheen? Vrouw van middelbare leeftijd, gefronste wenkbrauwen.

Hij noemde de naam van het metrostation.

Rode lijn, zei de vrouw en wees al lopend waar.

Dank u, zei Abel tegen niemand meer. De deuren klapten dicht. Tijdens de reis hield hij zijn blik strak gevestigd op de plattegrond boven de deur, alsof hij de trein kon helpen op de lijn te blijven, de rode, de rode. Het duurde lang, zijn rugzak op het verkeerde tijdstip op de verkeerde plaats in het gedrang, hij werd weggedrongen van elke mogelijkheid om zich vast te houden, maar dat maakte niet veel verschil voor zijn standvastigheid: de andere lichamen drukten tegen het zijne, hielden hem overeind. Gepraat werd er ook, de ruiten besloegen. Ik ben door de stad gereden zonder er ook maar iets van te zien. In de ochtendschemering een tunnel ingereden, in helder zonlicht er weer uitgekomen, ergens aan een ander eind.

De man heette Tibor, hij was professor aan een van de universiteiten hier. Wat Mira ooit met hem te maken had gehad, geen idee, misschien helemaal niets, een notitie op het bureau naast het hare, of de wind had een artikel voor haar voeten gewaaid. Een verre zoon van onze stad.

Ik ben Anna, zijn vrouw. De eerste vrolijke mens vandaag. Een bijna extatische stem, kleine jubeltjes aan het einde van de woorden: We hadden u al verwacht! Laat uw bagage maar in de vestibule staan! De eerste deur links! Ze huppelde voor hem uit.

De werkkamer van mijn man: precies zoals je je die voorstelt. De Spartaanse variant. Langs drie van de vier muren boekenkasten, een tafel, nog een tafel waaraan ze zullen gaan zitten, een raam, daarachter iets groens. Tibor had een knokig gezicht, een huid die door de wind gelooid leek, terwijl hij toch ongetwijfeld de meeste tijd aan een van deze tafels doorbracht. De gelige oogleden als gordijnen die op het punt staan dicht te vallen. Zijn stem hees van de tabak en als na een diepe slaap. Spreekt alles aarzelend uit. Bijna op het punt om te verstommen. Voor elke vraag een pauze.

Pauze.

U komt dus uit S. Hoe oud bent u?

Negentien.

Pauze. Er wordt een sigaret opgestoken. Gele, robuuste vingers. Alsof hij met zijn handen werkt.

Toen ik wegging, was ik nog jonger dan u. Al bijna vijftig jaar niet meer terug geweest. Op de een of andere manier kwam er steeds *iets* tussen.

Hierbij glimlachte Tibor voor het eerst. De volgende vraag wilde hij helemaal niet stellen, maar stelde hem toch:

Hoe is het daar nu?

Abel wilde zijn schouders niet ophalen, maar toch.

Ik begrijp het, zei Tibor. Weer die glimlach.

En nog eentje in de deuropening. Een vijftigjarig, grijsblond meisje met een presenteerblad.

U zult wel honger hebben?!

Abel wist het niet precies.

Laten we het met koffie en broodjes proberen, jubelde Anna en zette het blad op tafel. Tibor wachtte geduldig tot ze de kamer had verlaten – op haar tenen, omzichtig en gracieus, zelfs haar tengere rug glimlacht – en vroeg toen:

Bent u gelovig?

Waarom uitgerekend die vraag bij de broodjes?

Abel keek om zich heen, maar zag niets dat hem zou kunnen

helpen. Hij beet in het broodje, nam een slok van het zwarte brouwsel, slikte en zei ten slotte:

Soms ben ik geheel en al vervuld van liefde en toewijding...

Pauze. Tibor glimlachte. De gordijntjes van zijn oogleden gingen op en neer.

Hij knikte:

Ik ook niet. We zijn niet verlost. Daar zijn geen spitsvondigheden voor nodig.

Abel draaide zo voorzichtig mogelijk de hap rond in zijn mond. Al eerder was het vermoeden bij hem opgekomen, maar nu stond het vast: Er klopte iets niet met zijn smaakzin. Alles smaakte als kalkachtig behangselpapier. De koffie als te heet water, bij het suikerklontje dat hij speciaal in zijn mond stopte *was* er wel iets, maar het bleef vaag, hij had niet kunnen zeggen dat het *zoet* was. Tibor tikte de laatste as van zijn sigaret.

Wat was hij van plan? Hier? Cirkelende beweging met de peuk. Schouders. Kijkt nog eens om zich heen. Bekijkt het *hier*. Heel veel boeken. Mira heeft Andors spullen tot op de laatste zakdoek versjacherd, ook de boeken, aan het antiquariaat in de St.-Georgestraat, hij had ze later terug kunnen kopen en bij Ilia verbergen, maar Abel herinnerde zich niet meer *welke* boeken het waren --- Hij zou ook best hier kunnen blijven. Op het tapijt voor de boekenkasten gaan liggen en zich geleidelijk aan door deze bibliotheek heen lezen. Dat zou vast een tijd duren. De man die in een bibliotheek woonde.

De zon scheen door het groen achter de ruit, Abel zat voor zijn broodjes, boter en koffie, wat gaat er om in zijn hoofd, luistert hij eigenlijk wel?

Oorspronkelijk, zei hij ten slotte, zou hij *thuis* voor leraar gaan studeren.

Leraar in wat?

Aardrijkskunde en geschiedenis, zonder veel belangstelling. Maar daar was nu geen sprake meer van. Ik zou van alles en nog wat over de Eerste Wereldoorlog kunnen zeggen. De rol van grondstoffen. Liever iets met talen.

Aha. Wat kunt u?

Het broodje in de hand van de jongen begon te trillen, hij legde het neer, het was sowieso allemaal waardeloos. Hij dacht na. Hij dacht: broodje, semmel, zsemle, roll, petiti pain, bulotschka. Hij dacht vaj, boter, Butter, butter, maslo, beurre. Hij dacht ...

Hoe het met dit nieuwe talent zat, was nog niet helemaal duidelijk. Iets bereikte een hoogtepunt, woorden, verbuigingen, syntagma's, maar het zwenkte veelvuldig tussen talen heen en weer, ik begin in het Russisch en eindig in het Frans. Dat stelde nog niets voor, dat was hem nu duidelijk, hij kon niets bewijzen of laten zien, één grote wirwar, dat was alles. En toen zei hij:

Mijn moedertaal, de taal van mijn vader en drie internationale conferentietalen.

Ziet u? zei Tibor. Dat is alvast iets.

Lepel, Löffel, kanál, spoon. Ik ken geen zinnen, alleen woorden.

Alle zinnen waren bij *hem*, ik was alleen het publiek en nu ben ik ...

Hoe heet u ook al weer?

Ilia.

En verder?

Bor. Nee. Waarom niet? Me voor hem uitgeven. De ene onbekende in plaats van de andere. En dan? --- Nee, zei hij, niet waar, neem me niet kwalijk, ik was in ... Abel. Abel Nema.

En? Bent u dan ook woedend, Abel Nema?

Pauze. De *oude* bleef maar glimlachen. De *jonge* zat te zitten. Ergens zoemde een vlieg.

Toch geen vlieg, de bel. Een nieuw iemand is gearriveerd. Stemmen op de gang, komen naar de deur.

Mag ik?

Meisje of kleine vrouw, grote zwarte ogen, kort zwart haar, begin van een baardje.

Mercedes. Komt u rustig binnen. Mijn assistente Mercedes.

Abel Nema. Nog zonder functie. Er zat boter aan zijn vingers, er was niets waaraan hij ze kon afvegen. Stond er onbeholpen bij.

Ze keek hem aan. Haar ogen zien eruit of ze heeft gehuild, maar dat heeft ze niet. Haar ogen zijn gewoon zo. Beiden zijn ze heel jong op dat moment, zij zesentwintig, hij negentien. Het is zijn eerste dag, zij is een van zijn eerste mensen hier. Voor haar was er geen reden om zulke berekeningen te maken, ze glimlachte beleefd, ongeïnteresseerd.

Weet u wat, zei Tibor. Komt u morgen naar de universiteit. Ik ben dan daar, en we kunnen alles verder bespreken.

Mercedes deed een stap opzij, zodat hij langs haar heen kon. Tot ziens.

De andere vrouw, Anna, was niet meer te zien. Het ruiste ergens. Water? Abel pakte zijn bagage in de vestibule op en vertrok.

Daar zijn we dus weer. Tussen nu en morgen ligt een onbekende stad. Voor de tweede keer reizen we met de S-Bahn, als oude bekenden. Een paar stationsnamen zouden leuk zijn, of – als de trein boven de grond rijdt – hier en daar een straatnaam. Reclames, overal beloftes, Christus is met u! Bezoek onze taalcursussen! Advocaten en gebitscorrecties helpen u bij uw problemen! De volgende winter komt zonder mankeren! Ga op reis voor het te laat is! Later. Later zal ik misschien op reis gaan. Op het moment is hij net aangekomen, een jongeman met een rugzak, wat gaat er door zijn hoofd? Een oudere vrouw met een brede, gestifte mond keek hem belangstellend aan.

Hij dacht: *Eszetbekaefhajete. Eszetbekaefhajete.* Of hoe Abel Nema zich voor eens en altijd het rode traject van de S-Bahn inprentte, zoals hij zich in de toekomst elk traject dat hij had gereden, gelopen of wat dan ook, zou inprenten aan de hand van de beginletters van het betreffende station of de betreffende straat, weinig toeristisch, maar wel praktisch: de code met behulp waarvan ik deze stad zal ontcijferen. In de loop van de tijd krijg je dan voldoende ruimte om die bewust te bekijken: straten, winkels, auto's, hoe zijn de bussen hier, hoe klinkt de sirene van de ambulance, wat draait er in de bioscoop, de stadions, winkelcentra, markten, ramsj en groenten, en natuurlijk mensen, *mensen,* en boven dat alles de wolken kolenrook, boven sommige delen van de stad meer, boven andere minder, en daartussen natuurlijk ook hier: condensstrepen. Van dichtbij bekeken zijn ze overigens niet wit, maar zwart. Wie heeft me dat (wanneer) verteld?

Later werd hij aangesproken door een man die hem naar zijn vervoersbewijs vroeg. Abel deed alsof hij hem niet verstond. Met handen en voeten kwamen ze tot de conclusie dat hij zich op zoek naar de juiste trein moest hebben vergist, hier heeft hij zijn kaartje, heen- en terugreis, zo moet je het doen, kijk maar, mijn plannen zijn fatsoenlijk. En prompt word je beloond. De vriendelijke heer doet een oogje dicht, doet letterlijk een oogje dicht, of misschien knipperde hij alleen, legde bijna een hand op de onderarm van de jongen, voelde duidelijk en verrassend de impuls: liefhebben, niet doden – gelukkig reden ze nu weer een station binnen, stap dan nu ook werkelijk uit.

Daar zijn we dus weer. Uit een kast ben ik gekomen, op een bank in het station ben ik beland. Alleen in een stad waar je niemand kent. De volgende winter komt zeker. Kolen kun je daar en daar krijgen. Maar eerst naar de universiteit om je te laten helpen. Natuurlijk weet hij niet waar de universiteit is. Vergeten te vragen, maar er is nog tijd genoeg voor morgen. Of hij die middag in de herfst nog aan iets anders dacht, scenario's: Wat is er tot nu toe gebeurd, hoe moet het verder gaan, geen idee. Van buiten viel er niet veel te zien. Een tiener op een bank, een te laat gekomen toerist. Zijn rugzak zat naast hem als een mens.

Later kwam dan die vent naar hem toe die zich al een poosje in de buurt van de kaartjesautomaat had opgehouden en hem in de gaten had gehouden, bruine plooibroek, groene trui, vettige scheiding opzij, kringen onder zijn ogen, en zei:

Hallo. Ik heet Konstantin. Heb je een plek nodig om te slapen? Precies zo.

Welkom

In het begin, en ook later, ben je steeds in beweging zonder echt van je plaats te komen. Met auto of zonder, alles draait steeds in hetzelfde kringetje rond. Moeder onderwijst je in wetenschappen en uitstapjes, vader zingt intussen internationale schlagers. Hij begeleidt zichzelf op de piano, op het keyboard en eens op een harmonium. Hij tikt met zijn rechterbeen de maat, zijn beige sokken zakken af rond zijn enkels. Later spelen voeten, enkels en kuiten, vier in totaal, nog eens een niet geringe rol, maar dan eindigt ook dat abrupt, bijna gewelddadig, en je bevindt je opeens in andere kringen.

Wat kan ik zeggen, het zijn *hysterische* tijden! Alsof de hele wereld aan het stoelendansen is. Paniek, gedrang, gejammer, gekrijs. Zoeken hun plaats. Of een plaats. Een harde rand voor hun halve – pardon – kont. Vrijwillig, onvrijwillig. Overal is het leven hard, juist nu, omdat ze niets dringenders te doen hebben dan alle troepencontingenten te bevriezen, als bestond er geen *internationale situatie* – zoals dat zo mooi heet! Je wordt er niet echt vrolijk van, we hebben allemaal onze geschiedenis, aan de andere kant, wij zijn net twintig en vervuld van hoop als nooit eerder en misschien nooit meer, zei Konstantin terwijl ze door het avondlijke spitsuur zigzagden.

Het was niet nodig of mogelijk iets te zeggen, hij praatte aan één stuk door, ensceneerde de fabelachtige redding *van onze jonge held*, tussendoor haalde hij gejaagd adem alsof hij aan het zwemmen was, ook zijn armbewegingen leken daarop.

We (hapt naar lucht, maait met zijn armen) kunnen gaan lopen! Het is daar aan de overkant! Een van die leemkleurige kolossen die je gezien moet hebben toen je op het perron aankwam. We nemen direct de eerste flat van twintig verdiepingen, en dan meteen, Hier, hier, hier, de eerste trap, dan ondanks pleinangst (Weer wat nieuws …) de lift naar de tiende verdieping. Daar tegenover is een (eveneens) leemkleurige deur, Konstantin Tóti, geschiedenis van de klassieke Oudheid, dat zal hij er in het vervolg altijd bij zeggen: Konstantintótigeschiedenisvandeklassiekeoudheid, hij opent die met een Welkom! Welkom in onze bescheiden stulp, of zoals ik het noem: de Bastille!

Voilà, de plek waar geen duisternis bestaat. Of alleen duisternis. Dat is zo'n *kwestie-van-ja-en-nee* (cursivering Konstantin). Hier worden gebouwen, *zelfs scholen!* neergezet met kamers zonder ramen. Abels toekomstige kamer heeft weliswaar een raam, maar ook weer niet, want dat raam kijkt uit op een smalle, donkere luchtschacht, zo smal en donker dat er geen details in te onderscheiden zijn. Een venster op het niets. We wonen hier precies op de *evenaar*, je ziet niet wat er op de bodem van de schacht is (duisternis), evenmin wat er aan de zijkanten gebeurt (schemering), en ook niet wat je boven, met je hoofd in je nek, aan de hemel ziet, want daar is het weer te licht. Daartussen gaan de stemmen van het huis van boven naar beneden, of je weet niet van waar naar waar, ze zijn er gewoon, *levensgeluiden*, ik hoop dat je geen last hebt van lawaai. Hoewel je op het moment waarschijnlijk voornamelijk blij bent dat je überhaupt een dak boven je hoofd hebt, en niet dat van de stationshal. Daar is het vermoedelijk minder storend als iemand saxofoon studeert.

Overigens gaat het bij de Bastille eigenlijk niet om één gebouw, maar om twee die in elkaar zijn geschoven en in elkaars holle ruimten grijpen. Je vraagt je af hoe dat mogelijk is, van buiten ziet het eruit als een *kolossaal monument ter ere van de rechte hoek*, maar van binnen openbaren zich de meest onverwachte doolhoven. De directe buren kun je alleen via gecompliceerde omwegen bereiken, als de doorgang tenminste niet volledig is versperd door brandbeveiligingsdeuren of soortgelijke zaken. Sindbad, alias Konstantin, heeft een keer geprobeerd die wereld te bereizen, maar ik weet niet zeker of het me werkelijk is gelukt alle etages te bereiken. Naar sommige delen lijkt er helemaal geen toegang te bestaan, op sommige verdiepingen heerst poolkou, ze liggen aan een tochtgat waar altijd wind staat – *die* hoor je overigens ook, op het moment niet, maar in de winter jankt hij als een hond – terwijl het op andere zwoel is als in een warme kas. Er schijnt zelfs iets als een dakterras te zijn, achter een klein, wit muurtje had hij de toppen van een soort bamboe gezien, maar het dakluik was helaas verzegeld. Wat de bewoners betreft: twee keer twintig verdiepingen met de *gebruikelijke types*. Een paar etages zijn door de universiteit als studentenhuis gehuurd, maar er zijn ook veel *burgers*. Konstantin heeft met bijna iedereen die hij op de gang of in de lift tegenkwam al een praatje gemaakt. Hij vertelde iedereen waar hij te vinden was en wat hij studeerde, maar op zijn beurt hoorde hij weer waar kamers leeg stonden, helaas zijn de meeste mensen zelfs in noodgevallen niet bereid iemand onderdak te verlenen. Zo zijn ze. Welkom in mijn wereld. Alomvattende armzwaai.

Waar we nu staan heet de *piazza*, althans zo noem ik, Konstantin, het. Traditioneel: de zogenaamde gemeenschapsruimte van het huis, met beige linoleum belegd, waar alle wegen van het *imperium* elkaar kruisen. Er zijn zes deuren te zien: in- en uitgang, keuken, badkamer, en de deuren van de drie aanpalende *doodskisten* waarin de *delinquenten* hun *onderkomen* hebben. De piazza en een van de kamers kijken uit op het spoor, de rest op de al eerder genoemde luchtschacht. In de kamer met uitzicht woont iemand (zucht) die we (Konstantin) de Blonde Pal noemen, hoogstwaarschijnlijk een *verklikker*, een Scandinaviër met een vissenkop, je moet voorzichtig zijn. Gelukkig is hij er op het moment niet. De tweede kamer is van Konstantin zelf, en de derde, de kleinste en donkerste, is bestemd voor een Algerijn die Abdellatif El-Kantarah of zoiets heet, theoretisch tenminste, want in de praktijk is hij tot nu toe niet komen opdagen. De betrouwbare Konstantin droeg intussen al twee maanden lang de sleutel van die kamer bij zich, hier in mijn broekzak, om die bij gelegenheid door te geven, maar daar was het tot nu toe niet van gekomen. En bijgevolg: *Voilà, Monsieur,* uw kamer.

Zo leerde Abel Konstantin T. kennen. Hij scheen een voorliefde voor Frans te hebben, maar afgezien daarvan viel er eerlijk gezegd van zijn monoloog niet veel te verstaan. Hoewel hij al een jaar hier was, sprak hij de landstaal niet bijzonder goed. Net het allernoodzakelijkste.

Jij honger? Eten? Eieren en dat daar?

Vet spek. Aan de ene kant is er een draad door getrokken om het op te hangen. Van thuis. Konstantin sneed plechtig en trillend een dun plakje af.

En jij? vroeg hij eindelijk. Hoe staat het met jou? Waar kom je vandaan, waar ga je heen? – och, lieve god …! Ik denk dat dat betekent dat je langere tijd hier blijft?

Overigens is dit een *fantastische* stad, vervolgde hij. Als je dat al niet hebt gemerkt, dan zul je dat nog merken zodra je genoeg hebt gegeten en een beetje bent uitgerust: Alsof het vanzelf spreekt dat je hier bent. Maar wat is vanzelfsprekend, ik weet het, en zeker zou ook niet iedereen je zomaar van de straat mee naar huis nemen, alsof hij uitsluitend op jou had gewacht, niet iedereen is een Konstantin T. Toch zeg ik: het land spuugt je uit, de dorpen jagen je weg, maar hier kun je blijven en samen met mij over tien, twintig jaar zeggen: Weet je nog, toen we daar in de *kloppende metropool van hun wereldhelft* woonden? Hij heeft grotendeels de kenmerken van de blanke wereld, oosten-westen-zuiden-noorden, verder een snufje Azië en zelfs een beetje Afrika. Religies! Nationaliteiten! Ach, konden we het raam maar openen en het beroemde air van deze stad op onze huid voelen – dat overigens, vooral in de winter die hier traditioneel op tien september begint, hoofdzakelijk naar kolenrook ruikt, stel je daar maar meteen op in – maar jammer genoeg zijn de ramen niet te openen, onbekend sluitwerk en bovendien is het kapot. Met opzet kapotgemaakt, veelbelovende jonge studenten die uit hooggelegen etages springen kunnen we niet gebruiken. Want nuchter bekeken is het leven voor zwerfkatten met of zonder beurs ook hier net iets meer dan genoeg om niet te verhongeren. Nog wat eieren met spek? Neem vooral wat je wilt. Al is het niet veel. De eerste dagen koop je nog wat je graag wilt eten: worst, brood, melk enzovoort. Na een paar dagen merk je dat je geld op die manier hooguit voldoende voor tien dagen is, en dan zijn we nog maar bij het ontbijt. Je kan in de weer zijn met aanvragen, je inspannen voor toelagen, gewoon op ieders zenuwen werken, voorname terughoudendheid is niet mijn sterkste punt en die kan ik me ook niet permitteren – Trouwens: Heb je geld? Nee? – in negenennegentig van de honderd gevallen vang je bot. We zijn gewoon met te veel. Mijn advies voor de *tussentijd*: veel pasta, veel bouillonblokjes, tomatenpuree en kool. En in dat en dat *eethuis* kun je spinazie met een gekookt ei krijgen voor nog geen vijf piek, zo, nu weet je werkelijk alles!

Het mannelijk lichaam, zei Konstantin, is pas op 21-jarige leeftijd volledig uitgegroeid. Waarschijnlijk ben ik nog in ontwikkeling en heb ik daarom altijd zo'n honger.

In ontwikkeling beviel hem bijzonder goed, giechelend spetterde hij verder. Ook later deed hij dat steeds, altijd was hij aan het spetteren, hij braadde alles *zodat het smaak krijgt.* Op de tegels, leemkleurig zoals alles in de Bastille, groeiden kleine vetpokken, de kasten glommen. In het invallende licht, voorzover dat kon invallen. Het raam was tot halve hoogte bedekt door een aan de buitenkant aangebracht airconditioningapparaat, de bovenste helft was meestal beslagen. Het rook naar ranzig spek en kruimels, en naar het middel waarmee elke paar weken werd geprobeerd de kakkerlakken in toom te houden. Op zijn eerste ochtend schudde Abel ze van zijn bord – de blonde Pal kwam de keuken in, zag hem, misschien knikte hij ook, Abel knikte terug, Pal haalde iets uit de ijskast (melk) en ging weer weg – en at havermout die van *niemand* was, gewoon in de kast stond, met water.

Pak wat je wilt!

Dank je, hij wil niets.

Ben je vegetariër?

Nee.

Wat is er aan de hand? Doe je boete voor iets of spaar je voor een sportwagen?

Konstantin lachte, maar niet meer zo hartelijk als de avond ervoor. Die nieuwe is merkwaardig, wat er ook gebeurt, hij vertrekt geen spier.

Niet helemaal, beste vriend, niet helemaal.

Hebben en zijn

De onbeheerde havermout was voldoende voor vijf dagen en meer had Abel niet nodig. Na aanvankelijk ronddwalen in een doolhofachtig universiteitsgebouw – Zal ik je brengen? vroeg Konstantin. Niet nodig, zei Abel. Ik ga met je mee! riep Konstantin. Niet nodig. Echt niet – verscheen hij de volgende dag in Tibors kantoor.

Laten we de zaak samenvatten, zei Tibor. U hebt nodig wat je zoal nodig hebt: onderdak, een studieplaats en natuurlijk geld. Naar uw ambassade kunt u om objectieve redenen niet gaan. Ik begrijp toch goed dat u een deserteur bent? (Goede jongen.) Op de genade van vreemden aangewezen, dat bent u.

Pauze. Het geklik van een aansteker, heftig inhaleren, rook.

Helaas kan ik niet veel voor u doen. Ik ben hier ook maar … Hij decoreerde zijn naam met allerlei titels – De mensen zijn, gelukkig!, zulke snobs! – op een blad papier met een briefhoofd. Hier, een aanbeveling. En hier nog eentje. Die mensen hebben geld. U moet gewoon uzelf zijn. Het zou gemakkelijker zijn als u gelovig was, maar ja, je kunt niet alles hebben.

Dank u, zei Abel.

Niets te danken, zei Tibor en wijdde zich weer aan andere werkzaamheden. Het geheel had nog geen kwartier geduurd.

In de brief stond in feite dat Abel Nema een genie was. *Het is in het belang van ons allen iemand met zulke buitengewone talenten als de heer A.N. met alle middelen* … enzovoort. Binnen een week had Abel alles verzameld wat een mens nodig heeft. Alles in orde, telegrafeerde hij naar zijn oude adres. Sinds het gesprek in het ziekenhuis had hij niet meer kunnen bellen. Thuis noch op school werd de telefoon opgenomen.

Heb ik het goed gehoord? (Van wie nou weer?) Konstantin in de keuken. Je hebt een beurs van de S… Stichting gekregen? Waarom heb je me niet verteld dat je die kunt aanvragen? Ik laat je voor niets bij me wonen, en wat doe jij? Waarom zijn jullie toch allemaal zulke egoïsten?

Je kunt niets aanvragen, zei Abel. Het zijn speciale beurzen voor hoogbegaafden.

Aha, zei Konstantin. Ging aan de andere kant van de keukentafel zitten en keek toe hoe *de uitverkorene* at: voornaam, kieskeurig, bijna zonder geluid. Konstantin zelf smakte altijd als een eend. Als hem iets werd aangeboden. Maar *dat idee* komt bij *hem hier* natuurlijk niet op. Je bent dus hoogbegaafd.

Geluksvogel, zei Konstantin tegen hem. Wat ben je nu van plan? Ben je van plan een eigen flat te zoeken?

Pauze. Abel at, misschien dacht hij na. Ja, waarschijnlijk zou hij een flat zoeken.

Hm, zei Konstantin. Het is allemaal verschrikkelijk duur. Je kunt je niet voorstellen.

Pauze.

De toiletten zijn in het trappenhuis en bevriezen in de winter, op de zwarte bril verstenen de door de buren achtergelaten witte sporen.

Wat, zei Konstantin ten slotte, wat was er eigenlijk tegen – behalve dat het illegaal en gevaarlijk was – dat Abel *voor altijd* in de kamer van de Algerijn zou blijven? Omdat hij er officieel niet was, zou hij ook geen huur hoeven te betalen en in plaats daarvan de helft van *zijn*, Konstantins, kamerhuur kunnen vergoeden, tenslotte liep hij, Konstantin, een niet onaanzienlijk risico vanwege hem, Pal met de vissenkop en zo, dat zou toch in feite eerlijk zijn, en ze zouden bij wijze van spreken quitte staan. (Neemt hem op: Zou jij voor een Algerijn kunnen doorgaan? Waarom niet? Geen mens weet hoe een Algerijn er eigenlijk uitziet.)

Abel zei geen ja en geen nee, maar hij bleef.

Konstantin lachte hartelijk: Dat *waren* nog eens tijden!

Later moest hij evenwel ervaren dat hij – ook nu weer, zoals zo vaak – werd teleurgesteld. *Onze fictieve medebewoner* leek geen belangstelling voor *wat dan ook* te hebben. Meegesleept door noch onder de indruk van *alles hier*. Zei geen drie woorden per dag, je (Konstantin) kreeg hem zo goed als nooit te zien. At en sliep nauwelijks, maar studeerde nagenoeg permanent, met een verbetenheid alsof – weet ik ook niet. Alsof hij nooit uit het raam kijkt. Alsof het hem niet kan schelen hoe het er daar uitziet. Een stad, basta. Dat accepteer ik niet, zei Konstantin. Geen mens ziet de wereld zo. Zo *formeel*.

Vroeger wilde Abel of, wie weet, *maakte Abel zich op om* aardrijkskundeleraar te worden, nu was de binnenkant van zijn mond het enige land waarvan hij de landschappen tot in alle details kende. Zijn lippen, tanden, alveolen, palatum, velum, uvula, lingua, apex, dorsum, tongwortel, strottenhoofd. Voice onset time, stemhebbend, stemloos, geaspireerd, distinctief of niet. Explosieven, spiranten, nasale klanken, laterale klanken, vibrerende klanken, benaderende klanken, taps en flaps. Zegge en schrijve vier jaar lang, een naar studentenhuis vol mannen, linoleum en neonlicht stinkende tijd, bewoog hij zich nagenoeg uitsluitend langs een enkele route: van het studentenhuis naar het taallaboratorium en terug. Drie haltes met de S-Bahn en een stukje te voet. Het is altijd donker in dat beeld, alsof het altijd winter was, maar dat kan natuurlijk niet, in vier jaar moet het in elk geval één keer zomer zijn geweest, maar ja, hij droeg altijd dezelfde kleren, zijn zwarte bejaardenoutfit waarin hij hier nog meer opviel dan *daarginds*, als zoiets hier al een blik waardig gekeurd zou worden. Demonstratief (?) niet modieus, nou ja, so what. Als er al blikken waren – en die waren er, want afgezien van zijn kleren en zijn niet te identificeren haardracht ziet hij er goed uit – beantwoordde hij ze niet. Hij ging nergens heen waar hij niet beslist moest zijn, ook naar het laboratorium ging hij vooral 's nachts, als hij daar alleen kon zijn. Eén zwevend verlicht vierkant in een donker gebouw.

Op wonderbaarlijke wijze is aan Abel N. een talent verleend of geleend, maar behalve dat moet er ook worden gewerkt. In het begin is er de wiskunde, het spinnenweb van de constructie. Zoals bij het uitvouwbare sprookjeskasteel ontstaat uit twee bladzijden van een boek een glazen woud. Elke boom daarin is een zin, de takken vormen er met de stam een bepaalde hoek in, de kleine takken met de grote eveneens, aan de uiteinden fonkelen malse syntagma's. De natuur vormt alles volgens een patroon. Hier bewijst de kennis van fraktalen goede diensten. Of het eenvoudige, universele taalinstinct. Dodelijk scherp en schoon, maar stom, staat het woud alleen voor zichzelf. Aanvankelijk was Abels mathematische verstand nog niet voldoende verbonden met zijn tong, dat wil zeggen: hij begreep alles en kon niets zeggen, zou niet in staat zijn geweest welk bewijs dan ook voor zijn talent te leveren of, praktischer, welk examen dan ook af te leggen. Die heb je niettemin nodig om je papieren te behouden. Het geheime genie. Begrijp ik, zei Tibor, die er *eigenlijk* helemaal niet was, hij had een jaar vrij genomen om een boek te schrijven, maar het was toch voldoende om zijn naam in zijn mooie schoonschrift op weer een blad met briefhoofd te schilderen. Mocht u toch nog problemen krijgen, wendt u zich dan tot mijn assistente. U herinnert u Mercedes toch nog? Hij herinnerde zich haar, maar dat speelde hier en nu geen rol. De sleutel voor het taallaboratorium kreeg hij ook zo wel.

Dat maakt de hele zaak nog ongelooflijker, om niet te zeggen angstaanjagend, zo werd in de sectie Moderne Talen gezegd. Hij leert klank voor klank, analyseert frequentiestatistieken, worstelt zich door de codes van het fonetische schrift en kleurt zijn tong zwart om de afdrukken te vergelijken. Op den duur riekt dat naar straf. Alsof je inkt of waspoeder hebt gegeten. Dan krijgt de benaming *laboratorium* een letterlijke inhoud. De techniek staat voorop, de mens op de tweede plaats. Alsof hij daar 's nachts zijn homonunculus kweekt, alleen bestaat die in dit geval helemaal uit taal, de perfecte kloon van een taal tussen glottis en labia. Is dat een leven voor een mens?

Maar wat is dat eigenlijk, vroeg Konstantin aan Pal, die toevallig langsliep in de piazza. Pal keek naar hem en liep door, sloot de kamerdeur achter zich. Dat is ook zo'n kandidaat. De hele nacht zie je blauw licht onder zijn deur door, hij kijkt geen moment weg van het computerbeeldscherm (liever gezegd: de beeldschermen, hij heeft er drie), 's ochtends slaapt hij, 's middags gaat hij vermoedelijk naar een paar colleges, komt 's avonds weer thuis en dan begint het van voren af aan. Ik deel mijn onderkomen met de meest vervelende en meest vervelende mensen ter wereld. Zonder het stevige korset van hun rituelen zouden ze vermoedelijk niet eens in staat zijn een minimum aan schijn van menselijkheid op te houden, zei Konstantin tegen de vensterruit, waartegen hij altijd praatte als hij geen directe gesprekspartner had. Stond voor het raam dat niet open kon, gezicht naar het spoor, en *lamenteerde* (cursivering Pal) *urenlang* – gewoon over alles. Verleden, heden, toekomst. *Deze eeuw die ons hier heeft gebracht!* Zijn adem vormde een klein beslagen cirkeltje, daarin praatte hij, zijn microfoon. U luistert naar radio Konstantin. Politiek, informatie, weerbericht. Een vijfduizend jaar oud mens gevonden, de scheve toren van P. wordt steeds schever, het grootste levende wezen op aarde is een 100 ton zware paddestoel, wapenstilstand afgekondigd, republiek gesticht, barricaden opgeworpen, de priester en de vaandeldrager tijdens een bruiloft vermoord, ster ontdekt, onafhankelijkheid van een staat erkend (gefeliciteerd!), gegijzeld, brug opgeblazen, 427 jaar geschiedenis verdwenen in het ijskoude, azuurgroene water van de … Pals kamerdeur ging open: Zou je alsjeblieft eens een minuut je kop willen houden! En hij smeet de deur weer dicht. Plasticmonster, mompelde K.

Zoiets doet *hij* niet. Hij is beleefd en stil, zijn stappen op het linoleum zijn nauwelijks te horen, op zijn gezicht geen treurnis, ergernis of instemming. Daar geloof ik geen barst van, zei Konstantin. Hoe krijg je het voor elkaar helemaal niet naar de nieuwsberichten te luisteren en mij evenmin te vragen ze elk uur te actualiseren? Het *kan* je niet niet interesseren wat in het buitenland en thuis aan de hand is. Heb je bijvoorbeeld niet je moeder een heel jaar lang niet kunnen vinden? Hoe is het met haar? Met mij gaat het goed, zei Mira toen ze elkaar voor het eerst weer spraken. Het stofhagelde, buiten voor de telefooncel stonden drie mannen tegen de wind geleund, vanaf de markthal kwamen reclamefolders aanwaaien, voor groenten of politiek, aan deze kant van het spoor schijnen de rechtse partijen sterk te zijn.

De flat hebben we niet meer, zei Mira. Ik woon nu bij Vesna. Alleen een kamer op de begane grond, maar het gaat, we zijn maar met z'n tweeën. Grootmoeder is gestorven. Beledigd en woedend, zoals ze heeft geleefd. Ze was zo beledigd en kwaad dat ze is opgehouden met bidden en zelfs met schelden, ze klemde haar lippen op elkaar, is gaan liggen en …

O, zei Abel.

Doe je moeder mijn allerhartelijkste groeten! Ze moet weten wie ik (Konstantin) ben voor het geval jou iets overkomt!

Hoewel het omgekeerde waarschijnlijker was. Terwijl Abel en Pal zo goed als niets overkwam en ze daarmee niet ongelukkig leken te zijn – Je weet gewoon niet *wat* ze zijn! – was Konstantin voortdurend in het een of ander verwikkeld.

Hij werd door balletje-balletjespelers de hele winkelstraat door achtervolgd – twee kilometer lang, ik wist niet eens dat ik zo ver kon lopen – nadat hij op het stationsplein een redevoering tegen de voorbijgangers had gehouden om ze te waarschuwen dat ze niet in die truc moesten trappen. Dagenlang liep hij trillend in de piazza heen en weer. Ze hebben gezegd dat ze weten waar ik woon. Ze zouden me binnen mijn eigen vier muren vermoorden. Hij had het lang over het bloed dat van alle wanden zou druipen. Later werd hij in zijn eigen badkamer door een wesp gestoken, en een hele winter lang waren zijn amandelen zo ontstoken dat hij weken-, maandenlang geen woord kon uitbrengen. Verzwakt immuunsysteem, dat komt door de eenzijdige voeding en de psychische belasting, bovendien kon hij niet tegen tocht en airconditioning. Ik heb praktisch altijd koorts. Rode wangen, glanzende ogen, zijn hete adem die naar etter en penicilline rook. Roodzwarte capsules, hij had ze in zijn broekzak en nam er veel te veel in. Toen hij er eindelijk mee ophield, was zijn hele lichaam wekenlang overdekt met etterige puisten. Langzaam maar zeker verander ik in een monster. Wat heb ik gedaan? Wie heeft me vervloekt? Waarom ben jij (Abel) eigenlijk nooit ziek? Later werd het voorjaar, hij waagde zich weer op straat. Prompt mengde hij zich bij een worstkraampje in een gesprek, waarop de man die het dichtst bij hem stond hem zonder een woord te zeggen tegen zijn enkel schopte. De teen van de schoen raakte hem in de holte onder het bot. Konstantin stortte met een schreeuw ter aarde en kwam weer bij zijn positieven ter hoogte van het cafetariavuilnis dat in het rond lag. Smeer 'm, zeiden de rauwe figuren boven hem. Hinkend moeten vluchten.

Later sloeg hij zelf een jonge vrouw in elkaar, toen hij merkte dat ze een penis had. Hij moest overgeven en scheurde in het voetgangersgebied de reclameposters kapot voor een tijdschrift met een naakte man op de omslag. Tegen de herrie van een cafetaria in legde hij een vrouw die hij nauwelijks kende al schreeuwend uit dat in alle culturen de zegen van boven komt, dat de zonnegod de aardegodin bevrucht en niet omgekeerd, hij vertelde dat hij een advertentie zou plaatsen: Zoek achttienjarige, onbedorven maagd uit mijn oude vaderland. Rijkdom heb ik niet te bieden, alleen mijn eerlijke, trouwe hart.

Wees voorzichtig! riep hij Abel na. Heb je het niet gehoord, onlangs is weer iemand in de trein neergestoken omdat hij een *linkse* bril droeg, gelukkig is het nu weer winter, jassen en truien, het mes drong maar 1 centimeter diep boven de nieren binnen, maar zo is de sfeer, hysterische, hysterische tijden.

Alsof je in een toiletpot predikt, zei Konstantin tegen het raam.

Zo is het precies.

Dat waren de eerste jaren.

Salon
Intermezzo

Al die tijd manifesteerde Abel zich, voorzover Konstantin bekend, in de hierboven geschetste situaties. Soms ging hij voor het laboratorium naar de meest uiteenlopende niet-ondertitelde films, bij wijze van oefening, soms kocht hij bij een cafetaria waar hij toevallig voorbijkwam iets te eten of te drinken: door ernaar te wijzen.

Eens bezocht hij, tegen beter weten in, een studentenbidkring die hem door Konstantin was aangeraden.

Er zijn ook bidkringen, zei Konstantin. Ben je katholiek of orthodox?

Het een noch het ander. Ik ga daar in geen geval heen. Toen ging hij toch, het is maar een korte episode die niet langer duurt dan een blik in de catacomben, hier: een afgeschreven schrijfmachineruimte. Er waren weinig bidders aanwezig, een stuk of twaalf misschien. Hij zag dat *hij* er niet bij was. Een kwestie van seconden. Neem me niet kwalijk, zei hij, en vertrok weer.

Een andere keer was hij degene die Konstantin meenam. Een etentje bij zijn *sponsors*. Konstantin was werkelijk ontroerd. Zal S...... er persoonlijk zijn?

Abel dacht van niet. Het zijn alleen mensen van de stichting.

Leden van de toekenningscommissie?

Wellicht.

Dank je, zei Konstantin. Je bent een echte vriend.

De gastvrouw heet Magda, een mannelijk aandoende landgenote, ze heeft een grijs knotje en rookt aan een stuk door. Haar man is een vriendelijke, welgestelde eigenheimer, zij heeft haar geluk gevonden (?), hij is bijzonder in haar cultuur geïnteresseerd.

Nu zie je hoe je hier ook kunt leven! Mensen als wij komen zo goed als nooit in dit deel van de stad! Die kamers, dat licht, dat parket, dat stuc, die locatie ... Correctie: accessoires!

Als gast van een gast besnuffelt Konstantin letterlijk alles. Schilderijen, signaturen, armaturen! O, laat ons een tent opslaan aan de rivier van de rijken! Hoepla, een buffet!

Eindelijk heeft hij iets te eten, een tijdje is het stil. Abel zoekt een rustig hoekje op.

Wie hebben we daar? Vers bloed!

Zo zou ik mijn kind toch niet noemen: *vers bloed* ...

Lachen. De meeste gasten zijn van dezelfde leeftijd als de gastheer, *samen op weg gegaan*, ze kennen elkaar van binnen en van buiten, afgezien van de nooit onthulde geheimen. Een beetje afwisseling is altijd ...

Ach, wat ben je nog jong! Twintig? Op z'n hoogst. Hoe heet je volledig, m'n jongen? Abel, dat is een mooie naam. Uitgerekend vandaag zijn er geen jonge meisjes. Laat hem toch eerst eens eten. Je kunt al bijna door hem *heen kijken* ...

(Dat hebben ze in elk geval begrepen. Alleen zacht gegiechel.)

Jonge studenten eenmaal per week voor het middageten uitnodigen is een mooie oude traditie.

Eenmaal per *maand*.

Dat was Aida, de enige dochter van de gastheer, van tijd tot tijd schrijft ze voor de radio, als haar manische depressie het toestaat. Daar tussendoor – nu – woont ze weer bij haar ouders. Door de medicijnen is ze opgezwollen, al was ze altijd al mollig, altijd zo'n triest meisje, zegt haar elegante moeder, het leven is een last voor haar. De lithium veroorzaakt trillende handen. Het voordeel van zowel familiale als historische catastrofes is dat ze je dichter bij elkaar brengen. Dat kan goed of slecht uitpakken. Eenmaal per maand je buikje rond eten moet ook niet worden onderschat.

O, die gênante warmte in de schoot van een *gemeenschap*! Denkt Aida en bekijkt de nieuweling. Het verse bloed. Als hij tot nu toe drie woorden heeft gezegd, is het veel. Verlegen of arrogant? (Allebei?) Heeft nog een ander meegebracht om minder op te vallen. Of hij weet hoe knap hij is?

De arme zieke Aida. Kan haar blikken niet van hem afhouden. Ogen op stokjes. Als zo'n knappe, jonge man van de arme, zieke, dikke Aida kon houden, zou ze zeker gered zijn, o, ik wilde dat ik er eentje voor haar kon bakken! Deze hier is nog maar een kind! Al zijn aandacht lijkt op het eten gericht. Aida glimlacht. Ik eet praktisch niets, maar desondanks verandert mijn gewicht niet. Wat zou er gebeuren als ik helemaal zou ophouden met eten? Zou dan soms blijken dat ik onsterfelijk ben?

De aandacht van de mannen kan hij niet lang vasthouden. Ze willen snel beginnen aan de volgende aflevering van een gesprek dat ze vermoedelijk al veertig jaar lang voeren, *de oude partizanen*, blijven hangen op een zomeracademie ergens in de jaren zestig, en sindsdien ...

H. heeft geen visum gekregen, pas toen de conferentie al aan de gang was, maar ze liet zich niet weerhouden ... echt een kosmopolitische vrouw, vijf talen, ik heb haar een keer ontmoet ... op eenentwintig oktober negentienhonderd ... Op de drieëntwintigste. Op de eenentwintigste was er nog geen ... stond op het balkon, beneden trokken ze voorbij, en opeens doen al die ...

Balt zijn vuist. Een paar lachen er, beneden de vijftig weet je niet waarom. De dames kennen de verhalen, ze houden zich liever met de nieuwelingen bezig.

En u? Konstantin. Ook een beursstudent? Ah, meegekomen met … Geschiedenis van de klassieke Oudheid? O, wat intere … Wat precies? De volksverhuizing?

Een of twee? (Kreet uit de groep mannen.)

De prehistorische volksverhuizing kan met behulp van de maagbacterie helicobacter pylori …

Och, heeft u pijn aan uw hand? Hebt u zich gisteren bij een klusje met een elektrisch mes gesneden?

(Heeft u ervaring, vroeg de man, ook zo'n buitenlander.

Ja zeker, zei Konstantin.

Nog geen halfuur geweest, natuurlijk geen geld.

Wegwezen, wegwezen, zei de man, geen bloed van jou hier, dat kunnen we niet gebruiken.

Misschien kan ik hem nooit meer bewegen. Misschien blijf ik mijn leven lang invalide. Ik weet niet of ik *zo* kan meegaan naar dat etentje. We hadden hem moeten aangeven. Gebruikt zwartwerkers en zet ze bloedend en wel op straat. Met alleen een servet. Ik geloof dat het al begint te stinken.)

Hij wil niet naar het ziekenhuis.

Wie wel?

Gelukkig is de goede dokter F. aanwezig. Laat u maar eens zien. De goede dokter F., die op de hoogte was van de kwestie met de maagbacterie, heeft hele generaties behandeld en vaak kosteloos. Toen mijn dochter werd geboren, kwam de bisschop bij de doop, ik dekte de campingtafel met onze vier borden. Het vierde was voor de goede dokter, hij was de peetvader, toen kenden we elkaar al. Nu is hij helaas met pensioen, maar voor alle zekerheid heeft hij nog altijd een tasje met essentiële spullen bij zich, hoofdzakelijk om te desinfecteren. Kom hier, jonge vriend, in deze rustige zijkamer, en laat eens zien wat er aan de hand is. Een keurige messteek heeft u daar, als we afzien van eventueel vuil dat zich op zo'n mes kan bevinden, microscopisch kleine stukjes worst. Vlees op vlees, dat is het ergste, dat brengt gif in het bloed, maar in dit geval is een plasje jodium waarschijnlijk voldoende.

Houd ik mijn leven lang een bloedbruine vlek midden op mijn handpalm? Zie mijn stigmata!

Je kameraad is gewond, hij is er niet, nu zijn alle ogen op jou gericht. Abel, zo deelt Magda mee, spreekt vijf talen. Of zijn het er intussen zes? Ik heb het idee dat er elke week eentje bij komt.

Ja, daarin zijn we goed! Niet dat we getalenteerder zijn. We worden gewoon gedwongen.

Ik heb het idee dat de markt overvol moet zijn.

Is die niet altijd overvol?

Omdat ik onsterfelijk ben, denkt Aida, maken ook die vijftien jaar leeftijdsverschil niets uit, bovendien heb ik het juiste paspoort, en als ik mijn zenuwen zolang de baas blijf, vergeet je vast mijn lichaam en leer je mijn intelligentie en fijngevoeligheid te waarderen.

Tibor B. heeft hem naar ons gestuurd.

Ook lang niet meer gezien.

Zijn tweede vrouw was danseres en choreografe, een mooie, kleine vrouw.

Een jood.

Nietwaar. Alleen zijn vader. Dan geldt het niet.

Als het erop aan zou komen, telde elk druppeltje bloed mee dat veertien generaties geleden in een neventak van de familie is verdwaald.

Een druppel bloed gaat de wereld rond!

Bloedworst zegt, kom, leverworst…

Kunnen we alsjeblieft ophouden over bloed, ik word er niet goed van!

Neem een borreltje, Aidica.

Mag ze niet. Medicijnen.

Nu moeten ze allemaal even hun mond houden. Ik haat je, moeder.

Nu heb je het weer tegen *hem*:

Hoe kent u Tibor?

Ik ken hem helemaal niet. Zijn naam stond alleen op een papiertje.

O…

De naam van ieder van ons zou op een papiertje kunnen staan!

Vroeger was Magda zo'n soort *officieel* opvangpunt, de moeder van alle emigranten, tegenwoordig zou dat niet meer mogelijk zijn. Het zijn er gewoon te veel.

Iemand heeft ooit vijfentwintig joden in huis verborgen. Een vrouw.

In de loop van mijn leven moet ik honderden visitekaartjes in de wereld hebben rondgestrooid. Wie weet waar die tegenwoordig zijn.

De goede dokter is ook een heilige. God moge je zegenen en een lang leven schenken.

De betrokkene glimlacht triest. Ook zijn hand trilt al.

Konstantin, met zijn verband waar jodium doorheen schemert, luistert met glinsterende ogen naar *al die verhalen*. Gaat zo zitten dat hij zowel contact met de partizanen als met de dames heeft, probeert zich zelfs in de discussie te mengen, alsof dat nodig of mogelijk was, een geïnteresseerde jonge man. De ander: van hem krijg je geen hoogte. Behalve hij zijn er nog twee anderen die voornamelijk zwijgen: Aida en een grote, weke man van een jaar of vijftig, grijs krullend haar, vrouwelijke wangen, een kleine, ijdele mond. Vroeger toneelspeler, de ster van zijn provinciestad, jankte als een kettinghond en zwaaide met zijn vuist, destijds was het nog niet zo chic om homo te zijn, er werd aandrang op hem uitgeoefend om te trouwen, hij weigerde, *eigenlijk* een loffelijke houding. Tegenwoordig denkt hij dat hij kan schrijven, leuke boekjes met anekdotes uit het oude vaderland. Anekdotes zijn een verheven kunst, mijn liefje. Hij heet Simon. Hij slaat ten eerste iedereen gade, *een onuitputtelijke bron*, en verder natuurlijk speciaal onze knappe, jonge held.

Hihihihi, denkt Aida. Hihihi.

Later vullen haar ogen zich met tranen en ze gaat zonder een gebruikelijke beleefdheidsgroet naar haar kamer, de arme ziel, de plaats naast Abel komt vrij. De man die Simon heet gaat verzitten.

Pauze. Dan, zacht en vertrouwelijk, een wat zingende stem vlak naast zijn oor:

Hoe heet u?

Even later gaat hij weg, Abel gaat mee. O, de oude woesteling! Konstantin, die weet hoe het hoort, biedt aan eveneens te gaan. Niet nodig, zei Abel. Hij ging ook deze keer naar het taallaboratorium. O, wanneer jeugdige energie ook nog gepaard gaat met vlijt, en in merkwaardig scheve blikken iets daagt als respect! En u, goede vriend, u blijft toch nog even? Konstantin, met zijn verbonden hand, ging waardig weer op zijn plaats zitten.

De volgende keer kreeg hij een eigen uitnodiging. Hij ging er alleen heen. Hij giechelde: Ze hebben je gemist! Er waren minstens twee bloedjonge dametjes, speciaal voor jou!
Later was het niet meer leuk. Waarom komt die knappe man niet meer? Hij is weg op een geheime missie, zei Konstantin veelbetekenend. Ik denk niet dat hij nog ooit terugkomt.
De bloedjonge dametjes trokken een gezicht.
En bovendien kleden ze zich als babyhoeren. Ik moet je heel eerlijk zeggen, zei Konstantin later tegen Abel: *Het* beter leren kennen betekent ook de afkeer kennen, als je begrijpt wat ik bedoel. *Echte* solidariteit? Hij wuifde het weg. En een beurs heb ik ook niet gekregen. Over het geheel genomen zou ik (Konstantin) dit intermezzo samenvatten als 'Het leerrijke verlies van een illusie'.

Transit

Het voordeel van een *wisselvallige jeugd* is, zei Konstantin op zekere dag tegen de vensterruit, dat ons nu vrijwel niets meer kan gebeuren. Ons kan niets meer gebeuren, mompelde hij in de mist. Dat betekent, zei hij na een korte pauze, dat ons *alles* kan gebeuren. Er gebeurt van alles. Er zal van alles gebeuren. Natuurlijk. Wat mogelijk is, gebeurt ook. Daarom gaat het niet. Waar het wel om gaat is, dat het denkbaar gruwelijkste ons nauwelijks meer tot in onze ziel kan schokken, terwijl het denkbaar onbelangrijkste ons bestaan kan bedreigen.

Hij keek om zich heen. De piazza was leeg, op een bank met een afschuwelijke bekleding na, Joost mag weten waarvandaan, hij was er al geweest toen de eerste student hier zijn intrek nam. *Zoals God*, zei Konstantin en lachte, maar zijn gezicht werd vuurrood. God als bank. Een *slaap*bank! Van onder Pals deur scheen het gebruikelijke blauwe licht, te horen viel er niets. Abel scheen niet thuis te zijn.

Zo staan de zaken, zei Konstantin veelbetekenend tegen de bank.

Later kwam Pal uit zijn kamer en zag dat de ruit waarop Konstantins adem neersloeg duidelijk dof was geworden. Dat was nog tot daar aan toe, maar deze keer vond Pal, na het urenlange gemompel uit de woonkamer zodat zelfs het pissen je onaangenaam werd gemaakt, bovendien nog een vettig voorhoofd en een neus terug op de ruit. Met een *Disgusting!* – hij vloekte graag in het Engels – verdween hij weer in zijn kamer. Maar algauw werd hem duidelijk dat hij het idee van die vetvlek niet kon verdragen, dus ging hij – onder hernieuwd gevloek – weer terug en veegde de vlek weg. Dat was niet eenvoudig, het vuil was hardnekkig, hij wreef erover, smeerde de vlek naar alle kanten uit, toen zag hij dat eigenlijk de hele ruit *bezoedeld* was, waarop hij in een woedeaanval de hele ruit en! de lijst schoonpoetste. Op zijn voorhoofd stonden zweetpareltjes.

O, o, zei Konstantin toen hij thuiskwam. Wat een uitzicht!

Nadat zijn *gevestigde hoop* de bodem in was geslagen, wijdde Konstantin zich weer aan zijn eigenlijke *opdracht*. Als kind wilde ik missionaris worden. Waarom ben ik eigenlijk geen missionaris geworden? Het is nog niet te laat, zeiden een Litouwse kerkmusicus, een Albanese dichter en een Sloweens-Pools paartje op huwelijksreis. Een vroegere Hongaarse prostituee, een studente uit Andalusië en haar vriendin. Op twee van de drie laatstgenoemden was Konstantin verliefd. Later stond hij voor het raam te schelden, vooral op de vroegere hoer. Uitgerekend zij! Enzovoort. Tartaren, Tsjetsjenen, Ieren, Basken. In de maanden daarna hield het komen en gaan in de piazza praktisch niet meer op. Met dezelfde verbetenheid als Abel en Pal zich een weg baanden op hun onderscheiden territoria, verwaarloosde Konstantin zijn studie ten gunste van zijn jammerklachten enerzijds en zijn *expedities* anderzijds. Als hij niet praatte of at, was hij in de stad op pad. Ze leren kennen als je hier toch bent. In feite hing hij vrijwel uitsluitend op het station en in de omgeving daarvan rond, want zijn werkelijke doel was mensen te vinden aan wie hij onderdak zou kunnen verlenen. Hij kwartierde zijn mensen in op de sofa genaamd God en verzorgde ze gul met het weinige dat hij had. Als *wij* al iets weten, dan is het hoe enorm belangrijk het netwerk is. Hier, in dit boekje, schreef hij de adressen van al zijn gasten op. Waar ik ook heen ga, ik zal er welkom zijn. De Abchazen, Lappen, Esten, Corsicanen en Cyprioten knikten. Misschien, zei Konstantin, zal dat op een dag mijn ware roeping blijken te zijn: De man die op bezoek komt.

In kleermakershouding zat hij op God nachtenlang met hen de internationale situatie door te nemen. Een ware epidemie van nieuwe staten – begrijp me niet verkeerd, ik heb er alle begrip voor – gepaard aan alles wat daarbij hoort, volksverhuizing, dat is overigens mijn specialiteit, het is niet verrassend dat xenofobie hier en elders een belangrijk thema is, nieuwe leeuwenmannetjes bijten de jongen van hun voorgangers dood, daarvoor zijn onze kaken niet sterk genoeg, maar ---

Afgelopen! riep de Blonde Pal om de paar weken, als je weer dagenlang! geen poot kon verzetten! omdat er voortdurend! iemand bivakkeerde! Blokkeren de tv!, verstoppen de wc!, koken hun stinkende eten!, neuken met veel kabaal op de sofa en huilen! Nachtenlang! Sommigen hebben zelfs instrumenten bij zich! Rijstkokers! Speelgoed met afstandsbediening! En dat gebruiken ze ook. Op een dag kom ik thuis en dan brandt! er midden in de kamer! een gezellig kampvuur! Afgelopen uit, hoor je, met dat verdomde transitstation in mijn huis! zei hij.

Maar je hebt toch een tv in je eigen kamer, jammerde Konstantin. Stond in de piazza, op de woestijnzandkleurige vloerbedekking, zijn windmolenarmen wervelden rond, hij dirigeerde een onzichtbaar spitsuur, de stromen of riviertjes van de doorreis, mensentrek, veekudden, autocolonnes, hij verdween bijna achter het opwervelende stof. Abels krullen wapperden toen hij hem op weg naar de voordeur ontweek om naar het laboratorium te gaan.

De Blonde Pal wees Konstantin op de woorden "aan derden", "in gebruik geven" en "verboden" in de huisregels. De volgende keer dat ik hier iemand uit die mondiale transitstroom aantref ... Er zijn hier mensen die verdomme ook nog eens een keer willen werken!

Omdat ik zelf in een situatie verkeer die *hachelijk te noemen is*, zei Konstantin tegen Abel, zou het vast verstandiger zijn gehoor te geven aan Pal of de huisregels en niemand meer in huis te halen, maar het zou zijn (theatraal, luid, zodat het in alle kamers te horen is) alsof mij *elementaire menselijkheid* werd verboden!

Of Pal wist hoe het met Abel zat, was onbekend, daarover zei hij nooit een woord. Zolang iemand zijn kop houdt, zal het me een zorg zijn. In het dagelijks leven kwamen ze elkaar eigenlijk niet tegen. (Een keer, 's morgens vroeg in de keuken. Ze liepen in de deuropening tegen elkaar op. Pardon, zei Abel met een stem die hees was van het nachtenlange oefenen, waarop Pal hem verrast en bijna gefascineerd aankeek. Pardon, zei Abel en verdween uit de deuropening. Dat was alles.) Ik acht hem (Pal) eerlijk gezegd tot alles in staat, zei Konstantin, maar hij kon het eenvoudig niet laten. Hij bleef mensen onderdak verschaffen. Als hij met zijn taalrudimenten, *oorverdovend* slecht van uitspraak en grammatica – ook na jaren viel er geen verbetering te constateren –, niet verder kwam, klopte hij op Abels deur en zei dat er iemand was van wie hij de taal niet sprak, wat is het, Pools?

Nee.

Een Tsjechische drieling, of nee: twee neven en een vriend, allemaal op dezelfde manier gebleekt: spijkerbroeken, blond haar. Konstantin had ze opgepikt in de metro, waar ze verloren ronddwaalden.

Abel kent Pools noch Tsjechisch.

Stel je niet zo aan, zei Konstantin in de zin van de panslavische gedachte.

De panslavische gedachte kan m'n reet met honderd tongen likken. Kijk eens aan, als het erop aankomt, kan ik gedachten hebben. Maar dat duurde maar even. Meteen daarna functioneerde Abels hersens weer *normaal*, en hij begon afzonderlijke woorden, syntagma's en later hele zinnen te verstaan. Ja, dat is zo. Soms duurt het een poosje, maar mettertijd kan ik *op de een of andere manier* iedereen verstaan. Het avontuur, vertaalde hij voor Konstantin. Het avontuur heeft deze drie hierheen gebracht. Behalve hun moedertaal spraken ze niets, de enige vreemde woorden die ze kenden waren namen van muziekgroepen die Konstantin en Abel niet kenden. Later schold Konstantin luidkeels op de drie. Dat was een ernstige miskleun geweest. Het avontuur, poe! Ze hebben al het spek en alle eieren opgegeten en de melk op een slok na leeggedronken. Dat benam hem enigszins de lust *in het geheel*, en het werd weer wat rustiger.

Later kwamen de vakantiedagen aan het eind van het jaar en raakten ze in iets verwikkeld dat voor eens en altijd een eind maakte aan het *Grote Inwonen* (Pal).

Eka

Hoe lang blijf je weg? vroeg Konstantin aan Pal, die met verbazend veel bagage afreisde.

Gaat je niets aan, zei Pal.

De vierde Kerstmis die we ver van onze geliefden samen vieren, zei Konstantin plechtig tegen Abel. De laatste zag geen reden om zijn werk te onderbreken. Op dat moment beheerste hij zeven talen tot in de perfectie en *zwoegde* op nog drie meer.

Waar ligt de grens? vroeg Konstantin. De sterrenhemel? Ik vraag me af wat hij eraan heeft, want hij praat toch met niemand.

Op het stationsplein verbreidde zich de gebruikelijke Kerstmis, zonder sneeuw en met veel wind, in het labyrint van de Bastille floot en orgelde het dag en nacht. Konstantin stond bij het raam en keek naar het zogenaamde jagen en naar Abel, die zonder van tempo te veranderen tussen mensen en lege zakken door zigzagde. Een afgerukte slinger kwam van de kerstmarkt naar hem toe waaien, maar hij was sneller, de slinger miste hem, al scheelde het maar een paar centimeter. Konstantin zuchtte.

Toen Abel de volgende dag, of de dag daarna, in elk geval vlak nadat Pal zijn hielen had gelicht, 's morgens vroeg thuiskwam en de gemeenschappelijke keuken betrad, stond daar een onbekende Zwarte Madonna met een reusachtige baby op de arm. Op het fornuis stond een pannetje warme pap, ze proefde ervan met een houten lepel. Een ogenblik dacht hij dat hij zich in het huis had vergist.

Kon dat?

Neem me niet kwalijk, zei hij.

De madonna liet de lepel vallen. De pap bleef aan haar lippen kleven. Jezuschristusindehemel, zei ze in haar eigen taal en staarde naar de man in de deuropening. Alles aan hem was zwart: zijn haar, zijn kleren, zijn hele mond. Tong. Tanden. Nu komen ze ons halen.

Neem me niet kwalijk, zei Abel opnieuw en hield zijn hand voor de donkere holte. Daar stonden ze: hij met zijn hand voor zijn mond, zij met pap aan haar mond waar de baby zo heftig naar greep dat de tanden van zijn moeder klapperden.

Neem me niet kwalijk, mompelde Abel en verliet achteruit lopend de keuken.

Hij poetste langdurig zijn tanden. Grijs schuim dat langs de vettige wastafel naar beneden kroop, tussen baardstoppels die waren blijven liggen. Daarna staken zijn tanden in kleine zwarte kelkjes en glansden blauwachtig.

Ze zei dat ze Maria heette. Nadat ze van de eerste schrik was bekomen, glimlachte ze vriendelijk. De baby keek onverschillig tot vijandig.

In feite, zei Konstantin, heette ze niet Maria, maar Eka. Alleen in haar paspoort stond Maria. Het was de pas van haar zusje.

Eka knikte en herhaalde het. Abel onthield het Georgische woord voor 'zusje'. Zelf had ze geen pas gekregen. We lijken toch op elkaar?

Nee. Bovendien acht jaar leeftijdsverschil en het feit dat Eka hier, hoewel al twintig, eruitziet als een dertienjarige. Ronde ogen, vlechten tot op haar heupen, je hebt de indruk dat de baby half zo groot is als zij. Konstantin had haar niet opgepikt, ze was vanzelf gekomen, iemand had haar het adres gegeven.

Trots: ze kennen me al.

Eka is op zoek naar haar man, deelde Konstantin mee. Hij heeft de baby nog niet gezien. Ze heeft bij iemand een bericht voor hem achtergelaten: Wacht daar en daar op je. De man heet Vachtang. Totdat hij zich meldt, blijven ze in de piazza logeren.

Hm, zei Abel en ging slapen in zijn kamer.

Hij is een beetje ..., Konstantin rimpelde verontschuldigend zijn neus en bewoog zijn hand voor Eka heen en weer, je weet wel. Maar jullie hoeven niet bang te zijn. Misschien ziet hij er op het eerste gezicht angstaanjagend uit, maar *in feite* is hij ongevaarlijk.

Eka glimlachte. Ze begreep stukjes, of helemaal niets, maar dat deed er meestal niet toe.

Eka en de baby bleven dagenlang in de piazza. Altijd als Konstantin door de ruimte liep, speelde hij even met het kind. Het had een groot, vierkant hoofd, de helft ervan was met donker pluis bedekt. Konstantin zong kerstliedjes voor hem. De zuigeling zweeg met een pruilmondje. Eka waste zijn spullen met de hand, ging met hem wandelen, deed boodschappen en kookte. Konstantin was vol lof, Abel had geen honger.

Konstantin, theatraal: En dat tegenover het meest gastvrije volk ter wereld! Toen, gedempter: Of Abel niettemin zijn deel aan de boodschappen wilde bijdragen. Het ging immers niet aan dat Eka en hij alles ... Jij bent degene met de beurs voor begaafden. Abel gaf hem wat hij toevallig had, daarna was het een tijdje rustig. Eka versierde de piazza voor als Vachtang kwam. Konstantin hielp haar bij het verzamelen van afgedankte versiering op de kerstmarkt. Terwijl hij zich bukte, stak zij glimlachend kaarsen, gedroogde vruchten en houten speelgoed in de zakken van haar wijde mantel. Ze probeerde een rode sjaal aan, wierp die elegant over haar schouder, Konstantin knikte en glimlachte instemmend, Eka glimlachte, knikte terug en wandelde verder. Hé, je hebt niet bet... Hier, zei Eka. Ze sorteerde haar schatten in de piazza. Dat is voor jou: gedroogde vruchten en nog een sjaal. Konstantin was verbijsterd. Eerlijk gezegd ben ik behoorlijk geschokt. O, zei Eka glimlachend, nu heb ik de luiers vergeten. Luiers, wees ze. Meteen, zei Konstantin en stormde weg, je hoeft het me ook niet terug te geven.

Konstantin, Eka en het kind vierden ook Kerstmis zonder Vachtang, van wie nog steeds niets was vernomen, en zonder Abel, die evenmin naar huis kwam, terwijl ik je juist nu nodig had gehad. Konstantin was de halve avond bezig zich steeds groter zorgen over hem te maken. Hij speelde het zo goed dat hij uiteindelijk zelf geloofde a) dat hij zich zorgen maakte en b) dat Abel werkelijk iets kon zijn overkomen. Misschien is hij vermoord. Misschien ligt hij hier vlakbij, aan de voet van de Bastille, in het donker, en wordt hij pas gevonden als ze de naar beneden gesmeten uitgedroogde kerstbomen komen ophalen. Eka overhandigde hem glimlachend het grootste mes in huis, wil je alsjeblieft het vlees snijden, het vlees had zij weer *geregeld* en Konstantin vergat het scenario dat hij daarnet had uitgedacht.

Toen Abel ten slotte thuiskwam, wachtte Konstantin hem bij de ingang op en trok hem de keuken in.

Fluisterend: Waar was je, liever gezegd, dat kan me niet schelen, maar ik moet je wat zeggen, eet wat, we hebben het voor *hem* bewaard, maar het bederft maar.

Wat Konstantin moest zeggen was dat het kon zijn dat die figuur, die Vachtang, niet was gekomen omdat hij moest onderduiken of al *in de gevangenis* zat. Hij, Konstantin, zou het heel goed begrijpen als Abel nu kwaad op hem was, omdat hij zo'n *toestand* in huis had gehaald, iets met drugs, onlangs toen hij luiers ging kopen was hij iemand tegengekomen die deed alsof hij alles wist en vol leedvermaak grijnsde, maar ik dacht dat het alleen een kwaadaardig gerucht was, maar misschien werd het nu tijd er *samen* eens over na te denken. Wat, vroeg Konstantin met een blik op de etensresten, waarom eet je niet?, wat moeten we doen als Vachtang *helemaal* niet komt?

Waarop *ons genie* niets anders wist te zeggen dan dat hij geen honger had, moe was. Ging naar zijn kamer en sloot de deur.

Aanvankelijk had ik (Konstantin) zin hem een dreun te verkopen, die arrogante, egoïstische klootzak, zo kun je je toch niet gedragen, als we getrouwd waren, zou ik me nu laten scheiden … Pas op, dacht Konstantin.

In de dagen daarna hield Konstantin de *zaak* in de gaten. Hij ging met Eka en het kind overal heen, deed alles met hen wat je zonder geld kon doen. Ze wandelden door het koude park. Eka glimlachte een extra portie gepofte kastanjes bij elkaar. Wat een leuk gezinnetje, zei de verkoopster. Pas op, dacht Konstantin.

Met Eka trouwen, Eka's kind opvoeden, een zoon hebben, alles voor hen doen, Eka's eten eten, Eka troosten … Ik ben vierentwintig jaar oud, ik heb het een en ander van de wereld gezien, al is het dan indirect, via media en persoonlijke mededelingen, hoe dan ook, ik ben klaar om een gezin te stichten. Het ziet ernaar uit dat ze ook is opgehouden met jatten, twee cadeaus lagen nog ingepakt onder de sofa, een voor Vachtang en een voor Abel, ze had nog geen gelegenheid gehad het hem te geven. Konstantin had graag willen weten wat Eka van Abel vond, maar ze begreep de vraag niet. Ik kan er niets aan doen, zei Konstantin toen ze door het park wandelden, maar deze gedachte is bij me opgekomen: Er is niets mis met hem, behalve dat hij geen … Hij kende het woord niet, hij verzon een nieuw: *menszijn*. Ik weet niet of je het zo kunt zeggen. Een mens zonder menszijn, begrijp je wel? Eka begreep het niet en evenmin wat hij eigenlijk had willen zeggen, ze glimlachte alleen en wandelde verder.

In de daaropvolgende nacht hief Abel na nauwelijks drie kwartier, dus toen hij nauwelijks met zijn werk in het taallaboratorium was begonnen, zijn hoofd op. Hij dacht: zeven plus drie is tien. Zeven plus drie is tien. Zeven plus drie, na elkaar in alle talen die hij kende, en weer van voren af aan. Tien. Hij nam zijn koptelefoon af en stond op. Hij was duizelig. Wankelend liep hij door de gang. Waar hij langs kwam, flitsten lichten aan. Elke keer kromp hij ineen, alsof het niet te verwachten was geweest, alsof het niet altijd zo was geweest. Verblind greep hij naar de wand, bereikte op de tast het toilet. Daar waren geen bewegingsmelders, hij zocht ook niet naar de lichtschakelaar. Hij liet de deur achter zich dichtvallen, drukte zijn voorhoofd en handpalmen tegen de koude tegels en bleef zo staan in het donker. Hij stond vlak bij de deur, als er iemand was binnengekomen, zou die hem misschien niet eens hebben opgemerkt. Iemand achter de open deur. Hoe lang stond hij daar, zonder gevoel voor tijd? Op zeker moment hielden het bonken van zijn hart, de misselijkheid, het zweten en de gevoeligheid voor licht op, de tiende taal was klaar, nog eentje erbij en ik moet kotsen. Hij waste zijn handen en gezicht en ging weg.

Hij reisde niet met de eerste trein in de opgaande zon tussen dommelende arbeiders, deze keer ging hij te voet, steeds langs de spoorbaan lopend en ook zo kwam hij uren eerder dan anders thuis. In de piazza was het aardedonker, het rook naar geparfumeerde walm. Waarschijnlijk hadden ze weer gekookt, kaarsen aangestoken. Abel, die met zijn smaakzin ook een groot deel van zijn reukzin was kwijtgeraakt, had maar een vage indruk. Om de baby niet wakker te maken knipte hij het licht niet aan. Zoals hij later tegenover de politie niet verklaarde, stootte hij bij het oversteken van de piazza met zijn scheenbeen tegen de uitgetrokken slaapbank. In het donker begon iets te bewegen, lichamen in plotse oproer, toen Eka alsof ze iets fluisterde, daarna was het weer stil.

Later deed iemand met een luide klik het licht aan in zijn kamer en rukte de gordijnen open. Daarachter was het donker, nog steeds of alweer. De leerachtige geur van een uniform vulde de kamer, zo doordringend dat zelfs *hij* het kon ruiken.

Ze dwongen ons op de vloer te gaan liggen, neus in het stof, mannen, vrouwen en kinderen, handen in de nek. Ze stapten over ons heen, gooiden onze spullen door elkaar. Ze trokken ons aan onze arm overeind, daar stonden we in onze pyjama's, ze namen ons mee zoals we waren of trokken ons willekeurige kleren aan, drukten ons hoofd naar beneden toen we in de auto moesten stappen. Ze zeiden niet waar ze ons heen brachten, we waren geblinddoekt, ze reden heen en weer zodat we ons richtingsgevoel kwijtraakten, ze lieten ons in het zand knielen met het gezicht naar de woestijn gekeerd en deden alsof ze ons gingen executeren. Daarna zetten ze ons in ons doornatte ondergoed uit de auto ---

Niet helemaal zo, maar iedereen die in huis was, Konstantin, Abel, Eka, de baby en een man die Abel nog nooit had gezien, werd naar een politiebureau gebracht. Om precies te zijn: hij zag Eka en de onbekende man maar een ogenblik, beiden van het hoofd naar beneden, want dat was zijn gezichtshoek. Van Konstantin en de baby hoorde hij alleen de stemmen, die zich op verschillende manieren tegen de behandeling verzetten voordat ze in een andere auto verdwenen. Jarenlang was dat het laatste dat Abel Nema van Konstantin Tóti zag.

Vragen

En, waarheen, jongens?
Nergens heen.
Nergens heen? Kan dat dan? Ben je niet altijd ergens heen op weg? Hoogstens weet je niet waar dat ergens is. Nietwaar?
Twee mannen van de leeftijd van onze vaders leunden elke middag tegen de kiosk op het plein, vlak bij het raadhuis, met uitzicht op het pestmonument, de brandtoren en de eerste pizzeria in de stad. Ze dronken thee met wijn uit plastic bekertjes waarin ze met plastic stokjes roerden, in alle weersomstandigheden. Sinds wanneer ze die twee, Ilia en Abel, al in de gaten hielden is onbekend, zij van hun kant merkten hen op in de stromende regen. Toen ze de schooldeur uit kwamen, klonk er al donder. Later renden de anderen steeds sneller langs hen heen, stonden plat gedrukt tegen muren, verzamelden zich in portieken, alleen die twee hier liepen verder alsof er niets aan de hand was. De markies waaronder de mannen stonden zat vol gaten, hij

lekte op de mouw van de een, maar hij verroerde zich nauwelijks, trok alleen zijn elleboog en de plastic beker een eindje opzij. Zo zagen ze elkaar door de regen heen: twee rechercheurs in burger, twee gymnasiasten, in het voorbijgaan.

Dat is een bepaald moment: plotseling word je zichtbaar. Vanaf toen stonden de mannen elke keer als ze over het plein liepen, dus bijna elke dag, bij de kiosk en keken de jongens aan. Een keer had de ene een hand in verband, hij smeerde net vet op zijn lippen, hield de cacaoboterstift voorzichtig in zijn verbandhand en keek van onder hangende oogleden in hun richting, het verband was smerig, zijn lippen glansden. De volgende dag stonden er alleen de bekers, geen mannen. Ze zagen het alle twee, maar zeiden niets. Ze praatten eigenlijk nooit over de mannen. Als je eenmaal op het plein was, was er maar één weg: onder de wachttoren door een kwalijk riekende, donkere gang naar de ringweg rond de stad. Adem inhouden, eronderdoor duiken.

De mannen stonden aan de andere kant, onder de tegen de stadsmuur genagelde, manshoge ijzeren sleutel.

En, waarheen, jongens?

Nergens heen.

Nergens heen? Dat kan toch niet. Je bent toch altijd ergens heen op weg?

Pauze. Ze knipperden met hun ogen. Het was licht.

Hoogstens weet je niet waar dat ergens is.

Pauze.

Nietwaar?

Pauze.

Jazeker, zei Ilia ten slotte. Dat is waar.

En wilde verder gaan, maar de man met de hangende oogleden, de hand in verband en de ingevette lippen stond in de weg. De andere stond achter hem en zei geen woord.

Zo ging het vanaf die dag elke keer. Waarheen, jongens?

Soms antwoordden ze iets, soms niets. De mannen controleerden elke keer hun identiteitsbewijs. Kijk nou eens hoe smerig die identiteitsbewijzen al zijn, rafelig als slappe sla, jullie zijn me een stelletje patriotten ---

Toen Abel Nema jaren later in een andere stad midden in de nacht uit het taallaboratorium thuiskwam, werd hij in de aardedonkere piazza door een onzichtbare man bijna neergeschoten. Niemand anders zou het hebben gehoord, maar hij hoorde de aanwezigheid van metaal, van huid en metaal, van *ernaar grijpen*. Gelukkig was Eka er en fluisterde 'een medebewoner'. Later zei hij er niets over. Hij zei nagenoeg niets.

NaamadresgeboortedatumenverblijfsvergunningwatdoetustudentwatstudeertutalenhoekentudeZwarteVachtangwatbedoeltudatunietweetwiedatiswiljeonswatopdemouwspelden? Het spijt me, zei Abel. Ik begrijp niet wat u bedoelt.

Zijn *compagnon* ernaast, Konstantintótigeschiedenisvandeklassiekeoudheid, praatte des te meer. Wond zich op. Lag ik rustig te slapen, toen kwam u en hebt me meegenomen, en nu wilt u van *mij* weten waarom? Ik eis een verklaring! Ik ben een burger van onbesproken gedrag! In feite deed hij het in zijn broek. Het duurde niet lang of hij begon met zijn gebruikelijke gejammer, arme student enzovoort, zijn onderlip trilde vochtig.

Eka probeerde haar gastheer te ontlasten. Gewoon twee aardige jongens die mij en mijn kind onderdak hebben verleend. Maar toen liep alles weer vast, omdat ze bleef beweren dat ze Maria was, een overduidelijke leugen, hoezo kon ze dan in de andere kwestie enzovoort. Nadat ze verschillende keren achter elkaar bij dat punt waren aangeland en er een dag voorbij was, werd aan Abel en Konstantin gevraagd of ze – blijkbaar inderdaad niet meer dan twee naïeve idioten – een referentie konden opgeven.

Toen Tibor B. het telefoontje kreeg, zat hij juist in een kring van vertrouwde vrienden, of nee, in zijn werkkamer ernaast, hij had nog iets dringends af te handelen, of nee: Hij was zojuist zijn zin in gezelschap, eigenlijk in alles, kwijtgeraakt. De crisis van vijftigjarigen. Of een depressie die van het begin af aan op hem had gewacht. Altijd op de tweede rij. Staat er, wacht geduldig, als je naar haar kijkt, geeft ze je discreet een knipoog.

Het begon ermee dat Tibor na een pauze van bijna vijfentwintig jaar weer begon te lijden onder zijn lelijkheid. Hij verachtte zichzelf daarom. Hij was intelligent, heel intelligent, en hij had succes bij vrouwen. Ze werden verliefd op hem. Ze deden alles voor hem. Wat wil je dan? Hij regelde een sabbatical jaar. Ik wil, en dus zal ik een boek schrijven. Het jaar ging voorbij, het boek was niet klaar, maar dat was niet de reden dat hij ook daarna maar sporadisch college gaf. Hij had gewoon geen zin meer. Zijn studenten interesseerden hem niet, eerlijk gezegd had hij moeite ze uit elkaar te houden. Dat valt natuurlijk niet te prijzen, aan de andere kant kon hij niet ontslagen worden en naar verluidt zou zijn tweede vrouw, Anna, een terugval hebben (de borst), dus hij werd niet meer lastiggevallen dan strikt noodzakelijk was. Anna trippelde glimlachend door hun gemeenschappelijke kamers, niet nodig het erger te maken dan het is. Maar hij voelde zich zo overweldigd door zijn angst voor haar dood dat hij zijn werkkamer nauwelijks nog verliet. Zijn promotieassistente Mercedes kwam bijna elke dag, bracht hem de post, deed onderzoek voor hem, zorgde voor zijn studenten en verving hem waar mogelijk. Ze was zesentwintig jaar oud, de alleenstaande moeder van een tweejarige zoon met een tumor in zijn rechteroog, en ze was verliefd op deze studievriend van haar vader. Elke vrije minuut wijdde ze aan hem. Het kind liet ze meestal achter bij haar ouders. Tibor hield niet van kinderen. Ze werkten op zijn zenuwen. Alles werkte op zijn zenuwen. Wanneer hem om hulp werd gevraagd, hielp hij, bijvoorbeeld die veelbelovende – of wat dan ook – jonge Abel N., die aan komt waaien en denkt dat, omdat hij uit dezelfde stad komt waaruit wij destijds zijn verdreven …, maakt niet uit, zand erover. Ja, hij moet veelbelovend zijn, waarom ook niet, op die leeftijd, in die situatie, hem helpen is wel het minste, dus hielp hij, maar de onbekende grootheid D is in zoverre verwant aan de onbekende grootheid P dat je niet werkelijk belangstelling voor het leven en lijden van anderen kunt opbrengen. Ook dat wist Tibor, en ook daarom verachtte hij zichzelf. Een fatsoenlijk mens had gevraagd of de jongen al onderdak had. Een fatsoenlijk mens had hem een van de twee logeerkamers aangeboden. Een emotioneel mens had zijn liefde gewonnen en voortaan als een zoon …

scenario's. Je kunt onmogelijk *iedereen* helpen, dacht hij en ging weer aan het werk.

Iets soortgelijks dacht ook Anna. Ze wist alles, van hem, van zichzelf, van de jonge vrouw, en ze dacht dat je onmogelijk iedereen kunt helpen. *In deze korte tijd* concentreerde ze zich op een paar dingen die ze graag deed. Eens per maand had ze haar jour en nodigde mensen uit. Oude vrienden, onder wie de ouders van Mercedes – die evenwel maar zelden kwamen; Miriam kon Tibor eerlijk gezegd niet uitstaan, en niet pas sinds haar kleinzoon niet welkom was, en Alegria zag niet in waarom hij alleen enzovoort – wat draaglijke collegae, een paar vroegere lievelingsstudenten. Eens per maand kan ook de heer des huizes zich ertoe zetten een paar uur aanwezig te zijn, te discussiëren, zelfs te kletsen als een normaal mens. Nadat Anna was overleden, trok Mercedes bij Tibor in en nam Anna's plichten over. Het kind was intussen bijna zes, mooi en verstandig als de zon, de geheime ster van de gezellige bijeenkomsten, en Tibor betrapte zich erop dat hij graag naar hem keek en luisterde. Op zeker moment besefte hij dat hij de jongen zelfs bewonderde en hem dankbaar was. En dat – dankbaarheid kunnen voelen – maakte hem bijna gelukkig. Het ging beter met hem. Hij voltooide het boek en begon aan een nieuw. Sinds Abels komst waren vier jaar verlopen.

Ze zaten dus juist weer bijeen, de vaste vriendenkring, iemand, een ex-collega, had onlangs een reis door Albanië overleefd. Een Albanese dichter had hem langdurig over de schoonheid van het vaderland of over schoonheid en vaderland verteld. Spreken over de schoonheid van een wanhopig vaderland was de plicht van een dichter die de helft van zijn tanden kwijt is. Schoonheid ondanks wanhoop, wanhoop ondanks schoonheid. Het vlees, vertelde de reiziger, valt niet te identificeren. Ik bedoel: van welk dier.

De Japanners, zei een van de vroegere studenten, hij heet Erik, is zojuist een uitgeverij begonnen en is altijd *onwaarschijnlijk goed op de hoogte*, de Japanners, zei hij, hebben een enzym uitgevonden waarmee je vlees dat in stukken is gesneden weer tot één stuk kunt samenvoegen. Alleen kun je niet zeggen om welk lichaamsdeel van welk dier het gaat.

De Albaniëganger knikte: Het is taai en ruikt niet prettig.

De dichter met de ontbrekende tanden had een gedicht in zijn moedertaal voorgelezen. Ik verstond er geen woord van. Maar toen waren we al erg dronken. We hebben samen gehuild.

O, zei Omar. Waarom?

Zijn grootvader liet een kort lachje horen. De Albaniëbezoeker, hij heet Zoltán, maar dat is niet belangrijk, keek hen, eerst de een, toen de ander, verstoord aan.

Alsjeblieft, fluisterde Miriam tegen haar man (sinds het kind erbij mocht zijn, kwam zij ook af en toe), houd alsjeblieft je gemak.

Hoezo? Ik heb niets gedaan.

Miriam schudde haar hoofd: We moeten in elk geval tot middernacht blijven.

Hoezo?

Op dat moment rinkelde de telefoon in de hal.

Direct, zei Mercedes en ging naar de kamer ernaast om Tibor te halen.

Ik begrijp het, zei Tibor in de hoorn.

Aaaha! zeiden de gasten in de zitkamer. Daar is de heer des huizes eindelijk!

Ja, zei Tibor. Het spijt me. Ik moet weg.

Wat? zei Mercedes. Nu? Op oudejaarsavond?

Ja, zei Tibor. Hij moest iemand uit de gevangenis halen, zo terug of pas volgend jaar, veel weet ik er niet van. Een van zijn studenten was in iets verwikkeld geraakt, iets met drugs of verblijfsvergunningen en omdat hij geen familie hier had, had hij Tibor B. als referentie opgegeven. Wacht niet op mij.

Wat moet ik nu doen? vroeg Mercedes aan haar moeder.

Wat had je anders gedaan?

Hapjes geserveerd?

Zie je wel, zei Miriam. Ik help je.

Wie is dat? vroeg Omar. Die gearresteerd is?

Ik weet het niet, zei Mercedes. Ik ken hem niet.

We beseffen helemaal niet hoeveel gemakkelijker het in onze tijd was, zei Zoltán. Hijzelf had een overheidsbeurs gekregen waarvan hij een vreemde vrouw en haar kind kon onderhouden. Tegenwoordig moesten de studenten in drugs handelen om te overleven. Ze maken elke avond een halve liter oplosbouillon en koken daar zoveel goedkope mie in totdat alle vocht is opgezogen.

Mag ik dat gebruiken? (Alegria)

Zoltán keek hem verstoord aan.

Zie je wel, het ligt niet aan mij. Hij kijkt gewoon zo.

Normaal gesproken duurt het veertig minuten naar het centrum, maar deze keer duurde het vanwege het drukke verkeer die avond een uur en tien minuten voordat Tibor met de auto bij het politiebureau arriveerde. Plus twintig minuten om een parkeerplaats te vinden. Hij wilde voor het gebouw gaan staan, daar was plaats, maar de agent in de deuropening schudde het hoofd, en toen T.B. hem een vragende blik toewierp, samenzweerderig, of het niet toch mocht, in- en uitstappen, laden en lossen, zwaaide hij ook met zijn gehandschoende wijsvinger en wuifde: verder rijden. Wat bij Tibor leidde tot een woedeaanval zoals hij anders nooit, in geen enkele situatie kreeg, uitsluitend als hij autoreed en bij contact met uniformen. Een tijd geleden had dit geleid tot zijn besluit nooit meer auto te rijden. Mercedes reed als er gereden moest worden, maar dat ging vandaag niet. Tibor reed vloekend een blokje om. Daarbij werd hij steeds meer meegesleept door het idee dat hij zijn *eigen* zoon uit de klauwen van een misdadige overheid moest bevrijden en dat elke minuut telde.

Vervolgens moest hij, na afhandeling van de formaliteiten, nog zegge en schrijve twee uur wachten. Elk halfuur ging hij naar buiten om te roken. In totaal vier keer. Elke trek doet het gevoel toenemen dat ik hier vernederd word. De vierde sigaret stak hij alleen nog op, wierp hem meteen weg, stevende weer naar binnen en trapte een filmrijpe scène. Hij brulde tegen de aanwezige smerissen. Zeker nooit van recht enzovoort! Weet u wel wie u voor u hebt enzovoort!

Kalmeert u toch, professor, zeiden de smerissen en waren niet onder de indruk. Zo kunt u zich bij ons niet gedragen.

Tibor staakte zijn gebrul. Hij verving het door in snel tempo door de wachtkamer te ijsberen.

Hou op met dat gezeik en ga zitten!

Hij wierp een blik in de richting. Een of andere vette proleet. Hij liep verder.

Zitten heb ik gezegd! Ik word stapelgek van je!

Maar de dwerg wilde niet luisteren en de dikke wist zeker dat het hem te machtig zou worden als het zo doorging, de enige oplossing was de kabouter een flinke opdonder te verkopen. Hij zette net zijn handen op zijn knieën om zich overeind te drukken, toen de professor werd opgeroepen, en (bijna) iedereen was gered.

Aangezien geen van de invloedrijke personen die de andere zenuwsloper (Konstantin) als referentie had opgegeven te vinden was, werd aan professor B. gevraagd of hij hem misschien ook kende. Tibor schudde ongeduldig van nee. Laat u mijn student nu vrij of niet?!

Alles in orde?

Ja, zei Abel.

Verder spraken ze geen woord.

Hoewel Tibor zich daarnet nog bezield had gevoeld door zorgzaamheid voor de buitenlandse student, was dat vervlogen, nu *alles voorbij* was en ze in de auto zaten. Eigenlijk weet ik helemaal niets van hem. Tibor reed tot zo dicht mogelijk bij de Bastille en liet hem uitstappen.

Dank u, zei Abel.

Graag gedaan, zei Tibor en reed weg.

In de flat was het getsjilp weer te horen en scheen de blauwe streep licht weer onder de deur van de Blonde Pal door. Als hij er was, moest hij de voordeur hebben gehoord, maar hij gaf geen teken van leven. Alsof niet alles ondersteboven was gehaald, werkelijk alles, inclusief de levensmiddelen, ook de zijne, alsof niet in de gemeenschappelijke ruimte de kanten van de vloerbedekking omgeklapt waren, alsof niet de fragmenten van de sofa tot aan het plafond lagen opgestapeld, met daartussen de twee laatste, opengescheurde kerstcadeaus.

Hij heeft gezegd dat hij ons zou verraden, zei Konstantin later tegen iemand, en hij heeft het gedaan ook.

Was hij niet vertrokken voor de feestdagen? vroeg Konstantins latere gesprekspartner. Hij was toch helemaal niet thuis?

Konstantin: Nu hebben ze alles, Mijn vingerafdrukken, mijn naam. Ze weten dat ik besta en dat ik hier ben. En ik moet nog steeds met *hem* samenwonen. Denk je eens in.

Wat Abel betreft: Hij ging naar zijn kamer, raapte zijn her en der verspreide spullen bij elkaar, verliet de Bastille en kwam niet meer terug.

III. ANARCHIA KINGANIA

Folklore

In het bos

Aan een taxi viel niet te denken, hij ging lopen. In de twintig minuten dat het inpakken had geduurd, waren straatbeeld en weer volledig veranderd. Er hing mist in de straten, er was nauwelijks iets te zien, maar van *alles* te horen, en alsof alles even dichtbij was, een moordend verkeer: auto's, bussen, treinen, trams – zijn er hier dan eigenlijk rails? – en zelfs iets dat als een scheepsfluit klonk. Daarboven, daartussen: het fluiten van de raketten en de salvo's van de rotjes, alsof er een veldslag werd geleverd, de geesten waren doodsbang. Van de mensen wist je het niet, ze liepen kriskras door elkaar, vreemd gekleed, vrolijk of niet, ze doken steeds onverwachter voor hem op, liepen opzettelijk tegen hem aan, bleven aan zijn rugzak hangen als hij om de paar hoeken bleef staan om straatnaambordjes en de plattegrond te vergelijken.

Later waren de straten nagenoeg leeg en zo stil dat je, hij, zijn eigen stappen kon horen plus die van de paar anderen. Het waren er weinig, ze probeerden zijn echo's uit de weg te gaan, vlak langs de muren. Op mouwen en tassen bleven witte strepen achter.

Later klom hij op de tast door een trappenhuis, hier was het weer aardedonker, koud en stil, maar ergens daarbinnen was een tegendeel voelbaar: kabaal, hitte en licht. De betonnen muren vibreerden als het ware.

Hij had vergeten de treden te tellen, dacht dat er nog een verdieping moest zijn, toen plotseling vlak voor zijn neus een deur openzwaaide, *boing*, ijzer tegen beton. Een onbekende kwam naar buiten, liep van rechts naar links en verdween achter een kleinere deur ertegenover. De eerste deur bleef openstaan.

De rook was te snijden, veel meer dan buiten was er niet te zien, maar hier was het in elk geval warm. Er schenen heel veel mensen te zijn, lijf aan lijf, een walmend woud van lichamen. Abel stond aarzelend voor de open deur, was er nog plaats of was hij de druppel in de overvolle emmer die zou overlopen zodra hij een voet ... Op dat moment verscheen de man van eerder weer op het toneel, achter hem ruiste water, hij zei geen woord, liep deze keer van links naar rechts zonder snelheid te minderen en duwde Abel voor zich uit naar binnen.

Het woud was dicht, de zwerver stompte met zijn bundeltje tegen de stammen, pardon, pardon, het maakte hun niets uit, alsof hij eenvoudig niet bestond, ze praatten en praatten maar. --- *dat werkt dus het meest op mijn zenuwen een hele generatie zo goed als leeg geroofd wij zijn de nieuwe Duitsers gestigmatiseerd voor de komende honderd jaar als dat voldoende is en ik zeg dat het wel degelijk rijkdom is ook al is het ellendig te weten dat je aan een blindedarmontsteking of een stuitbevalling kunt sterven die godsgruwelijke onwetendheid alles vanuit hun volgevreten standpunt het geheel was en is een onbeschaamde leugen daarover wind ik me nog het meest op en als ik ze vraag of ze ook nachtmerries hebben gehad kijken ze me aan alsof ik gek ben de situatie was nu eenmaal zo ze doen alsof iedereen rijk kan worden maar ik word in dit leven niet meer rijk en het kan heel vernederend zijn als je je het beleg op het brood niet kunt permitteren want daarom gaat het toch om het beleg of blablabla* --- Een vrouw met een kartonnen gouden helm op haar hoofd drong zich zigzaggend tussen hen door, met een fles in haar hand die ze als een lans voor zich uit hield, ze goot helder vocht in de vogelbekjes die zich openden: glok, glok, gorgeltaal. Nu bleef ze staan, schoof de bezwete kartonnen helm hoger op haar voorhoofd om beter te zien wie, *hij*, en vloog hem met een aanloop om de hals.

Kurva, Abelard, waar was je zo lang?

Ik ging alleen op weg, in een boemeltrein met onbekenden door onbekende provincies. Later waren we met zovelen dat we niet meer te tellen waren. De verwarming stond op maximaal vermogen, de ramen halfopen, van onderen kwam de warmte, van boven de kou, de trein ratelde, de verwarming ratelde, de wind brulde, alles brulde, de hele trein was één groot gebrul, de locomotieven en de mensen vierden feest, maakten ruzie, huilden of schreeuwden alleen maar: KURVÁK, GEEF ME WAT TE DRINKEN! Alles kleefde van de gemorste drank, je kon als een vlieg tegen het plafond lopen, vingers maakten smakkende geluidjes als je je over de hoofden heen op de tast naar de zogenaamde toiletten begaf waar geen water was, in de hele trein was geen druppel water, alles was in beweging, heen en weer, van het eind van de trein naar het begin en weer terug, *kurvák*, geef me wat! Daartussen was ergens de restauratiewagen, waar de rook het dikste was, maar behalve een oververhitte koffiemachine was er niets, wat wil je ook zonder water. Gal overgeven in een toilet zonder water op hetzelfde moment dat twee treinen, waarvan de ene die van jou is, gierend bij een wissel aan elkaar voorbij ratelen en Abel Nema, net eindexamen gedaan en toekomstige deserteur, met zijn voorhoofd tegen de opgeklapte wc-deksel knalde. Zijn voorhoofd maakte een zuigend geluid toen hij het van de deksel lostrok.

En nu drinken, zei de vrouw buiten voor de deur, toen nog zonder helm, nadat ze, beginnend bij de buil, drank over zijn voorhoofd had gesmeerd.

Beleefd zei hij, dank u, ik drink niet.

Je dri-nk-t nie-iet? Is er iets niet in orde met je? Er is iets niet in orde met je. Roken? Ook niet? Ben je tegen alles? En hoe is het met seks? Ben je daar ook tegen?

Ze lachte. Geen enkele tand raakte de tand ernaast. Braamkleurige lippen onder grote, behaarde neusgaten, maar weer fantastische jukbeenderen, ogen, voorhoofd en daarboven een wirwar van nooit gekamde donkere krullen. Bleef maar lachen.

Wat ben je, een seminarieleerling? Hij kijkt alleen maar, met grote ogen. Wat een ogen! De hemel vlak voor een storm! Of ken je iemand die in lilakleurige contactlenzen handelt?

Hij stond met zijn voeten vastgepend tussen grote koffers, zij met haar rug naar de doorgang naar de restauratiewagen, achter haar liepen mensen in en uit. De overgang tussen de wagons was afgedekt met twee ijzeren platen, die elke keer dat iemand erop stapte kletterden. Ieder moment ontstond er een nieuwe file. In deze streken worden mensen volkomen hysterisch zodra ze in een trein stappen. Neem me niet kwalijk. Ze kwam dichter bij hem staan, de fles in haar hand drukte tegen zijn buik. De buik deed pijn. Alsof mijn hart trampoline sprong op mijn maag. Kreunend kwam ze nog dichterbij en drukte haar ronde dijen in de gebleekte spijkerbroek tegen de zijne. Hij stond al tegen de wc-deur geperst, nu is er geen uitweg meer, ze moeten daar in de hoek gedrukt blijven staan. Ze leunde tegen hem aan en lachte. Een alcoholwalm steeg op.

Was je maar in je klooster gebleven, Abelard, dan zou je het nu gemakkelijker hebben.

Ze bleef doorhameren op dat seminaristenverhaal totdat hij zei – niet bars, alleen *verzadigd* – dat hij liever niet over godsdienst wilde praten.

Nu ontstond er weer wat meer ruimte, ze kon een stukje achteruit stappen en hem opnemen.

Kijkkijk, onze kleine heiden. Wild vlamt het vuur van zijn ogen onder de donkere brug van zijn wenkbrauwen.

Daar kan hij weer niets op antwoorden. Zo'n jongen van achttien.

Negentien.

Naam?

Abel ... Nee, echt, dat klopt.

Ze goot wat drank op haar vingers en, wat doet ze nu?, besprenkelde de verblufte jongeling. Ik doop je hiermee plechtig en geef je de naam Abel Uithetoerwoud, in de naam van de Vader, de Zoon en de Heilige Geest!

Met drank gedoopt in een overvolle nachttrein. Hij kneep zijn ogen dicht. Ze veegde een druppel van zijn neuspunt.

Overigens: Ik ben Kinga. Dat betekent de strijdvaardige. Vandaag, dat wil zeggen, precies nu, sinds één minuut, is het mijn naamdag en ik ben mijn vrienden, drie musici, hier ergens in de trein kwijtgeraakt, dus heb ik alleen jou om mee op mijn gezondheid te proosten. Op mijn gezondheid! Ik wil zien dat je drinkt! Dat is een man!

Later, nog niet eens halverwege, stapte hij uit om iemand te zoeken die Bora heette. Kinga zwaaide uit het raampje: Tot na de oorlog om zes uur!

Later vroeg hij of ze zich nog kon herinneren wat destijds haar laatste woorden tegen hem waren geweest.

Ik praat veel als de dag lang is.

Bepakt en bezakt met reistassen wankelde hij nu onder haar gewicht. Een plastic leguaan die ze in haar decolleté droeg, drukte tegen zijn borst, uit de rode plastic bek spoot heldere vloeistof op zijn boord. Ze lachte, likte hem af, haar brede, donkere tong gleed over zijn hals. Later voelde het niettemin kleverig aan. Elke keer dat hij zijn hoofd bewoog.

Ze sprong naar beneden, hield de fles tegen zijn mond: Waar ben je zolang geweest? Hier, drink! Maar ze trok hem intussen al mee, ze botsten tegen de omstanders op, grlgrl, en de flessenhals stootte tegen het tandglazuur. Hoe kan het zo vol zijn, je ziet niet eens waar je bent, ergens zijn blinde ruiten, alsof ze zwart geverfd zijn, maar het is alleen de nacht en de uitwaseming van al die mensen. In de keuken stond iemand die Janda heette, een gezicht alsof hij drie dagen niet heeft geslapen, sigaret in zijn mondhoek, roerde in een pan en liet van hoog erboven rood poeder erin dwarrelen. Een beetje kwam in de ogen, neus en mond van de nieuwkomers terecht. Kinga hoestte.

Ze zijn pas vanochtend vroeg gearriveerd! (Hoesten.) Drie dagen niet geslapen, het laatst op een bruiloft gespeeld, badkuipen vol spul gedronken, vlees, drank, *echte* kruiden! Ze zouden ook vandaag kunnen spelen en geld verdienen, maar ze doen het niet, want oudejaarsavond is van Café Anarchia, dus: van mij! Hallo, zei Abel.

Avond, zei Janda. De sigaret wiebelde, as viel in de pan, hij roerde die door.

Jesses! krijste Kinga, die pas nu Abels mond zag. Wat zie je eruit! Als Dracula! Wat is er met je tanden?

Helemaal vergeten dat zijn tanden ook vandaag zwart waren, de hele tijd zwart.

Wat is er gebeurd, hier, spoel nog eens!

Alsof ze nu pas merkte dat hij er bepakt en bezakt bij stond.

Waarom heb je al je spullen bij je?

Kan ik hier een paar dagen blijven?

Waarom? Wat is dat? Ze draaide zijn handpalmen naar boven.

Zwarte vingertoppen. Wat heb je uitgespookt?

Niets. Identificatieprocedure.

Nu keken ze hem allemaal aan, dat wil zeggen de drie mensen die vlakbij stonden. Janda had waarschijnlijk nog paprika in zijn ogen, hij knipperde ermee.

Hoezo?

Een vergissing.

En waarom heb je dat aan je tanden? Hebben ze je inkt laten drinken?

Nee, dat is een methode in de fonologie.

Pauze.

Nou, schiet op, laat je de woorden niet uit je mond trekken.

Verder kan hij helemaal niets vertellen. Een samenvatting van de geschiedenis van de afgelopen twee dagen. Al die tijd is hij er niet achter gekomen wat er eigenlijk aan de hand was. En toen heb ik mijn medebewoner daar achtergelaten om zelf ongehinderd te mogen vertrekken. Dat vertelt hij niet.

De schoften, zei Kinga.

Met een pokerface proefde Janda, tikte de lepel af op de rand van de pan en riep: Aan de trog!

Kinga zou hebben doorgevraagd, maar ze werd meegesleurd door een golf onbekende figuren. Stormen op de pan af alsof ze bijna verhongeren. Abel dreef weg, vond een rustige hoek van een matras en ging zitten. Het waren opwindende dagen, *de rest* bekijk ik van hieruit wel. Kinga kwam aanzwemmen, streek de krullen uit zijn gezicht: Alles in orde?

Ja.

Later begonnen Janda en twee anderen muziek te maken, er werd gedanst, liever gezegd opeengepakt op de plaats gespron-

gen. Later opende iemand het dakluik en iedereen die niet al te dronken was, klauterde langs de roestige ijzeren ladder naar buiten op een allesbehalve comfortabel teerdak. Abel kende het uit eerdere, warmere dagen, hij bleef zitten. Door het open luik stroomde als een waterval koude lucht naar binnen, hij zat direct in de luchtstroom, maar blijkbaar maakte dat hem niets uit. Al urenlang in dezelfde houding, rug tegen de hoek geleund, dat kan niet gemakkelijk zijn, maar hij: Als een standbeeld, zei een vrouw die hem een poosje gadesloeg, omdat ze hem knap vond. Een zwart-wit *houten* beeld, wat groezelig en tegelijk … Hij straalt iets onverklaarbaars uit, verte en … is het kracht of zwakheid? Je zou graag bij hem gaan liggen, nu of nooit, dronken op oudejaarsavond, maar tegelijk ben je eigenlijk bang om in zijn buurt te komen. Kinga had daar geen problemen mee. Ze stormde het dak op, weer naar beneden, wierp zich op hem, kuste hem aan alle kanten en wreef zich tegen hem aan, om dan meteen weer op te springen en om muziek of alcohol te schreeuwen. Later was ongeveer iedereen dronken, blies met glazige ogen op een kartonnen trompetje totdat het zo'n pijn deed dat je er met wijdopen mond tegenin moest schreeuwen om niet stokdoof te worden: AAAAAAAAAAAAAAAAAAAAAA AAAAAAAAAAAAAAAAAAAAAAAAAAAAAAAAAAAAAAAAAA AAAAAAAAAAAAAAAAAAAAAAA!!!
Dat was de laatste nacht van het jaar 199x. Abel Nema in de hoek naast het raam sloot zijn ogen.

De petemoei

Wat is dat voor een figuur, vroeg Janda. Hij was wantrouwend.

Ruim een jaar nadat hij uit de trein was gestapt, waren ze elkaar weer tegengekomen, toevallig of niet. Hoe was hij in dat culturele en gastronomische etablissement in de buurt van de universiteit terechtgekomen, misschien een programmatip van Radio Konstantin, of wellicht zocht hij alleen een toilet. Stond verlegen – het is niet zijn *milieu* – in het kleine, tochtige hokje voor de ingang en keek naar het gebruikelijke tumult: tafels, stoelen, mensen, links een toog, achterin een laag, stoffig podium, daarop instrumenten, daartussen mannen. Daar zou hij allemaal doorheen moeten. Nu valt de beslissing, zo dadelijk draait hij zich om en loopt weg, toen plotseling:

KURVÁK, GEEF ME WAT TE DRINKEN!

Hij zei geen woord, bleef alleen midden in de ingang als aan de grond genageld staan, weer zo'n sukkel, dat is handig! Met opzet een elleboog op de plek waar het het meeste pijn doet, tussen milt en ribbenkast, toebehorend aan een anatomiedeskundige. *Iemand* die in een situatie zit of misschien alleen een karakter heeft waardoor hij al dagen op zoek is naar een vechtpartij, dit zijn … tijden, en hij heeft in deze Abel Nema de beste kandidaat daarvoor herkend. Tevergeefs, het uilskuiken merkt hem niet eens op. Staat daar stom te staren naar die slons die een blad met vier volle bierglazen op een tafeltje in de buurt laat glijden en zich langzaam opricht. Nog was niet duidelijk of ze hem herkend had of niet, nog koesterde de vent achter Abels rug hoop. Hé! Hij duwde hem nog een keer. Ben je doof of zo? Maar toen nam ze al een aanloop, sprong tegen hem op, armen om zijn hals, benen om zijn heupen, haar schaambeen knalde tegen het zijne, ze draaiden rond om niet om te vallen, weg van de kerel achter Abel die nu afnokte zonder dat iemand op hem lette. Tijdens de innige omhelzing wapperde Abel met zijn handen, wat moest hij met die lichaamsdelen beginnen, gelukkig sprong ze algauw weer naar beneden.

Zodat ik je beter kan bekijken!

Nauwelijks veranderd, uiterlijk nog steeds de verlegen seminariestudent. Dezelfde kleren, alleen zijn haar was een jaar langer en omlijstten meisjesachtig zijn gezicht en, lieve god, wat mager! Een zuchtje wind blaast je om! Maar je ruikt niet slecht! Zelf rook ze naar rook, alcohol en nog iets anders. Misschien naar een trein, laten we zeggen dat ze bijna onmerkbaar naar een trein rook.

Alsof het gisteren was. Eergisteren. Goede kennissen. Een onderwijzeres uit B., die eens twaalf uur lang tussen allerlei bagage bij me zat en haar hele leven vertelde, van Mijn Grootvader was Anarchist, ooit ga ik een verhaal over hem schrijven en een kroeg naar hem noemen, via poëzie-interpretaties (hij had net eindexamen gedaan en kon het redelijk bijbenen. Je bent een slimme jongen, leuk en ook dapper, je moeder is vast trots op je. Ze knipoogde. Hoe oud schat je mij? Zwijgzaam en beleefd …) tot aan de laatste *schandalen* met een gewelddadige lover, na zoiets moet je weg, dat snap je. Vertrokken op vakantie en blijven hangen, net als jij. Jongen, dat ik je toch terugzie! Hoe gaat het met mijn petekind?

Nou, er is intussen van alles gebeurd, wonderbaarlijke vaardigheden, geluk onder andere, inclusief bijwerkingen. Zeg dat niet. Zeg gewoon:

Dank je, goed. En met jou?

Ik zou lang kunnen klagen en nog langer vloeken.

Ze lachte. Ze begon hem aan alle kanten te knijpen, in zijn wangen, zijn zij, zijn penis. De plekken kriebelden de hele avond. De volgende dag deed ook zijn rug pijn, maar hij was vergeten waarom.

Kinga was met de musici meegekomen, die mannen daar die zo voorzichtig tussen de instrumenten door lopen. Je kunt tussen de podiumplanken door kijken. De jongens uit de trein, had hij die destijds eigenlijk ontmoet? Kan ik me niet herinneren. Ik stel je voor! Ze sleepte hem door de menigte, een grote rugzak door een volle metro, maar hier waren ze berustender.

Dat zijn Janda, Andre en Kontra, slaginstrumenten, cimbaal en gitaar en, zoals de naam al zegt: contrabas, en dit hier is Abel uit het Oerwoud, mijn petekind. Jazeker, dat is mijn petekind! Wees aardig tegen mijn petekind!

Zo had Abel Kinga weer ontmoet.

Janda met zijn vossengezicht, de vriendelijke, kleine Andre met zijn vierkante voorhoofd en de rijzige, zwijgzame Kontra speelden, Kinga danste, Abel zat de hele avond in de *artiestenkleedkamer*, dat wil zeggen: een doorgezakte sofa met de kledingstukken van de musici die op dat moment overbodig waren – ook hier weer: *die* geur, in een mannelijke uitvoering, leer en after-shave – de keizerlijke loge, een beetje opzij van de anderen.

Hoezo zit jij bij de musici? riep Konstantin (Waar kom *jij* opeens vandaan?). Er zijn geen zitplaatsen meer! *Mannen* pikken de stoelen van *vrouwen* in! Kun je je dat voorstellen? Is hier nog plaats? Wees toch niet altijd zo'n klootzak, hij perste zich naast hem op de bank, kun je niet een beetje opschuiven?

Spijt me, zei Abel. Aan de andere kant drukte een blikken kan in zijn zij. Dat is een instrument.

Konstantin, praatte en dronk zijn groene longdrink. Over dit soort muziek: het gehuil van de wolven in de folkloremuziek dat door het rad van de jazz was gedraaid, het gebruikelijke geklets. Totdat Kinga terugkwam van het dansen.

Plaats voor de koningin hoe heb ik het nou opstaan vriend nou komt er nog wat van!

Konstantin staarde de draak met kroeshaar aan – Wie was dat? Mijn petemoei. Je *wat*? – hij knipperde met zijn ogen, dronk zwijgend en in *matig* tempo zijn longdrink uit en ging *een nieuwe halen*. Aan de bar slaagde hij erin een gesprek met een vrouw aan te knopen en kwam niet terug. Kinga liet zich op de lege plaats vallen en kwam op Abels hand terecht. Haar achterwerk was hard, de hand knakte. Een gekriebel tot in zijn elleboog. Ze keerde zich naar hem toe, legde een knie op zijn bovenbeen, ook die was hard, nu kriebelde ook zijn bovenbeen.

En? schreeuwde ze. Nog altijd Maagd? Ik ook. Eenendertig augustus. Ze lachte en veegde iets vochtigs uit het kuiltje boven haar bovenlip.

Alles aan haar is lawaaiig. Niet alleen als ze praat, maar ook bij dingen die bij anderen nauwelijks te horen zijn: het opentrekken van een blikje bier, het vallen van een servet. Bij haar: lawaaiig.

Abelard glimlachte stil.

Zo, zo. Een veelbetekenende, nietszeggende glimlach. Wat ben je toch een door en door verdorven individu!

Ze pakte zijn hoofd tussen haar handen, haar duimen trokken aan zijn slapen.

Wat ben je toch voor een treurig, treurig ...

Met beide handen gaf ze hem een draai om zijn oren. Schreeuwde:

Waarom ben je altijd zo treurig, hè?

Ik ben niet treurig.

Wat dan?

Schouderophalen.

Weet je zeker zelf niet?

Pauze, toen hij, zacht:

En jij?

Wat, en ik?

Wat ben jij?

Wat ben ik?

Treurig? Vrolijk?

Ze staarde hem aan: Wat bedoel je nou?

Ze lachte, werd serieus, ging weer rechtop zitten, schouder aan
schouder. Een tijdje zat ze zo naast hem, wipte haar voet heen en
weer op de maat van de muziek. De zaal was allang verdwenen
achter zweet, stof en kabaal, alsof ze nooit waren uitgestapt, alsof het nog dezelfde ratelende, stinkende trein was, ze moest
brullen:

Toen ik zo oud was als jij nu, was Janda mijn man. Tja, en tegenwoordig leef ik nog steeds van hem. Min of meer. Min of meer
leven we van min of meer. (Ze lachte.) En jij? Red jij het?

Ja.

Papieren?

Voor studie.

Studeer je?

Ja.

Wat?

Talen.

Welke?

Hij noemde er vier.

Kijk eens aan. En geld?

Ja.

Wat doe je daarvoor?

Niets bijzonders. Het is een beurs.

Van wie?

Hij noemde de naam van de stichting.

Olala! Beurs voor begaafde studenten, hè? Hoeveel krijg je?

Negenhonderd.

Wat? Per maand?

Ja.

Hm, zei ze. Ze liet zich achterover vallen op de bank, raakte hem opnieuw met haar schouder, opnieuw alsof er mieren tot in zijn vingers liepen. Ze had haar armen over elkaar geslagen en keek naar de dansvloer, althans in die richting. Door de dansers heen ving Abel Janda's blik op. Hij staarde terug. Dat hielden ze vol. Kinga neuriede. Neuriede, neuriede, neuriede.

Aan het eind van de avond vroeg ze of hij haar honderdvijftig euro kon lenen. Of ze meteen naar de geldautomaat konden gaan. Daar op de hoek is er een. De musici wachtten op een afstandje, ze beschermde hem tegen meekijken door zich in volle lengte tegen zijn rug aan te vleien. Ze was zwaar, haar duim haakte ze in een van zijn riemlussen, hopelijk scheurt de broek niet.

Dank je. Ze liet de broek terugspringen, gaf hem een vochtige kus op zijn wang, vlak bij zijn mond. Dank je, kleintje.

Half Armeens. Haar moeder had haar hoertje genoemd en haar haar eigen braaksel laten eten. In het tehuis waar ze vrijwillig haar intrek nam, deelden ze met z'n veertienen een kamer, het zakgeld was net voldoende voor maandverband, in feite waren het kriebelende kleine katoenplantjes, vers van het veld, bij het lopen klonk er een zacht gepiep tussen je benen. Op haar twaalfde verzamelde ze flessen en peuken, roken zou het bloeden remmen, bovendien remt het de groei, niettemin heb ik toch die dingen hier gekregen. Ze werd mevrouw de kunstenares genoemd, wat bij ons net zo min lovend is als die andere benaming, maar je weet wat ze me kunnen, niemand kon zo zuipen, roken en gedichten opzeggen als Kinga. Haar eerste minnaar was postbode, in burger dichter, het beste herinner ik me de grijze as op het metalen rooster voor zijn kachel, daar keek ik naar terwijl hij achter me lag. De jaren zeventig, dat was geen slechte tijd, hoewel je elke dag moest kotsen door de pil, en mijn eigen vrouwenarts me een hoer noemde. Aan de andere kant was de zee hemelsblauw en we hadden de beste pas ter wereld. Ja, ja, lieve vrienden, toentertijd waren we nog wat! Schrijfster wilde ze worden, een muze ben ik geworden, nietwaar, schat, dat ben ik toch?

Natuurlijk, zei Janda, wat anders?

Ze kennen elkaar van de studie, een gepassioneerde geschiedenis, kussen en klappen terwijl drie andere meisjes in de kamer deden of ze sliepen. Zij had moeilijkheden met een kerel, hij met de wet, en eigenlijk hadden ze er helemaal genoeg van, niettemin zou het niet meer dan een vakantiereis worden, reizen tegen het ongenoegen. En nu.

Het belangrijkste is, zei Kinga, dat je niet in een kamp terechtkomt. Als je in een kamp komt, ben je afgeschreven. Hoe dan ook onafhankelijk blijven. Haar huis was eigenlijk de repetitieruimte van de musici die zo vriendelijk waren haar die zo goed als voor niets ter beschikking te stellen. Hij had de vorm van een L. In de korte poot werd voornamelijk geslapen, in de lange werd alles gedaan wat mogelijk was. Tegen de korte kant een gasstel, één kraan voor alles, wc in het trappenhuis. Kinga zag dat allemaal en besloot op deze plek te blijven. Nieuwe staten zijn de laatste mode, waarom zou uitgerekend ik er niet eentje hebben. Hiermee roep ik, ter ere van mijn grootvader Gabriel, plechtig de onafhankelijke staat Anarchia Kingania uit. Weg met de despoten, de legerleiders, de slavenhouders en de media! Lang leve de vrije mens, het hedonisme en de belastingontduiking!

Ze lachte, iedereen glimlachte behalve Janda, wiens karakter dat niet was. Altijd dat sceptische smoel.

Kinga wees met een vinger naar zijn gezicht: Elk volk brengt zijn aandeel in in de wereldcultuur. Bij ons is dat, zie illustratie, het depressieve pessimisme.

O, zei Janda. Ik dacht dat het paranoia en razernij was. In feite, zei hij, is het hier een dictatuur die op persoonsverering is gebaseerd. Hij noemde haar *de maarschalk* en was ongeveer de enige die af en toe iets terugzei.

Kop houden! zei Kinga.

Dat Abel in de eerste vier jaar helemaal geen contacten had, klopt dus niet. Nadat ze elkaar hadden teruggevonden, zag hij haar zelfs heel regelmatig. Soms vroeg ze om geld, soms niet.

Wees aardig tegen mijn kleintje, zei ze tegen de anderen. Pas op, wees aardig tegen mijn petekind! Tenslotte zorgt hij voor ons brood op de plank.

Ze lachte klokkend. In werkelijkheid leefden ze van van alles en nog wat, de gages van de musici en het geld dat zij verdiende. Schoonmaken en babysitten. Thuis zou ik onderwijzeres zijn, dagloner van de natie, mijn middagen zouden er niet veel anders uitzien dan nu. Mijn lichaam is tegenwoordig mijn enige kapitaal, placht ze te zeggen. Nu ik van mijn moedertaal ben beroofd, speel ik alleen nog een rol als werkpaard en seksobject.

Na Janda was ze met Kontra en toen met Andre samen geweest, toen weer met Janda, later met een jonge klarinettist die niet bij de groep hoorde, enzovoort, meestal jongere geliefden wier namen geen rol meer spelen. Aanvankelijk dachten de musici dat *hij* er ook zo eentje was, god mag weten waar opgepikt – In de trein destijds, toen we elkaar waren kwijtgeraakt – maar het schijnt deze keer iets anders te zijn. Je hoeft je geen zorgen te maken, zei ze tegen Janda. Ik zou hem kunnen krijgen als ik wilde. Als ik hem niet krijg, betekent dat dat ik hem niet wil. Daar geloof ik niets van, zei Janda. Het was niet duidelijk op welk deel van de bewering dat sloeg. Het is een feit dat je hem met vrouwen noch mannen ziet, alleen met *haar*. Ik maak me geen zorgen, zei Janda en dacht er niet aan aardig tegen die kleine te zijn.

Wat heb je?

Niets.

Je zegt geen woord tegen hem. Jullie zeggen geen woord tegen hem.

Wat moet ik dan tegen hem zeggen?

Weet ik veel. Waar kom je vandaan? Heb je je blindedarm nog?
Verzamel je iets?
Of hij iets *verzamelt*?
Je weet wat ik bedoel.
Nee, zei Janda. Geen idee. Ik weet waar hij vandaan komt. En zijn blindedarm interesseert me niet.
Pauze. Toen, zacht:
Wat wil je van hem?
Wat denk je? Niets.
En wat wil hij?
Wat moet hij willen? Wat wil jij?
Ik wil – hij somde het op zijn vingers op – elke dag van mijn leven muziek maken, voor mijzelf en voor anderen, daarmee geld verdienen, roem verwerven, mijn vrienden niet verliezen, een vrouw beminnen, door een vrouw bemind worden, tederheid, zorgzaamheid, regelmatig goede seks, smakelijke en voedzame maaltijden – nu was hij aan het einde van de eerste tien vingers, hij begon van voren af aan – goede drank, en ten slotte zou ik graag ergens een plek vinden die me niet te vreemd en niet te vertrouwd is en waar ik me in alle vrede kan vestigen met alles wat ik daarnet heb opgesomd en wonen totdat ik pijnloos en door anderen omringd sterf, niet te plotseling zodat ik nog afscheid kan nemen, maar ook niet te langdurig zodat het voor ons allen een last wordt. Dat wil ik.
Zie je wel, dat is precies wat hij ook wil.
Janda haalde zijn schouders op. Natuurlijk. Iedereen. Dat brengt je ook niet nader tot elkaar. We mogen hem gewoon niet, basta.
Je bent jaloers, zei Kinga.
Tss, zei Janda.
Kinga danste om hem heen: Jij bent jaloers, jij bent jaloers!
Hij past gewoon niet bij ons, dat is alles.
Hij zei het zacht, maar zij hoorde het ondanks haar gespring en bleef staan. Met gefronst voorhoofd en diepe stem:
Wie bij ons past, bepaal ik! Duidelijk?

Na de vorst

In de nacht na oudejaar droomde Kinga van vorst. Alles in de stad was van ijs, alleen zij vijven waren nog hier, alle anderen verdwenen, en Kinga schreeuwde: Naar zee! Op nieuwjaarsmorgen moet je naar zee. Het kind is nog nooit buiten de stad geweest! Idioot, zei Janda. Alles is van ijs. Maar ze reden al. De voorruit was een prisma van vorst waardoor ze naar de weg voor hen tuurden. Ze waren de enigen op de weg, alles was leeg en wit, ze reden voetstaps, onder de wielen knisperde het. Ze reden in het bestelbusje waarmee de jongens anders op tournee gingen, het was warm en koud tegelijk, bij de ramen tochtte het hevig, niettemin rook het muf, plus de stank van de gloeiende verwarming. De ijsbloemen op de ruiten smolten niet, er was niets te zien behalve door het gaatje voorin. We kunnen de zee nooit zien, zei Andre. We zijn blind voordat we er zijn. Kontra krabde geduldig met zijn duimnagel de ijsbloemen van zijn ruit. Krrr, krrr, piep, piep. Ik weet niet waarom, maar ik had het gevoel dat het verkeerd was, dat hij dat niet mocht doen. Een *gat* in iets *heels* krabben. Dat is precies onze vorm, zei Janda. Uit een thermoskan dronk hij zwarte koffie met wodka. Laat mij rijden! schreeuwde Kinga. Maar je rijdt toch al de hele tijd! Klopt. Dan is het goed, dan is er niets meer dat ons kan hinderen! Ze lachte. Een ogenblik later hobbelden ze al piepend over het bevroren zand. Kijk, kijk! riep Kinga. Zie je dat? Zie je dat? Bevroren golven! Bevroren golven! Ze merkte dat ze alles twee keer riep en lachte. Maar ze lachte ook van plezier. Heb je ooit zoiets gezien, kind? schreeuwde ze tegen Abel en trok hem naar zich toe. Hoe dan, zei Andre. Als hij nog nooit buiten de stad is geweest. Daar stonden ze dan, alle vijf, met hun armen in elkaar gehaakt: Janda, Kinga, Abel, Andre en Kontra, in die volgorde. Behalve zij vijven was er niemand op het strand. Ze keken naar de bevroren zee. Ik houd van jullie, wilde Kinga nog zeggen, maar toen werd ze wakker.

Ze opende haar ogen, keek naar het raam, inderdaad was daarachter alles wit, is het dan mogelijk, ik op mijn knieën, raam opengegooid, trillend van angst, vreugde en kou, zoals het gaat als je net wakker bent. Maar toen zag ze dat het maar mist was, de grond beneden donker en vochtig, een lichte kruitlucht, bovendien de partystank die links en rechts van haar naar buiten walmde, en toen was me duidelijk: ik heb het alleen maar gedroomd.

In de keuken vertelde ze het aan de musici. Daar hing weer een nieuwe geur: iets te sterk geroosterde koffie. Abel opende zijn ogen. Het raam waaronder Kinga in elkaar gerold aan zijn voeten had geslapen, stond open. Mist dreef naar binnen, kroop over de vloer waarop, als aangespoeld, vuilnis lag, levensmiddelen gecombineerd met as, stuff en papier. *Alsof er een bom was ingeslagen.* Nu die mensenmassa was verdwenen, was dat pas goed te zien. Het meubilair in Kingania bestond in wezen uit matrassen, kartonnen dozen en koffers, volgepropt met alles wat je al dan niet nodig hebt om te leven: kleren, boeken, muziekinstrumenten, pannen. Tussen de koffers en dozen lagen eindmorenen van losse rommel, van een aluminium soeplepel tot een vliegenmepper. Hoewel er helemaal geen vliegen waren. Jezusmaria, wat een zwijnenstal! Met een weckfles vol bankbiljetten en munten in haar hand stampte Kinga opgewekt door het afval alsof het verse sneeuw was. Het is zonder twijfel juist en billijk dat de vele, vele gasten die er ook nog altijd een paar extra meebrengen die niemand kent, maar die zich gedragen alsof ze thuis zijn, delen in de kosten van de drank. We leven allemaal op de rand van het niets. Het minieme winstje dat uiteindelijk overblijft! Zeg niet dat ik een illegale kroeg drijf! Goedemorgen, kleintje!

Een kus die naar een lange nacht ruikt. Ze kwam bij hem op de matras zitten, kruiste haar benen, schudde het geld uit de fles en begon het te tellen. Kontra en Andre ruimden op, Janda pakte de wc-sleutel en ging de deur uit. Het *kind* bleef waar het was.

Je zou kunnen zeggen dat er in feite niets ernstigs was gebeurd. Nog geen zesendertig uur bij de politie. Maar kort voordat ze

hem vrijlieten – Tibor wachtte al geruime tijd – kwam een vaderlijke figuur bij Abel zitten, of hoe je ook mag heten. Een magere man van in de veertig, maar toch: een vaderlijke figuur.
Ging tegenover hem zitten, de omhoog gerichte bureaulamp
verspreidde merkbaar warmte en een diffuus licht van rechts
boven, zoals in religieuze schilderijen, een helft van de man
lichtte op en ook de manier waarop hij zijn handen op de tafel
vouwde had iets van Laat ons bidden. Daarbij zijn toon, beheerst en vol respect, respect voor iets dat niet in de kamer was
of toch, voor iets hogers, dat heet bij ons wet en gezag. Zo begon
hij ongeveer het volgende te zeggen:
Je bent jong, *mijn zoon*, en je bent alleen. Het leven dat eerst
voorspiegelde gemakkelijk te worden, blijkt hard te zijn. De staten die jullie met ijzeren vuist vasthielden, hebben jullie uitgespuugd in de wereld. Daar drijven jullie nu voort in alle windrichtingen als het zaad van de leeuwenbek (sic!) en je weet
nooit, zei de man aan de andere oever van de tafel, waar zo'n
zaadkorrel ten slotte terechtkomt. Sommige vallen misschien
op vruchtbare aarde, andere wellicht in een hoop hondenpoep
of in de goot, en dan. Je komt met mensen in aanraking met wie
je vroeger, onder *normale omstandigheden*, nooit in aanraking
zou zijn gekomen. De vraag is: Hoe kan de eenling die men door
de omstandigheden is geworden, zich handhaven, dus op de
goede weg blijven, namelijk die welke van A naar B voert, waar
wij allen heen willen. We willen van A naar B, succes hebben in
het leven, en je vermoedt misschien niet eens hoe gevaarlijk dat
uitgerekend jouw leeftijd is. Iemand die alleen is wordt algauw
door het noodlot achterhaald, en jij bent alleen, dat weten we al,
je bent zo alleen als je maar zijn kunt, je professor, die aan de telefoon moet vragen: Wie?, is degene die je het naaste staat. De
betekenis van een gemeenschap wordt vaak onderschat, terwijl
mensen in een gemeenschap toch dikwijls veel nuttiger blijken
voor het algemeen welzijn dan individualisten. Natuurlijk komt
het op het soort gemeenschap aan. Om kort te gaan, je vraagt je
af wat je moet beginnen met iemand met de capaciteiten die de
waarde professor ons heeft beschreven – Welnu, wellicht is het

juist zijn genialiteit die u zo verdacht voorkomt! –, met die Abel Nema die een verstandige jongen schijnt te zijn en van wiens onschuld we de hele tijd of in elk geval al heel snel overtuigd waren, we hebben alleen gewacht totdat hij het zelf zou zeggen. Vadertje staat zijn is een lastige baan, het gaat niet om straffen, het gaat erom waarden over te brengen, tot nadenken te stemmen, en hij hoopte dat hij daar deze keer een beetje in was geslaagd. Nu gaan we eerst eens rustig naar huis en denken na over wat we met ons leven willen aanvangen. Buitengewone capaciteiten zijn een enorm voorrecht dat je niet alleen ten behoeve van jezelf mag benutten, nog afgezien van het feit dat alle talent zinloos is wanneer je papieren bijvoorbeeld niet in orde zijn.

Pauze. Het *genie* was de hele tijd al niet erg spraakzaam geweest, maar nu was het zo stil dat je de ademhaling in de kamer kon horen. En een soort huilerig gelamenteer aan de andere kant van de wand. Dat gaat al uren zo. De vaderlijke figuur zuchtte. We weten waar we u kunnen vinden, zei hij en stelde hem in vrijheid.

Jazeker, in feite zijn er ergere dingen. Niettemin had Abel het gevoel dat hij niet langer in de Bastille kon blijven of met Konstantin nog maar één woord zou kunnen wisselen. Het is niet direct zijn schuld, maar niettemin. Weer was het leven dat hij tot nu toe had geleid van het ene moment op het andere in het niets verdwenen. Hij moest toch al naar iets nieuws uitkijken. Sinds vaststond dat hij ook de tiende taal beheerste, was hij de richting een beetje kwijt. Maar ik weet zeker dat er geen aanleiding bestond wat dan ook over wie dan ook aan jullie te melden, schoften.

Kom nou, zei Kinga tijdens het restjesontbijt. Je kent toch geen hond. Behalve ons. En wie is nou in vredesnaam in ons geïnteresseerd?

Ze wilden hem angst aanjagen, zei Kontra en likte langs de rand van het sigarettenvloeitje. Kapsones, verder niets.

Voorzichtig, zei Janda. Hij werkt allang voor ze.

Klootzak, zei Kinga.

Toen zwegen ze een poosje.

Luister, zei Kinga, hoe kun je toch zo'n klootzak zijn?

Het was een grapje, zei Andre. Een grapje. Doe me een lol en begin het nieuwe jaar niet met ruzie.

Kinga morde, schoof in de richting van het kind, streelde zijn gezicht, kuste hem. Mijn arme kleintje! Intussen hield ze Janda in het oog. Janda deed alsof hij geconcentreerd toekeek hoe het koffieniveau steeg in het opnieuw opgestelde koffieapparaat. Kontra stak een joint op.

Nu ze na vier jaar gehakketak eindelijk een vredesverdrag hebben getekend, sturen ze ons misschien echt terug. Hebben jullie daar al over nagedacht? vroeg Kinga.

Kontra overhandigde haar de joint: Hier. Cannabioniden lossen onaangename emotionele herinneringen op.

Via Andre en Janda kwam de natte peuk bij Abel.

Hun handen raakten elkaar. Janda bleef hem in de ogen kijken.

Later vertrokken de musici, Kinga legde haar hoofd op Abels dijbenen, een hard hoofd op even harde dijen, ongemakkelijk, ze draaide zich om op zijn schoot en viel in slaap. Een tijdje bleef hij zo zitten, later rolde hij haar hoofd voorzichtig op een kussen en zette water op in de keuken.

Later werd ze wakker, of nee, eerder al, door het ziedende water, ze deed alleen of ze nog sliep. Wachtte tot hij naakt in de blauwe plastic zitkuip zat, al drie dagen niet gewassen, nu tot zijn enkels in het water. Ze stond op, liep naar hem toe, hielp hem water over zijn hoofd te gieten en waste zijn rug. Sta op, zei ze. Druipend stond hij in de kou, ze waste hem met een washandje, wreef hem droog, beval hem weer in bed te gaan liggen en bracht hem warme, iets te bittere thee. Kleintje. Je mag zolang blijven als je wilt.

Dank je, zei Abel.

Hij bleef de rest van de winter.

In de enclave

We leven hier in een enclave, zei Kinga. Wat volgt daaruit. Daaruit volgt enerzijds dat alles *nu* is. Weliswaar kunnen er uitspraken omtrent de toekomst worden gedaan, maar dat is niet meer dan een koffiebonenorakel. Vandaag heb ik precies vier koffiebonen uit de koffiemolen laten vallen. Laat zich daaruit iets afleiden over mijn dag of niet? Of laten we de vogels nemen. Hoeveel en welke soorten zijn er langs mijn raam gevlogen terwijl ik mijn best deed om wakker te worden.

Anderzijds volgde daaruit het ontbreken van het comfort waaraan hij tot dan toe gewend was geweest. Na de geheel geautomatiseerde Bastille moest er hier rekening mee worden gehouden dat de stroom af en toe uitviel of het water opeens bruin als koffie werd. Het gasstel had een warmteradius van een meter, en dat was het dan. Weliswaar stond er ook nog een oude, met papier volgestopte gietijzeren kachel, maar die was niet op een schoorsteen aangesloten. Kinga stopte haar eigen papieren erin, *mislukte liefdesbrieven*, en er was nog steeds plaats voor meer. Ziet, het Magische Zwarte Gat midden in mijn universum. Voor noodgevallen was er bovendien nog de prehistorische verwarmingsventilator die met veel kabaal de stank van verbrand stof rondwentelde, maar wilden ze die draaiende houden dan moesten ze alle andere elektrische apparaten uitschakelen – ijskast, gloeilampen etc. Gelukkig was het een zachte winter, van het gedroomde ijs geen spoor te bekennen. Normaal gesproken zou Kinga niettemin bij een van de musici zijn ingetrokken, zij hadden behuizingen met verschillende soorten verwarming, maar zonder dat er een woord over werd gesproken, was niettemin duidelijk dat daar voor het *kind* geen plaats was, dus bleef ook Kinga koppig in haar eigen huis, we zullen elkaar wel warm houden, nietwaar kleintje?

Al met al was het niet slecht wonen in Kingania. De eerste weken van het nieuwe jaar waren rustig. Wat de indruk van chaos maakte, was in feite een gevolg van steeds dezelfde dagen. Als ze moest schoonmaken, vertrok Kinga vroeg, daarna paste ze op kinderen van mensen die *gek genoeg* (Janda) waren om ze aan haar toe te vertrouwen. Tot in de middag was Abel alleen. Als het aan hem had gelegen, had hij de korte poot van de L helemaal niet meer verlaten. Winterslaap houden. Of in elk geval: winter. Een steeds meer naar mens ruikende hoek van het matras naast het raam, waardoor je al dan niet kijkt, een grot. Wat heeft een mens verder nog nodig? Als kind heb ik in een kast gewoond. Later op de dag kwamen de musici. Altijd als eerste Kontra, de jongste en een vlijtige muziekstudent. Hij studeerde een paar uur klassieke en moderne contrabaspartijen. Abel zat in de hoek en luisterde. Ze praatten niet met elkaar. Behalve een begroeting wisselden de musici geen woord met hem. Ze repeteerden of onderbraken de repetities om te koken, te roken, te drinken of voor sport of nieuwsberichten op de televisie (een klein zwart-wit apparaat met een geïmproviseerde antenne). Op het gasstel rochelde voortdurend de koffiepot of stond de glühwein te trekken, de geuren vulden de hele kamer en het trappenhuis. Later kwam Kinga thuis en gingen ze in een kring zitten om te eten. Ze gaven *voor onze omstandigheden* veel geld uit aan eten, goed eten, dat is het belangrijkste. Later op de avond was drinken het belangrijkste. De officiële munteenheid in Kingania was slivovitsj. Ze zopen dus op een manier die zich niet laat beschrijven. Stuk voor stuk konden ze zoveel op dat het eigenlijk veel moeite kostte om werkelijk dronken te worden. Behalve Kontra, die alleen dronk om de uitwerking van de wiet te versterken, en Abel, die gewoon nooit dronken werd. Die jongen is onder meer een medisch wonder. Kinga drukte haar oor tegen zijn borst en luisterde. Alles in orde, zei ze tegen de anderen. Hij is een mens. Eind januari was Andre jarig en een nieuw komen en gaan begon. Alsof ze nooit allemaal van het feest naar huis waren gegaan, of maar even, om meteen de volgende avond terug te komen, onbekende en door herhaling wat bekendere gezichten, maar er waren ook steeds weer nieuwe bij. Merkwaardig hoeveel mensen je in de loop van de tijd tegenkomt. We hebben een zekere roem, liefje, zei Kinga trots. Openbare repetities, salon, wat je maar wilt. Uiteindelijk doen we niets anders dan wat we altijd of in elk geval de afgelopen tien jaar hebben gedaan. De jaren tachtig waren ook niet slecht, al was alles in het algemeen wat donkerder, kan zijn dat dat lag aan dat keldergat waarin we, dat wil zeggen: ik, Kinga, toen woonde. Het was een kleine stad, op de een of andere manier was het zo gelopen dat *iedereen* bij haar rondhing en over politiek praatte, bij ons is alles politiek, ze spuiden nu eens kritiek van links, dan weer van rechts. De hele tijd over niets anders gepraat dan waarom het niet mogelijk was *daar* te leven, en nu? Je moet bedenken dat we destijds dachten dat het voornaamste probleem was dat de nationaliteiten werden onderdrukt, en moet je nu eens kijken.

Het zijn niet de gewone mensen, zei Andre. Het is begonnen bij de Academie, dat weet iedereen.

Bullshit, zei Janda. Dat zeg ik als een man van het volk.

Dat is wat anders, zei Andre. Jij hebt niets om politieke redenen gedaan.

Ohhh! verzuchtte Kontra. Die goede oude tijd toen we elkaar nog om politieke redenen in de haren vlogen.

Janda lachte minachtend.

Kinga tegen Kontra: Ook jij mijn zoon? Een cynicus?

Is dat een vraag? (Janda)

De mens is niet goed! schreeuwde hij later, toen ze meer hadden gedronken. Begrijp dat toch eindelijk!

Andre schudde alleen zijn grote hoofd.

Wat Abel betreft: Hij zei nooit een woord. Keek toe hoe geleidelijk aan iedereen om hem heen dronken of high werd. De roes van de mannen was niet luidruchtig, afgezien van de tangoharmonica die Andre in zulke gevallen met alle geweld wilde spelen. Bij Kinga versterkte dronkenschap haar stemmingswisselingen, die ook anders niet onaanzienlijk waren, tot in het extreme.

Nu eens was ze melancholiek, dan weer moederlijk – kijk eens wat ik voor je heb gejat! Een sinaasappel, zal ik hem voor je pellen? Als ze dronken was, begon ze werkelijk iedereen te treiteren. Maakte ruzie met wildvreemde vrouwen, een ogenblik gezien was al voldoende. Ga ik naar het warenhuis, kom de roltrap op,

damesafdeling, staat daar een gepolitoerde troela die aan iedereen reclamefolders uitdeelt, alleen niet aan mij. Zo'n mens
koopt toch niets. Kijkt alleen als in een museum. Ik ben in elk
geval al eens in een museum geweest, geparfumeerde kut, denkt
dat haar schijt niet stinkt. O, moet ik die veertig nieuwe liefdes-
standjes leren, een dieet beginnen, een wereldreis maken? Of
moet ik toch liever een kind krijgen, om niet het gevoel te hebben dat ik zo grenzeloos vervelend ben?

Ik zou graag een kind hebben, zei Janda naar waarheid, en haalde het conflict daarmee van de straat in de vertrouwde huiselij-
ke omgeving.

Kinga: *Jij* en een kind? Het arme wicht.

Nu volgde een korte pauze voordat ze opnieuw van leer trok.
Vermoedens uitte. Natuurlijk wenste hij dat wurm van een on-
gecompliceerd blondje, hoe dommer, hoe beter, dat doet niemand pijn, het iq van mosterd is voldoende om de koningin
van ons hart te zijn!

Wil je alsjeblief ophouden met dat stomme geklets? Dat zou ik
(Janda) bijzonder waarderen.

En jij, wat heb jij dan eigenlijk te bieden? Kijk toch eens naar jezelf, je bent niet eens in staat om voor jezelf te zorgen! Op jou
hebben we hier echt zitten wachten!

Janda: In alle vriendschap zeg ik: Houd eindelijk je kop! Ophouden. Allebei. (Andre, de stem van het verstand.)

Soms hield ze dan ook op, hurkte in de blauwe plastic badkuip
en schoor zich waar ze maar kon.

Zo, zei ze daarna, zo!

Tegen Abel: Ben ik mooi?

Ja, zei de verlegen ex-student. (Je bovenlip is als een wasbord,
maar ik aanbid je.)

Ze lachte gevleid en sloeg haar arm om zijn hals: Wil je een kind
van mij?

Laat dat wurm met rust. (Janda.)

Kinga lachte, kietelde het kind in zijn hals: Wurrrrm, wurrrrm,
wurrrm.

Of ze hield niet op, en dan eindigde het – Janda wilde het niet, maar temperament is alles bij ons – in gebrul. Klootzak! Trut! Ophouden! Soms verzoenden ze zich voordat Janda wegging, soms niet. Met vliegend vaandel naar buiten, deur dicht smijten. De volgende dag kwam hij terug en zei er geen woord meer over.

Maar waar het eigenlijk om ging waren de nachten.
Hoe laat het ook werd en hoe moe ze ook waren, de musici bleven nooit slapen in Kingania. Als we de nacht samen zouden doorbrengen, sloegen we elkaar *regelmatig* dood. Toch slaap ik niet graag alleen. Maar nu, zei K., ben jij er immers.
Ze nestelde zich in zijn oksel, liefkoosde hem, betastte zijn hele lichaam, legde zijn hand op haar borst: hoe voelt dat? Speelde met zijn haar, onderzocht zijn huid, telde zijn moedervlekken (negen op zijn rechteronderarm, vijf op de linker). Urenlang. Dat waren de betere nachten. In de andere lag ze, na zwijgzame avonden, opgerold op haar matras, wiegde heen en weer en mompelde in zichzelf. Later, midden in de nacht, kwam ze aangekropen. Soms vertelde ze dromen. Mooie dromen en nachtmerries, maar meestal was er geen woord van te verstaan. Ze jammerde alleen, kreunde, huilde, vocht met het andere lijf naast haar, trok hem over zich heen, wentelde met hem rond. Bij ieder ander kwam het erop neer dat je eerst seks had en later grof werd, laat me nu eindelijk los, laat me slapen, waarom laat je me nooit slapen! Hij schreeuwt, zij zit in elkaar gedoken en huilt, twee naakten. Maar *het kind* is anders, hij neukt haar niet en duwt haar ook niet weg. Ben ik de vrouw die je lichaam het beste kent? Ja. Kus me! zei ze destijds voor het eerst in de trein en duwde haar tong in zijn mond. Ze proefde hem: Hm, niet slecht. Hij liet alles met zich doen, worstelde geduldig met haar, je kon haar botten horen kraken. Nu begrijp ik waarom ze vol blauwe plekken zit. Na een paar nachten had hij die ook, alsof ze hem met een soort uitslag had aangestoken. Een keer maakte ze een zoenvlek in zijn hals. Dat was niet gemakkelijk; hoewel het er niet zo uitzag, had hij een huid die niet erg gevoelig was, ze moest geconcentreerd werken tot er eindelijk een klein, roodachtig vlek-

je verscheen. Hij knoopte zijn boord dicht, maar verder leek het hem niets te kunnen schelen. Als hij zich bewoog, was de vlek soms opeens te zien. Kleine ellendeling, fluisterde Kinga vlak bij zijn gezicht. Het werd al donker, ze streelde hem. Houd je van me, kleine ellendeling? Vervolgens viel ze in slaap en snurkte. Toen ze weer wakker werd, was ze vrolijk en luidruchtig als altijd. Ze gooide het raam open:

Ik ruik natte populieren, o, wat ben ik toch gelukkig!

Waarvandaan, waarheen

Nadat Abel het allemaal een paar weken had aangezien en aangehoord, werd het tijd om naar een andere bezigheid uit te kijken. Sinds hij niet meer studeerde, had hij ook tijd voor doelloze activiteiten, gewoon om de tijd door te komen en niet *daar* te zijn. Het heeft zijn voordelen als je niet, of in elk geval niet veel hoeft te slapen, maar *iets* was niettemin te veel. Ik heb een overdosis Kinga, zei Janda van tijd tot tijd. Ik heb lucht nodig. Abel wachtte de repetitietijd van Kontra af – hij zei er nooit iets over, maar blijkbaar was hij erop gesteld – en toen ging hij de deur uit. Waar kom je vandaan, waar ga je heen, in de winter – ook al is het een zachte, wat *hier* min of meer permanent motregen betekent – als je om de een of andere reden niet thuis kunt blijven? Vroeger had hij zich uitsluitend buitenshuis opgehouden als het absoluut nodig was. Hij had net zo goed in een dorp of op een klein eiland kunnen wonen, hij liep nooit meer dan twee, drie verschillende routes. Je bent zo bleek dat ik al je organen van binnen kan zien (Kinga). Nu begon hij door de stad te lopen.

Handen in de zakken van zijn trenchcoat, schouders opgetrokken – Heeft hij een das? Vermoedelijk niet, de motregen zet zich vast in zijn haar, druipt over zijn voorhoofd – met lange stappen en voorovergebogen bovenlichaam alsof hij tegen een storm moet optornen. Hij liep óf naar eigen goeddunken óf hij koos iemand uit die hij volgde. Dat laatste had te maken met een kwestie die hem al jaren bezighield – om precies te zijn sinds hij de sterfkamer had verlaten. Dat ik, ongeacht hoe vaak ik een route al heb gelopen, verdwaal als ik me niet heel erg concentreer, en soms zelfs als ik dat wel doe. Toen daar ook na heel veel oefening geen verbetering in kwam, legde hij zich erbij neer dat hij meestal maar een vaag idee had van waar hij zich op een bepaald moment bevond. Hij oriënteerde zich aan de hand van een paar kenmerkende punten: het park, het station, de zenuwinrichting, deze of gene kerktoren. Daartussen zagen de meeste straathoeken eruit alsof hij er net voorbij gekomen was. Door een permanent déjà vu wandelen. Aan de andere kant zag een weg die hij honderd keer had gelopen, er uitgerekend voor de laatste bocht naar rechts, die hij in gedachten duidelijk voor ogen had, uit alsof dat onmogelijk kon kloppen. Alsof de windrichtingen opeens waren gedraaid. Gelukkig – of niet – waren zijn dwaalwegen (door hemzelf) fysiek begrensd. In feite bewoog hij zich door drie aangrenzende districten ten oosten van het spoor, meer kun je als eenling nu eenmaal niet bestrijken. Sommige dagen waren kouder dan andere. Christophoros S., vroeger molenaar, tegenwoordig beter bekend als de dikke Zeus uit het park, kent voor dit geval goede plekken in de vervallen werkplaatsen in de buurt van het spoor. Met hem meegaan, voor een gezellig kampvuurtje? Later misschien. Daarvoor zijn er eerst nog de wachtkamers (nee, zeker niet), de cafés (op den duur te duur) en de bibliotheken, en ter afwisseling: de gratis dagen in het museum. (Mijn moeder hechtte altijd veel waarde aan cultuur, als tegengif tegen barbarij. Nadat ze de auto had verkocht, nam Mira de trein om met haar zoon een van de drie dichtstbijzijnde hoofdsteden te bezoeken. Tot de laatste trein naar huis hadden ze acht uur, waarin ze zoveel mogelijk musea en kerken bezochten. Als ik niet zo'n beleefd kind was, zou ik nu op deze straathoek blijven staan, mijn sandalen en sokken uittrekken en kijken of ik, zoals ik vermoed, blauwe plekken op mijn voetzolen heb. Voor wie denk je dat ik dit doe?!?) In de *winter van de leegte*, toen Abel ondanks wekenlang intensief matraszitten en nadenken absoluut niet kon verzinnen hoe het verder moest, nu hij niet meer kon studeren – voor het geval je bij het laden en lossen op het station of als krantenbezorger wilt werken, kan Andre je een baan bezorgen. Dank je, zei Abel. Ik zal erover nadenken – hij las meer boeken en bekeek meer kunstwerken dan ooit tevoren of daarna. Behalve de kunstenaar en een jonge vrouw die haar doctoraalscriptie erover schreef, was hij de enige die werkelijk alle verhalen van een 42 talking heads omvattende installatie tot het einde toe aanhoorde. In een installatiezaal is het goed zitten, de koptelefoons bungelen rustig, de temperatuur is constant, de lucht ventileert, maakt de geur van een leven in anarchie zo minimaal mogelijk, zo vallen we minder op. Soms komt er een vrouwelijke suppoost die de gordijnen opentrekt en naar binnen kijkt. Zwarte bundel kleren in de hoek. Chinese boerenkinderen leren pingpongen en hopen op een beter leven.

Een paar weken lang gebeurde er niets bijzonders, kunst is zoiets normaals. Later zou er een incident hebben plaatsgevonden:

Een strenge oudere heer, een soort oppersuppoost, klein en rond. Wat zou er in zijn hoofd omgaan? Tien minuten voor sluitingstijd liep hij door de zalen en klapte in zijn handen: Dames en heren! We gaan sluiten! … Wat krijgen we nou! Wat doet die daar? Slaapt hij soms? Hij slaapt hier!

Hij klapte weer in zijn handen, als een martiale kleuterleider: Hallo! Wakker worden! Zit daar te slapen! Hij kan hier niet slapen! Dit is een museum, geen Leger des Heils! Zoiets heb ik nog nooit meegemaakt!

Of de zwarte figuur in de installatiezaal werkelijk had geslapen is de vraag. Hij zat met rechte rug en zijn handen op zijn knieën op een kruk voor de beeldschermen, met gesloten ogen en een koptelefoon op, misschien had hij de man gewoon niet gehoord. Twee jongere vrouwelijke suppoosten nieuwsgierig op de achtergrond. Nu opende hij zijn ogen, niet als iemand die net wakker wordt, meer als bij een pop, een net gewekt monster, klapten zijn ogen open.

Hoort u mij? Finito!

Nu de man zichtbaar was, begon hij met de handen die eerst klapten in het rond te maaien. Maakte snijdende bewegingen ter hoogte van zijn hals, stak vervolgens zijn onderarmen naar voren alsof hij een voertuig bestuurde: Daar is de uitgang! Wegwezen! Wegwezen!

De figuur zette de koptelefoon af, stond op, was direct een kop groter en hoewel hij ver buiten zijn bereik stond, deed de man angstig een stap achteruit. Hij zei niets meer, wapperde alleen nog, gaf zwijgend aanwijzingen.

Niet duidelijk of Abel naar hem keek of niet, maar hij ging weg. Zodra hij de zaal had verlaten, rende de kleine man naar de galerij, vandaar kon hij op zijn hoofd neerkijken en zag hoe hij de trap afliep en door de kassaruimte in de richting van de draaideur ging. Nu vond de man ook zijn stem terug.

Je hebt me toch mensen! Komt hier om te slapen! Daar ziet hij ook naar uit! We zijn niet bij het circus! Komt hier op de gratis dag om te slapen! Die aso …

De rest was niet te horen. Abel stond op straat.

Ze hadden hem moeten fouilleren. Bedacht de kleine man, hoewel dat absurd was, want geen van de objecten hier is klein genoeg, niettemin rende hij terug naar de tentoonstellingszaal om te controleren, *iets* te controleren. Tweeënveertig zwarte koptelefoons bungelden van het witte plafond. Aarzelend pakte hij er eentje en luisterde aandachtig. Alsof dat type iets had kunnen hebben weggehoord. In de toespraak bij zijn pensionering zou hij het voorval vermelden, de man die gekomen is om te slapen. Algemene vrolijkheid.

Je moest er niet aan denken dat het Kinga zou zijn overkomen. *Jawohl, mein Führer!* Of: Van jou had ik niet anders verwacht, dwerg, fascist, fascistische dwerg, bureaucratische klootzak, chauvinistische zak, tegen je vrouw kun je zo praten, maar ik ben een dame, verdwijn zo vlug je kunt, want een aangifte wordt je fataal. Vervolgens had ze van een afstand, vanaf het veilige terrein van de autonome Anarchia, nog lang haar vuist geschud, gelachen en gehuild. Deze hier, Abel, hield zijn mond, hij ging gewoon niet meer naar het museum. Dat was op de dag van het officiële begin van het voorjaar. Op dat moment had hij toch al alles gezien wat er op dat ogenblik te zien viel en stond hij vlak voor een beslissing. Die nam hij vermoedelijk een paar uur later in de computerzaal van de universiteit, waar men hem die dag tot middernacht voor een apparaat zag zitten. Wat hij precies deed, kunnen we niet weten, in elk geval raakte hij het toetsenbord nauwelijks aan, zat alleen naar het beeldscherm te staren alsof hij zijn gezicht aan het zonnen was.

Later brandden zijn ogen, hij ging naar huis. In Kingania was het stil en donker. De gasten waren vertrokken, de bewoonster sliep. Nietwaar, ze lag achter de deur op de loer: Hoeoeoeoe! En, heb je het in je broek gedaan? Ze lachte, maar ze was niet vrolijk, hield direct weer op. Eigen schuld, klootzak. In welke kut ben je zo lang bezig geweest? Wat denk je eigenlijk wel! Misschien maakte ik me wel zorgen. Misschien had ik je nodig! Hoe kun je toch zo egoïstisch zijn!

Het spijt me.

Ach, sta toch niet zo ongegeneerd te liegen! Niets spijt je! Wat doe je nu?

Hij dacht: naar bed gaan.

O ja, natuurlijk, stomme vraag, je hebt een inspannende nacht achter de rug en je hebt je schoonheidsslaapje nodig. Het kan je vermoedelijk niets schelen dat ik je geen gezelschap houd. Ik ben te opgewonden om te slapen. Eerst te opgewonden omdat ik me zorgen maakte en nu ...

Woedend, omdat de kleine klootzak niets is overkomen, hij heeft zich uitstekend geamuseerd, hier is het maar een hotel!

Ik was in de computerzaal. Werken.

Daarop is ze bereid haar mond te houden. Wacht belangstellend op meer informatie. Hij had besloten, zei Abel, een proefschrift op het gebied van de vergelijkende linguïstiek te schrijven.

Ach, zei Kinga en knielde naast hem neer. Wat ben ik trots! Mijn kleintje wordt doctor! Ze graaide naar zijn hoofd, kuste hem op zijn haar. Ik ben zo blij ...

Zo kom je in nieuwe

Daar bent u weer! zei Tibor. We maakten ons al zorgen. Alles in orde met u? Iedereen zoekt u. (*Dat* klopt ook weer niet.)

Toen Tibor in de nieuwjaarsnacht weer thuiskwam, trof hij daar alle gasten in geduldige afwachting aan.

O, jullie zijn er nog.

Waar is hij, waar is hij?

Wie?

De drugskoerier. Waarom had hij hem niet meegebracht?

Hij is geen … Het is nooit de bedoeling geweest hem mee te brengen. Waarom zou ik hem meebrengen? Waarom zou ik hem de volgende keer meebrengen, hoewel me dat aan de andere kant geen bal kan schelen. Ja, ja, zei Tibor tegen de gasten (in grote opwinding en ten dele behoorlijk aangeschoten, hij daarentegen: somber, nuchter en zacht sprekend), wat mij betreft nodig ik hem uit, het stimuleert de algemene nieuwsgierigheid, en ook het fatsoen, tenslotte moet iemand zich met *die jongens* bezighouden. Maar nu: ik ben een oude, vermoeide man, klets zoveel je wilt, verdwijn dan en kom volgende maand terug, of wanneer het mijn nieuwe vrouw des huizes belieft jullie uit te nodigen. En dan zijn jullie hem toch vergeten.

Een paar dagen later verscheen een man die Konstantin heette op het instituut en maakte een enorme scène, ze hadden zijn medebewoner *laten verdwijnen*. Zijn spullen uit huis gehaald en --- Een fantastische, woordrijke thriller. Ze kapen mensen van de straat en brengen ze god mag weten waarheen. Een geval voor complottheoretici en mensenrechtenorganisaties. Ik ga geld lenen voor pamfletten.

Het is goed, zei Tibor. Maakt u zich geen zorgen. Ik heb uw vriend op oudejaarsavond van het politiebureau afgehaald.

Konstantin knipperde met zijn ogen: Op oudejaarsavond?

Ja.

Pauze. Knipperen.

En waar is hij nu?

Dat weet ik niet, zei Tibor. Ik heb hem voor het huis afgezet.

En waar is hij nu?

Dat weet ik niet, herhaalde Tibor.

En nog drie keer, hetzelfde kringetje. Waar? Weet ik niet. Maar waar? Ze kijken elkaar knipperend aan.

Nu, na maanden, belde hij eindelijk op.

Ach, daar bent u weer. Uw medebewoner zoekt u overal.

Ja, hij was verhuisd, zei Abel.

Weer de vraag of alles in orde was.

Ja.

Pauze.

Ja, humm, h-krumm, zei Tibor. Wat kan ik voor u doen? … Begrijp ik … Luister, waarom … Waarom komt u niet eens langs, laten we zeggen maandag aanstaande. Er zijn ook andere mensen, zo'n soort jour, maar dat stoort u hopelijk niet.

Dank u, zei Abel.

Hoewel Tibor aan de telefoon zat, knikte hij en legde neer. Hij zat, maar hij voelde zich daarna wat slap in zijn knieën. Iedere keer dat ik met die man te maken heb, gebeurt er iets onverklaarbaars. Twee componenten van zijn complexe gevoelens kon professor B. later identificeren. Dat waren: schaamte en verlangen. Waarom uitgerekend die?

Aanstaande maandag komt A.N.

Wie? Och ja, natuurlijk, zei Mercedes.

Eerlijk gezegd herinnerde ze zich hem nauwelijks. De eerste en tot nu toe enige keer stonden ze vier jaar geleden tegenover elkaar, op zijn eerste dag, naar schatting twee uur na zijn grensoverschrijding. De handdruk bleef achterwege vanwege de boter, goedendag, tot ziens, dat was alles. Als ze elkaar daarna al zagen, was het alleen uit de verte. Als u problemen hebt, kunt u bij Mercedes aankloppen, maar hij had nooit problemen of klopte in elk geval niet bij haar aan. Ze hoorde wel eens iets over hem, wat binnen de faculteit zo werd verteld, jaszakken vol heel kleine woordenboekjes en verdwaalt voortdurend op de etages, maar het interesseerde haar niet bijzonder. Nu stond hij dus in de deuropening.

Onwaarschijnlijk lang en mager, een schoudervulling van de zwarte trenchcoat hing op half zeven, over het geheel genomen zagen al zijn kleren eruit alsof ze over hem heen waren gegooid, zelfs zijn witte handen bungelden uit de te korte mouwen alsof ze niet bij hem hoorden, net zoals later, *nu* – net zo'n soort bungelen. Ze gaf hem een hand. Welkom, ik ben Mercedes. Zodra hun vingertoppen elkaar raakten, sprong er een onverwacht luide, zichtbare vonk over – rubber zolen op een schraapmat. O, pardon. Hij trok snel zijn hand terug en stond er weer bij als tevoren, nu blijkbaar zo geïntimideerd dat hij zonder hulp geen voet meer scheen te kunnen verzetten. Misschien was het die vermeende hulpeloosheid die Mercedes nu, met jaren vertraging maar des te directer, voor hem innam. Hij had iets hartroerends. En (een beetje) iets belachelijks. Mercedes glimlachte hem bemoedigend toe. Tibor was nog aan het werk, maar hij moest maar vast naar de anderen gaan. In de *sarong*.

O, pardon. Ze lachte en sloeg een hand voor haar mond. Dat zegt mijn zoon altijd. Ik bedoel, de ... O, daar ben je, Omar, kom eens hier. Dit is Omar, mijn zoon.

Lengte: 1.30 m, Postuur: slank, Huidskleur: koffiekleurig, Hoofd: eivormig. Op dat moment was Omar zes jaar oud en alles aan hem was volmaakt in evenwicht – op een minieme afwijking in de barnsteenkleur van de kunstmatige iris rechts na.

Goedenavond, zei hij. Ik heet Omar. Ik heb maar een oog. (Pauze. Hij keek zijn gesprekspartner ernstig aan.) Het andere heb ik ingewisseld voor wijsheid.

Abel reageerde verrast noch medelijdend, ook zijn onbeholpenheid was verdwenen. Anders dan na zijn laatste, hese *O, par...* te verwachten was, klonk zijn stem vol, mannelijk en warm.

De meeste mensen, zei hij, zouden niet zo moedig zijn.

Het kind keek hem aan – hoe?, verbaasd?, onder de indruk?, dat overkomt me vaker, zo'n blik – en glimlachte toen.

Omar, zei Mercedes, dit is Abel. Een student van Tibor. Hij kent tien talen.

De glimlach van de jongen verdween: Hoezo?

Nou, zei Abel, negen leek me te weinig en elf te veel.

Waarop Omar knikte, zijn hand pakte en hem wegvoerde uit de sarong. Alsof hij was gekomen, had rondgekeken en met zijn vinger naar de juiste had gewezen. Abel Nema, uitverkoren door Omar Alegre. De voornaam is Arabisch en betekent: oplossing, middel, uitweg.

Hij leidde hem rond als door een museum. Dat kennen we al. Behalve dat niemand je *daar* bij de hand neemt. Wanneer was je, hij, ik voor het laatst zo lang in aanraking met iemand? Ooit? Bij veel voorwerpen, kunstobjecten én alledaagse dingen, bleef het kind staan en vertelde over hun geschiedenis en hun functie, of hij maakte hem attent op een bijzonder detail in de uitvoering. Deze Chinese vaas hier is van Anna geweest, Tibors overleden vrouw. Helaas is de waarde ervan beperkt omdat de pendant ontbreekt, want eigenlijk is dit hier geen vaas, maar een half vazenpaar. Dat vind ik interessant, zei Omar. Twee volkomen dezelfde vazen vertegenwoordigen een hogere waarde dan een of drie. Want dat zou ook mogelijk zijn. Drie identieke vazen. En wat zou er gebeuren als een ervan brak? Zouden de twee dan minder waard zijn? Pauze. De jongen keek hem vragend aan, zijn hand nog steeds in die van Abel.

Ik denk, zei Abel, dat deze vraag alles is wat je erover kunt zeggen.

Omar knikte. Ze liepen verder. Dat is *bijna* het merkwaardigste wat me tot nu toe is overkomen. Aan de andere kant heeft het ook iets onverklaarbaar *goeds*. Geleidelijk aan begonnen hun handpalmen in elkaar te zweten en het was lastig de kleine pasjes van de jongen te volgen zonder te struikelen. Desondanks lieten ze elkaar niet los.

Het huis is van Tibor, vervolgde Omar. Mercedes – dat is mijn moeder – was een studente van hem, later zijn assistente. Daarna nam ze ontslag bij de universiteit, zodat wij hier konden komen wonen. Tegenwoordig geeft ze les op een school. Dit hier is een deel van de bibliotheek. De meeste boeken staan op Tibors kamer, hij heeft ze nodig voor zijn werk, daar kunnen we nu niet naar binnen. En een paar beneden in de sarong. De meer representatieve exemplaren.

Hoe oud zou hij zijn?

Ik ben zes, zei Omar alsof hij het had gehoord. Met speciale toestemming heb ik de eerste klas mogen overslaan. Dit is Mercedes' kamer. Let u vooral op de rode motorhelm op de citroengele kast, die u waarschijnlijk niet had verwacht. Daarnaast, aan de muur hangend: roze balletspitsen, maat vijfendertig. Als ik ze nog aan wil passen, moet ik dat binnenkort doen, over een paar maanden zijn ze me te klein. Een zwarte jongen met roze spitsen. Hij kijkt hoe de nieuweling op dit beeld reageert. Abel glimlacht. Niet te weinig, niet te veel, net goed.

De rest zijn familiefoto's, meestal van mij of van haar toen ze jonger was. Daartussen: Mexicaanse terracotta's, Afrikaanse houtsculpturen en Indiase weefstoffen. Mercedes verzamelt dat. Dit is mijn kamer. Hier weer een masker uit Afrika. Mijn vader was een prins uit G. Hij is al verdwenen voordat ik geboren werd. Dat masker is overigens niet van hem. Mercedes heeft het gekocht.

En nu, zei Omar toen ze op zijn bed zaten, moet je wat zeggen.

Njeredko acordeo si jesli nach mortom, zei Abel. *Od kuin alang allmond vi slavno ashol.*

Aha, zei Omar. Ik zou Russisch willen leren. Ken je dat ook?

Zo, weet u nu alles? Mooie oudere vrouw in de deur van de sarong. Ik ben Miriam, de grootmoeder. Omars grootmoeder, voegde ze eraantoe, omdat het leek of hij het niet begreep.

En dat daar is mijn grootvader. Omar wees op de mannelijke editie van de vrouw des huizes: een man van filigrain in een gebloemde fauteuil. Hij schrijft detectives. Zijn pseudoniem is Alegria. Dat betekent geluk. Hij heeft een romanfiguur bedacht die op mij is gebaseerd. Die heet Piraat Om. Zoals de piraat en het heilige woord, begrijp je wel? Mijn grootouders zijn oude vrienden van Tibor. Mijn moeder kende hij al als kind. Links van grootvader zit Tatjana, de oudste vriendin van mijn moeder, ze zeggen dat ze heel mooi en cynisch is, ze heeft haar als Sneeuwwitje en slaat haar slanke, witte benen nu eens zus, dan weer zo over elkaar. En die lange *halve dikzak* daar die zo hard praat, dat is (als met een zucht) ---

Erik, zei Tibor die plotseling achter hen stond. Dat is Abel. Hij schrijft een proefschrift op het gebied van universele grammatica.

... ..., zei Erik. Geen idee wat, want juist op dat moment had Omar Abels hand losgelaten en was ergens heen gegaan waar hij niet meer te zien was. Door Abels lege handpalm trok een vochtige luchtstroom. De man tegenover hem, die Erik, noemde namen, blijkbaar van schrijvers die hij uitgaf. Tot zijn spijt kende Abel er niet een van. En spreek je werkelijk al die talen? Alle tien?

Abel knikte en was opeens omsingeld, stond in het middelpunt, een tros mensen om hem heen, ze vroegen hem alle mogelijke dingen, waar komt u vandaan, ik was onlangs in Albanië. Hij antwoordde eenlettergrepig. Hm ... Ik denk ... Ik weet het niet. Wat is er? (Erik tegen Tibor) Kan hij niet praten?

Dat is je opgevallen? Na een minuut of tien al? vroeg Tatjana. Toen jij voor het eerst een adempauze inlaste?

Ze glimlachte lief en sloeg haar benen anders over elkaar. Erik trok een grimas.

Abel keek rond waar de jongen was. Hij stond aan de andere kant van de kamer en zei net tegen zijn moeder: Ik wil Russisch leren. Abel gaat me Russisch leren. Elke donderdag.

Dat is goed, zei Mercedes en schonk Abel dwars door de kamer heen een vriendelijke glimlach.

Zo leerde Abel Nema zijn toekomstige stiefzoon Omar kennen.

De Teek

Toen hij weer terugkwam in Kingania, was het al licht. De deur was op slot, in het hele huis was het doodstil. 's Nachts was er weer een party geweest, mogelijk slapen ze nog.

Ze sliepen niet. Door staal en beton heen hoorde Abel dat ze wakker waren, ze maakten alleen nauwelijks geluid. Hij klopte.

Een tijdje gebeurde er niets, toen, alsof Kinga had gezegd: Ga kijken, misschien is het het kind, opende Janda even later de deur.

Goedemorgen, zei Abel.

Zonder een woord te zeggen liet Janda de deur openstaan.

Kinga: Ben jij dat? Godzijdank. Beter gezegd: Wat voor kerels stuur je me op mijn dak?

Ze hadden zoals gezegd weer open huis, maar Abel vertrok voordat de eerste bezoekers kwamen. Uitgenodigd bij zijn professor. Aha, zei Kinga, tja dan. Ga maar gauw. Ze was beledigd of had gewoon een slecht humeur. Het was zo'n avond, je weet wel, waarop werkelijk niets vorm of richting wil krijgen. Vervelende, zenuwslopende uren, je weet niet wat beter is, doorgaan of ophouden. De musici frutselden onverschillig op hun instrumenten, het stelde eigenlijk niets voor. En de gasten leken deze keer louter onbekenden. Weten niet hoe het hoort, de weckfles nagenoeg leeg, terwijl er nog meer en sneller werd gedronken dan anders. En dan laten ze me ook nog met alle rotzooi zitten. Kinga ging naar de keuken om *demonstratief* glazen af te wassen. Waste glazen af en opeens stond die kerel naast haar. Een van de nieuwelingen, maar ik had het idee dat ik hem al eens had gezien, een vent met een scheiding opzij. Hij was een van de eerste bezoekers, jij (Abel) was net de deur uit, een halfuur. Bij zichzelf had ze hem meteen De Teek genoemd. Een querulant en een bietser, komt om zich vol te vreten en te drinken, steeds een glas en een boterham met reuzel in z'n hand, en zijn ogen dwalen voortdurend rond, hij scant de omgeving alsof hij alles moet onthouden. Beschouwt zichzelf bovendien als het toppunt van origineel, komt naast je staan, zegt smakkend:

Anarchia Kingania. Wat betekent dat dan? Het koninkrijk van de spinnen? Hij lachte, je kon het brood in zijn mond zien zitten. Of een drugshol?

Precies, zei Kinga en liet hem staan, hoewel ze nog niet klaar was. Zeikerd.

Janda keek op toen ze langs hem heen flitste, zag dat er verder niets aan de hand was, legde zijn oor weer tegen de hals van de gitaar en plukte verder aan de snaren. Later vatten ze toch nog moed en speelden goed. Er waren ook twee onbekende meisjes, twee trutjes in micromini's bij minus zoveel graden, die de hele tijd been aan been naast elkaar zaten, vast nog scholieren voor wie die naar rook stinkende verveling een fantastische ervaring was. Staarden naar de musici en smiespelden.

En, gaat het, giechelaartjes? Kijk maar goed naar ze! Allemaal heb ik ze minstens vier keer gehad. (Dat laatste zei ze natuurlijk niets.) Willen jullie nog wat drinken, meisjes?

Kinga, bloedlief, met de fles drank in haar hand. Andre schudde glimlachend zijn hoofd: Laat ze maar.

Ze liet ze maar en ging zitten. De Teek bleef aanvankelijk in de keuken, at brood zolang er nog brood was. Toen alles op was, kwam hij weer terug, ging bij de meisjes zitten en begon tegen ze aan te praten, blablablabla, geen seconde hield hij zijn mond. Andre en Kontra kunnen daar tegen, maar Janda wordt woedend over zoiets. Hij kijkt rond. Wie kakelt daar voortdurend?

Sssssst. Kinga boog zich vorover en fluisterde De Teek in het oor: Luister. Een pauze is ook muziek.

Midden in een woord hield hij op en staarde haar met open mond aan, de micromini's giechelden. Kinga knipoogde tegen hen. Later ging ze naar de wc, en toen ze terugkwam, leunde De Teek naast de deur. Luister, zei hij (aap je me soms na?) We hebben elkaar al eens eerder gezien.

O ja?

Ze liep gewoon door, hij achter haar aan. Hij stampte luidruchtig, Janda keek in zijn richting.

Ja, zei De Teek. Jaren geleden, die en die club.

O ja?

Ik geloof dat we een gemeenschappelijke kennis hebben. Een halve Hongaar. Nema, Abel Nema.

Hmmm.

Zo'n lange met zwarte kleren.

Met zwarte kleren, echt waar?

Ze keek rond. De micromini's waren wit met grijze ruitjes. Maar verder ... Bliksemsnelle beslissing: Doen alsof ze met de hele naam niets kon beginnen. Maar intussen dacht ik: Shit, wie is die vent? Niet naar zijn gezicht kijken. Ze draaide zich om, hij volgde haar.

Hij is verdwenen, klonk het klagend achter haar rug. Hij heeft me laten zitten, ik dacht al dat hij ontvoerd was, dat gebeurt, mensen verdwijnen van de straat, ze hebben ons gearresteerd, volkomen onschuldig, van elkaar gescheiden en ondervraagd, en sindsdien ...

Het spijt me, zei Kinga. Ik heb geen idee waar je het over hebt. Neem me niet kwalijk.

Ze liep weg, maar vanaf dat moment hield ze hem in de gaten. Niet eenvoudig als je oogcontact wilt vermijden en de ander staart je aan.

Wat is er? vroeg Janda.

Niets. Een kerel die op mijn zenuwen werkt.

Later werd ze even afgeleid, even bijkomen van het inspannende uit haar ooghoeken kijken, en opeens de stem van die vent, schril: Dat is zijn tas! Ik herken zijn ...

Psst! De musici zijn weer aan het spelen.

Maar De Teek was niet meer te houden:

Waarom doen jullie dat? Waarom zijn jullie zo gemeen? Wat zijn jullie voor mensen! Ik heb jullie toch niets gedaan, ik ben vriendelijk tegen iedereen, ik help iedereen, ik ben ongerust, ik maak me zorgen, ik ben een solidair en meelevend mens, een goed mens, een goed mens, en jullie, en jullie ...

Ongeveer op dat moment nam Kinga een aanloop, pakte De Teek bij zijn schouders en holde met hem door de kamer alsof ze met een stormram op de deur af ging die, zoals het toeval wilde, net openstond, zodat ze hem zonder verdere vertraging het trappenhuis in kon duwen, nee, letterlijk met een trap onder zijn achterste het huis uit gooien. De kerel was zo verbluft dat hij nog een poos verder praatte, pas toen hij de deur recht voor zich zag, begon hij te tetteren: Hééééééé! Kinga hief haar knie, trapte hem naar buiten, sloeg de deur achter hem dicht en schoof de grendel er vanbinnen voor. Ze lachte.

Een paar anderen lachten ook, weer anderen hadden niet eens gemerkt dat er iets aan de hand was. De musici keken haar vragend aan, zij maakte een afwimpelend gebaar. Maar eigenlijk had ik de hele tijd een raar gevoel.

Een paar minuten later besloten de micromini's naar huis te gaan. Ze durfden nauwelijks het woord tot Kinga te richten, maar deden het uiteindelijk toch, heel beleefd: Zou ze alsjeblieft de deur open willen doen? Hoe ongelooflijk het ook klinkt, Kinga was De Teek intussen vergeten. Alsof ik hem over de rand van de wereld had geduwd. De micromini's vertrokken en kwamen weer terug.

Hij huilt, meldden ze.

Wie?

Die man van daarnet. Hij zit op de trap te huilen.

Nou en, schatje?

De micromini's stonden er bedremmeld bij, toen haalde de kwiekste haar schouders op en vertrokken ze voor de tweede keer.

Pardon. Voorzichtig op hun hoge laarsjes langs de snotterende man.

Kinga stak haar hoofd in het trappenhuis. Inderdaad. Toen had ik wel een beetje medelijden met hem, maar aan de andere kant … Zacht sloot ze de deur weer.

Even later verhief zich beneden op de binnenplaats een gebrul. Wat is dat? Eerst kon ze niet thuisbrengen waar het precies vandaan kwam. Toen opende iemand het raam en was het duidelijk. De Teek. Stond beneden op de binnenplaats naar boven te krijsen, buiten zinnen, alleen de echo klonk heel luid:

Ik ga jullie allemaal aangeven! Vanwege het exploiteren van een illegaal café!

Kinga lachte, maar ze was zenuwachtig. Ze durfde niet naar de weckfles te kijken, die trouwens bijna leeg was.

Hebben jullie het gehoord! Ik ga jullie allemaal aangeven! (Jankend, maar zelfs dat is goed te horen, de binnenplaats lijkt wel een echoput): Schoften, jullie zijn allemaal schoften.

Janda stond op, liep naar de deur alsof hij naar de wc wilde, maar hij nam de sleutel niet mee.

Wat ben je van plan?

Geen antwoord, hij liep weg.

Het zal jullie nog berouwen! (Gebrul van de binnenplaats beneden.)

Vervolgens: Stilte.

Beneden was het donker, niets te zien, ze deden alle lichten uit zodat ook zij niet te zien waren, stonden bij het raam en luisterden gespannen: niets. Later stappen en iets dat klonk als gepraat, nog later kwam Janda terug.

Wat is er gebeurd?

Niets, zei Janda.

Wat heb je ...

Niets! Toen ik beneden kwam, was hij al weg.

Toen iedereen weg was, werd Kinga niettemin door angst overvallen.

Wind je nou niet op, zei Janda. Er gebeurt helemaal niets.

Zal dat sekreet ons echt verraden? vroeg Kinga *nu* aan Abel. Wie was het eigenlijk? Ken je die kerel werkelijk?

Ik geloof het niet, zei Abel. Dat hij hen zou verraden. Hoogstwaarschijnlijk niet.

Wat ben je aan het doen?

Hij pakte zijn spullen in.

Waarom pak je je spullen in?

Hij had een nieuw onderkomen gevonden.

Wat?

Een nieuwe kamer.

Wanneer?

Nu net. Op weg naar huis.

Hoe dan? Zomaar?

Wat moet je daarop zeggen. Dan ben je (Kinga) sprakeloos. Kan iemand *zoiets* doen? Nu weggaan? Hulpzoekend keek ze naar de musici. Kontra haalde zijn schouders op. De andere twee reageerden helemaal niet.

Het spijt me, zei Abel. Maar hij had de nieuwe verhuurder beloofd binnen een uur terug te komen.

Hij kuste Kinga op haar wang en gaf haar opgevouwen bankbiljetten. Voor het wonen hier. Ze keek naar de biljetten, even leek het alsof ze ze op de grond zou laten vallen, ze liet ze op haar gespreide hand balanceren, maar stak ze ten slotte toch in haar broekzak. Toen was hij al de deur uit.

IV. VLEES

Affaires

Carlo

Met als verontschuldiging zijn lange weg naar huis was hij betrekkelijk vroeg opgestapt bij het gezellige avondje.

Tot donderdag, zeiden Omar en zijn moeder.

Tot donderdag, zei hij.

Tot maandag over vier weken! riepen de gasten.

Wacht even, zei Tibor, liep de kamer ernaast in en schreef, zonder een spier te vertrekken en zonder maar een regel van Abels
werk te hebben gezien, een nieuwe aanbeveling, deze keer voor
een promotiebeurs, *het is in het belang van ons allen etc.*, waarmee de volgende drie jaar gegarandeerd zouden zijn.

Dank u wel, alstublieft, niets te danken.

Toen hij eindelijk op straat stond, was het trottoir met ijzel bedekt. Knisperende stappen en de witte vaan van zijn adem. Een
klein zieltje, elke keer. De korte vlucht ervan gade te slaan houdt
je bezig. Hij was een beetje misselijk, maar wist niet waarom, hij
had niets bijzonders gedronken, een of ander soort sterkedrank
en wat water. Of het nu daarom was of niet, hij besloot in elk geval al die kilometers (Vijftien? Twintig? Nou ja, schatten kan ik
nu eenmaal niet) *naar huis* te voet af te leggen.

Hij wilde gewoon zien wat er gebeurde, of hij het voor elkaar
zou krijgen. Misschien is hij een paar keer verkeerd gelopen,
misschien ook niet, in feite kon je in een grote stad als deze dagenlang rondlopen. Hij had de grote straten kunnen nemen, de
borden richting station volgen, zijn permanente oriëntatie-
punt, maar dat is niet wat je echt wilt, dus bleef hij in de kleine
straten en liep alleen op het gehoor parallel aan de grote. Soms
raakte hij het spoor bijster, dat was onvermijdelijk, maar later
vond hij hetzelfde of een ander spoor terug. Al met al duurde

het vijf uur voordat hij een buurt bereikte die hem vertrouwd voorkwam. Hem leek het niet zo lang, in feite was hij nu *wakker* en hij *was* waar hij wilde zijn. Een drogist, een kitschwinkel, een sigarenhandel, een nagelstudio, een reisbureau, een bloemenwinkel. Elk detail op zich onbekend, maar alles bij elkaar toch … Twee cafés, kleren, huishoudelijke artikelen, bloemen, drogist, papier. Een paar winkels werden net bevoorraad: schilderachtige brokken vlees zweefden over het trottoir. De vroege wandelaar had zich tussen twee varkenshelften door langs de open achterkant van de bestelwagen kunnen wringen, maar om onbekende redenen bleef hij staan kijken. De eigenaar van de slagerswinkel, een jonge kerel met een lange baard en een zachte buik, kwam een paar keer naar buiten en keek hem elke keer aan. De vleesdragers droegen plastic schorten en keken eveneens naar hem. Toen reed de bestelwagen weg, de slager bleef naast Abel staan.

Waar komt u eigenlijk vandaan?

Zegt de naam van zijn wijk.

Sneeuwt het daar soms?

???

U bent helemaal wit.

Hij greep naar zijn haar. Rijp. Ook op zijn wenkbrauwen. Jongeman met wit haar. Daarom keken ze hem allemaal zo aan. Waarschijnlijk daarom.

De naam van de slager was Carlo en hij worstelde om niet failliet te gaan. Het verdwijnen van de arbeidersklasse leidt tot de ondergang van de slagers. Waar het om gaat zijn de boterhammen met worst. Je moet maar zien dat je het redt. U weet niet toevallig iemand die een kamer zoekt?

Een kamer, een wc. Als bed diende een uittrekfauteuil waaraan je dat niet kon zien, in de hoek stond een zoemende ijskast, erop een koffiezetapparaat, in een kast verborgen een rechaud. De muren roken naar rookvlees, aan de andere kant van de muur hoorde je de worstmachine werken. Bovendien hoorde je de telefoon, die oorspronkelijk hier had gestaan en nu vlak achter de muur op de gang. Wanneer Carlo belde, hoorde je gemompel. In dringende gevallen werden ook berichten voor de onderhuurder doorgegeven. Even later kwam dan een van de uitsluitend vrouwelijke werknemers in een roodwit schort langs, klopte al naar aard zacht of energiek op de deur en meldde wat er te melden was. Meestal stuurden ze de leerlinge, ze heet Ida en is van de eerste tot de laatste dag verliefd op hem, ze durft hem niet eens aan te kijken, wordt nog roder dan de goulash die ze moet snijden. Af en toe kwam, tot opluchting en verdriet van Ida, de slager zelf, schort, rubber laarzen, en bleef een tijdje hangen. Van tijd tot tijd moest hij natuurlijk wat in zijn kantoor doen. Eigenlijk had hij het niet als woonruimte mogen verhuren, daarom was er ook geen bel. Voor het geval iemand ernaar vraagt: u leent het alleen als kantoor. Abel knikte, ging terug naar Kingania en haalde zijn spullen.

Waaraan werkt u? vroeg Carlo, met een blik op de prehistorische laptop die Abel ergens tussen de nacht in de computerruimte en het bezoek bij Tibor had gekocht. Verder had hij niet veel bij zich. Twee of drie boeken.

Een boek op het gebied van vergelijkende linguïstiek, antwoordde Abel op de vraag van zijn huurbaas.

Aha, zei de slager.

Hijzelf was in weinig anders dan vlees geïnteresseerd. Daar praatte hij ook altijd over, hij deed alles in het licht van het vlees. U bent toch geen vegetariër? Hij werkte aan prototypen van worst die volkomen nieuw waren, marineerde en braadde vlees en verzocht de buitenlander uiterst beleefd of hij wilde proeven of dat zijn landslieden zou smaken. *Zijn landslieden*, dat waren de *verheugend talrijke vreemdelingen* die hier sinds kort zijn, Carlo waardeert hen buitengewoon omdat ze niet zoveel klagen, in het algemeen niet en in het bijzonder niet over de worstgeur die door het trappenhuis trekt, ze eten graag vlees, en Carlo zou hun *van zijn kant* graag het vlees geven dat ze zo graag eten. Nu heeft hij een beetje met gehakt en scherpe kruiden geëxperimenteerd, zoals hij zich herinnerde uit die cafetaria waar hij onlangs had gegeten om te proberen. Hoe vindt u het? *Het* – dat was altijd het vlees. Als hij zei: *het*, bedoelde hij: vlees.

Abel Nema beroerde met zijn beroemde tientalige tong de stukken vlees. Die raakte onmiddellijk gevoelloos.

Te scherp?

Eerlijk gezegd, zei Abel, heb ik nagenoeg geen smaakzin.

De slager keek alleen.

Het is de waarheid, zei Abel. Ik proef alleen heel doordringende smaken. Dus het is niet te scherp.

Dat zou een verklaring zijn voor het feit dat de kerel eruitziet als een pijpenstoker. Aan de andere kant geloofde Carlo hem niet echt.

Is dat altijd zo geweest?

Dat herinner ik me niet. Vroeger heb ik niet op dat soort dingen gelet.

Daarna viel er niet veel meer te zeggen. Hij liet *het* niettemin hier, zei Carlo. Het is en blijft een bron van eiwitten.

Op dat moment was Abel N. zesentwintig jaar oud en woonde voor het eerst werkelijk alleen. Weliswaar met de worstmachine, Carlo, Ida en de andere rubberlaarzendragers vlak achter de muur, maar niettemin. Op de regenachtige winter volgde een ongewoon warm voorjaar dat Abel voornamelijk doorbracht met het organiseren van een nieuw dagelijks leven. Hij vroeg een promotiebeurs aan en kreeg die, en hij liet zich bij een stuk of zes gezinnen aanbevelen als taalleraar voor de kinderen.

Wat dit laatste betreft valt er enige commotie op te tekenen. Korte tijd bestond er een *regelrecht ziekelijke opwinding* (Mercedes, achteraf) rond hem die haar oorsprong vond in een onbekende moeder van twee dochters. Is je niets opgevallen?, hij heeft iets, iets heeft hij toch! Die blik, dat zwijgen, zoals zijn handen bewegen als hij iets uitlegt, witte, gevoelige handen, en helemaal zoals hij met kinderen overweg kan, maar zo te zien doet hij eigenlijk niets, ze zitten daar gewoon, praten wat, schrijven soms iets op. Hij is te toegeeflijk noch te streng. Althans zolang de les duurt. Daarvoor en daarna, als hij met de ouders, meestal de moeders, moet praten, is hij weer even onbeholpen alsof hij zelf nog een tiener is, zegt eigenlijk helemaal niets, vertrekt met een kleine buiging, is het idioot dat ik van *dat alles* bijna (gefluisterd) *seksueel* opgewonden raak?

Mercedes haalde alleen haar schouders op. Hoewel vaststaat dat twee mensen elkaar nu hebben gevonden, zei ze met goed observatievermogen. Omar is weliswaar een beleefd kind, maar echt vertrouwen had hij tot dan toe maar in drie mensen gesteld, alle drie naaste familieleden. En nu ook in hem. Pakte hem bij de hand, leidde hem door het huis en vervolgens zei hij, nog geen zes, vloeiend lezen en schrijven: Ik wil Russisch leren.

Russisch, echt waar?

Ja. Abel heeft iets in het Russisch tegen me gezegd en ik vind het mooi.

Wat heeft hij in het Russisch tegen je gezegd?

Dat weet ik niet, want ik ken toch nog geen Russisch.

De volwassenen die om hem heen stonden, zijn moeder en oma, lachten, de twee *mannen* bleven serieus. Waarom niet, zei Mercedes.

Wat ze sindsdien precies hebben gedaan zou Mercedes niet kunnen zeggen, ze was met andere dingen (Tibor) bezig, hoogstens deed ze af en toe de deur open voor de leraar en ze betaalde hem eens per maand. In het begin ging ze tijdens de les af en toe in Omars kamer kijken. Er was niets bijzonders te zien. Of ze vorderingen maakten, of hij werkelijk *kon* wat hij zei dat hij kon, viel niet uit te maken. In de kringen van Tibor waren weliswaar een paar mensen die de taal min of meer beheersten, maar Omar zag geen reden zijn kennis voor hen te etaleren.

Maar, schakelden de kennissen weer over op de landstaal, waarom wil je anders een taal leren dan om met anderen te praten?

Maar ik praat toch nu al met anderen, zei Omar.

Waarna de kennissen het in verwarring opgaven. Met dat kind praten is als ---

Over het geheel genomen veroorzaakte hij hier geen opwinding, eerder het tegendeel. Tibor bleef bijvoorbeeld een keer voor de halfopen deur staan, zag ze daarbinnen zitten en dacht hoe het zou zijn als de jongen, de grootste van de twee die Abel heette, in het vervolg *altijd* hier zou zijn, en waarom dat zo'n *geruststellend* idee was.

Zo, zo, zei Kinga toen Abel weken na zijn verhuizing eindelijk bij haar langskwam. Dacht al dat het goed met je ging. Met ons gaat het ook goed, bedankt voor je belangstelling. We kunnen intussen weer slapen.

(Eerst leek ze gekalmeerd, maar de avond na het vertrek van het kind was het haar toch te machtig geworden, ze snikte, trilde en smeekte de musici haar niet alleen te laten, ze was bang, maar weigerde ook Kingania te verlaten, ze rolde zich op in een hoek totdat Janda begon te brullen: Hou toch op, moet je naar jezelf kijken, je wentelt rond in de rotzooi!)

Dat doet me genoegen, zegt het kind.

Kiestoon.

Spelletjes

Eigenlijk waren ze al half verrot, ze hadden ze uit het vuilnis achter de markthal gehaald. Hij was weer eens te laat, en toen hij de hoek om kwam, stonden de anderen hem al op te wachten en begonnen hem met de appels te bekogelen. Hij grijnsde en liep door, weerde de appels links en rechts af, maar meer armen heb je niet. Soms waren de appels hard en deden ze pijn, dan weer zacht en klapten kapot tot een stinkende moes. Shit! brulde Danko. Ophouden! Maar de anderen mikten en gooiden, ernstig en geconcentreerd om geen munitie te verspillen. Danko vloekte, draaide zich om, het maakte niets uit, terwijl hij zich omkeerde werd hij door een appel, de rotste van allemaal, op zijn stuitje getroffen. Bruine rotzooi spoot eruit. Nu lachten ze eindelijk, maar toen hij grijnzend in hun richting wilde kijken, etters, klootzakken, bekogelden ze hem opnieuw. Vandaag kom je dit plein niet op. Nu heb ik er werkelijk genoeg van. Hij draaide zich op zijn hakken om en liep weg. Tot aan de eerste redelijk grote boom, waar hij, onder dekking, neerhurkte en met zijn rug tegen de stam leunde. Nu is hij gepikeerd.

Ze waren met z'n zevenen, toevallig, maar het kwam goed uit. Met meer zullen we nooit zijn. Hun samenzijn had geen bepaald doel, ze waren gewoon een groepje. Spijbelen, rondhangen in de stad, jatten uit winkels wat ze nodig hadden of wilden hebben. Herinner me niet dat ik *ooit* iets heb gekocht. De lege blikjes stampten ze plat, schopten ze klassiek over het asfalt, ze rookten als schoorstenen en voetbalden bijna elke middag op het met hoge hekken omgeven trapveldje aan de zuidkant van het park. Of wat ze voetballen noemden. Christophoros S., dakloze, die vanaf zijn zitplaats alles in de gaten kan houden, zou het eerder een massaal gevecht noemen. Ze speelden met inzet van al hun lichaamskracht, woest tegen de hekken opdonderend, armen en benen om elkaar heen gewikkeld als in een laocoönsdans. Ze kreunden en schreeuwden verwensingen in een taal die de heren (en dames, dat is vaak niet precies te zien) daklozen onbekend was. Maar de in het zwart geklede kerel op de bank tussen het halfrond van de zwervers en het trapveldje: elk woord.

Ergens in de loop van het voorjaar had Abel, vermoedelijk via iemand uit de kringen van Tibor, nog een baantje gekregen. Simultaan tolken in een naburig congrescentrum, al was het alleen als invaller met een telefoonnummer-voor-het-geval-dat in de slagerij.

U bent een schandaal! brulde de Ier.

U bent een schandaal, zei het vrouwtje met het pagekopje in de cabine ernaast.

U bent een schandaal! brulde de Serviër terug.

U bent een schandaal, zei Abel in de microfoon.

Door de ruit glimlachte het vrouwtje tegen hem.

Na het werk ging hij door met de wandelingen die hij in de winter was begonnen. Zijn bewegingen door de middag waren op de gebruikelijke wijze willekeurig, maar langs het park kwam hij niettemin betrekkelijk vaak, gewoon omdat het zo centraal lag. Als hij daar kwam, ging hij op de bank voor de wasserij zitten waar niemand ooit zat.

De kapotte bel van de winkeldeur achter zijn rug leek hem niet te storen. Hij zag eruit of hij sliep. Later zette een krankzinnig gebrul in waarin al zijn voorouders en nakomelingen werden vervloekt, en hij werd wakker, of wie weet besloot hij alleen zijn kin niet langer op zijn borst te laten rusten. Hij keek naar de kooien.

Dat hij die *al een tijdlang in het oog* had gehouden, kunnen we dus niet beweren. Daarvoor kwam hij in de eerste plaats te onregelmatig, en verder betekent dat kijken niets. Met de herrie die ze maakten *kon* je eenvoudig niet *niet* opkijken. Hij bleef een tijdje zitten en liep toen weg. Eigenlijk was hij niemand opgevallen, behalve Christophoros S. die alles ziet, maar nooit iets zegt. In elk geval had niemand van de groep hem tot de dag van de appels ooit bewust opgemerkt, en hoewel ze praktisch schouder aan schouder hurkten/zaten, boomstam, bank, merkte de jongen hem ook nu een hele poos niet op. Hij was uitsluitend geïnteresseerd in wat zich op het trapveldje afspeelde, of iemand hem terug kwam halen. Maar er kwamen alleen appels aan vliegen. Zodra zijn hoofd van achter de boom verscheen, sssss, plof. Vandaag: niet.

Ik huil niet van pijn, maar omdat ik het niet begrijp. Wat heb ik gedaan? Waarom gedragen ze zich allemaal als krankzinnigen?

Een appel ketste af tegen de boom en rolde voor Abels voeten. Beiden keken ze eerst naar de verfomfaaide appel, toen naar elkaar en daarna keek de jongen weer gauw weg. Hij veegde de appelresten weg, voorzover hij ze zag en erbij kon. Zijn hand was opgezwollen. Dat is wat anders, zei hij later.

Gekken, mompelde de jongen. Ik ben omgeven door gekken. Mijn vader is de moeder van alle gekken. Misschien moet ik naar het gekkenhuis. Misschien zijn daar een paar mensen normaal.

Dat laatste had hij alleen gedacht, dacht hij, maar blijkbaar moest hij het hardop hebben gezegd, want opeens zei de vent op de bank: De portier in het gekkenhuis begroet iedereen met 'Vrijheid!'

De jongen (Danko. Hij heet ...) stopte met het wegvegen van de appelresten. Vanuit zijn ooghoeken keek hij naar de bank.

Wat?

De vent grijnsde.

Wat valt er te grijnzen?

Hij grijnst niet. Zo is zijn gezicht.

Danko bekeek het gezicht, en keek daarna nog een keer om naar de kooi.

De anderen hadden intussen de teams ingedeeld en begonnen te spelen alsof er niets aan de hand was. Hij draaide zijn hoofd weer terug.

Waarom begroet hij ze met vrijheid?

Ter herinnering aan de Franse revolutie.

???

Omdat het ook een gek is.

Nu grijnst hij eindelijk. Het eerste zwarte dons boven zijn lip.

Waar kom je vandaan, vroeg de vent.

Hoezo?

Donkere huid, accent. Hij keek een poosje naar de halve cirkel van de zwervers. Het kapotte fonteintje klaterde, de honden speelden, de deurbel jengelde.

Die laten hun smerige mormels zomaar rondrennen, mompelde hij. Misschien zijn ze hondsdol.

Pauze.

We zijn roma, zei hij toen.

Je vrienden kijken naar ons, zei Abel.

Echt? De jongen grijnsde en bleef gehurkt zitten.

En wat doen ze nu? En wat doen ze nu?

Ze spelen door, stoppen, kijken hierheen, praten met elkaar, gaan weg, meldde de spion.

En nu?

Niets. Ze zijn niet meer te zien. Hoe heet je?

Antwoordt niet. Gaat weg.

Dat was de eerste ontmoeting met Danko.

Wat is dat voor een vent?

Ze wachtten hem op om de volgende hoek, stonden daar als een blok, voorop Kosma, hij was de boss, een lijf als een stier, hij zou al neuken. Wat is dat voor een vent, vroeg Kosma.

Danko grijnsde geheimzinnig.

Kosma gooide de bal in zijn gezicht. Hij ketste af en belandde weer in zijn handen: Haal die grijns van je gezicht, kontkram!

Hoe toevallig ze ook aan elkaar gekomen waren – *tuig van de richel vindt elkaar altijd* –, er moest een zekere mate van organisatie zijn, omdat een jeugdbende zonder eigen wetten geen sodemieter waard is, dat weet iedereen, zei Kosma. Meestal waren ze kinderen en speelden onnozele spelletjes, maar soms kreeg hij het op zijn heupen en brulde hij *urenlang* tegen hen: Jij uitschot, ik ga je teennagels flamberen, gehakt van je pik maken en dat in je mond stoppen, je kop in de plee duwen tot je je eigen kots drinkt, hoor je dat, *wan*gedrocht! Ze griezelden en hielden van die tirades. Zijn onnavolgbare talent om te dreigen had van Kosma de boss gemaakt.

Danko's neus kriebelde. Niet aanraken.

Geen idee. Gewoon een vent die op een bank zit.

Een pedo. Of een stille. Kijk maar naar zijn kleren.

Het gebruikelijk door elkaar geklets: Stille, pedofiel, etc. etc. Zit op de bank ons in de gaten te houden. Danko werd (waarom?) rood.

Bullshit, zei Kosma. En: Wie interesseert die kontneuker eigenlijk. Jou toch? (Zeg dat niet.)

Kosma zei wie interesseert die ruigpoot op de bank eigenlijk, maar de waarheid was dat hij (waarom?) in alle hoofden was blijven hangen. Ze praatten er niet over, maar de volgende keer dat hij er weer zat, op dezelfde bank, liet Kosma het spel stilleggen, liep naar het hek en keek naar hem. De vent op de bank deed alsof hij sliep, maar *iedereen* wist dat het maar show was.

Daar is hij weer.

Danko, die iets vermoedde, concentreerde zich op het laten ronddraaien van de bal tussen de binnenkant van zijn voeten, deed dat niet erg handig, hij was helemaal geen goede voetballer, viel bijna om, de bal schoot weg tegen het hek, *ziiing*! Kosma zette zijn voet erop, nu is het afgelopen.

Jij hebt toch met hem gepraat. Waarover heb je met hem gepraat?

Danko weet het echt niet meer. Over niets.

Lieg niet, kontkram, ik heb het duidelijk gezien!

Kosma liet de bal onder zijn schoen rollen, nam hem op de punt, balanceerde er wat mee en schoot hem toen weg alsof het die vent persoonlijk was. Die klootzak werkt op mijn zenuwen! Daarna begonnen ze weer te spelen, donderden de bal woest tegen het hek etc., schreeuwden, lachten extra hard. Danko lachte het hardst van allen. Dat met die appels was maar een geintje geweest, weet je wel? Iedereen komt een keer aan de beurt. Vanuit hun ooghoeken keken ze of hij keek. Speelden *voor hem*. Later leunden ze buiten adem tegen het gaashek, rookten als schoorstenen en keken niet naar de bank. Toen de vent opstond en wegging, had Kosma geen commentaar. Hield zijn peuk omzichtig tussen duim en wijsvinger, het fonteintje klaterde, de bomen ruisten, in de verte een sirene, ongeveer een minuut lang. Toen gooide Kosma zijn peuk weg en vertrok ook. Wij gaan waar we willen gaan. Als dat die vent achterna is, dan die vent achterna. Die nog steeds doet alsof hij ons niet heeft gezien. Maar het forse tempo dat hij inzet, bewijst het tegendeel. Probeer maar eens te doen alsof je met je vrienden wat rondslentert terwijl de steken in je zij door je hele lichaam trekken.

Ze wisten niet hoe hij heette, dus probeerden ze onder het gebruikelijke geduw en gelach een paar belknoppen bij de huisdeur waarachter hij was verdwenen. Eerst reageerde niemand, toen een vrouw: Ja? Geduw en gelach, toen Kosma die zich een weg baant door de groep, voor de microfoon stapt, het woord voert, vraagt of hier die en die man woont, maar toen was de vrouw al niet meer aan de lijn. De zoemer klonk, ze duwden tegen de deur en waren binnen.

Ze zwierven rond tussen de vuilnisbakken, keken erin, misschien iets te vinden, drukten hun gezicht tegen de tralies voor de donkere ramen op de begane grond: alsof er machines achter stonden. Ze keken ook door het raam van het kantoor, maar ze zagen hem niet, en hij zag hen niet, hij maakte juist gebruik van het toilet, en toen kwam Carlo uit de slagerij: Hé! Wat moet dat hier. Ze staken hun middelvinger op en renden weg.

Geen reden voor zorgen, zei Carlo tegen Abel. Alleen maar een paar domme jongens. Ze hebben met hun vingers iets onleesbaars in het vettige vuil van de ruiten geschreven. Kut-van-je-moeder, las Abel. Daarna is die vent niet meer op de bank gezien.

De vuilak, zei Kosma. Des te beter.

De avond van een lange dag. Abel

Wat haalde hij (Abel) in zijn hoofd. Een gesprek beginnen, verhalen over het gekkenhuis ten beste geven die hij ergens had opgepikt en dan nog: Hoe heet je? Waarschijnlijk haalde hij helemaal niets in zijn hoofd. De laatste tijd had hij gewoon veel gesprekken met kinderen gevoerd en dat liep goed.

Ik kan hem elke vraag stellen zolang het maar in het Russisch is, zei Omar in vertrouwen tegen zijn grootvader.

Elke vraag, echt waar?

Elke vraag die bij me opkomt.

En beantwoordt hij die ook?

Voorzover ik het beoordelen kan …

Hm, zei Alegria. (Een beetje jaloers ben ik wel.)

Maar waartoe moest *dit hier* leiden? In het begin is het bijna gezellig, dat gevloek en dat ruwe spel, zonder dat je precies kunt zeggen waarom. Later begint het een onaangename kant op te gaan, ze achtervolgen je tot je huis, schrijven kut van je moeder in het vettige stof van de ramen van de slagerij. Hij ziet er zo normaal uit, zei Mercedes jaren later, en daarom duurt het een poos voordat je merkt dat hij in werkelijkheid als een magneet alles aantrekt wat merkwaardig, belachelijk en triest is. Wanneer je levenslot eenmaal uit zijn voegen is geraakt, draag je het teken, zei Kinga. Hij glimlachte alleen wat ongelovig. Maar eerlijk gezegd merkte hij deze keer zelf dat er iets op handen was en probeerde hij het uit de weg te gaan.

186

Wat niet eenvoudig was. Als je ergens absoluut niet heen wilt gaan, in dit geval: naar het park, kom je er natuurlijk altijd terecht. Een van zijn belangrijkste oriëntatiepunten uitschakelen betekende dat hij zich niet meer vrij kon bewegen, en als het zo ver is, raakt alles op zeker moment aan het schuiven. Ergernissen en misverstanden stapelen zich op.

Een keer merkte een vrouw dat hij haar volgde. Hoe was haar dag tot dan toe, ze kwam van haar werk, kantoorkleren, trippelde op haar hoge hakken voort, vlug, toen toch liever langzaam, dezelfde afstand bleef. Toen werd ze door angst overvallen of ze ergerde zich en ze wendde zich tot een politieagent die precies op het juiste moment een bakkerij uit kwam.

Achtervolgt u deze dame? vroeg de politieagent aan Abel N.

Ja. (Zeg dat niet. Zeg, ook niet gelogen:) Ik ben alleen maar verdwaald.

U bent wat?

Verdwaald.

En daarom volgt u haar? Mag ik uw identiteitsbewijs zien? Bekijkt het identiteitsbewijs, heeft geen dienst meer, het zou goed zijn als ik nu kon controleren wat die vent verder nog op zijn kerfstok heeft. Zulke onnozele situaties leiden vaak tot de ongelooflijkste dingen. Maar hij liet hem toch gaan. Koopt u een plattegrond. Zeker, zei A.N.

Later, op een andere dag, werd hij drie keer achter elkaar gecontroleerd. De eerste twee keer was er geen duidelijke reden voor. Ze zochten iemand en hij was het niet. De derde keer had hij op een willekeurig terras iets gedronken. Het was de eerste dag van het jaar dat er cafétafeltjes buiten gezet mochten worden. Hij wilde net weggaan toen een man met vervilt grijs haar en een klapperend gebit verscheen en begon te zingen (= te krassen), maar op een manier die deed vermoeden dat hij de cafébezoekers die er zaten alleen maar wilde treiteren. Maak dat je wegkomt, zei de dienster met een blad volle glazen in haar handen. Jij! brulde de aan lager wal geraakte en wees naar haar. Jij zult voor altijd vervloekt zijn! In je leven zul je geen geluk kennen! Kinderen zul je nooit krijgen! Hoor je me, kinderen zul je nooit krijgen!

De dienster lachte, draaide zich om en liet de glazen van het blad glijden. Glas en drank spoten omhoog, een scherf boorde zich in de kuit van een vrouw. Ze sprong op, gooide de tafel om, een glas bier viel in de schoot van haar metgezel, hij sprong eveneens op, verloor zijn evenwicht, veegde het kleingeld van het belendende tafeltje dat Abel net had neergelegd en trof hem met zijn elleboog in het gezicht.

Hahahahaha, zei de aan lager wal geraakte en wees met een vinger naar de rug van de dienster die in een plas vol scherven stond, naar de vrouw en haar metgezel en naar Abel. Hij lachte niet, hij *zei*: Hahahahahahaha!

Abel hield zijn neus vast. Alles in orde? vroeg de metgezel van de vrouw. Abel knikte en ging snel weg, voordat de politie arriveerde. In de hoofdstraat wilde hij een taxi aanhouden, maar die reed door. Hier moest Abel voor het eerst lachen. Hahaha. Twee politieauto's kwamen langs, de ene reed door, de andere stopte, zijn papieren werden gecontroleerd. Wat is er met uw gezicht gebeurd? Abel lachte. Wat valt er te lachen? Bijna kwam het tot een drugstest, maar hij wist zich net op tijd te beheersen.

Zodra hij uit het zicht was, werd hij duizelig. Met zijn glibberige hand steunde hij tegen een huismuur, iemand, een voorbijganger, keek hem aan: stomdronken, niet? Hij vermande zich opnieuw en liep verder. Later werd hij in Het gekkenhuis gezien.

Hoewel gewaarschuwd was hij niettemin zo hopeloos in de war geraakt dat hem niets anders restte. Hij koos een homopaartje uit en liep een paar straten achter hen aan. De twee merkten hem op, keken af en toe om, maar ze leken niet bijzonder onder de indruk. Ze waren al op de tweede binnenplaats van de vroegere molen beland voordat Abel merkte dat dit geen straat meer was. Hij bleef staan. De andere twee liepen vastberaden op een deur af, keken vol verwachting om: Nou, kom je nog? Hij sloot zich snel aan en werd samen met die twee binnengelaten in de club, die op dit betrekkelijk vroege uur nog zo goed als leeg was. Welkom, zei een dikke vent van middelbare leeftijd. Ik ben de baas. Ik heet Thanos. Wat drink je?

Later keek hij hoe een jongen met een lichaam als de twijgen van een treurwilg, zich gelig, glad en soepel om een paal wond. Vlakbij bedreven twee paartjes, twee vrouwen en twee mannen, de liefde, of deden alsof. In Het gekkenhuis is het meeste show, ze spelen dat ze erotische handelingen uitvoeren. De meeste lichamen zijn ouder dan die van onze held, een paar jonger. De jongens zijn grotendeels professionals, hoewel dat in Het gekkenhuis verboden is, dus doen ze alsof ze middelbare scholieren zijn, 's nachts uit het raam geklommen, moeten de eerste metro 's morgens naar buiten nemen, waar de huizen met tuinen staan. Abel, die later inderdaad *spion* zal worden genoemd, is de enige die tot aan zijn nek is dichtgeknoopt. Zit daar maar te kijken. Wie had dat gedacht. Dat uitgerekend zo'n club het gezelligst zou zijn. Hij bleef tot de ochtendschemering.

Daarna verscheen hij voor het eerst zichtbaar geradbraakt en met een gezwollen neus in het congrescentrum. Kijk eens aan, dacht de vrouw met het pagekopje, ze heet Ann. A-n-n – Èn, had ze bij een eerdere gelegenheid gespeld. Ze ontmoetten elkaar, zoals wel vaker, op de binnenplaats. Zij rookte, hij dronk chocolademelk uit de automaat. Haar derde pauze, zijn eerste.
Ik dacht al dat u nooit moe werd. Ooit moet hij toch moe worden, dacht ik bij mezelf. Of honger en dorst krijgen.
Hij tilde de plastic beker op en glimlachte. Zij keek onopvallend naar zijn hand. Wit, knokig. Hij is helemaal erg mager. Zou die chocolademelk het enige zijn dat hij per dag binnen krijgt? Min of meer? Zo slecht verdien je hier nu ook weer niet. Moet hij een gezin onderhouden? Een ring draagt hij niet. Plotseling kwam ze op het idee, waarom, omdat ze altijd zo moederlijk is – ze zou inderdaad zijn moeder kunnen zijn, al is het krap – en in het bijzonder voor *hem* zou willen zorgen, om hem bij haar thuis uit te nodigen. Om soep te eten. U moet wat eten. Een goede, gezonde soep.
Toen ze later samen en nog steeds zwijgend de trap op liepen, terug naar de cabines, had Ann een seksuele fantasie met een keukenstoel. Ze namen afscheid met een glimlach en een knikje.

Ze had het rustig kunnen vragen, hij zou geen nee hebben gezegd, zeker niet tegen de soep. Wanneer hij meteen was meegegaan, had dat naast andere, onbekend blijvende voordelen ook ten gevolge gehad dat hij die jongen, die Danko, misschien nooit meer had gezien. Een bord soep, een gewelddadige aangelegenheid, dat zijn de opties op dit moment.

Maar Ann vroeg het niet, dus kon hij niet antwoorden. Zijn voetzolen kriebelden, al twee dagen op pad, deze keer wilde hij werkelijk meteen naar huis. Onderweg kocht hij een boek in een antiquariaat en stak het in zijn jaszak. Het was een beetje te groot en stak er bovenuit. Naar huis, erin bladeren. Tot bij de psychiatrische kliniek ging alles zoals het moest gaan. Maar een hoek verder klopte het plotseling niet meer. Dat moet iemand me maar eens uitleggen. Wat hij daarna ook deed, het werd niet beter. Steeds verder de avond in en hij belandde in een wijk waar hij anders nooit iets te zoeken had. Voorzover ik me herinner tenminste.

De vroegere elegantie is verdwenen, net als de snelheid, intussen sinds twee dagen op de been en het wordt alweer avond. Hij strompelde onhandig door radioklanken, boormachineherrie, honden-, benzine- en etensgeuren en – vermoeidheid? – alles leek hem vijandig. Mensen die staren of je niet zien staan. De twee mannen daar in de deuropening.

Hij sloeg nog een paar keer een verkeerde hoek om, bleef ten slotte op een klein, grijs, naar urine stinkend kruispunt staan en verroerde zich niet.

Hé! zei Danko. Wat doe jij hier?

De avond van een lange dag. Danko

Ze waren al drie dagen niet naar school geweest, nu heeft het de rest van de week ook geen zin meer – Wat moet ik daar, de hele ochtend begrijp ik er geen woord van, maar er zijn altijd mensen die het hun taak achten zich belangrijk te maken. Toen hij 's avonds thuiskwam, zaten daar een man en een vrouw die zijn ouwe aan het doorzagen waren waarom hij zijn zoon niet naar school stuurde.

Wat moet ik doen? vroeg de ouwe huilerig en handenwringend. Wat moet ik in vredesnaam met je doen? Hè? Zodra Danko de deur binnenkwam, pakte hij hem bij zijn oor en schudde hem heen en weer alsof het een hengsel was: Wat moet ik met je doen?

Rustig aan, zeiden de vrouw en de man, laat hem toch los, maar hij liet niet los, schudde hem door elkaar: Wat moet ik doen, moet ik doen, moet ik doen?

Later vertrokken de twee en de ouwe liet hem los, gaf hem alleen, als het ware in het voorbijgaan, nog een draai om zijn oren. Eigenlijk interesseerde het hem geen zier. Zijn oor brandde alsof het twee keer zo groot was, Danko ging erop liggen, zijn oor diep in het kussen zodat het 's nachts weer zou krimpen.

De volgende ochtend ontmoette de bende elkaar weer in het park, zoals gewoonlijk. Twee mannen doopten een derde hoofd in de fontein waarin weken oud water stond. De man had vlasblond haar dat in kleine, harde krulletjes om zijn hoofd lag en gaf zich uit voor shampootester. Sprak vrouwen in het park aan en vroeg of hij hun haar mocht wassen. In een leren tas had hij twee plastic flacons met vier liter lauwwarm water en twee soorten shampoo die hij naar hij zei in zijn eigen salon had ontwikkeld. De ene noemde hij Citron. Eerst moeten we het haar kammen om te zien of de rode tint gelijkmatig is. Alleen bij een gelijkmatige rode tint kan de test met succes worden uitgevoerd. Hij ging met de vrouwen in de struiken, kamde ze en waste hun haar. Naar voren of naar achteren. Meestal naar voren, zodat er geen water op hun kraagje droop. Hij maakte geen vlekken op hun kleren. Daarna wreef hij langdurig hun haar met een handdoek en kamde het totdat het droog was, om de cliënte weer in de toestand te brengen waarin hij haar had aangetroffen. Aangetroffen is goed, zeiden de vrouwen en giechelden. Hij maakte hun complimenten over hun haar en hun intelligentie. Hij wist zeker dat ze een fantastische toekomst tegemoet gingen. Denkt u dat echt? vroegen de vrouwen van middelbare leeftijd. De jonge vrouwen knikten als was dat vanzelfsprekend.

Nu verscheen hij arm in arm met twee gespierde jongemannen. Links en rechts van hem hadden ze hun arm door de zijne gehaakt, ze hadden haast, zijn engelenhaar sprong op en neer. Later hielden ze zijn hoofd lang onder het groene water. Wanneer hij daar munten zag, moest hij ze maar met zijn tanden oprapen, zeiden de jongemannen. Dan delen we fifty-fifty. Ze haalden de shampooflessen uit zijn tas en kieperden de inhoud in het water. Het rook de hele dag naar citroen. Het bekken zag eruit als een groot bord dessert, citroenschuim met groene plakken ertussenin: algen die zich van de rand hadden losgemaakt. Uiteindelijk zag de kerel zelf eruit als een beeld op een fontein, in zijn haar kleefden algen en schuim, zijn ogen dichtgeknepen en zijn mond wagenwijd open. Een vrouw met een kinderwagen en een andere met een stel honden aan de lijn protesteerden luidkeels, hij heeft toch niets gedaan en ze zouden de politie halen. Wij zijn de politie, zeiden de jongemannen, veegden hun handen af aan hun spijkerbroek en liepen weg. De vrouwen plukten de algen uit het haar van de man, spoelden het nog met een beetje schoon water uit zijn flessen en droogden hem af met zijn handdoek. Hij zat beteuterd op de rand van de fontein en liet zich schoonmaken, als er voldoende shampooresten in zijn mond waren gelopen, spoog hij ze uit.

Kutvanjemoeder, zei Kosma. Daar stonden ze, met hun gezicht vlak achter het gaas. Likmereet, zei Kosma. Ik ben diep onder de indruk. Hij lachte. Ze hebben die perverse vent in de rotzooi gedompeld! Toen werd hij serieus: al die freaks en kinderneukers.

Later was het tussen de middag en ze gingen, zoals ze wel vaker deden, bij wijze van grap naar de gaarkeuken voor de zwervers. De echte zwervers maakten, zoals het hoort, onderdanig plaats voor hen. Bah! zei Kosma en spuugde de groene thee uit. Wat is dat voor varkenspis!

Daarna gingen ze naar een speelhal. Kosma's vader, oom of broer had daar de dag ervoor gewonnen, een handvol munten geschonken, en daarmee speelden ze nu op de automaten, hoofdzakelijk Kosma natuurlijk, totdat alles schoon op was. Toen alles schoon op was, gooide de eigenaar hen eruit. Spelen of opdonderen. Kosma liep donkerrood aan. Die vent houden we ook in de gaten. Die komt nog aan de beurt. Al die freaks en zwervers en kontneukers. Ik spuit lood in je dikke kont, stuk shit, snij je neusgaten open, neuk je dochters in alle gaten die ze hebben ---! Op dit punt – hij vloekte intussen bijna een halfuur – veranderde van het ene moment op het andere zijn humeur. Opeens had hij haast, schudde hen af, zei dat hij nu weg moest, beter gezegd: donder op, ik moet nog iets doen, en weg was hij.

Het was nog niet zo laat, ze hadden nog iets kunnen gaan doen, maar zonder Kosma konden ze niets verzinnen. Slapzakken, alles moet ik voor jullie bedenken. Ze hingen nog een tijd als een losse groep op straat rond, probeerden op een speelplaats de speeltoestellen voor kleine kinderen uit, maar allengs verdween de een na de ander, uiteindelijk merk je dat jij nog de enige bent die over is. Eerlijk gezegd is dat nog niet zo slecht.

Danko had sinds de scheldtirade in de speelhal een beetje hoofdpijn, hij fronste zijn voorhoofd. Wat hij concreet kon gaan doen, schoot hem ook niet te binnen, hij stak zijn vuisten in zijn zakken en slenterde wat rond. Het werd donker. In een biljartlokaal klemde een eenarmige man de keu onder zijn oksel en veegde alle biljarts leeg, zijn vrienden moedigden hem aan. Danko keek een tijdje toe door de open deur. Een eenarmige biljarter, niet slecht.

Toen hij zich omdraaide, weg van de deur, naar het stinkende kleine kruispunt, zag hij die zwarte kerel uit het park staan. Geen twijfel mogelijk, hij is het.

Staart hij mij nou aan of niet? Een poosje houdt hij het uit, dan zegt hij: Hé!

Niet erg luid en het kruispunt ligt ertussen, maar je zou toch verwachten dat die kerel op de een of andere manier reageert. Staat daar te staan als een standbeeld.

Hé! Wat doe jij hier?

Nu kijkt hij eindelijk hierheen. Maar alsof hij me nog nooit heeft gezien.

Ik ben het, Danko.

Dat weetie toch niet. Ze zijn niet aan elkaar voorgesteld. Had ik m'n kop maar gehouden. Wat kan mij die vent schelen. Mooi laten staan, het aan de anderen vertellen:

Godsamme, weet je dat die vent uit het park me achtervolgt. Staat me op het kruispunt na te staren. Doet alsof hij een beetje rondwandelt, maar in werkelijkheid … Hoezo heeft geen hond hem hier tot nu toe gezien? Alleen als ik hier in mijn eentje loop? Nu heeft die vent het eindelijk door. Kijkt om zich heen en steekt voorzichtig het kruispunt over, alsof er elk moment iets uit het niets zou kunnen opduiken en hem overrijden.

Dag.

Waarom moet je (Danko's) hart daarvan bonzen? Wat moet je zelf zeggen? Het is helemaal geen dag meer, alleen avond.

Woon je hier in de buurt?

Danko knikt.

Of hij hem kan zeggen hoe hij bij het station komt.

??? Er is geen station hier.

Naar het centraal station.

Naar het *centraal* station?

Nu kijken we allebei stom.

Of naar het park, zegt die vent. Het park is ook goed.

(Park of station, dat maakt niet uit?) Weet ik niet, zegt de jongen. (Leugen, hij wil alleen de zin poneren waarom Kosma trots op hem zou zijn:) Maar naar het gekkenhuis is die kant op.

Grijnst. Met zijn handen in zijn zakken wijst hij met zijn kin in de richting waarin hij zelf gaat. Die vent staat er met zijn rug naartoe. Grijnst ook.

Dank je, zegt hij. Het gekkenhuis is ook goed.

De merkwaardigste stem van de wereld. Je rug begint ervan te kriebelen. Nu loopt hij weg.

Nee, hij draait zich weer om. Vraagt of de jongen Danko niet een stukje met hem mee wil lopen. Alleen maar totdat hij er zeker van is dat hij niet meer zal verdwalen.

Je bent *verdwaald*?

Danko lacht hartelijk. Roept in het luchtruim zijn buren en be-

kenden, een onzichtbaar publiek toe, hier, overal als in de donkere rijen van een theater: Hij is verdwaald! Wat ben je voor een
freak?

Nu kijkt die vent alsof hij het niet begrijpt. Haalt zijn schouders
op en loopt weg.

Shit, wat is dat nu weer voor gevoel? De jongen kijkt om zich
heen. Op de tegenoverliggende hoek het café-biljart. Verder is er
niet veel te zien. Etenstijd. Het ruikt naar schnitzel. Alsof het
overal zachtjes sist.

God mag weten wat het is. Danko holt weg, die kerel achterna.
Haalt hem in, loopt naast hem. Kijkt niet omhoog, weet niet wat
die kerel voor een gezicht trekt. Zeggen doet hij niets. Als iemand loopt, merk je beter hoe hij ruikt. Die hier ruikt als een
kapperswinkel. Bovendien alcohol, cacao en plexiglas, maar dat
kon de jongen Danko niet echt benoemen. Die kerel heeft iets
lichts en vierhoekigs in zijn jaszak. Een boek zonder omslag, alleen het linnen. Eigenlijk is het te warm voor een jas. Ik draag
nooit een jas. Ik heb er niet eens een. Houd je meer van de winter of van de zomer? Ik houd meer van de zomer. Dan gaan we
naar zee. Ben jij wel eens aan zee geweest?

Ze naderden een kruising, die kerel gaat langzamer lopen. Met
zijn handen in zijn zakken heft Danko zijn bovenbeen voor een
nadrukkelijk stap in de goede richting. De kerel volgt hem. Als
ze weer rechtdoor lopen, vraagt hij:

Hoe heet je?

Danko, zegt Danko tegen zijn voeten.

Hoe oud?

(Wat gaat dat je aan?) Veertien. (Leugen.) En jij?

Abel.

Hoe?

Zo heet hij. Abel.

Wat is dat voor naam?

Een Hebreeuwse.

Alsof hij het niet heeft verstaan. Alsof hij iets aan zijn oren heeft,
moet de jongen herhaaldelijk vragen wat hij zegt, of misschien
kent hij de woorden gewoon niet.

Ik heet Abel en ik ben zes en een half jaar oud.

???

Ja, zegt die kerel, hij was op negenentwintig februari geboren. Tot nu toe heb ik zes verjaardagen gehad, de volgende komt over twee jaar.

Tot nu toe was er geen enkele leerling geweest die hier niet om had moeten lachen. Ik ben ouder dan jij! Deze jongen hier begrijpt het nog altijd niet. Kan het zijn dat hij niet weet wat schrikkeljaren zijn?

29 Februari, legt Abel uit, en nu gebruikt hij ook zijn handen ter ondersteuning, is het maar eens in de vier jaar. Als het schrikkeljaar is.

Hm. Danko werpt tersluiks een blik opzij. Naar de *andere kant*, niet die waar *hij* loopt. Niets. Pauze. Er is iets vreemds. Die kerel praat en beweegt zich anders dan je (Danko) ooit van je leven hebt gezien. Alsof zijn bewegingen elektrisch zijn, veroorzaken ze stuk voor stuk een onmiddellijke lichamelijke reactie bij zijn gesprekspartner. Kleine stompen in de zij.

Tot aan de volgende hoek zwegen ze weer. Daar gaat de jongen weer een stap vooruit, en weer raken ze daardoor verzoend. Na enig gestotter, wat ... ahum ... wat ..., vraagt hij wat Abel doet.

Tolken.

???

Van de ene taal in de andere vertalen.

Van welke?

Abel somt ze op. Hun gemeenschappelijke moedertaal laat hij weg. Dus zijn het er negen.

Hm, zegt de jongen. En Chinees? Ken je dat ook?

Nee.

Ik ken: de taal hier en mijn moedertaal.

Beide niet erg goed, moet worden gezegd. Hij oriënteert zich aan de hand van zelfstandige naamwoorden. Aha, dat ken ik. Zoiets heb ik al eens gehoord. Wat kan de mens zich toch met weinig behelpen. Abel heeft leerlingen die half zo oud zijn met een woordenschat die twee keer zo groot is. Om van Omar nog maar te zwijgen. (Denk je die twee eens samen in een kamer in.

Wat zouden ze tegen elkaar zeggen?)

Zwijgend lopen. Op een onbebouwd stuk grond op een hoek een tweedehands autohandel. Door hun langslopen flitst de automatische verlichting aan. Een ogenblik lang staan ze in veel te fel licht. Kleine vaantjes aan koorden lichten metalig op. De jongen is opeens heel opgewonden, haakt een paar vingers in het gaas van het hek en bekijkt begerig wat er aan de andere kant te zien is. De kerel is verder gelopen, nu blijft hij staan en wacht.

Heb jij een auto?

Nee.

Wat?

Nee.

Wij hadden een …

O ja.

Als ik later geld heb, koop ik die daar.

De kerel komt niet dichterbij om *die daar* te bekijken. De jongen laat het hek los en sluit zich weer bij hem aan.

Dan ga ik ermee rondrijden.

Mmm.

Ben je wel eens aan zee geweest?

Mmm.

Wat?

Ja.

Dat is het einde, zegt de jongen. Ik koop daar een huis. Op een rots.

Hm.

Pauze. Weer is een onderwerp dood. Langzamerhand wordt de kerel ongeduldig, zou graag sneller willen lopen, maar de jongen is nu ergens anders, slentert dromerig voort, bekijkt elke etalage. Dat wil ik hebben en dat en dat. De kerel loopt nu steeds drie passen voor hem uit.

Hé! roept de jongen. Niet daarheen!

Hij is zonder hem de hoek omgeslagen. Verkeerd natuurlijk. De jongen komt aangelopen, lacht. Jij weet ook helemaal niets! Weet niets, hebt niets, bent niets, hè? Daar is het, daarvoor, zie je die bomen?

Danko lacht. Wat heeft hem zo gelukkig gemaakt? Ze staan in de buurt van een lantaarn, het zwarte profiel van de jongen glanst opeens. De lippen van een Nubiër. De haartjes onder zijn neus. Abel steekt hem een witte hand toe.

Dankjewel, zegt hij. Voor het meelopen.

De vuist van de jongen blijft vastzitten in zijn broekzak. Die vuist openen is een oplossing die niet bij hem opkomt. Weet ook niet zeker of dat eigenlijk wel goed zou zijn, hij haalt alleen even zijn schouders op, dan blijft hij staan zoals hij stond. Voelt de warme, kleverige vingers, zijn eigen. Hoe ze ruiken weet hij ook. Mompelt iets. Die kerel heeft het vast niet verstaan, maar hij knikt, trekt met een vriendelijk gezicht zijn hand weer terug en doet twee stappen achteruit voordat hij zich omdraait. Daarna kijkt hij niet meer om.

Danko draait zich stoer op zijn hielen om, weet zelf niet waarom, en moet nu gewoon rennen. Rent.

Nacht

De jongen Danko was die dag niet de enige die zich ergerde. Hoewel in het afgelopen uur, sinds ze samen opliepen, de vermoeidheid en de wrevel opeens waren verdwenen, had hij (ieder van hen) tot de volgende ochtend kunnen doorlopen. Wat merkwaardig is. Want wat wil je eigenlijk van elkaar. Je verstaat nauwelijks wat de ander zegt. En dan dat hele milieu. Weerzinwekkend. Aan de ene kant. Aan de andere kant is hij mooi.

Toen Abel thuiskwam en de poort opende, was het alsof hij daarachter iets verwachtte. Maar er was niets achter, alleen duisternis. Hij deed het licht aan, liep onder de poort door, opende de deur naar de binnenplaats, verwachtte weer iets en weer was er niets, alleen de worstgeur en de donkere contouren van de vuilnisbakken. Hij ontsloot de deur naar het kantoor, donker, toen licht, hij gooide zijn jas inclusief het boek neer. Later, voordat hij weer wegging, trok hij het boek uit zijn zak, gooide het ergens op een boekenplank neer. Tussendoor stond hij een halfuur onder de douche, het was koud en het rook naar de toiletpot vlakbij. Later, in een rode nis met zijn derde glas in de hand, werd het beter. Hij vergat de jongen of deed alsof.

Toen hij dagen – die hij grotendeels in Het gekkenhuis had doorgebracht – later weer thuiskwam, vond hij hem voor de deur. Eerst zag hij hem niet eens, het was aardedonker voor de ingang, hij zocht in zijn zakken naar de sleutel en waar is het slot eigenlijk, toen hij plotseling op iets zachts stapte. Die huivering: op een klomp vlees gestapt. Een (alcohol)lijk.
Ssssst, klonk het in het donker.
Wat is dat?
Eindelijk zat de sleutel in het slot, de deur ging open, hij tastte langs de muur onder de poort, vond het lichtknopje. De jongen knipperde met zijn ogen in het plotselinge licht.
Jij bent het. Wat doe je hier?
Sssst, zei Danko en hield de voet vast waarop Abel was gestapt.

De dag was begonnen zoals altijd, ze zijn met de bal onder de arm vertrokken. Maar ze gingen niet naar het trapveldje, ze namen een bus en reden naar zee. De bus reed echter niet tot aan zee, hij stopte god mag weten waar, op een of andere landweg. Een lege paal naast een greppel, waaraan de restanten van een verbleekt affiche kleefden, in de greppel stenen en distels, aan de andere kant een relaiszender. Geen lucifertje schaduw. Eindpunt, zei de chauffeur, en toen ze vroegen wanneer de volgende bus kwam, zei hij dat hij zwartrijders geen informatie gaf. Deuren dicht. Kutvanjemoeder, verdomde klootzak, ik breek de tanden uit je mond en stamp ze in je strot als een stomme gans! schreeuwde Kosma en trapte de bus na, die gelukkig net weggereden was. Wat overbleef was een lege weg, hitte en lopen. Of ze hier nu zouden blijven staan of lopen. Omkeren zonder de zee te hebben gezien: geen sprake van. Ze schopten wat tegen de bal, droegen hem vervolgens. Eerst praatten ze nog door elkaar, wie denkt waar de zee zou kunnen zijn. Later gingen ze elkaar bijna te lijf, omdat iemand de bal ergens de woestijn in had geschoten en ze hem weer moesten ophalen, en opeens had niemand daar meer genoeg fut voor. En die klotezee, waar is die dan? Later zeiden ze niets meer, keken alleen maar naar de grond, naar de sprieterige leeuwenbekjes onder hun voeten, ze volgden de stoffige hielen van degene voor hen, dat kost het minste energie.

Het was al middag toen ze de zee eindelijk vonden. Stilstaand water. Tot in de verste verte alleen bruine modder, stank, aangespoelde rotzooi, trillend geel schuim. Warme plassen met scherpe stenen op de bodem. Ze plensden daar een poosje in rond, speelden vliegtuigje, bromden en brulden uit volle borst om hun teleurstelling te verbergen. Van top tot teen onder de modder zaten ze dorstig in het zand en keken naar waar het water moest zijn. Later kwam het water terug en daarmee ook andere mensen: gezinnen met blonde dochtertjes in roze badpakjes. Ze hadden eten en drinken bij zich, keken steeds naar de zigeunerjongens die daar de hele tijd naar hen zitten te kijken. Eentje is inderdaad moedig genoeg om naar hen toe te gaan en om water te vragen. Zwijgend reikt de vrouw hem de halflege fles. Natuurlijk kwamen toen de anderen ook, ze dronken de een na de ander, ieder iets langer dan zijn voorganger omdat hij vond dat zijn voorganger te lang had gedronken. Toen iedereen was geweest, wilden ze weer van voren af aan beginnen, maar de vrouw zei: zo is het genoeg, en pakte de met modder besmeurde fles af. Die was toch al bijna leeg. Ze hebben niet eens dank u wel gezegd, gewoon wegwezen, ze brulden en renden, sommigen in hun onderbroek, anderen volledig gekleed, het opkomende water in, en uiteindelijk werd alles toch nog zoals ze het zich hadden voorgesteld.

Terug was helemaal niet moeilijk, gelukkig een andere chauffeur, maar ook die keek als een moordenaar via zijn achteruitkijkspiegel naar de achterbank waar ze zaten, met trillende knieën en opengesperde monden. Als enige was Danko stil, joelde niet mee, had geen trillende knieën. Hij zat bij het raam en keek naar buiten zolang er nog iets te zien was.

Wat is er zo erg aan naar zee te gaan?

Wat is er zo erg aan eens een keer naar zee gaan, dacht Danko in de bus naar huis terwijl buiten de zon onderging. Wat is er slecht aan daar te willen zijn waar je je goed voelt? Waarom zeiden ze dat we collaborateurs zijn omdat we roma zijn, om ons te kunnen wegjagen, waarom haat mijn vader *mij* zo erg dat hij me aankijkt met ogen waarvan ik 's nachts droom, waarom moet hij me alle hoeken van onze woonkeuken laten zien totdat mijn botten breken?

(Wat heb je uitgespookt?! Hè? Wat moet dat?! Hè??!!! Stompen tegen zijn schouder: Wat, wat, wat? Draaien om zijn oren. Wat moet dat? Wat???!!!! Stompt hem in die ene kamer voor zich uit. Klein loeder! Wat?! Wat is dat voor een klootzak?! Hè?! Met wie ben je meegegaan?! Lieg niet, kutvanjemoeder, ... heeft jullie gezien! Die naam is niet te verstaan, hij moet zijn hoofd beschermen, plus het snikken. Alles kleeft. De slagen regenen neer op zijn opgeheven onderarmen. Wathebjeuitgespookt?!, wathebjeuitgespookt?!, wat hebben jullie gedaan? Laat zien! Trekt zijn sweatshirt omhoog, zijn hoofd blijft erin steken, smijt hem heen en weer om hem van alle kanten te bekijken, maar er is niets te zien, alleen huid, trekt aan zijn broek: Laat zien, kleine tippelhoer! Wat hebben jullie gedaan, wat, wat, wat ...?! Je kunt brullen als een mager speenvarken, het haalt niets uit, even later ben je naakt, je sweatshirt om je nek, je broek op je enkels, als je een homo wordt, kleine etter, vermoord ik je. Gaat naar buiten, pissen. Danko blijft liggen, vijf anderen staan in de keukendeur toe te kijken. Dat was het slotakkoord van *die* lange dag.)

Deze keer, dacht Danko toen de bus de stadsgrens passeerde, zal hij me *definitief* afmaken. Hij heeft al iemand vermoord. Die ligt onder het beton in de varkensstal. De stal is in het andere land gebleven. Maar ik weet het. Het gaat om leven en dood.

De bus reed regelrecht naar het busstation, hetzelfde busstation, alleen een ander perron, maar niemand zei wat of wie het in het honderd had laten lopen. Ze waren tevreden en leeg als vrijwel nooit tevoren, zelfs Kosma. Van het busstation liepen ze terug naar het trapveldje, omdat dat het punt van vertrek was geweest, en daar ga je nu eenmaal naar terug om te weten wat je nu moet doen. Het trapveldje was donker en leeg, ze hingen wat rond, eentje liet de bal een paar keer stuiteren, het was goed te horen hoewel het in de buurt lawaaiig was als op een zaterdag-avond: cafés, verkeer. En vanaf hier was het simpel: iedereen ging naar huis, behalve Danko.

Hij liep gewoon steeds verder, bekeek alles, de hele zaterdag-avond. Café na café, tafels vlak naast elkaar, stoelpoten in elkaar gehaakt, de trottoirs vol tot vlak bij de geparkeerde auto's, er bleef maar een smal pad over, blijven staan kon niet, alleen doorlopen, hakkengetik voor en achter. Met zijn handen in zijn zakken bekeek hij de mensen, de mannen en vrouwen. Die keken terug, die zigeunerjongen daar, zou het een zakkenroller zijn. Achter een ruit werd iets geflambeerd, vlees of iets zoets. Sorry, zei een man, pakte hem bij zijn schouders en zette hem praktisch opzij. Sta hier niet zo in de weg. Daarnaast begonnen twee jonge Russische vrouwen in klederdracht te zingen, dat be-viel hem wel, ze zongen mooi, Kalinka, dat kende hij ergens van. Een kelner sloeg de zoutkorst van een vis kapot. Een brok zout rolde precies voor Danko's voeten. Hij raapte het op van het trottoir en stak het in zijn mond. Smaak van zout en smurrie. Ik ben gelukkig. Ik ben gelukkig en ik weet niet hoe laat het is. Wanneer hem te binnen schoot: ik weet niet hoe laat het is, moest hij verdergaan totdat hij dat weer vergat. Hij zwierf rond – wat gaat de tijd toch langzaam als je niets anders wilt dan hem doodslaan – totdat hij er genoeg van had en weer bij het trap-veldje stond. De daklozen ernaast sloegen hun bed op voor de nacht. Je kon op een bank of in het gras slapen, in het gras heb ik al vaker gelegen. Maar op de een of andere manier beviel dat hem allemaal niet, langzaam aan begon alles hem niet te beval-len, het branden in zijn slokdarm, en wat moest hij nu doen, waar moest hij heen. Hij dronk water bij het fonteintje, de dak-lozen en hun honden keken toe. Hij keek terug, ik houd niet van honden, ik houd niet van zwervers, veegde zijn mond af, schud-de het water van zijn handen en liep doelbewust weg. Laten zien dat hij weet waar hij heen gaat.

Op zeker moment stond hij voor de slagerij en omdat hij niet wist waar hij moest bellen, ging hij voor de deur zitten, in een hoek waar vuil en duivenveren zich ophoopten, keek naar de sterren, luisterde naar wat er te horen viel. Op zeker moment viel hij in slaap.

Wat doe je hier? vroeg die kerel, maar hij wachtte het antwoord niet af. Alsof het hem niet kon schelen, alsof hij alles al wist. Ging hem voor naar het kantoor.

Heb je dorst? Wil je wat drinken?

Danko heeft inderdaad dorst, ook een beetje honger. Heb je cola? Helaas niet. Water uit de kraan. Danko drinkt staande onder de plafondlamp. De kalkvlekken op het glas lichten op. Die vent staat tegenover hem en kijkt hem belangstellend aan. Klaar? Neemt het glas uit zijn hand en zet het weg.

Ik kan niet naar huis, zegt de jongen. Kan ik hier slapen?

Kijkt nu pas echt rond: een tafel, een stoel, een fauteuil. Een koffiemachine, een bruin geworden kan. Misschien kleeft aan de binnenkant een theezakje. Verder niets. Woon je zo? Hoezo had Danko gedacht dat die kerel rijk was? Geen televisie, geen stereo-installatie, zelfs geen schilderij. Maar wel een laptop op tafel.

Geeft niet waar. Op de grond.

Je mag het bed hebben, zei die kerel. Mag ik?

Danko staat precies voor de fauteuil en doet nu een stap opzij. Dat is dus het bed. Een smal bed voor een onverwachte gast. Helaas maar één paar lakens, gebruikt, geeft niet, iets anders is er niet (En jij?)

De jongen blijft waar hij is, onder de lamp. Zijn nek is het lichtste punt in de kamer. Abel gaat voor de computer zitten.

Wat doe je?

Werken.

Hij schrijft iets.

Schrijf je?

Ja.

Wat? Detectives?

Nee. Een wetenschappelijk boek.

Hm.

Danko bekijkt de fauteuil. Als fauteuil is hij groot en comfortabel. Hij gaat voorzichtig op de rand zitten.

Wat is dat daar?

De kerel kijkt.

Whisky.

Krijg ik een glas van je?

De kerel staat op, pakt de bijna lege fles uit de kast, schenkt een, twee vingers in, onverdund. Staat weer net zo dichtbij als eerder, wacht. Danko drukt zijn dijen tegen elkaar en drinkt. Rokerig, scherp, niet slecht. Abel neemt het glas weer uit zijn hand, loopt naar de deur, doet het licht uit en komt terug.

Welterusten.

Zit weer achter zijn laptop, soms tikt hij iets, maar meestal kijkt hij alleen naar het beeldscherm. Danko glijdt dieper onderuit in de stoel, de deken ligt onder hem. Heeft zijn schoenen nog aan. Aan de zolen kleven teer, zand en distels. Later gaat hij echt liggen, weet niet wat hij met zijn handen moet doen, vouwt ze over zijn borst, kijkt naar het plafond. Een vochtvlek.

Een tijdje blijft het stil. Alleen het zoemen van de laptop. De jongen in de slaapstoel beweegt een beetje. Geritsel. Op zeker moment begint hij te praten.

Een keer, zegt Danko, heeft hij me vijf dagen lang in de kelder opgesloten. Ik kwam thuis, achterdeur, hij stond in het donker in de keuken, zei geen woord, pakte me alleen vast en smeet me zo hard tegen de muur dat ik als binnen in een dobbelbeker rammelde. Zo luid dat Danko even dacht dat hij doof was geworden. Toen werd hij de deur weer uitgeduwd waardoor hij binnen was gekomen, de binnenplaats over naar de kelderdeur, de keldertrap af, in een hoek, nog een trap na, deur dicht. Hij bleef op de vochtige vloer liggen. Het was koud, maar pijn houdt warm. In zijn hoofd klonk het gerammel nog na, maar dat hield later op, er bleef alleen een zacht gefluit over, tot nu toe overigens.

Pauze. De jongen luistert aandachtig. Ver weg, maar toch, het is er.

Later veranderde hij voorzichtig van houding, onderzocht of de pijnlijke rib in een long stak, maar dat was niet zo. Hij verdreef de tijd door aan alle mogelijke dingen te denken. Dat is nog niet zo eenvoudig. Hij zocht zijn geheugen af naar herinneringen, maar er was niet veel te vinden. De dag waarop hij voor het eerst had gerookt. Daar is een foto van. Niet echt het dorp, maar het dorp gespiegeld in de dorpsvijver, bomen, een paar scheve houten gevels, vooraan rechts zit iemand half naakt te vissen, en aan de linker beeldrand, onscherp: hij, trots, met de peuk in zijn mond. De rest van de tijd dacht hij aan voertuigen. Toen ik klein was, dacht ik dat een ezelskar het mooiste was dat je kon bezitten. Later een brommer, een motorfiets, een Mercedes, een sportwagen, terugkomen, het raampje opendraaien, zwaaien. Tegen wie? Tegen wie daar is. (Daar is niemand. Niemand is daar.) Nu zou hij aan vliegtuigen denken. Schepen misschien. Zich verstoppen tussen de containers. In een rugzak repen en water om te overleven. Bij 65 graden onder nul een brief aan de groten der aarde schrijven. Of niet schrijven. Klote, de groten der aarde.

De tweede dag ging de deur open, zijn vader, in silhouet, zette een bord op de bovenste traptree. Een diep bord met restanten van de borden van de anderen, overgoten met soep om het vloeibaar te maken. Dat is *zijn manier van doen.* Aan zee is niets erg. Dat is het niet. Hij gaat me vermoorden omdat hij dat kan.

Later die dag kroop hij voorzichtig de trap op. Slurpte wat van de vloeistof, niet alles zodat het er niet zou uitzien alsof hij wat gegeten had. De bouillon was zout, de gestolde vetogen bleven aan zijn tanden hangen. Met zijn tong uitsmeren, nu is alles vettig, zijn hele mond is vettig, daarna nog iets vloeibaars drinken, nu is het toch bijna op. De trap af is moeilijker.

De derde dag was de dag van de stank van zijn uitwerpselen en van de wanhoop, op de vierde vermande hij zich en maakte plannen. Een draad voor de deur spannen, als je op je kin valt is je kaak versplinterd, maar dat is me niet genoeg, een baksteen pakken, ook al doet het pijn met die gekneusde rib, en al je tanden, je shitneus, je shitjukbeenderen, je oogkassen, je voorhoofd, alles, alles, je verdomde hersens uit je verdomde kop --- !!!

In het begin praatte de jongen slecht, later kon het hem niets meer schelen, hij zei wat hem voor de mond kwam en daardoor werd het inderdaad beter. Wat merkwaardig is dat. Eigenlijk wil ik niet praten. Ik wil niet vertellen, ik wil doden en er dan over zwijgen, dat wil ik! Abel aan zijn bureau verroerde zich niet. Achter zijn rug werd gejankt, gebruld en uitgestort tot er niets meer over was dan een bloederige brij, een bloedbrij in kleren die in de kelderaarde werd gemalen, als verschrikkelijk, correctie: vruchtbaar offer. In de ochtendschemering was het ergste voorbij, het spoot niet meer, het borrelde alleen nog, verzadigd van bloed, en ten slotte viel de jongen midden in een zin in slaap. Abel luisterde een tijdje naar zijn ademhaling, een paar minuten, voordat hij zich omdraaide om hem, of dat wat van hem over was, te bekijken.

En overweldigd te raken: door die *schoonheid*. Zoals zijn huid straalt, zijn voorhoofd, zijn wangen, zijn oogleden, zijn lippen, droog en gesprongen toen hij kwam, nu vol en vochtig. Een van de mooiste gezichten die ik ooit heb gezien.

Hij boog zich over hem heen. De adem die uit zijn neus kwam, rook niet goed.

Dag

Het was al bijna licht toen Danko in slaap viel en de rest van de korte nacht met een droom worstelde. Hij droomde dat boven hem een groot gezicht zweefde, alleen een gezicht. Eerst leek het op een monstermasker van het spelletje dat ze in de gokhal hadden gespeeld, maar tegelijkertijd leek het ook op iemand anders, vooral de lijnen tussen neusvleugels en mondhoeken, terwijl de ogen en het voorhoofd weer aan een ander schenen toe te behoren, en daarom ging het eigenlijk de hele tijd. De gelaatstrekken van het monster versmolten met die van de boss, de vader-allergekken en de Zwarte Man, of nee, het was meer alsof ze uren-lang met elkaar vochten zonder dat iemand de overhand kreeg. Soms zag het er zo angstwekkend uit dat hij bang was te sterven, dan weer was het bijna mooi, ook al liep het bloed uit zijn ogen in zijn mondhoeken. Ze vochten de hele nacht, totdat de aan-zwellende golf van een orgasme Danko uit de slaap rukte.

Hhhhhh! Hij schoot overeind, wapperde met zijn handen, hap-te naar lucht. Een vis op het droge, totdat het eindelijk voorbij was.

De kerel was er niet, de laptop zoemde niet meer, er viel hele-maal geen geluid te horen, zondag, de slagerij ernaast was verla-ten. Danko bevrijdde zich uit het te zachte nest.

Zodra hij zich bewoog, voelde hij de honger. Wanneer heb ik voor het laatst gegeten? Hij had zo'n honger dat het weer donker werd, hoewel hij zijn ogen open had. De vochtige kou van een souterrain ingeruild voor de prangende hitte van de misselijk-heid. Overal brandde het zout, in zijn ogen, in zijn maag. Moet onmiddellijk wat eten, anders geef ik over op de stoel. Eigen schuld, waarom laat je me hier ook alleen. Zo meteen krijg ik ook nog diarree, waar is die verdomde wc?

Dubbel geklapt ging hij naar de voordeur, hoewel hij wist dat *het* niet *daar* kon zijn. Naar buiten, naar de vuilnisemmers op de binnenplaats. Maar de deur is op slot. Hij werd overvallen door een nieuwe golf van misselijkheid, *opgesloten*, het zweet brak hem uit, hij klapte weer dubbel, trappelde. Toen schoot hem te binnen: Die kerel is er niet, alle gelegenheid om een beetje rond te kijken. Op slag voelde hij zich beter.

Er staat niet veel, een paar kasten tegen de muur. In een ervan vond hij een pakje knäckebrood, hij kauwde. Verder: niets. Een lege koffiebus. Nee. Er zit geld in. Hebben is hebben, hij pakte een bankbiljet, de rest van het collegegeld voor de laatste maand deed hij terug in de bus en zette die weer in de kast. Ernaast lag een boek met een ruwe, licht gekleurde linnen band. Of hij zich dat herinnerde of niet, eerst wilde hij er niet aan, toen bladerde hij het toch door.

Een plaatjesboek. Oude, of oud gemaakte vergeelde foto's. Artificiële Griekse landschappen, atelierhemel, zuilen van papiermaché, opgezette vossen, gebroken amforen. En daartussen, met een sandaal of een fluit in de hand: een verzameling naakte kerels. Jongens. Knapen. Sommige hebben een ouderwetse witte onderbroek of een lendenschort aan, maar de meeste zijn naakt. Hun volwassen penis lijkt vastgeplakt aan hun slanke, olijfkleurige lijf. Kom nou …! Danko duwde het boek terug in de kast, het klapte tegen de achterwand. Hij greep er weer naar, trok het verder naar voren. Al wist toch niemand meer waar het precies had gestaan.

Nu zag hij eindelijk ook de met groenige olieverf overgeschilderde deur in de hoek. Kijk eens aan: wastafel, wc, schuin daarachter was er zelfs een douche in gewurmd. Het zoute water in zijn buik deed pijn, Danko zweette op de groenige bril. Op zeker moment ging alles draaien. Een boek met alleen maar lullen.

Toen hij naar buiten kwam, was de kerel weer terug. De jongen had zijn handen niet gewassen, dat was te horen, nu had hij ze tot vuisten gebald in zijn broekzakken. Abel had iets te eten gehaald, het enige dat hij in alle haast had kunnen krijgen, brood, melk, wortels. (*Surrealia* voor ontbijt, zegt Omar en lacht.) Ik houd niet van wortels. Dan eet je ze niet. Een hangmappenkast blijkt een koelkast te zijn, Abel haalt iets te voorschijn dat in papier is verpakt. Worst. Zegt dat hij al heeft gegeten.

De jongen eet als een varken, met open mond, je ziet zijn grote, roze tong aan het werk. Hij haalt adem door de gekauwde brij, slurpt en gorgelt alsof hij het met opzet doet, of misschien is het alleen begeerte. Zijn vingers trillen als hij hier en daar iets afbreekt. Onder zijn nagels is het zwart, zijn haar kleeft aan elkaar, al zijn kleren dragen witte sporen van zout water, in zijn hals vuile randen en krabben, op zijn voeten eveneens, in zijn opgerolde broekspijpen zand, stukjes schelp en kleverige graszaden. Abel zette de laptop aan. Een rug zijn, wat klikken – Wat doe je daar? Werken – om het niet te hoeven zien en horen. Maar natuurlijk was het heel goed te horen. Vandaag, net als gisteren: wild tekeergaan.

Op zeker moment was ook dat voorbij.

Klaar?

De jongen knikte, onderdrukte half een boer, gekruide worstjes in melk en zout water.

En nu?

Als je wilt, breng ik je naar huis, zei Abel.

De jongen verroerde zich niet. Vuisten in zijn zakken, hoofd gebogen. Wat wil hij?

Ik blijf nu hier staan onder deze lamp, dat is mijn plaats. Eigenlijk wil ik hier helemaal niet blijven, ik heb er, moet ik toegeven, niet goed over nagedacht – Alles in orde? vroeg Abel en kwam dichterbij – eerlijk gezegd ben je een grote teleurstelling, aan de andere kant ...

Danko?

Het leek of de jongen op het punt stond in tranen uit te barsten. Een troostende aanraking zou misschien helpen. Laten we zijn bovenarm nemen. Wie heb ik (Abel) voor het laatst (zo) aangeraakt? Zodra er maar het minste contact was, liet de jongen zich als geveld vallen, zijn voorhoofd belandde op Abels schouder, de tranen drongen door zijn overhemd. Wat kan ik zeggen, hem vasthouden, zijn rug strelen misschien. Een minuut lang of zo. Toen kwam de jongen weer overeind. Op zijn tenen was hij bijna even groot, onze lippen op dezelfde hoogte, lippen tegen lippen, zijn adem, hij rustte even uit en schoof toen, met nieuw, schuchter elan, zijn tong naar voren. Abel voelde die: vochtig en koel, en hij proefde zelfs een – misschien ingebeeld – ogenblik lang: populieren, dorpsvijver, rook, zand, gebroken schelpen, het goedkope citroenijsje dat ze bij een tankstation hadden gedeeld, zout water, wortels, worstjes en knäckebrood --- Hij deed een stap achteruit. De jongen had zijn lippen nog niet helemaal gesloten. Tussen bovenlip en neus glinsterde iets in het kuiltje.

Sorry, zei Abel. Zo gaat het niet.

Klootzak! Danko is razend, rukt de deur open, laat hem meteen weer dichtvallen, pas op anders krijg je nog een plank voor je kop, stormt tussen de vuilnisvaten door waarin het vleesafval ligt te rotten, door de poort de straat op. De drukkende hitte viel op hem, op een dag als deze laten harten het bij de vleet afweten. Tegelijkertijd beginnen ook de klokken te luiden, het is zondag. Danko struikelt, maar loopt meteen verder, de kabel van de laptop (wraak of gewoonte?) sleept achter hem aan.

Prikkend zweet, steken in zijn zij. Het eten, beroerd als het was, ligt in brokken ergens in zijn midden, niet zozeer in zijn maag, alsof hij op de een of andere manier ernaast heeft gegeten, alsof het onder zijn huid heen en weer schuift. Een brokkelige druk in zijn darmen. Uiteindelijk zal ik moeten blijven staan om te poepen. Grijpt op het laatste moment de laptop die wegglijdt, nu slaat de stekker tegen zijn kuit, dat doet pijn, het maakt hem nog razender dan hij al is. Hij had beter *al* het geld uit dat blik kunnen pakken. Kijkt om: achter hem een meter of twintig warm trottoir en dan die kerel. Met een van inspanning vertrokken, stom gezicht komt hij achter hem aan rennen.

Een weg met zes rijbanen oversteken, in het midden een verkeerseiland, de knop voor het stoplicht moet twee keer worden ingedrukt. Danko drukt niet, hij schiet tussen een gaatje tussen de auto's door. Op de andere oever houdt het klokgelui eindelijk op. De wind slaat in lage vlagen tussen de huizen door, draagt geluiden mee die niet te lokaliseren zijn: een boormachine, een flard muziek, vreemde geuren, kruiden, stank, alsof het van heel ver weg komt. Uit een open raam klinkt het gerammel van pannen. De keuken van de psychiatrische inrichting. Op de muur van de tuin die bij het huis hoort heeft iemand met krijt DOOL-HOF aan weerszijden van de poort geschreven. DOOL-poort-HOF. De poort staat op een kier. Op het portiershuisje een bord: WELKOM. De gezichten van mensen die bij bushalten in de buurt van gevangenissen en krankzinnigengestichten staan. De jongen slalomt tussen hen door. Daar is de zuidkant van het park al, naar het trapveldje is het niet ver meer, misschien zijn de anderen daar, maar nee, hij verandert van richting en loopt buitenom, langs de kiosken. Overal mensen. Afschuwelijke zondag, afschuwelijke zondagsmensen. Oude en jonge, negers, zwervers en spleetogen. Vrouwen, hun heupen onder de rokken zwaaien als het achterstuk van een verlengde bus, hun mannen die met de handen in de zakken op platvoeten twee stappen achter hen aan lopen, hun kinderen met kniekousen die vooruitlopen of zoet aan het handje worden gehouden. Stuk voor stuk zou ik ze kunnen vermoorden. Hij loopt door hen heen, duwt bejaarden, vrouwen en kleine kinderen opzij. Mannen en grote jongens niet, die zouden hem in elkaar kunnen slaan. Hij denkt daaraan en weer: razernij. Nu op dit moment haat hij elk levend wezen op aarde. Deze stad. Kosma en de andere rukkers. Alle mensen waar dan ook. Waarom uitgerekend dat miezerige hol van die kerel, waaruit hij als een hond is verjaagd, jazeker als een hond, de enige plek is waar hij graag zou willen zijn: een raadsel. Daar en in het dorp met de populieren.

Hij kijkt om. De kerel zit nog steeds achter hem aan. Iemand om hulp vragen. Die smeris daar. Die man daar achtervolgt me. Nooit een smeris.

Terwijl hij zich omdraait, stapt hij op een caramelappel die iemand half opgegeten heeft laten vallen, zwikt, gesmolten suiker aan zijn schoen, wappert met zijn armen. Iemand, een man, duwt hem weg: Heb je geen eigen voeten om op te gaan staan? Kijk eens hoe kwaad die kleine kan kijken! En? wat is er?

Door dit *incident* heeft Abel hem bijna ingehaald. Ze zien elkaar duidelijk, oog in oog. Staan midden op de weg, rondom hen een zondag in het park, de jongen heeft een laptop onder zijn arm. Zet het weer op een rennen.

Hé! roept de agent. Het licht was rood! Blijven staan!

Danko blijft niet staan, hij rent alsof de duivel hem op de hielen zit, werkt met zijn vrije arm, zijn stompende elleboog. En Abel? Hij doet wat hij nog nooit heeft gedaan: Maakt een schijnbeweging naar recht en loopt links langs de smeris heen. Wat bezielt me, wanneer heb ik voor het laatst zo gerend, nog nooit. Danko kijkt achterom, schudt zijn hoofd en rent nog harder. Voorbijgangers, hindernissen. Zo dadelijk zal hij hem ver achter zich laten, vast en zeker, met elke stap wordt de afstand groter, maar

Abel kan niet blijven staan. Het is allang niet meer de laptop, het is ook de laptop, maar vooral dit zinloze, kinderachtige lopen. Hij is allang niet meer alleen op de rug van de jongen geconcentreerd, hij kijkt naar alles, de wereld al rennend zien, de hemel, net zou hij zelfs in luid lachen zijn uitgebarsten als er niet iets tussen zijn benen was geraakt, een lijn of zoiets, al vallend gaat een hand langs hem heen, hij kan die niet meer vastgrijpen, tussen een kluwen lage lijven door valt hij op het harde, vuile asfalt.

Verward geraakt in een roedel honden. Ligt daar, boven hem het gewoel van de dieren: poten, buiken, ballen, janken. Hun geur. Onder honden liggen. Het vibreren van het asfalt tussen zijn tanden. Heeft zijn hoofd gestoten. Laten we even de ogen sluiten.
Alles in orde?
De stem van de hondenoppasser, het bezorgde gezicht dat tussen de hondenlijven door opdoemt. Achter haar gaat een stukje hemel open, een klein, luidruchtig vliegtuigje vliegt laag voorbij. Ze steekt hem een hand toe, helpt hem overeind. De honden besnuffelen hem, de hondenoppasser trekt aan de lijnen: Laat dat! Kom hier!
Er zijn voorbijgangers blijven staan. Ook een politieagent. Streng:
Alles in orde?
Ja, zegt de hondenoppasser. Kom hier!
Gelukkig is het een andere agent.
Waarom rende u zo hard? Heeft die knaap iets van u gegapt?
Iemand heeft gezien dat hij iets bij zich had.
Hij heeft iets gejat!
Kunt u staan? Bloedt het?
Ja. Nee. Trapt zich los uit de lijnen.
Omdat het niet bloedt, lopen de meeste voorbijgangers door. Op het ogenblik doet zijn long meer pijn. Kleding schoon vegen. Onder strenge blikken. Nou, wil iemand soms mijn papieren zien?
Wilt u aangifte doen?

Abel schudt zijn hoofd. Ook dat doet een beetje pijn. Hij biedt zijn verontschuldigingen aan aan de hondenoppasser.

Het geeft niet. Ze sorteert de lijnen en loopt verder.

Dat is het dan, zegt de agent. Past u op waar u rent. Het beste kunt u helemaal niet rennen. Netjes langzaam lopen, oké?

De patiënt lacht om te demonstreren: Begrepen, akkoord, alles oké.

Kijkt om zich heen. Onbekende straat. Kijkt naar het ene einde, dan naar het andere. Onbekende straat. De agent kijkt vanaf de hoek toe.

Komt terug.

Alles in orde?

Ja, zegt Abel.

Ik weet alleen niet waar ik ben. We lopen gewoon door. Mengen ons onopvallend onder het onopvallende volk. Hij houdt zijn hoofd een beetje scheef, alsof hij in gedachten verzonken is. Of een stijve nek heeft. Verlegen. Alsof hij door zijn haar gaat strijken – tersluiks de buil betasten.

Mannen van een passende leeftijd

Toen hij weer thuiskwam, was de deur van het slagerijkantoor op slot en hij had geen sleutel bij zich.

Hij stond open, zei Carlo, ik heb hem voor je op slot gedaan.

Dank je, zei Abel.

Gelukkig dat ik net langskwam.

Ja.

Alles in orde?

Abel keek naar het bureau. De laptop was weg.

Jawel, jawel, zei hij. Dank je.

Later, de dag daarna, ging hij naar het trapveldje. Het was verlaten. Die dag nog niet, pas de volgende vermande hij zich en ging de buurt weer in, zocht naar het kruispunt waar ze elkaar eerder waren tegengekomen, maar als je met alle geweld wilt, vind je natuurlijk niets. X keer hetzelfde café op de hoek, overal wordt gebiljart. Hij ging twee uitdragerijen binnen. En werd wantrouwend of vijandig bekeken. De laptop was er niet. Een café op de hoek binnenstappen, of verscheidene, en daar laten doorsijpelen: hier is iemand die zijn laptop zoekt. Hoezo, wat zit erin? Zit er iets belangrijks in? Ja zeggen, of beter nee?

Er kwam niets van. Op zeker moment liep hij alleen nog doelloos rond. Hij bekeek een paar mannen die wat leeftijd betreft hadden kunnen kloppen. Wie kon de vader van de jongen zijn, hoe wil je hem herkennen, en als je hem herkent, wat dan? Later keek hij alleen nog naar beneden, naar het trottoir dat onvoorstelbaar smerig was. Uitwerpselen (hond, mens, vogels), daartussen een condoom, uit het raam gegooid?, en ten slotte, toen het al schemerig werd, in een hoek tussen duivenveren: een vaste schijf. Hij glansde zilverig groen. Opeens werd hem duidelijk: Je kunt het opgeven. Hij gaf het op en ging terug naar de slagerij.

Een paar dagen later werd er geklopt. Drie keer kort, zo klopte Carlo altijd. Misschien klopt iedereen zo. Zonder er verder bij na te denken, drukte hij op de klink. Met grote kracht sloeg de deur naar binnen. Ze duwden er met hun gezamenlijke gewicht tegen, alsof ze één enkel lichaam vormden en zo kwamen ze binnen, om daarna bliksemsnel en zwijgend naar alle hoeken uit te zwermen, als hadden ze dat al honderd keer gedaan, een commando-eenheid, en ze begonnen elk voorwerp om te keren en in het rond te smijten.

De kerel zei geen woord, hij stond erbij en keek toe hoe een horde halve kinderen de inhoud van zijn kamer liet verdampen. Ze scheurden bladzijden uit boeken, overhemden doormidden, rukten met hun tanden aan de knopen van het kussensloop om ze daarna met een mes af te snijden en het kussen natuurlijk open te rijten: gelige stukjes schuimrubber spoten de lucht in. De inhoud van de koelkast strooiden ze over de vloer, vlees op het linoleum, daartussen gebroken potjes, wat erin had gezeten werd uitgesmeerd. Ze gleden op de jam- en boterbrij rond alsof de keukenhoek een ijsbaan was en de stukken vlees de pucks.

Alsof ze aan het spelen waren. Drukten zeepbellen uit het flesje afwasmiddel. Deze ruimte op de begane grond achter op de binnenplaats is vanaf nu ons evenementenpark. Het geheel duurde misschien tien minuten. Toen ze klaar waren, toen alles stukgeslagen, stukgegooid en stukgesneden was, vormden ze opnieuw een blok. Door de open voordeur zweefde de eeuwige worstgeur van de binnenplaats naar binnen.

En nu, zei de een, hij hijgde een beetje. En nu ben jij aan de beurt. Waar is hij?

Abel kijkt alleen. Hebben ze iemand in zijn kasten, zijn levensmiddelen gezocht en niet gevonden?

Je weet precies wie we bedoelen, kontneuker!

Als een zevenkoppige draak stonden ze voor hem. Nee, zes. Langzaam wordt me iets duidelijk. Je weet precies wie. De tocht ritselde door de verstrooide papieren. Er kraakte en knarste iets in de kamer. Iets dat verkreukeld was en zich weer ontvouwde, iets dat uitgegoten was en waaruit nog een luchtbelletje opborrelde. Werkelijk: Waar is hij?

Ze gingen op hun buik liggen, gluurden door de kelderluiken, drukten hun oor tegen het trottoir, misschien horen we iets.

Ik hoor iets! riep er eentje, hij heette Atom. Ze lagen daar met hun wangen in de rotzooi en luisterden aandachtig omdat Atom beweerde iets onder de grond te horen.

Dat zijn alleen maar auto's.

Nee, zei Atom, stemmen.

Weer spitsten ze hun oren.

Suflullen, zei Kosma. Stemmen onder het trottoir, maak 't nou!

Misschien heeft hij hem vermoord. Zijn vader. Hij heeft al eens iemand vermoord.

Kosma schudde sceptisch zijn hoofd.

Als iemand hem heeft vermoord ...

Ik wilde het werkelijk niet, maar, in plaats van naar waarheid te zeggen: Ik weet het niet, ik weet ook niet waar de jongen Danko kan zijn, haalde Abel alleen maar zijn schouders op.

Kosma liep rood aan en begon te brullen. Kontneuker! schreeuwde hij. Moet ik je openrijten? Hé? Moeten we je openrijten, klootzak? Pervers varken, spion, moordenaar! Zijn kont opensnijden. Zijn kloten afbijten. Bah! Kosma spuugde. Dat wil zeggen, hij deed alsof hij spuugde. Er kwam niets op de grond.

Hij wist zelf niet waarom, hij kon gewoon niet anders, hij kon zich niet beheersen: terwijl de ander nog steeds schreeuwde, begon Abel te lachen.

Die vent is toch niet goed bij zijn hoofd. Staat hier stom te lachen. Kosma merkte hoe het drakenlijf achter hem uit elkaar begon te vallen. Omdat die vent staat te lachen. Abel hield op met lachen, hij glimlachte alleen nog en:

Het spijt me, zei Abel in de gemeenschappelijke moedertaal van de bende. Ik weet niet waar hij is.

Ze staarden hem aan. Een paar dachten een hallucinatie te zien, maar Kosma niet. Hij liep naar de vent toe, stelde zich vlak voor hem op, net als die ander onlangs, zijn handen niet in zijn zakken maar verder precies hetzelfde, zijn lippen heel dichtbij. Vanaf dit punt: alles zonder geluid. Kosma zei geen woord meer, hief alleen zijn vuist en gaf hem een dreun in de maagstreek. Abel sloeg dubbel en gleed op de grond. De bende stond in een kring om hem heen en schopte hem, allemaal op dezelfde manier, met de punten van hun schoenen, niemand meer dan de ander, we zijn een faire machine.

Hé! riep Carlo in de deuropening, hé! Wat moet dat? Wat doen jullie hier?! Wegwezen! Hij maaide met zijn armen alsof hij kraaien verjoeg, maar wel met een hakbijl in zijn hand. Maak dat je wegkomt! Hij zwaaide met de bijl, maar deed er natuurlijk niets mee, de bende was niet onder de indruk en duwde hem opzij, rende langs hem heen. Kosma als laatste, bijna op z'n dooie gemak. Hij boog zich nog een keer over Abel heen:

Klootzak, siste hij. We weten waar je woont. Hoor je wel? We weten waar je woont.

Toen waren ze weg, alsof het een droom was geweest, was het niet, ik droom nooit. Carlo, met de hakbijl in de deur, bekeek de verwoestingen.
Het beste is dat ik verhuis, zei Abel.
De slager kon niet eens meer knikken.

V. ROADMOVIE

Onvoltooid

Amerikaans

Een bende zigeunerkinderen is je kamer binnengedrongen, heeft je beroofd en in elkaar geslagen? Waarom? vroeg Kinga. Wat heb je met ze te maken? Wat voor smerig verhaal zit erachter? Of zijn ze gewoon zo, ritsrats van de straat …? Is dat voorstelbaar?

Misschien moesten ze in het weekend de markten aflopen, zei ze later. En bepaalde winkels. Daar liggen massa's helersgoed. Een advertentie opgeven: Wil computer terugkopen. Zo doen ze dat tegenwoordig bij ons thuis. De mensen kopen hun gestolen auto's terug.

En waarom kijk je mij daarbij aan? Ik doe niet meer aan heling. Ik ben nu musicus, weet je. (Janda)

Ik heb je niet aangekeken. Bovendien kijk ik naar wat ik wil. Abel wuifde alles weg. Allemaal al geprobeerd.

Arme lieveling. Arme, arme lieveling. Ze kuste hem overal. Alles is weg. Alles, alles.

Wat ben je nu van plan? De meevoelende Andre.

Hij heeft zijn spullen bij zich. Wilde vragen of hij een deel ervan in Kingania mag achterlaten.

Hoezo?

Sinds hij hier is, hoeveel jaar intussen?, zeven, acht al?, is hij de stad nog niet uit geweest. Nu denkt hij dat het beter zou zijn op pad te gaan.

Waarheen?

Schouderophalen.

Aha, zei Kinga. M-hm

Overigens, zei ze, wat mij betreft, ik ben zelden in een goed humeur. Al wekenlang niet! Wanneer je af en toe eens langs zou komen, zou je dat weten. Ik heb een baan voor de zomer. Wat voor baan? Uitgerekend als lerares! Muziekles in een vakantie-kamp. Ze danst om de keukentafel heen: *Rije, Rije, Raja*! Janda kan het natuurlijk moeilijk verkroppen. Niet omdat ze nu geen chauffeur voor hun tournee hebben, dat geeft niet, drie mensen kunnen elkaar best aflossen aan het stuur. Het zit hem dwars dat ik iets van mezelf heb. Blijkbaar mag dat niet. (Ik heb alleen ge-zegd, verheug je niet te … Ach, wat geeft het ook, hij wuifde het weg. Zij:) Het is bijna of ik mijn echte beroep weer op ga nemen! Begrijp je dat, ze ging op Abels schoot zitten en wurgde hem vrolijk, begrijp je dat, misschien zal ik binnenkort mijn echte beroep weer oppakken! Ze duwde zijn gezicht in het midden bij elkaar en drukte een vochtige klapzoen op zijn vooruitstekende lippen.

Dat was al tijdens het avondeten, ze zaten in een kring, Janda had de noedels te scherp gemaakt, hier is het bluswater: zelfge-maakte aalbessenwijn (In wiens tuin hebben we die geplukt? Vergeten) die zuur was en een astronomisch alcoholpercentage had. Zelfs Kinga moest haar keel schrapen.

Eigenlijk zou het kind, hhrrrmm, net zo goed met jullie mee kunnen rijden. Jullie hebben immers geen chauffeur. Je kunt toch rijden?

Abel schudde zijn hoofd.

Janda: Dan houdt alles op.

Kinga: Nou en. Je kunt alles leren! Hierbij verklaarde ze zich be-reid het kind te leren autorijden voordat ze weg moest.

Geen sprake van, zei Janda. We laten ons niet rijden door ie-mand zonder rijbewijs die van *jou* heeft leren autorijden.

Hij zou het rijbewijs van Kontra kunnen nemen! Kijk eens goed, jullie zouden neven kunnen zijn! En voor *hen* zien we er toch allemaal hetzelfde uit! (Ze lachte.) Voor alle zekerheid moesten ze elkaars familiegeschiedenis uit het hoofd leren.

Waarom, zei Kontra. Die kent hier toch niemand.

222

Later. Landweg, buiten, overdag, verzengende zon. Andre en Kontra. Gekker kan het niet worden, zei Andre.

Jawel, jawel, dacht Kontra.

Janda had geweigerd mee te gaan – Het is het onzinnigste dat je ooit hebt … – ze stonden alleen langs de kant van de weg en keken de bestelwagen na die door de gaten in de weg hotste. Links en rechts wervelde de wind stof van de akkers op. Andre kneep zijn ogen tot spleetjes.

Andre: Waren we vroeger ook al zo? Ik weet het niet meer. Ik speelde gitaar in het bejaardenhuis of in het jeugdhonk en soms schoten me alleen vieze liedjes te binnen. Maar dat was eigenlijk alles. En nu? We hebben duidelijk een grens overschreden en ik weet in feite niet goed waar dat mee te maken heeft.

Jawel, zei Kontra. Natuurlijk wel.

Later, Kingania.

Uitgesloten, zei Janda. Hij kan niet in een middag op een landweg hebben leren rijden.

Als ik het toch zeg!

J. wuifde alles weg. Je praat veel als de dag lang is. Maar Andre en Kontra bevestigden de woorden van Kinga. Het kind kan de bestelbus besturen. Nadat ze een paar uur kriskras tussen de akkers door hadden gereden, waren ze bijna een half uur verdwenen, in een landschap dat vlak was als een biljartlaken, een stuk laagliggend land of zoiets, en toen ze weer opdoken, kon hij het opeens. Hij reed hen terug naar het dorp, parkeerde de bus voor het café tussen een kleine blauwe auto en de motorfiets van de dorpsagent die in het café zat en toekeek, eerst hoe ze parkeerden en toen hoe ze met hun limonade (!) en ijsjes op stokjes (!) op de stoeprand zaten. Zo'n ongelijke stoeprand in een hobbelig geplaveid dorp. De bomen lieten hun met stof bedekte bladeren hangen. De zon ging onder.

Een mooi beeld, erkende Janda. Niettemin: Nee. Het zou waanzin zijn.

Kinga omhelsde hem, fluisterde in zijn oor: Hij heeft toch iemand nodig die op hem past!

Dat is me nog niet opgevallen.

Ze kuste hem op zijn stoppelwangen: Pas goed op mijn pete-kind!

Pff, zei Janda en haalde zijn schouders op.

Later zaten Janda en Abel alleen op het dak, ter weerszijden van een reuzenkaars die in bizarre vormen was gesmolten en van een of andere party was overgebleven. Twee mannen die elkaar al jarenlang aankijken zonder iets te zeggen. Nu niet. Ze keken voor zich uit naar het zogenaamde *woud*, een met wilde wijn-ranken begroeide blinde muur op de aangrenzende binnen-plaats. Vogels vochten erin om een slaapplaats.

Janda rookte. Dat hij nooit het woord tot Abel zou richten was duidelijk. Maar is het kind al eens een gesprek begonnen?

Ahum, zei Abel. Nemen jullie me mee tot buiten de stad en zet me dan ergens af. Zodat ze zich geen zorgen maakt.

Janda bleef koppig naar het woud kijken, of naar de hemel erbo-ven. De stad kun je vanuit deze gezichtshoek niet zien. Je hoort wel wat. Niet veel meer op deze tijd van de dag.

Meenemen, zei Janda, kunnen we je wel verder. Maar net zoals je wilt. Mij kan het niet schelen.

Mij ook niet.

Nu kijkt hij toch. Kleine vossenoogjes, grijns:

Nou, dan is alles toch in orde.

Lange pauze, rook.

Klopt het, vroeg Abel ten slotte, dat je iemand hebt vermoord?

Janda drukte voorzichtig zijn peuk uit op het teerdak. Drukte hem met geweld uit. Zwart teer, zwarte as. Gekners. De vogels waren nog steeds luidruchtig. Wie het had verteld laat zich niet meer reconstrueren, het was *uitgelekt* zoals dingen nu eenmaal uitlekken: Ook Janda was, wie zal het verbazen, leraar, beambte bij de jeugdorganisatie, getrouwd (Alleen om mij, Kinga, te la-ten zien dat hij ook zonder mij kan! Haha!), gescheiden, alle ge-bruikelijke dingen. En hij heeft – was dat nog voor de scheiding of al daarna? – iemand om zeep geholpen.

Nee, dat klopt niet. Alleen zijn kop ingeslagen. Hij is niet dood-gegaan.

Wat was de reden?

Een burenruzie.

(Zo was het niet helemaal, zei Kinga. Het ging om mij. Niet wat je denkt. Hij houdt koppig vol dat je hem niet jaloers kunt maken. Maar het eergevoel om een vrouw tegen een brute idioot te beschermen heeft hij wel.)

Om precies te zijn, zei Andre, ging het om de dagboeken. Negen schriften die ze in de loop van de jaren had geschreven. Wie weet, op een dag. Een roman of zoiets. De dagboeken van een muze. Ze had een kerel geprovoceerd, zo is ze nu eenmaal, hem uitgelachen, hij gooide de deur achter zich dicht, maar kwam de volgende dag terug toen ze er niet was, hij had een sleutel en verbrandde alle schriften in de keuken, de gootsteen barstte door de hitte, overal in huis as. Kinga brulde als ---)

Waarmee? vroeg Abel op het dak.

Waarmee wat?!

Waarmee hij, Janda, die man zijn hoofd had ingeslagen. Janda's smalle lippen trilden een beetje. Eromheen stonden zwarte stoppels. Sterke baardgroei. Het kind melkwit, alsof hij nog steeds een tiener was. Zo, zo, we zijn dus geïnteresseerd in de rauwe details.

Met een koekenpan, zei Janda. Die stond op het fornuis. Aan de rand kleefden restanten van een omelet, ook zat er nog wat lauwwarm vet in dat over de hand waarmee hij sloeg liep. Een gewone gietijzeren omeletpan. (Pauze, toen snel:) Hij had familie bij de politie, voor een paar tanden heb ik een prothese, wanneer het weer omslaat ontsteekt de brug rechtsboven, en ik heb ook in de gevangenis gezeten. Daarna kon ik niet meer als leraar werken en ik had daar ook geen zin meer in. Ik had zin om rond te rijden, in elk geval deze zomer, zei ik tegen de anderen, toen begonnen ze thuis elkaar neer te knallen, de rest is bekend.

De vogels waren tot rust gekomen. Janda haalde de shag uit zijn broekzak, keek ernaar en aarzelde. Moest hij nu werkelijk nog een sjekkie *met hem* roken? Hij stak het pakje weer in zijn zak. Luister, zei hij. Wij worden geen vrienden. Om het zo maar te zeggen.

Dat is oké, zei het kind. Het was al donker, zijn gezicht was nauwelijks meer te zien. Zijn stem klonk heel normaal. Wat je bij hem normaal noemt. Die merkwaardige, tweeslachtige resonantie. Janda moest lachen. Dat is dus ook *oké*?

Hij stond op, klopte zijn broekspijpen af.

Overmorgen begint het.

Dat was het gesprek met Janda. Hij verliet het dak, Abel bleef zitten. Later ging hij liggen.

Sterren.

Reiziger zijn

Reiziger zijn. Bij het moment leven. Het weer. *Zwerfjaren.* Zoals het wordt genoemd. Een zomer. Een of meer mensen onderweg. Hier de mobiele binnenruimte, daar het landschap. Er ontwikkelt zich iets. Vriend- of vijandschap. Kleine dingen. Ze kijken om zich heen en in hun eigen hart.

Wat zag Abel toen hij in zijn hart keek, waarvoor geen bewijs bestaat, toen hij terugkeek op de kwestie met Danko en de anderen? Er was niets aan hem te zien. Eerst kromde hij zich een beetje van pijn, zijn maag, zijn scheenbeen, maar dat ging voorbij, er resteerde alleen iets dofs, en toen ook dat niet meer. Voordat hij het kantoor van Carlo verliet, ruimde hij op, zoals het hoort. Wat je ook doet, denk eraan dat iemand achteraf de rotzooi moet opruimen. Carlo stond op de drempel met de bijl in zijn hand en zwaaide die wat rond, helpen of niet helpen, toen stuurde hij Ida. Ze zei geen woord, keek hem niet één keer aan, zwijgend werkten ze naast elkaar, veegden, droegen rotzooi naar buiten, glassplinters in melk en jam, zetten de meubels weer recht. De tafel had een kras, niets aan te doen. Dank je, zei Abel tot slot. Ook daarop reageerde ze niet, ze ging terug naar de winkel. Hij vertrok naar Kingania en ging daar op het dak liggen. De volgende ochtend zat hij vol dauw, zijn haar rook naar de teer van het dak en hij had een krab in zijn hals, maar toen ze twee dagen later vertrokken, was ook dat vergeten.

Ze hadden hem niet eens verteld waar ze heen gingen, het leek hem ook niet te interesseren, hij had leren autorijden, maar het waren de anderen die reden. Hij zat aan zijn kant van de achterbank, nu eens aan de zonkant, dan weer in de schaduw, en keek omhoog langs de gevels. Later veranderde het uitzicht, een ruig rivierdal, bossen, urenlang vlakke akkers, nieuwe steden. Daarbij muziek en elk uur min of meer dezelfde nieuwsberichten op de autoradio. Gesproken werd er weinig. De musici spraken niet alleen niet met Abel, ook elkaar vertelden ze niets. Soms wisselden de twee voorin op zachte toon een paar zinnen die voornamelijk functioneel waren. Waar is dat of dat, waar moeten we nu heen, daarginds rechtsaf. Tussendoor viel Abel in slaap met zijn hoofd tegen het zijraam, of hij deed alsof, want zodra ze stopten, opende hij zijn ogen. Hoe heet deze plaats en waar ligt hij?

Ook afgezien van dat rijden was hij in hoge mate overbodig. Bij de optredens hielp hij niet met dragen of opbouwen, ze hadden zijn hulp niet nodig, ze konden alles alleen af. Een blok aan het been, vijfde wiel aan de wagen, eigenlijk had hij allang kunnen uitstappen, maar op de een of andere manier deed hij dat niet. Hij is er nog steeds. Ze hoefden alleen maar te zeggen, donder op, en hij zou verdwijnen, zonder wrok beleefd afscheid nemen. Niettemin bleef hij liever. Alsof hij graag toekeek. De rituelen van het drinken, het roken, de lichaamshouding, de visvangst tijdens een tussenstop in een bos. Natuurromantiek, glanzende lichaamsdelen. Close-ups van hun handen bij het doodslaan, schoonmaken, aan de spies rijgen en braden. Voor zulke werkzaamheden is hij zonder meer onbruikbaar, zonder iets te zeggen vangen ze een vierde vis voor hem. Het lijkt of hij je zelfs bij het eten onder een vergrootglas bekijkt. Alsof hij anders niet wist hoe je een vis eet. Janda zou achterlijk zijn als hij niet had gemerkt dat vooral hij degene is die voortdurend wordt bekeken, natuurlijk, maar al jarenlang hanteert hij de strategie te doen alsof hij dat niet merkt, geen reden om die uitgerekend nu te veranderen. Kontra bekommert zich inderdaad niet om hem, niemand interesseert me daarvoor voldoende, en de goede

Andre kan, zoals bekend, met iedereen overweg. Ik ben een eenvoudige dorpsjongen, dat hoor je aan mijn dialect, afgesneden van het vaderland blijft de taal wat hij was in de kinderjaren. Het religieuze leven speelde destijds een grote rol, maar dat is niet de reden dat hij niet in staat is iemand uit te sluiten, te haten of wat er verder nog is. Hij heeft het geluk als een goed mens geboren te zijn, heeft Kinga eens gezegd, zo aangrijpend en eenvoudig is het. Maar, maar, maar, stotterde hij, dat heb ik nooit van tevoren zo bedacht. Een boerenjongen met een muzikaal talent dat te groot was om niet weg te moeten. Alles heeft zijn prijs, dat is zijn lievelingsmotto, en het is niet zo dat ik iets tegen *dit* leven heb, alleen dat … Ondanks alles zou hij meteen terug zijn gegaan, maar de anderen wisten hem ervan te overtuigen dat hij moest blijven. Deden een beroep op zijn verstand en zijn solidariteit. We hebben je nodig. Jij houdt ons overeind en bij elkaar. Niet overdrijven! (Mompelt, wordt rood.)

Tussen de optredens door waren er, al naar gelang de organisator, hotels, particuliere huizen of de bus: een met blauwe bloemetjesstof overtrokken matras uit een studentenhuis – die later Abels eigendom zou worden – die op de omgeklapte achterbank werd gelegd. (Een keer een drankpakhuis, een smerig tweepersoonsbed tussen pallets vol flessen. En? vroeg Janda. Nee, of toch? Kontra, die de inhoud van de kisten beter had bekeken, stootte hem aan met zijn elleboog. De duurste dranken. Ze namen zoveel mee als ze konden dragen. De verdeling over de tweepersoonskamers was altijd: Kontra en Janda, Abel en Andre. Daarbij was het vierde bed, de bedhelft voor *onze chauffeur,* grotendeels overbodig. Bij sommige optredens was hij aanwezig, bij andere niet. Hij vertrok bij het eerste nummer, waarheen in de plaats waar ze toevallig waren?, wat deed hij daar?, niemand vroeg ernaar. Later zou hij Omar het een en ander hebben verteld, merkwaardige ontmoetingen, maar je weet niet hoeveel daarvan waar is, en als het is verzonnen, *wie* het heeft verzonnen.

Sommige steden slapen nooit, in andere lijk je over een weiland te zwerven. Sommige bestaan uit niets dan sloppen en stegen, andere hebben na verwoestende branden of overstromingen brede straten gekregen, sommige kerken zien eruit als vestingen, andere als lustslotjes. Bijna overal is er een motorrijderscafé. In tegenstelling tot wat je misschien zou denken, heeft Abel geen enkele remming om welk etablissement dan ook te betreden. Onhandig is hij allang niet meer, alleen anders, hij valt overal op. Hij valt ook op wanneer hij niet naar binnen gaat, maar buiten blijft, gewoon op straat. Of er veel mensen op straat zijn of weinig, bijna elke nacht wordt hij door iemand aangesproken. Daartoe schijnt vrijwel iedereen, op de musici na, zich geroepen te voelen.

Eens werd hij, toen hij net een bar uit kwam, aangesproken door een oude vrouw: Daar ben je! Ach nee, zei ze. Neemt u me niet kwalijk. U bent mijn zoon helemaal niet. Bekeek hem nog een keer om er echt zeker van te zijn. Nee, u bent het niet.

Zou u … Zou u niettemin met me mee willen gaan? Ik ben verschrikkelijk bang, dit is toch geen buurt en geen tijd voor een oude vrouw, maar ik moet hem zoeken, hij is alcoholist, moet u weten, en u lijkt me een aardige jongeman.

Een hele tijd liepen ze naast elkaar voort, zij wat krom, hij met zijn handen in zijn zakken, zij trippelde, hij deed maar af en toe een stap. Zij durfde de cafés niet binnen te gaan, ze vroeg of hij in haar plaats wilde gaan of door het raam wilde loeren of hij hem zag, u bent zo mooi lang.

Maar hij weet helemaal niet hoe haar zoon eruitziet.

Nou, zoals u!

Maar hij zag niemand die er zo uitzag. Later bleek dat de zoon geen zoon, maar een minnaar was. Abel bekeek de vrouw wat beter. Ze zag eruit als zeventig.

Nu veracht u me natuurlijk.

Nee, zei hij. Zal ik die taxi voor u aanhouden?

Ze knikte en was verdwenen.

Een andere keer, in een andere plaats, stond tussen de struiken aan de rand van een park een kleine man met een aktetas in zijn hand. Ook hij was lelijk te pakken genomen.

Het begon ermee dat mijn vrouw deed alsof ze niet begreep wat ik zei. Wat ik uitkraamde was gewoon onzin, zei ze, ik moest het maar eens in de landstaal proberen, maar ik ken helemaal geen andere taal, alleen deze ene, en wat is daaraan in vredesnaam niet te begrijpen? Begrijpt u wat ik zeg? vroeg de kleine man bezorgd.

Absoluut, zei Abel.

De kleine man zuchtte.

Ik heb het op mijn werk verteld. Wat wilde ik daarmee, medeleven? In het begin knikten ze begrijpend, ja, ja, het huwelijk, maar later begonnen ze ook te doen alsof ze niet begrepen wat ik zei. Ze giechelden, ik weet, het was maar een grap, maar toen konden ze er niet meer mee ophouden. Ze deden de hele dag alsof ze me niet begrepen en ik zei geen woord meer, maar op weg naar huis, buik aan buik in de bus, brak ik opeens in tranen uit en moest uitstappen, en sindsdien zwerf ik hier rond. Wie weet, zei de kleine man en keek naar de donkere struiken, misschien is iedere zin van mij waarmee ik denk stap voor stap nader tot de waarheid te komen, niets anders dan dat: stap voor stap. --- Ik wil u nu liever niet vragen of u dat hebt begrepen. God alleen weet wat dat te betekenen heeft. Neemt u me niet kwalijk. Ik kan beter weggaan.

Hij deed twee stappen, bleef staan.

Neemt u me niet kwalijk. Zou u misschien zo vriendelijk willen zijn me naar de bushalte te brengen? Ik geloof dat ik een beetje bang ben. Ik weet dat dat raar is, tenslotte ben ik een volwassen man.

Geeft niets, zei Abel.

Enzovoort. Iemand wilde midden in de nacht een gestolen auto kopen en had een tolk nodig. (En dat geloof je? vroeg Alegria aan zijn kleinzoon. Ja, zei Omar. Waarom niet.) Als een van de laatsten kwam zijn vader hem tegemoet.

Broeder, zei de man. Broodmager, ongeschoren, stinkend. Misschien was hij wat jonger dan Andor, wie zou het zeggen, door het leven getekend, en het was donker. Soms is het ook maar een enkele rimpel die hetzelfde is, het bruggetje tussen neus en mond. Broeder, zei de man uit de goot. Waarom ga je wenend en tandenknarsend door deze donkere stegen?

Abel huilde niet, getandenknarst had hij misschien, maar eigenlijk liep hij gewoon rond.

In deze buurt?

Dat is toch niet verboden?

Hmm.

Nou, dan is het toch in orde ...

Broeder! De broodmagere hield hem vast aan zijn mouw. Sterke vingers, vuile nagels. Heb je wat kleingeld voor me?

Abel stak zijn hand in zijn zak, haalde geld te voorschijn, munten, twee verfrommelde biljetten. De man uit de goot bekeek het gebodene, pakte ten slotte met zijn vingertoppen het kleinste biljet en een paar munten. Weet je wat? Hij veegde alles van Abels hand in de zijne. Zacht over zijn handpalm. Die jongens daarginds op de hoek zouden je sowieso hebben overvallen. En als zij het niet zijn, dan iemand een hoek verder. Dan neem ik het liever. God zegene je, broeder. En weg was hij in de richting waaruit Abel was gekomen.

Op de volgende hoek stonden geen jongens. Ook later ontmoette hij niemand, afgezien van twee katten, een zwarte en een bruin gevlekte, die als twee kleine stenen leeuwtjes roerloos ter weerszijden van een garage-uitrit zaten.

Toen hij midden in de nacht in het hotel arriveerde, zaten de musici nog in de hotelbar. Hun gelach was tot bij de ingang te horen.

Die avond hadden ze een van de merkwaardigste optredens van de tournee gehad. Eigenlijk had je van het begin af aan kunnen weten dat het niets zou opleveren – afgezien van het geld natuurlijk. Geen echt concert, ze waren eerder zoiets als de muzikale rondebel bij een podiumgesprek over het onderwerp: Wat is er mis met deze streek? Steeds wanneer er deelnemers op het punt stonden elkaar in de haren te vliegen, klonk: En nu weer een stukje muziek!

U vraagt waarom wij niet meer bij te dragen hebben aan het onderwerp dan een paar anekdoten? (Janda aan de bar, houdt zijn sigaret aanstellerig vast.) Nou, bestaat geschiedenis daar niet hoofdzakelijk uit – uit bijkomstigheden tussen twee uitersten? Maar we staan erbij als een stel idioten! roept Kontra opgewonden en slaat misschien zelfs op de toog.

Precies! Zegt Andre. Het is een bevestiging van alle clichés die er toch al over ons bestaan! Waarom is niemand in staat de waarheid te zeggen? Dat is toch niet zo moeilijk!

Janda, minzaam: Wat is de waarheid dan?

Hij lacht, Kontra lacht mee, ze klinken.

Andre, met tragische ernst: En wat vindt u ervan dat de intelligentsia in dit land de situatie heeft aangewakkerd of in elk geval niets heeft gedaan om die van de scherpe kanten te ontdoen, maar vervolgens niet te beroerd is om in het buitenland geld te verdienen aan onze ellende.

Janda, met een geaffecteerde glimlach: Wat een gemier, pardon, wat een *plezier* dat eindelijk ook toneelspelers deel mogen uitmaken van de intelligentsia.

Gedempte vrolijkheid.

En nu heft Kontra zijn wijsvinger: Weer een beetje muziek. Tuluttututtutu, brmbrmbrm, tsjtsjtsj. Ze lachen, spelen luchtgitaar en trommelen op de toog. Ze houden weer op. Janda pakt zijn bijna opgebrande peuk op en knipt de as weg. Dat gaf een onverwacht luid gesis.

O, die pissers …

En? zegt Andre tegen Abel die, weer zo onzeker als we hem kennen, een beetje terzijde is blijven staan. Ook nog wat drinken?

Die nacht dronken ze zich een groter stuk in hun kraag dan ooit tevoren, vooral Janda. Ze moesten hem, dat wil zeggen: Abel, die als enige nuchter bleef, naar de kamer dragen. Zijn ogen waren open, maar of hij iets zag weet niemand. De volgende ochtend was voor het eerst niemand meer tot rijden in staat behalve het kind.

Ach, shit, zei Janda, ging op de achterbank liggen en sliep verder. Abel reed voorzichtig, hij vermeed elke onverwachte beweging.

Niettemin Janda later: Stoppen, ik moet kotsen.

Ze bleven lang staan waar ze niet mochten staan, langs de auto-snelweg, achter hen suisde het verkeer voorbij, Janda spuugde in de greppel. Aan de andere kant reed een politieauto voorbij. Abel en Kontra dachten aan het rijbewijs dat niet was overhandigd, maar gelukkig gebeurde er niets.

Valken

Later kwam het niettemin toch nog tot sensatie.

Hoewel de avond anders begon, heel veelbelovend. Een andere stad, een café in een vroegere bioscoop waarvan nog een gordijn, een podium, een galerij, tafels met lampjes en een paar affiches over waren. Alles bij elkaar een prettige sfeer en meer publiek dan ze tot nu toe op deze tournee hadden gehad. Ondanks de slechte lichamelijke toestand van de band en het feit dat er veel moedertaal te horen viel – Dat hoeft toch niet slecht te zijn – een zekere vreugdevolle verwachting. Als altijd zat Abel op een klein, luchtig eilandje aan de rand van het gedrang, alleen aan een extra tafeltje naast de opgang naar het podium.

Een tijd lang gebeurde er niets. Muziek. In het begin luisteren de mensen meestal heel aandachtig, maar geleidelijk aan beginnen ze te praten, dat is onvermijdelijk, ook de glazen maken herrie, al vraag je je af of de barkeepers dat met opzet doen, dat gerinkel. Ik ben vandaag geïrriteerd, constateerde Janda. Zijn hoofd deed pijn, zijn eigen trommelslagen, een paar keer raakte hij ook zijn concentratie kwijt. Hij zweette. Pauze? vroeg de oplettende Andre.

Janda knikte en liep naar de bar. Moet wat drinken. Hij kwam naast een soort cowboy te staan, houthakkershemd en spijkerbroek waarin de smalste heupen van de wereld staken, om zijn hals droeg hij een leren buideltje met iets erin: aarde uit het vaderland?

Hé! Stem en lichaamshouding getuigden van lichte dronkenschap, maar zijn blik was helder en priemend. Hé! zei de cowboy tegen Janda. Speel eens De valken!

Dank je, zei Janda tegen de barkeeper en ging terug naar het podium.

Later, net tijdens een zeer gewaagd ritme-experiment, opeens: Hé! Speel liever De valken!

Hij riep nooit in een pauze, alleen tijdens een lied. Eerst lalde hij alleen iets over de valken, later kwamen er andere kreten bij. Hoerenzonen, straatrovers, simulanten, verraders.

Janda tegen de anderen: Ben ik nou gek of horen jullie dat ook? Het kan zijn dat ik raaskal, ik ben vandaag niet erg in vorm.

De anderen bevestigden dat ze die vent ook hoorden.

Laat maar, zei Andre. We stoppen drie nummers eerder en houden het voor gezien.

Zij speelden verder, de stem ging verder met herrie maken. Luidkeels kreunen, demonstratief geeuwen en daar tussendoor: Schijtluizen, klootzakken, zwendelaars. Janda legde zijn saxofoon neer, liet Andre en Kontra alleen verder spelen, liep naar de organisator en vroeg hem de man, die niet meer aan de bar stond, waar is hij?, hier ergens, te verwijderen. De organisator, een man met een week gezicht en blond haar dat zijn oren tot aan zijn oorlellen bedekte, knikte, maar het was hem al aan te zien dat hij niets zou doen.

Of die gek misschien nu verwijderd kon worden, vroeg Janda twee liederen verder. Toen trilde zijn stem al.

Waar hij het eigenlijk over had, vroeg de organisator. Het is hier een café, daar is nu eenmaal lawaai.

Janda keek om zich heen. De valken, kutvanjulliemoeder! lalde de stem. Janda keerde zich in de richting waaruit de stem kwam. Steeds als hij onzeker werd, begon de stem weer te kraaien, lokte hem verder het donker in, naar boven, de galerij op. Boven resteerde nog meer van de vroegere bioscoopzaal, rijen pluchen stoelen, hier en daar paartjes. Janda struikelde in het donker, degenen die beneden zaten, inclusief de musici en Abel, keken naar boven. Ergens werd schamper gelachen. Janda keerde zich in die richting om, en toen zag hij hem eindelijk. Zijn vochtige piekhaar kleefde aan zijn bezopen paardengezicht en hij grijnsde. Janda pakte hem met zijn lange, knokige vingers in zijn kraag.

Luister eens, zeiksmoel, nog een woord van jou en ik smijt je naar beneden en dan ga ik naar beneden en stamp net zo lang op je rond totdat je in je broek schijt, verdomde etter, je zou de eerste niet zijn. Hebben we elkaar goed begrepen?

Nounounounounounou, zong Andre beneden.

Zonder te kijken wist Janda wat voor gezicht de paartjes op de achterste rijen nu trokken. Hij liet de kraag los en ging op weg naar beneden.

Smerige zigeunerdief, vuile fascist, zei de stem achter hem.

Waarop Janda zich met dezelfde snelheid weer omdraaide, de kerel uit zijn stoel rukte en hem met veel gestommel uit de rij stoelen en de smalle trap af sleurde. De zwerver verzette zich eigenlijk niet, zei ook niets meer, maar het duurde een hele tijd voordat Janda hem van de galerij naar de achterdeur had gesleept en veroorzaakte veel kabaal. Nu lette werkelijk niemand meer op de muziek, Andre en Kontra maakten min of meer pas op de plaats, maar ophouden was op dit moment ook niet mogelijk. En opeens begon de cowboy werkelijk te zingen.

Ween! lalde hij. Ween niet, treur niet, roep maar en ...

Toen Andre dat hoorde, legde hij zijn instrument neer, maar nog voor hij te hulp kon schieten, had Janda de kerel al door de achterdeur de binnenplaats op geduwd. Alle valken zullen hun leven voor je geven! Roep, roep maar ... Hier sloeg de deur dicht.

De organisator stelde zich op Janda's pad toen hij terugkeerde. Kwaad – op *hem*!

Wat hij zich in zijn hoofd haalde met dat gedoe.

Ik doe waartoe u niet in staat bent, zei Janda. Ik zorg voor orde. En ik maak muziek.

Ging terug naar Kontra, pakte de saxofoon weer op. Nounounounouhounou.

Ergens rond dit tijdstip ging Abel weg.

Altijd die sfeer van belediging en geweld. Zodra we met meer dan twee in een ruimte zijn, zei het blonde meisje, correctie: de jonge vrouw, buiten voor de deur. Abel was toevallig naast haar blijven staan. Totdat hij had besloten in welke richting hij wilde gaan: rechts of links. Ze sprak zijn moedertaal.

Waar komen jullie vandaan? vroeg ze nu direct aan hem.

Eerst leek het of hij niet zou antwoorden, toen antwoordde hij toch: de anderen komen uit B, hijzelf uit S.

Nee! Uit S.? Werkelijk? Ze hapte naar lucht: Ik kom ook uit S.

Nu keek hij haar aan.

Elsa
Intermezzo

Rond gezicht, brede mond. Een hoektand (rechts) staat scheef. Blauwe ogen, wijdopengesperd, kijkt hem hongerig aan, ken ik je? Nee, zegt ze bijna wanhopig, ik herinner me je niet.

Ze heet Elsa. Om precies te zijn komt ze uit een dorp in de buurt. Uit P. Ken je dat?

Hij knikt.

Dat is … Lieve god … Ze lacht. Toen leken haar ogen zich met tranen te vullen. Grote ogen. Ze kijkt weg, legt een hand op haar buik. Pas nu zien we dat ze zwanger is. Achter hen de herrie van het café.

Hoe heet je?

Abel.

Abel. Ik voel me een beetje beroerd. Te weinig lucht daarbinnen. Wil je me naar huis brengen? Het is te dichtbij om de bus te nemen, maar ik ben een beetje bang in het donker.

Straat, buiten, nacht, Abel en Elsa. Nu is de sfeer heel anders. Zo vol als het in die kroeg was, zo uitgestorven is het hier. Ze kunnen hun eigen stappen horen. Tot de eerste voetgangerslichten zeggen ze niets. Wachten tot het groen is.

Ik ben op de zustersschool geweest, zegt Elsa als ze verder lopen. Een gereglementeerd leven. Van school direct naar huis. We hadden koeien. Bovendien flaneren fatsoenlijke meisjes niet door de stad. (Lacht.) Elke dag tussen twee en drie stonden we bij de bushalte voor het hotel op de rondweg en wachtten op de bus die de stad uitging. Herinner je je die bushalte? Boven op het fronton van het hotel stonden twee beelden van engelen, op elke hoek eentje, een barokgevel. Op een dag verloor de ene engel, de linker of de rechter, al naar gelang vanwaar je kijkt, zijn hoofd. Een stenen engelenhoofd, of misschien was het van gips, viel zomaar midden op de middag naar beneden in de wachtende menigte bij de bushalte. Een hoofd komt aanvliegen. En als door een wonder raakt het niemand. Valt precies in het pad dat een seconde eerder is ontstaan doordat iemand zijn hond aan de lijn door de menigte heeft getrokken. Daar waar even tevoren nog een hond was: Bèng, een engelenhoofd. Scherven engelenhaar verstrooid tussen platgetrapte sigarettenpeuken en spuwsporen. Het doffe, diepe uitrollen. Weet je dat nog?

Heeft hij geknikt of van nee geschud? Misschien geen van beide. Hij kijkt de hele tijd naar beneden, naar haar voeten. Elsa heeft witte sportschoenen aan.

Ze was, vertelt ze verder, pas kort geleden door haar huwelijk hier gekomen. Dave, die zijn eigen naam uitspreekt als Doive, is cameraman. Ze hebben een film gedraaid, een docu, Elsa was erbij betrokken als talenwonder en spotgoedkope assistente. Eerst verstond ik hem niet. Zijn uitspraak. Later werd het beter, maar ik verstond het nog steeds niet. Als je hem vroeg waarom hij dat deed, zei hij: *War is fun.* Wat ben je eigenlijk? vroeg ik. Een idioot? Hij lachte: Jij hebt geen gevoel voor *Ai*. Dat moet zijn: *for me,* zei ik. Niet *for I.* Hij lachte nog harder. *Ai,* zei hij. Zoals *irony.* Je moest steeds alles omdraaien wat hij zei. Dat was niet altijd gemakkelijk. Lieve god, zei hij, jullie zijn wel een gevoelig volkje. Wat verwachtte je dan?! Soms schold ik hem regelrecht uit. Toen de opnames klaar waren, was Elsa zwanger en ze trouwden in aanwezigheid van de crew. Het feest was op een weiland, ze danste met bloemen in het haar dat tot haar middel hing, haar jurk vol grasvlekken, maar ze danste, lachte en huilde, de camera bewoog, er is een video van. En tussendoor ging ik overgeven. Een keer heeft hij ook dat opgenomen. Hoe ik de laatste draden gal van mijn lippen veeg en verder dans. Steeds weer riepen ze dat we elkaar moesten kussen. Hij deed het. Mijn naar gal smakende lippen.

Intussen was Elsa in de vijfde maand en hoefde niet meer over te geven, maar ze huilde en lachte nog afwisselend en soms tegelijkertijd, en dat de hele dag door. Ik word wakker en moet huilen. Of lachen. Het is een huilen of lachen tegelijk van geluk en van verdriet. De redenen daarvan zijn me gedeeltelijk onbekend, gedeeltelijk bekend. De instanties behandelden Elsa als ieder ander. Daarom mag je niet huilen, dat weet ik. Als man ben je een maffioso, als vrouw een hoer, zo is dat nu eenmaal. Er zitten vrouwen op dat kantoor. Ik ben in de vijfde maand en getrouwd, en ze geven me een verblijfsvergunning voor drie maanden. Dan ben ik dus in de achtste maand. Begrijp je wel. En dat zijn vrouwen.

Overigens was ik het die hem heeft gevraagd of we zouden trouwen. Dat ik elke dag huil, moet moeilijk voor hem zijn. Hoewel hij er niets over zegt. Maar als je bedenkt: Je kent iemand een halfjaar en als ze niet kotst, huilt ze. Op het ogenblik is het wat beter, hij is er nu even niet. Er deed zich een baantje voor, een nieuwe catastrofe, hij is voor een maand of langer vertrokken. Iemand moet het geld verdienen.

's Morgens ga ik de straat op. Van bussen word ik beroerd, dus ik ga lopen, kriskras, naar het park, in winkels waar ik niets koop. Op zeker moment krijg ik koude voeten, ik ga terug naar huis, neem een bad, kijk hoe het water van mijn buik loopt. De rest van de dag lig ik op de bank voor het raam en kijk uit over de stad. We wonen op de zevende verdieping. 's Morgens stijgen er dampflarden op uit de waskelders. Uit de schoorstenen rook. Dat worden wolken. Dat alles is zelfs mooi, maar toch: Kun je zo leven, van enkel rook en damp? Mag ik dat eigenlijk wel, is het gepast, het...

Ze boert.

O! Legt smalle, witte vingers op haar lippen. Neem me niet kwalijk. Ik ben zwanger, ik mag dat. Voltooit de zin: ... mooi te vinden?

Contact met *vrouwen van hier* had ze niet. Ik weet wel dat dat

niet aardig van me is. Maar ze lijken me zo ... *onnozel.* Begrijp je
wat ik bedoel? Overigens, hier woon ik.

Ze staan voor een flatgebouw.

Heb *jij* contact met andere mensen.

Met een paar.

Bij ons uit de buurt?

Nee.

Ze legt een hand op haar buik en boert opnieuw.

Neem me niet kwalijk ... Wil je mee naar boven komen?

Hij kijkt alleen maar.

Soms, zegt Elsa, mis ik zelfs de kerk. Je wordt zo conservatief.

Ik wil graag dat je bij me blijft, zegt ze. Ik kan toch niet slapen.
(Pauze.) Alleen praten.

Spijt me, zegt Abel. Maar hij moest terug naar de anderen, die
wisten niet waar hij was, misschien willen ze vannacht al verder
reizen.

Zij staat voor het huis, hij loopt met grote, haastige stappen weg,
wat voorovergebogen.

Dat was het verhaal van Elsa die ik een uur lang heb gekend.

Overhaast

Hoe laat was het op dat moment, misschien even na middernacht. Abel liep terug naar het hotel, in elk geval ongeveer. Het is
een van de minst spectaculaire steden, alles is nieuw en ziet er
hetzelfde uit, op alle hoeken dezelfde winkels, bovendien had
hij de hele tijd dat hij naast Elsa liep, naar de grond gekeken. Tot
nu toe klopt het ook: trottoir, stoffige, zwarte schoenpunten,
maar dat is nu niet van belang. Deze wandeling kunnen we sterk
bekorten, dat uur dat grosso modo verliep voordat hij aankwam bij de hoek die hij zocht. Deze keer was hij verder niemand tegengekomen.

Eerst herkende hij de straat achter het hotel niet, van hier had
hij hem nog nooit gezien, of toch, nu wel, dat is immers de tour-
neebus. Daarachter was een gekreun te horen alsof er twee de

liefde bedrijven in een allesbehalve verheffend portiek. Of alsof er twee intrappen op een derde, in het bijzonder Janda.

Afgezien van het *incident* was het concert volgens plan verlopen. Janda ging zonder te groeten al tijdens het laatste applaus weg. Andre en Kontra braken de technische installatie af en namen het honorarium in ontvangst. Dat duurde misschien drie kwartier. Toen ze in de hotelkamer terugkwamen, vonden ze Janda op het tweepersoonsbed zitten met op elkaar geklemde kaken, hij keek naar een autorace. Gedronken had hij ook, maar hij was zo woedend dat hij nuchter bleef. Het leek Andre beter niets te zeggen. Waarom wind je je zo op, alleen maar een idioot, die zijn er bij de vleet etc. Ze gingen bij hem zitten, keken naar de sport, later naar een slechte horrorfilm, krijsende vrouwen, blinkende messen. Weer later werd er geklopt. Waarschijnlijk het kind.
Kom binnen!
Komt niet binnen.
Nou, dan blijf je buiten. (Janda, mompelend.)
Ik ga wel.
Andre ging naar de deur, opende die en – volgens mij droom ik, ik sta hier niet in de deur, ik zit nog voor de kijkkast – er staat een kerel op de hotelgang met een blinkend mes in zijn hand, zegt geen woord en steekt toe.
De punt van de kling ketst af op het sleutelbeen, een onbeschrijfelijk geluid, toen viel het mes rinkelend op de grond, ondanks het tapijt op de vloer, het volgende moment was de kerel verdwenen. Alleen nog een mes op de grond en een bebloed overhemd.
Kontra's stem vanuit de kamer: Wat is er aan de hand?
Hij heeft ... Andre werd aan het zicht onttrokken door een vooruitstekend stuk muur, ze konden hem niet zien. Hij heeft ... met een mes ...
Wat?!
Andre wankelde een paar stappen terug de kamer in. Vanaf het sleutelbeen tot aan de borst was zijn overhemd opengereten, daaronder bloed.

Wilde waarschijnlijk de halsslll …

Nu moest hij gaan zitten. Gleed langs de muur naar beneden, bleef op het tapijt met zijn rug tegen de badkamerwand hurken.

Zonder een woord stapte Janda over hem heen en rende naar buiten, Kontra achter hem aan.

De nachtportier was net bezig collegeaantekeningen door te nemen toen ze langs hem heen naar de voordeur stormden: dicht. Hoe is dat mogelijk?

Opendoen! brulde Janda en bonkte op de deur. Geschrokken drukte de jongen van de receptie op een knop, de deur gleed open, beiden stortten naar buiten en --- niets.

Kontra bleef staan, maar Janda niet, rende naar de hoek, om het gebouw heen, ze kregen de cowboy te pakken toen hij op het punt stond tegen de bus te pissen.

Nu lag het geruite hemd roerloos op de grond met zijn armen zijwaarts gestrekt. Zo is het genoeg, zei Kontra en trok Janda weg. Kakkerlak! brulde Janda en wilde op de vlakke cowboyhand stampen.

Zo is het genoeg! schreeuwde Kontra. Janda verloor zijn evenwicht en hinkte rond op een been. Genoeg, zei Kontra. Deze keer alsof het direct tegen Abel was.

Janda rende langs hem heen als had hij hem niet gezien, terug naar de hoofdingang, hamerde weer tegen de glazen deur, deze keer van buiten. In de verlichte kubus van de foyer de jonge portier die paniekerig naar hem keek en alleen zijn hoofd schudde. Janda schold luidkeels en rende weer weg, terug naar waar Abel en Kontra nog steeds stonden, met aan hun voeten de roerloze cowboy.

Het kan me niet schelen wat je denkt, zei Janda tegen Abel. Ga naar binnen en haal hem naar buiten. Hij is gewond.

De portier trilde nog steeds van angst toen Abel voor de deur verscheen en zijn kamerkaartje voor het glas liet zien. Gelukkig weet hij niet dat ik bij hen hoor.

Andres verwonding was lang, maar niet diep. Hij had zijn overhemd uitgetrokken en drukte wc-papier tegen de wond. Zelfs in een situatie als deze zou hij geen witte handdoek vuil maken. Het wc-papier bleef aan het bloed kleven.

Abel ging als eerste weg met het grootste deel van de bagage, voor Andre restte de contrabas en een klein tasje. Ze namen de achteruitgang. De situatie werd even hachelijk, toen ze langs de open deur van de receptie moesten. De nachtportier sprak ratelend tegen iemand die niet te zien was.

Het opengereten, bebloede overhemd hebben ze in de badkamer vergeten. Ook het mes ligt er nog.

Tassen, muziekinstrumenten en jassen door elkaar op de achterbank, Kontra – Nee, jij (Janda) rijdt niet, ik rij! – geeft gas. Sssst, zegt Andre. De instrumenten. Het busje rijdt keihard om de rotonde, in het midden een fontein, toen ze aankwamen blies een windvlaag water op de voorruit, het gele straatstof werd uitgesmeerd, nu staat de fontein niet aan, Kontra stelt de ruitenwissers in werking, het water komt piepend te voorschijn. Alsof dat al te veel was, alsof het zo luidruchtig was dat iedereen er wakker van moest worden. Voor hen steekt een verlopen man langzaam de straat over, als ze zo verder razen zullen ze hem raken. Raken hem niet, Kontra is een goede chauffeur, flitst vlak langs de rug van de man-in-de-goot die woedend blijft staan, iets wil zeggen, niet kan zeggen, het bijna in zijn broek doet, erop gespitst is dat te verhinderen, staat midden op straat en de auto is allang weg.

Als ze bijna de stad uit zijn, Abel:

Kun je misschien even stoppen?

Kontra twijfelt of hij het goed heeft gehoord, kijkt in de achteruitkijkspiegel en rijdt door. Andre ziet dat het kind naast hem zweet en trilt.

Kun je misschien ...

Janda, op de stoel naast de chauffeur: Doorrijden!

Andre zou ook iets willen zeggen, maar zodra hij zijn mond opendoet, sijpelt er bloed door zijn T-shirt. Het shirt is grijs, de bloedvlek die zich op zijn linkerschouder uitbreidt reebruin.

Later: geen stad meer, alleen akkers, geen maan, misschien wolken, je ziet niets behalve een stuk verlicht asfalt voor de auto. Nu kun je stoppen.

Kontra rijdt van de autoweg af, slaat een landweg in, stopt en dooft de lichten. Nu is het volkomen donker. Ze zitten. Vier mensen ademen.

Shit, zegt Kontra.

Andre: Wat ... Wat hebben jullie ...

Gefrunnik aan de andere kant van de auto waar het kind zit, dan gaat het portier open, geknars: Hij heeft zijn voet naar buiten gestoken. Een golf geparfumeerd zweet slaat Andre tegemoet. Dan gaat de klep van de achterbak open, hij haalt er iets uit.

Andre: Wat doe je?

De klep slaat weer dicht.

Andre: Doe het licht eens aan.

Kontra doet het binnenlicht aan. Het verlichte interieur van een auto in bijna volkomen duisternis. Hoe kan het toch zo donker zijn? Je hoort het bewegen van de bladeren van de planten op de akker. Kool. Abel is niet te zien.

Andre gaat de auto uit, roept hem. Abel?!

Geen antwoord.

Janda tegen Andre: Stap in!

Andre: Wat hebben jullie gedaan?

Stap nou eindelijk in!

Wat doet hij daar?

Hij is uitgestapt, zegt Janda, hebben we eindelijk rust.

Als je ons verraadt, mietje, ben je er geweest, had hij een paar minuten eerder gedacht. En het leek of hij *hoorde* hoe het kind *terug*dacht: Geen paniek. Janda keek in de achteruitkijkspiegel, maar zag hem niet, hij had zich net voorovergebogen.

Laten we gaan rijden, zegt Janda nu.

Kontra kijkt alleen maar.

Janda doet de binnenverlichting uit.

Nu stapt ook Kontra uit en gaat naar Andre. Hem helpen naar het veld te kijken. Niets te zien. Andre, die bloedt uit zijn schouder, zwalkt rond tussen de koolstruiken.

Abel?

Het is moeilijk je evenwicht te bewaren wanneer je één hand tegen een bloedende wond aan je schouder moet drukken, Andre struikelt, zijn enkel knakt, Au!, hij valt op zijn knieën in een koolstruik. Gelukkig is Kontra er, hij trekt hem omhoog en ondersteunt hem. Hij bloedt op Kontra's arm. Janda is in de auto op Kontra's plaats geschoven, start de motor, schakelt het licht in. We zien: Andre, Kontra en wat kool. Abel niet.

Hij is weg.

Shit, zegt Andre. Hij huilt bijna. Wat heb je gedaan?

Hij kan nauwelijks op zijn benen blijven staan. Niet zijn enkel – plotseling voelt hij zich ontzettend beroerd.

Kom, zegt Kontra, we zoeken de EHBO-kist.

De kist is zo goed als leeg, dat weet Andre, een paar pleisters, maar niettemin gaat hij mee. Kontra loodst hem naar de achterbank. Hé! Kontra heeft nauwelijks de tijd om ook in te stappen, Janda rijdt al. Andre grient. Je bent gek. Stapelgek.

Toen het later wat lichter werd, stopten ze en verbonden eindelijk Andres wond. Daarna werd het langzaam aan tijd voor een sigaret. Kontra zocht zijn jasje in de achterbak en:

O, kut …

Janda: wat is er?

Kontra bietste een sigaret voordat hij antwoordde: Overigens heeft die jongen mijn jasje meegenomen. Mijn tabak zat erin. O ja, en ook mijn papieren.

Hij bekeek Abels achtergebleven pas. O, zei hij, *ik* ben op een schrikkeldag geboren.

Gefeliciteerd, zei Janda.

Ik haat de man die me heeft neergestoken niet, dacht Andre. *Jou* haat ik. Ik wil naar huis, jammerde hij op de achterbank.

Oké, zei Kontra. Ik ben al op weg.

Wat Abel betreft: het jasje zat hem als gegoten, hij merkte de verwisseling dan ook pas na zonsopgang, toen hij een warm drankje bij een eenzaam tankstation wilde betalen. Hij vroeg om de sleutel van het toilet en hield voor de spiegel het open paspoort naast zijn gezicht. Het verschil tussen de 4 x 4 foto en zijn levensgrote gezicht was draaglijk. We zouden neven kunnen zijn. Dan zou mijn burgerlijke naam nu dus Attila V. zijn. Ik wist helemaal niet dat hij een landgenoot van mijn vader … Maakt ook niet uit.

Kontra was de enige die een goed visum had, en het was nog jaren geldig. Nu kan ik overal heen.

VI. HET ONMOGELIJKE

Huwelijk

Straattafereel. Mercedes

Soms ballen de dingen zich samen, als etter. De altijd wat merkwaardige, zogenaamd alledaagse en ogenschijnlijk langzame
processen waardoor wij nader komen tot, laten we zeggen: het-
leven-tot-we-sterven, raken plotseling in een stroomversnelling
en volledig van slag. Dat kun je niet uitleggen, zei een jarenlange
geliefde tegen een werkeloze schoorsteenveger, of hij heeft het
gewoon niet begrepen. Dat liefde komt en gaat. Het leek of hij
helemaal niet wilde dat de liefde voortduurde, hij wilde alleen
een verklaring die verder ging dan 'omdat jij of ik zo of zo
bent/ben, omdat er dit of dat is gebeurd'. Want er is niets gebeurd, en ieder is zoals hij is, daarom gaat het niet. Dat kun je
niet uitleggen, zei de geliefde. Kort daarna trouwde ze met iemand die ze pas een paar weken kende, en de schoorsteenveger
stak vier dakkapellen en een kiosk in de fik. Mercedes stond op
straat, dakpannen regenden op haar neer.

Dat in Mercedes' leven tot dat moment alles *volgens plan*, zoals
dat heet, was verlopen, kun je ook niet zeggen. Haar kinderjaren
waren mooi, haar ouders waren hippies die het er op staatskos-
ten van namen op een Caribische camping, de hele luierfase
lang. Haar blote onderlijf als voornaamste motief in dit beeld.
Twintig jaar later werd ze verliefd. Hij heette Amir. Hij was zo
mooi en zo zwart dat ze in de schemering of wanneer het heel
licht of heel donker was, zijn gezicht en de rest van zijn lichaam
nauwelijks kon onderscheiden. Een volmaakte man van ebben-
hout, een nobele, geheimzinnige prins, hij kwam graag laat in
de nacht en kroop in het donker op haar. Ze waren vijf jaar samen en in de loop van die jaren werd hij alleen maar mooier,

nobeler en geheimzinniger. In het eerste jaar praatte hij vijf keer zoveel als in het tweede. Ze hoorde over verkeerd om geplante bomen waarvan het hout van water is, en als je 's nachts naar het stuwmeer rijdt en denkt te zien dat de boom in lichterlaaie staat, zal hij de volgende ochtend volkomen onbeschadigd blijken. Dat is zwarte magie. Tegen het einde zei hij zo goed als niets meer. In elk geval niet tegen haar, tegen anderen praatte hij wel degelijk. Hij kon goed praten, hij was slim en aantrekkelijk, hij werd tot woordvoerder van de groep gekozen. In de groep waren er een paar van wie je je de naam niet eens meer herinnert, en ook niet hoe het kwam dat zij plotseling de hele discussie beheersten. Plotseling beheersten ze de hele discussie. Hij was de woordvoerder, dus hij discussieerde tot diep in de nacht met hen, dan kwam hij bij haar en wekte haar met zijn gewicht. Hoe hij zich dat voorstelde met die blanke vrouw, vroegen die van de groep. Hij zei: Dat gaat jullie geen bal aan. Zij zeiden: Voor haar ben je niet meer dan een huisdier. Hij vroeg haar tijdens het vrijen niets te zeggen en ook niet te kreunen. Ze is je niet waard, zeiden die van de groep. Dat weet je net zo goed als wij. Hij zei: Slangen. Ze bewogen obsceen hun tong. Hij zei, ik wil je zogenaamde tolerante ouders niet meer zien. Ze behandelen me als een sprekende aap. Uiteindelijk zei hij geen woord, hij kwam gewoon niet meer. Zij werd bleek van slapeloosheid. Ze klom over het hek van het opvangcentrum en schaafde de binnenkant van haar dijen open. Elke stoot als schuurpapier, maar ze maakte er geen woord aan vuil en kreunde evenmin tijdens het vrijen. Drie weken later verdween hij, zonder iets te weten, zij droeg het kind drie weken te lang. Toen het geboren werd, had het één klein blauw en één groot zwart oog. Ze noemde het naar zijn vader: Omar. Ik heet Omar, dat betekent oplossing, uitweg, middel.

Later begon ze aan een proefschrift. Haar professor was een vergeelde grijsaard, een gezicht als een druipsteengrot, zijn huid hing in pegels van zijn ogen. Hij was even lelijk als hij intelligent was, en ook zo ijdel. Nadat zijn tweede vrouw was gestorven, stil en discreet zoals haar gewoonte was, trok Mercedes bij hem in omdat ze op die manier gemakkelijker alles voor hem kon doen. Toen Tibor vlak voor zijn vijfenzestigste verjaardag hoorde dat hij de lieve Anna binnenkort zou volgen, zei hij tegen zijn jonge levensgezellin: Ik wil de komende weken niet worden gestoord. Ik ga binnenkort dood, maar daarvoor wil ik het boek nog voltooien. Ze knikte. Haar ogen zagen er steeds uit of ze had gehuild. Ik zette zijn eten voor de deur als voor een ... Hij had alleen nog tijd voor een laatste hoofdstuk. De uitgever zei dat het heel mooi was, maar dat het niets met de rest van het boek te maken had, niets met de geschiedenis van de retoriek, het had te maken met de dood, met angst en woede, en was in die zin heel aangrijpend en bevreemdend, bijvoorbeeld die laatste zin hier, hoe hij er in vredesnaam op gekomen is: God zou een met speeksel bedropen stuk hondenspeelgoed zijn ... Diagnose in mei, in augustus was hij dood. Natuurlijk, zegt een gewoonlijk goed geïnformeerde vriendin van de jonge weduwe, had hij geen poot uitgestoken om haar ook maar een rol wc-papier na te laten, zelfs voor haar eigen meubels moest ze nog vechten. Gelukkig had ze het manuscript en de dagboeken buitenshuis ondergebracht voordat de kinderen uit zijn eerste huwelijk arriveerden. In zijn dagboeken houdt T.B. zich in feite met dezelfde vragen bezig als in zijn boeken en manuscripten. Soms noteert hij wat voor weer het op een dag is, een wonderlijke observatie, de belangrijkste zakelijke telefoontjes. U.E. heeft gebeld. Over zijn levensgezellin of haar zoon schrijft hij vijf jaar lang geen woord. Maar afgezien daarvan, beweert Mercedes, heeft ze geen reden tot klagen. Hoewel er steeds weer reden voor verbazing en droefenis is, was en ben ik ook nu alles bij elkaar genomen: gelukkig. Omar is er bijvoorbeeld, en mijn aanstelling bij een particuliere school, ik ben graag lerares, bovendien betaal je minder schoolgeld voor je eigen kinderen als je daar werkt.

Op de dag waarom het hier gaat, die *beslissende maandag*, had ze de ergste hel, de zomer, achter de rug. Ze waren naar een ander huis verhuisd, het schooljaar was begonnen, en nu was ze, twee tussenuren, met een bos bloemen in de hand en een boek onder haar arm op weg om een zieke te bezoeken. Een sympathieke oudere collega was *van het ene moment op het andere* in een min of meer religieuze ruzie verzeild geraakt met de directeur van de confessionele school – confessioneel, maar verder heel goed! (Mercedes) – over het onderwerp Darwin versus de creationisten. Wekenlang ging het heen en weer, en het eind van het liedje was dat de collega – hij heet Adam Gdansky – in een psychiatrische inrichting belandde. Mercedes was van mening dat ze hem zo vlak voor zijn pensioen niet als een oude zwetser aan de kaak hadden mogen stellen, aan de andere kant hoefde dat niet de enige reden voor zijn zenuwinstorting te zijn – wat weet je nou eigenlijk van andere mensen?

Wat speelde zich bijvoorbeeld af in het hoofd van de taxichauffeur, zijn naam staat op een schildje op het dashboard te lezen, misschien heeft hij een beroerd weekend gehad – eerst zei ze dat hij de jongen beide dagen mocht hebben, toen opeens alleen de zondagochtend enzovoort, uiteindelijk stond hij onder haar raam, maar brulde niet naar boven, haar nieuwe vriend is politieagent – en niettemin begon hij maandagmorgen vroeg gewoon aan zijn dienst. Zijn eerste ritje voerde naar de stationsbuurt. Hij nam een straat die hij altijd nam, dezelfde waar deze ochtend kort tevoren een gebouw in vlammen was opgegaan. De geschroeide dakpannen floten door de lucht, vielen kapot op het trottoir en ketsten op de rijbaan, maar de taxi reed er eenvoudig met grote snelheid op af, zoals getuigen later meldden, om pas op het allerlaatste moment te remmen, alsof de chauffeur – Tom, zijn voornaam is Tom – toen pas merkte wat er voor hem op de weg gebeurde. De achterwielen slipten en de auto botste op een politieauto die toevallig van de andere kant naderde. Taxichauffeur Tom, wiens derde ongeluk in korte tijd dit was, schakelde in zijn achteruit en probeerde te keren, maar reed daarbij over het trottoir, en weer met te veel vaart, zodat hij ondanks het feit dat hij meteen weer boven op de rem stond --- Ik heb schoon genoeg van alles! Ik heb er genoeg van, horen jullie! Ik heb mijn buik vol! Zonder de motor af te zetten sprong hij uit de auto, verwaardigde de agenten die op hem afkwamen geen blik, hij schreeuwde tegen de groep toeschouwers: Ik heb er genoeg van! Horen jullie wel?! Ik heb er genoeg van! Tussen hem en de toeschouwers, gezeten op het trottoir terwijl om haar heen nog steeds dakpannen insloegen: Abel Nema's toekomstige vrouw.

In haar ene hand de bos bloemen, met haar andere grijpt ze in de lucht om zich aan iets vast te houden, er is niets, niettemin slaagt ze erin haar val op de een of andere manier te breken, het boek, een vrij groot fotoboek, belandt onder haar. Zit op het boek, *oog in oog* met de bumper, *keurig* lijkt het wel, met rechte rug, haar gebroken enkel ligt onder de auto en is niet te zien. Droom ik of ben ik net door een taxi aangereden? Met haar hand die niets vasthoudt, graait ze nog steeds in de lucht, en plotseling is daar iets, een andere hand waaraan ze zich vasthoudt, haar laatste houvast voordat ze het bewustzijn verliest. De ooievaar heeft haar in haar enkel gepikt, nee, een auto heeft haar enkel versplinterd, zoiets kan heel pijnlijk zijn, maar eerst voel je het vaak niet eens, dat komt door de shock, de ontzetting. Je denkt dat ze de bom hebben gegooid, vertelde ze later, op de een of andere manier past alles in elkaar: vlammen, waterfonteinen, barstende ruiten, blauwe alarmlichten, geschreeuw – de chauffeur schreeuwde nog steeds, rukte de haren uit zijn hoofd, draaide in het rond, de agenten kwamen met uitgebreide armen op hem af alsof ze een kip wilden vangen – alles was alsof er een enorme catastrofe gaande was. Daarnet ging ik nog met een bos bloemen op ziekenbezoek, en plotseling stort de wereld in en zit je tussen de puinhopen op een eilandje tussen toeschouwers en wordt gefotografeerd.

Het flitslicht van een klein automatisch cameraatje van een voorbijganger trof haar precies in haar ogen. Ze kwam bij, zag wat er aan de hand was, zag hoe ze half onder een ronkende machine zat die een stinkende, warme walm tegen haar aan blies. Met haar linkerhand hield ze zich stevig aan iemand vast. Ze keek.

Ach, u bent het, zei ze, en toen niets meer.

Abel

De laatste keer dat ze elkaar zagen was drie of vier maanden geleden. Op een zondag. Zij, vrienden en familie namen deel aan een demonstratie voor meer verdraagzaamheid, Omar geestdriftig en Mercedes alsof ze er met haar gedachten niet bij was. Sinds vier weken stond de diagnose vast en hoe ze zich ook inspande, ze kon bijna aan niets anders denken. Tibor gaat dood, Tibor gaat dood, Tibor gaat ...

Van zijn kant had Abel juist een vrij lange renpartij achter de rug. Hij was achter een zekere Danko, of de laptop onder diens arm, aan gerend totdat hij verward raakte in een roedel honden en op de grond viel. Toen hij later op weg naar huis was, kwam hij opeens terecht tussen al die mensen met hun spandoeken, begreep aanvankelijk niet wat het was, alleen dat ze hem beletten vooruit te komen, toen plotseling:

Abel! riep Omar. Ben je ook hier?! Abel is hier!

Inderdaad, zei Mercedes. (Tibor gaat dood.) Goedemiddag.

Omar had een blauwe luchtballon in zijn hand, Abel zei dat hij helaas niet langer kon blijven, hij moest ... zei: naar het station.

Maar dat is toch die kant op!

Inderdaad, zei Abel opgewekt, was ik toch bijna verdwaald!

Hoe kan dat nou? vroeg Omar achteraf aan zijn moeder. Ik zal het hem bij de volgende les vragen.

Die kwam er niet meer van.

Mijn leraar Russisch is verdwenen, zei Omar een paar dagen later. Die twaalf vragen aan hem heb ik voor niets voorbereid. Waar is hij? Dat is niets voor hem!

Mercedes (Tibor gaat dood, Tibor gaat ...) belde het nummer dat Abel haar had gegeven. Een slagerij. Neem me niet kwalijk. Het spijt me, schat, (Tibor gaat ...) ik weet het ook niet.

We weten het niet, zeiden ook de musici toen ze na de afgebroken tournee terugkeerden in Kingania. Ze waren er veel te vroeg en een beetje geschrokken, want toen ze binnenkwamen, was *zij* er al.

Ze huilde. Het vakantiekamp was *een absolute vernedering* geweest, uiteindelijk was ze, via een omweg langs de keuken waar ze zich vrolijk maakte over de onderontwikkelde kruidkunst – Dit is een kamp voor *kinderen*, madame! Ze noemde me: madame! – in de schoonmaakploeg beland, maar daar voelde ze geen bal voor, ze verdween, letterlijk midden in de nacht, zes kilometer te voet naar het dichtstbijzijnde station, tandenknarsend liep ik onder de sterren. Ze had niet eens haar geld laten uitbetalen. En nu dit.

Wat is er gebeurd? Waarom zijn jullie nu al terug? Waar is het kind? Wat is dat voor wond op je schouder? Wat hebben jullie gedaan? Heeft hij dat gedaan? Waarom? Wat hebben jullie met hem …?

We hebben niets met hem gedaan, zei Kontra. Hij is gewoon uitgestapt.

Ik weet, zei Kinga tegen Janda, die opvallend stil was, ik weet dat jij er iets mee te maken hebt. Jij bent het.

Steeds begon ze daar weer mee. Jij bent het, ik weet het, jij, jij, jij! Maar deze keer liet hij zich niet uit zijn tent lokken. Hij had het beloofd.

Wees toch verstandig, zei Kontra tegen Andre, die eerst jammerde en later hysterisch werd. Je kunt nu niet zo ver rijden in je eentje. Wacht in elk geval totdat de wond is genezen.

Nog iets, zei Andre en trilde over zijn hele lichaam, nog een enkel luidruchtig woord tegen wie dan ook, en ik ben weg, zeg dat maar tegen hem!

Oké, zei Kontra, ik zal het tegen hem zeggen.

Het ene had niets met het andere te maken, loog Kontra nu tegen Kinga, plotseling woordvoerder geworden. Het ene was een of andere gek na een concert. En het kind is gewoon zonder meer uitgestapt. Hij komt wel weer opdagen. Tenslotte heeft hij mijn paspoort nog.

Tss! ontsnapte aan Janda's lippen. Toen deed hij, en de anderen ook, alsof hij alleen maar had moeten niezen.

Laat zien! Kinga pakte Abels paspoort van Kontra af, bekeek de foto erin en brak opnieuw in tranen uit. Liep vastberaden naar de deur met de pas in haar hand.

Wat ben je van plan?

Boing, deur dicht. Even later kwam ze terug, met een kopie van de pasfoto, een kopie voor *teksten*, vlak en zwart-wit, en hing die in de keuken op.

Zodat jullie hem niet vergeten!

Janda zei nog steeds niets, maar hij liep erheen en scheurde zonder enige opwinding met één hand het vel papier van de muur, verfrommelde het en gooide het in de vuilnisbak. Kinga wachtte tot hij de keuken uit was en haalde het papier weer uit de vuilnisbak. Er kleefde koffiedrab aan. Ze maakte het blad schoon, maar de vlekken lieten zich niet helemaal verwijderen. Met vlekken en al hing ze het weer op. Later ging ze het huis uit, en toen ze terugkwam was het blad papier verdwenen, de vuilnisbak was leeg en er was niemand aanwezig met wie ze ruzie had kunnen maken. Daarbij bleef het.

Desnoods konden ze hem via het Rode Kruis laten zoeken, zei Andre later.

Wie wil je zoeken? vroeg Kontra en wuifde het idee weg. Een volwassen man zwerft rond waar, wanneer en zolang als hij wil.

Kinga had gedronken, lag in elkaar gerold op een matras en snotterde soms zacht. *Madame...*

Later – het was al herfst – herstelden ze zich enigszins. Kinga had het madame verwerkt, en ook de musici praatten weer met elkaar nadat in de nieuwsberichten, die ze in het geheim beluisterden, nergens sprake was van een lijk. Misschien had hij maar gedaan alsof hij dood was of was hij alleen bewusteloos geweest, tenslotte had niemand het onderzocht. Kinga wist dat ze iets verzwegen, maar eerst had ze genoeg met zichzelf te stellen en daarna, toen alles weer geheeld was, wilde ze niet...

Op een ochtend in het najaar kwam ze net uit de 'badkamer', haar gewassen onderlichaam in een vettig glimmende spijkerbroek die langs de broekzakken groenig glansde, van haar vingers kwam nog warme damp, toen hij opeens in de deuropening stond.

Dag.

Ze juichte, ze kon weer juichen: Daar ben je weer! Hij is er weer! Ze vloog hem om de hals, hij wankelde, ze nam zijn gezicht tussen haar handen: Waar ben je geweest? Wat zie je eruit!

Moeilijk te zeggen. Zoals altijd. Een beetje gerafeld. Veel op pad geweest de laatste tijd.

Waar op pad?

Ik kan me niet herinneren dat hij iets zinnigs heeft gezegd. Gewoon op pad.

Helaas moest hij ook meteen weer weg, zei hij. Hij was alleen gekomen om de rest van zijn spullen op te halen.

Hij was sinds de vorige avond in de stad en opnieuw had weer iemand hem nog voor het ochtendgloren ander onderdak aangeboden. De volgende tien vragen – Maar wie, waar, hoe, waarom? – bleven in Kinga's keel steken. Ze keek alleen toe hoe hij Kontra het jasje met inhoud teruggaf. Hij had een beetje van het geld uitgegeven, niet veel. Je krijgt het terug.

Dank je, zei Kontra en gaf hem zijn spullen.

Dank je, zei Abel en pakte de twee zwarte reistassen aan. Hij kuste Kinga op haar wang. Tegen de musici knikte hij.

Zwijgend knikten ze terug.

Net als de eerste keer was hij met de trein gekomen, alleen was het deze keer avond en kwam hij uit een andere richting. Aan de overkant van het perron glansde de Bastille in de ondergaande zon. Hij ging naar Kingania, maar daar was niemand. Hij reed terug naar het station, deponeerde zijn bagage in een kluisje en ging de stad in.

In Het gekkenhuis draaide een korte, gezette onbekende zijn glittertanga voor zijn gezicht rond, hij keek langs hem heen, misschien omhoog naar de schommel waar een engelwit geklede drag queen boven de hoofden van de dansers heen en weer zwaaide. De muziek was oorverdovend, maar verder was het stil. Niemand zei meer dan absoluut noodzakelijk was. Af en toe hield hij zijn lege glas op, de cafébaas schonk bij.

Later was het ochtend en iedereen was verdwenen, alleen Abel zat nog in de hoek waar hij helemaal aan het begin was gaan zitten, tot zijn hals toe dichtgeknoopt. De stalen deur naar de binnenplaats stond open, een vierhoek lichte zonneschijn, lucht, hier binnen de geur van geparfumeerd vuil. Niemand zei dat hij weg moest gaan, er werd zwijgend opgeruimd. Thanos haalde glazen op en naderde langzaam zijn nis. Toen hij de glazen van de tafel haalde, keek hij hem aan, maar zei nog steeds niets. Op de gecapitonneerde bank naast Abel stond, in wankel evenwicht, een halfvol glas met een bruine vloeistof dat Thanos niet had gezien. Hij reikte het hem aan.

Dank je, zei Thanos. Wat is er met jou aan de hand? Heb je geen huis?

Inderdaad, zei Abel.

Zozo, zei Thanos en bracht de glazen weg.

Kwam terug en bood hem een sigaret aan.

Abel schudde zijn hoofd.

Je maakt je toch geen zorgen over je gezondheid? Je hebt zeker zes hemel-en-hel achterovergeslagen, misschien wel zeven. Eigenlijk zou je dood moeten zijn.

Ik kan niet dronken worden.

Hoe komt dat?

Schouderophalen. Het smaakt als water en heeft ongeveer dezelfde uitwerking.

Je bent mooi, zei de cafébaas.

Wat moet je daarop zeggen?

Misschien al een beetje te oud.

Pauze.

Bovendien kijk je liever, niet?

- — -

Na jaren (hoeveel?) vroeg Thanos aan zijn stamgast: Waar kom je vandaan?

Daarop gaf hij eindelijk antwoord.

Begrijp ik, zei Thanos.

Ergens in een ruimte erachter werd een stofzuiger aangezet.

Dus je zoekt een huis, zei Thanos en verhuurde hem een illegale zolderverdieping voor belachelijk weinig geld.

Abel bedankte hem en stak de sleutel in zijn zak. Hij nam een taxi om van Kingania terug te gaan naar de stationsbuurt.

Omar

Ach, u bent het, zei Mercedes.

Daarna kon ze een poos niet meer praten. Er kwamen anderen bij die hielpen haar onder de taxi uit te trekken, de bloemen slierten wit en groen over het trottoir. En nu deed het ook pijn, ze hield zich krampachtig vast aan zijn hand, zweetdruppeltjes parelden langs haar haargrens.

Later had ze een naald in de rug van haar hand en werd het beter. Ze herkende een ziekenhuiskamer en vroeg naar haar spullen. Hij had haar spullen. Tas, telefoon, zelfs het boek en de verfomfaaide bos bloemen lagen op een stoel. De geknakte bloemen herinnerden haar aan haar enkel, ze wilde er niet naar kijken, maar ook niet zeggen dat hij of iemand anders de bos eindelijk moest weggooien.

Wilt u iets voor me doen?

Haar de telefoon geven. Voordat ze werd gehaald voor haar gecompliceerde enkeloperatie, pleegde ze een paar telefoontjes.

Zes dagen per week hoort Omars grootvader tussen negen en drie de telefoon niet, omdat die gedurende die tijd, zijn *werk*tijd, in zijn *werk*kamer is uitgeschakeld, maar meestal speelt dat geen rol, want de grootmoeder van het kind is thuis, of als ze niet thuis is, staat haar antwoordapparaat aan. Om nooit opgehelderde redenen klonk die dag alleen een herhaald 'Geen aansluiting onder dit nummer' uit de lijn. Bij Tatjana functioneerde alles goed, maar zij was de stad uit, een reportage ergens, ongeduldige stem: Wat is er, ik zit ergens middenin. Niet zo belangrijk, zei Mercedes. Erik, of eerder nog Maya, zou misschien een andere mogelijkheid zijn geweest, maar om evenmin opgehelderde redenen besloot Mercedes de haar vrijwel onbekende vroegere leraar Russisch van haar zoon die – dit terzijde – zon-

der een woord maandenlang was verdwenen voordat hij in ro-
maneske omstandigheden weer opdook als passagier in de taxi
die haar zonder duidelijke aanleiding aanreed bij een om nog
onbekende redenen uitgebroken brand, om nog een gunst te
vragen. Of hij haar zoon van school wilde halen.

Hij was niet verbaasd en aarzelde niet. Hij zei ja.

En probeert u alstublieft mijn moeder te bereiken.

En ze verzonk in een diepe slaap.

Omar wachtte al voor de school, op de derde traptrede, zo waren ze even groot, ogen op ooghoogte. Die van de jongen knipperden koud.

(En? Heb je het gevonden? had Omar gevraagd.

Wat? vroeg Abel terug.

Het station.

Po-roesski, pozjaloejsta.

Vokzal.

In een hele zin graag.

Ti...

Nasjol. Nachoditj, najti.

... nasjol vokzal?

Da.

Wil je op reis?

Abel had de zin in het Russisch opgeschreven en voorgezegd,
Omar had hem herhaald.

Wil je op reis?

Njet, ja ne chotsjoe oejechatj.

Nee, ik wil niet op reis.

Wilde je iemand afhalen?

Wilde je iemand afhalen?

Nee.

Wat wilde je daar dan?

Wat wilde je daar dan?

Ik woon daar in de buurt.

Ik woon daar in de buurt.

Hoezo wist je dan niet waar je heen moest?
Hoezo wist je dan niet waar je heen moest?
Ik was verdwaald
Ik was verdwaald.
In het park?
Nee, al eerder
Nee, al eerder.
Dat begrijp ik niet, had Omar gezegd. Ja nje panjimajoe.)

Nu: Hallo, zei de volwassene verlegen. Ik moet je ophalen.
Weet ik, zei het kind met het charisma van zijn onbekende vader
en de rustige stem van zijn gewonde moeder. Hij hing zijn
schooltas over zijn schouders. Ik wil niet naar het ziekenhuis, ik
wil naar huis. Ik heb honger. Dank je, ik kan die rugzak zelf wel
dragen. Waarom die taxi? Het is maar twee haltes met de bus.
Wat is er aan de hand? Ben je nog nooit met de bus gegaan?
Nee, zei Abel. Ja nikogda ne jechal na avtoboese.
De jongen keek hem aan. Eén: Russisch spreken betekent aan-
knopen bij iets dat is geweest, in de hoop dat het er nog is. Met
andere woorden: een duidelijke poging in het gevlij te komen.
Twee: Nu moest het kind toch fijntjes lachen, zijn hoofd schudden: Hoe kan iemand zo'n ... zijn. Afgezien daarvan bleef hij
streng.
Daar is hij, zei Omar tegen de bus en stapte in. Er restte Abel
niets anders dan hem te volgen. Omar liep door het middenpad.
Direct werd het te nauw, lichamen als haringen in een ton. Abel
concentreerde zich op de kruin van de jongen, maar niettemin
begon op zeker moment zijn hand te glijden. Net toen hij zich
niet meer aan de stang vast kon houden, zei Omar: Hier! Ze
stapten uit, liepen door het park. In de voetbalkooien werd gespeeld. Omar zag vanuit zijn ooghoek dat de man naast hem nat
van het zweet was. Terwijl het vandaag voor het eerst koud is.
Wat is er met je aan de hand? Hij vroeg het niet. Maar als het zo
doorgaat, zal ik hem sneller vergeven dan ...

Ze woonden niet meer waar ze vroeger woonden, ze hadden nu

een eigen huis in zo'n leuke straat met bomen in de buurt van het park. Aan de gevel van het huis een katrol: *voor de piano.* Binnen herkende Abel, in een nieuwe samenstelling, een paar voorwerpen die hem tijdens een vroegere rondleiding waren uitgelegd. Het Afrikaanse beeldje op de boerse ladekast. Het kind ging naar de keuken, Abel probeerde de personen in kwestie te bereiken.

Ik weet wie u bent, onderbrak Miriam zijn gestotter aan de telefoon. Alweer een rechtlijnige stem. Wat doet hij nu?

Hij haalt een pan uit de keukenkast. Hij wil noedels met maïs koken.

Goed, eet u dan maar met hem. Ik ga naar het ziekenhuis.

Opgehangen.

Dit geheel heeft iets onverklaarbaar prettigs. Ah, u bent het, nee, we gaan niet eerst naar het ziekenhuis, we nemen geen taxi, ik weet wie u bent, eet u met hem, help je me?

De jongen met een blikje maïs en een blikopener in zijn hand. Abel opende het eerste blik maïs van zijn leven. Boterzacht metaal. Iets onverklaarbaar prettigs.

Later kwam de keukenklok in Abels blikveld, en de rugzak en de reistas die hij in de achterbak van de taxi had achtergelaten schoten hem te binnen. Met alles erin: zwarte kleren, de puinhoop van een boek met de plaatjes van naakte jongens dat hij de hele tijd had meegesleept omdat hij wist dat Kinga zijn spullen zou doorzoeken, en het bijna verlopen paspoort van een verdwenen federatie. Daar zou hij ook iets aan moeten doen, aan de andere kant kon je het net zo goed laten, die spullen zijn foetsie, definitief foetsie. Geen reden om haast te maken, hij kon net zo goed hier blijven en de aanwijzingen volgen van deze familie met de heldere blik.

Klaar?

Abel knikte gedienstig. Toen hij de jongen het blikje overhandigde, viel zijn blik op de rij getallen die op het deksel stond gedrukt: 05.08.2004. Een ogenblik lang had hij de indruk dat het de datum van vandaag kon zijn.

Dank u, zei Miriam toen ze ten slotte arriveerde. Dat was buitengewoon aardig van u. Hoewel je aan Omar geen kind hebt. Hij is een grote jongen. Hebben jullie gegeten? Hebben jullie leuk gepraat?

Omar had het eten over twee diepe borden verdeeld en die zonder iets te zeggen op de keukentafel gezet. Zijn vroegere leraar Russisch nam eveneens zonder iets te zeggen plaats. Lang huwelijk. Over het geheel genomen zwegen ze.
Het spijt me, zei Abel uiteindelijk, ik moest opeens weg, ik kon geen afscheid meer nemen, je hebt gelijk, ik had dat wel moeten doen, dat was wel het minste geweest, voor straf ben ik mijn huis, mijn computer en al mijn baantjes kwijtgeraakt, dat zeg ik niet om medelijden te wekken, verdiende loon, ik heb je teleurgesteld, kun je me vergeven?
De jongen dronk uit een groot, rood, kristallen glas. Het licht van de keukenlamp in de geslepen facetten en zijn glazen oog daarboven. Hij zette het glas neer en nam lepel en vork weer ter hand.
Natuurlijk *kan* ik dat.

Ja, zei Omar. We hebben leuk gepraat.
Vervolgens leende Abel een plattegrond van de stad en ging te voet op weg naar zijn nieuwe woning. Nog geen twintig minuten lopen. Avondschemering. Het gekkenhuis was die dag dicht, leeg trottoir, bakstenen muur, wind en een merkwaardig gepiep en geknars dat hij aanvankelijk niet kon thuisbrengen. Zijn huis, het op een na laatste voor het einde van de doodlopende straat, herkende hij aan de twee tassen die voor de deur op de stoep stonden. *Iemand* had ze, samen met de schuimplastic matras die hij van Andre had geleend, naar het adres gebracht dat hij de taxichauffeur had opgegeven. Toen hij later vijf verdiepingen hoger op zijn platform stond, zag hij ook waar de piepende en knarsende echo's vandaan kwamen: rangerende treinwagons.

Zo openen zich nieuwe perspectieven. Hij stond op zijn platform, in de ijzeren kooi die tot zijn heupen reikte, de wind drong hem bijna terug tegen de muur, achter hem een stoffige, bizar gevormde kamer met niets dan een kast en een radio, met een kalkkorst overdekt, in de zogenaamde keuken, de zogenaamde badkamer bestond in werkelijkheid slechts uit twee emaillen schalen met oud, roestkleurig water op de bodem, en *in het midden* een uitgerolde oude matras en twee zwarte reistassen waarvan hij had gedacht dat hij ze voor altijd kwijt was. Hij kneep zijn ogen tot spleetjes: de kogelvormige containers die op de sporen beneden voorbijtrokken, weerkaatsten het laatste licht.

Daartussen
Crises

Nog geen zes maanden later zullen ze getrouwd zijn. Zo bijzonder is dat niet. Maar op het ogenblik wijst nog niets in die richting. Hij is er weer, precies op het goede moment uit obscure tijden opgedoken, een held op de juiste plaats op de juiste tijd: houdt handen vast, opent blikken maïs (beter gezegd: een, *een* blik maïs), woont met uitzicht en gedraagt zich zo volwassen en normaal als nooit tevoren. Belt op na een passende periode, zoals het hoort, om naar haar toestand te informeren. O, zei Mercedes afwezig. Dank u. Ze had weer eens andere zorgen.

Het moment waarop ze in tranen zou moeten uitbarsten lijkt niet veraf meer, dacht ze, dacht ze letterlijk terwijl ze van het asfalt op een brancard werd getild en de pijn van enkel tot kruin door haar heen schoot. Of flauwvallen. Maar ze viel niet flauw en barstte ook niet in tranen uit, daarvoor was ze veel te verbijsterd, en later zorgden de pijnstillers ervoor dat ze een wat gedrogeerde zelfbeheersing bewaarde. Zonder een woord observeerde ze de uitwerking van de morfine in haar lichaam. Vlak voordat de stand tot enkelhoogte zakte, meldde ze dat en kreeg een nieuwe injectie. Het behoort tot dezelfde groep als heroïne. Als-of je je buiten je lichaam bevindt. De dagen en weken erna steeds een beetje naast jezelf, of Joost mag weten waar. Haar omgeving constateerde een zekere, laten we zeggen: verande-ring van haar persoonlijkheid. Nu eens verdroeg ze alles met een aan apathie grenzend geduld (televisieprogramma, bouw-put vlak voor het met een zeil afgedekte ziekenhuisraam), dan weer liep ze over van wrevel en misnoegen die ze niet onder stoelen of banken stak (directeur op bezoek, ze knikt, jaja, gauw weer beter, maar met haar handen wuift ze al: die bloemen daar meenemen en opkrassen), daarbij kwam nog de tijdelijke re-ductie van haar woordenschat (Wat is dat voor ongelooflijke troep/ bagger/ shit!), ongekende fysieke uitbarstingen (pro-beert met een boek de prullenmand onder de wastafel te raken) alsmede barse categorische bevelen, ja's en neens, en wanneer ze iets moet herhalen, doet ze dat de tweede keer schreeuwend, kortom: een stevige postoperatieve depressie.

Wat is er aan de hand? Wat is hier toch aan de hand? Toen de stad achter het zeil verscheen, leek hij wel binnenstebuiten ge-keerd. Is er eigenlijk nog één plekje in deze stad te vinden waar niet met hels kabaal gaten en kuilen worden gegraven? De leuke bomen in haar straat hadden hun bladeren verloren – Waar is de herfst gebleven? Hoezo moet de zomer hier tegenwoordig naadloos in winter overgaan? – en stonden erbij als klappertan-dende takkenbezems. Zonder bladeren was te zien hoe verwoed ze zijn gesnoeid zodat ze niet te hoog, te breed of te rond voor deze leuke straat worden. Waarom moesten me toch de schellen van de ogen vallen?

Weer thuis zat ze bijna alleen maar op de bank, met haar voet op het marmeren tafelblad voor zich. De tafel had op straat gestaan toen ze hierheen verhuisden, als een soort welkomstgeschenk, misschien had iemand hem met opzet in de buurt van haar meubels op de stoep gezet, als aanbod. Die ook? vroegen de ver-huizers. Ze keek om zich heen – niemand te zien – en knikte ten slotte. Het marmeren blad was lichtgekleurd, amandelvormig en vertoonde een zwarte scheur in de lengteas. Een paar weken lang keek ze onverstoorbaar naar die scheur. Er heerste daarentegen een vrijwel ononderbroken komen en gaan van haar kleine, maar stabiele netwerk van familie en vrienden. In tegenstelling tot vele anderen hoef ik nooit alleen te zijn en ik zou lief of er in elk geval dankbaar voor moeten zijn, maar op het moment werkte alles op haar zenuwen. Erik, als hij luidruchtig als een intercity binnenstoomt om te verkondigen:

Er is nooit minder reden geweest om de moed te laten zakken! We bulken van kracht! Aan het eind van de jaren negentig gaat het ons beter dan ooit tevoren! Dat zal waarschijnlijk niet langer dan hooguit drie jaar duren, dan klapt de zeepbel en er zal, citaat, *een bloedbad volgen*, maar tot dan is alles prima! Er is hoogstens ruzie over de vraag of we B. hadden moeten bombarderen of niet. Iedereen met een beetje zelfrespect is ervoor, hoe staat het met jou?

Ik weet het niet, zei Mercedes. Geen flauw idee. Mijn leven is net bezig te versplinteren als een willekeurig overreden enkel.

Klopt het dat je ontslag hebt genomen?

Ja. Dat wil zeggen: nee. Maar ik ga het doen zodra ik weer genezen ben verklaard.

Als dat ooit gebeurt. Ik geloof niet dat ze, toen ze zeiden dat je met je enkel omhoog moet zitten, bedoelden: voor de rest van je leven, zei Miriam.

Even serieus, zei Erik, het gaat ons op het moment zo goed dat ik ernstig overweeg het beproefde principe van het uitbuiten van steeds nieuwe stageaires te laten varen en in plaats daarvan een redacteur aan te stellen, je hoeft maar te kikken.

Je bent een schat, zei Mercedes (Erik bloosde) en bleef zitten.

Miriam: Ik meen het serieus. Als je niet begint je voet te belasten, kun je misschien nooit meer behoorlijk lopen.

Als ik hier blijf zitten, is dat ook van geen enkel belang.

Nu: de te verwachten moederpreek over het verantwoordelijke handelen van volwassen mensen. Hoe oud ben je? Twaalf?

Mijn leven lang, al drieëndertig jaar, ben ik een fatsoenlijk, ijverig, optimistisch mens geweest. En nu, omdat mijn leven is versplinterd als een ...

Dat heb je al gezegd.

Nou en? Mag ik mezelf niet herhalen? Mag ik hier niet blijven zitten totdat ik helemaal beter ben? Is dat (Miriam wuifde haar woorden weg en pakte haar handtas) me niet toegestaan?

Op dat moment ging de telefoon.

Ja! Schreeuwde Mercedes in de hoorn. Och, u bent het ...

Omar kwam zijn kamer uit en bleef voor haar staan.

Dank u, zei Mercedes in de telefoon. Het gaat wel weer. Aardig van u om te bellen. Ze had hem allang voor zijn hulp willen bedanken, maar we hadden geen nummer van u. Zou hij haar dat deze keer willen geven? Ze zou graag iets terug willen doen, te zijner tijd, als dat weer zou kunnen, bij ons komen eten misschien.

Wanneer komt hij? vroeg Omar toen ze had neergelegd.

Kan ik ergens mee helpen? vroeg Miriam vanuit de gang.

Dank je, nee, zei Mercedes.

Kan het niet komende donderdag? vroeg Omar.

Hm, zei Mercedes.

Eerlijk gezegd had ze alleen beleefd willen zijn. Op het ogenblik heb ik geen min, correctie: geen zin in mensen.

Wanneer dan? vroeg Omar.

Wanneer wat?

Wanneer ben je dan zover?

Daar stond hij, het wit van zijn glazen oog vertoonde dezelfde adertjes en dezelfde glans als het marmeren blad van de tafel. Hij is met een tumor in zijn oog geboren, en ik schaamde me toen toch een beetje.

Gauw, zei ze, gauw.

Een paar dagen later hoorde Omar al in de vestibule het tikken van haar krukken op de houten vloer.

Wat is er aan de hand?

Raad eens wie er vandaag komt eten.

Wie?

Ze aten weer noedels, deze keer gekookt door Mercedes, scherp.
Welke zijn beter?
Ze zijn allebei lekker
Ja, maar welke zijn *beter*?

De jongen gedroeg zich nog steeds streng, natuurlijk *kan* ik je
vergeven. Respectievelijk: *Dat* is allang gebeurd. Wat niet betekent dat er geen vragen meer zijn. Alleen: wie moet ze stellen?
Het werd een merkwaardig, heel stil etentje, alsof niemand
wat?, *iets* ter sprake wilde brengen. Hij was nooit erg spraakzaam, de conversatie kwam op haar neer, en soms op het kind,
als hij zin had. Deze keer: Alsof er heerscharen dominees voorbijtrokken, maar – en dat is interessant – het was niet onaangenaam. Dat is interessant, dacht Mercedes. Ze keek Abel al de hele
tijd aan, op een manier die je *vorsend* noemt, en toen Omar naar
de wc ging en zij beiden bleven zitten – de gewonde enkel lag
tussen hen in op een extra stoel – zei ze, en haar stem klonk ijl:
Overigens is de hoorzitting over mijn ongeluk over veertien dagen. U hebt ook een dagvaarding ontvangen. Dat wil zeggen:
mijn overleden levensgezel Tibor B. heeft, dankzij de nastuur-
service, een dagvaarding ontvangen.

Destijds had ze gedacht dat het door de pijn kwam, ze zat op het
asfalt, later op de brancard, ze werd in de ziekenauto geschoven,
gerammel, wie had gedacht dat ze het zou kunnen horen. Hoe
hij op de vraag van de politieagent wie hij, de behulpzame taxi-
passagier en getuige, was, antwoordde: Tibor B., woonachtig in.
En bij haar in de ziekenauto stapte, als hoorde hij al bij haar.
Pleit dat in zijn voor- of nadeel? Toen hij zich voor Tibor uitgaf,
wist hij niet dat deze dood was. Dat hoorde hij een paar uur later, van Omar.
O …
Ja, zei Omar. Ik ben met mijn grootouders op vakantie gegaan
en toen ik terugkwam, was hij dood en waren wij verhuisd.

't Spijt me erg, zei Abel nu. (Alsof hij zelfs een beetje bloosde.
Wie had dat gedacht.)

Het geeft niet, zei Mercedes.

Omar kwam terug:

Wat is er?

Een korte pauze en toen, dat had ik, Mercedes, niet verwacht,
vertelde Abel het aan het kind. Wat er was gebeurd. Ik heb me
uitgegeven voor iemand anders.

O, zei Omar. Potsjemoe? Waarom heb je dat gedaan?

Je kon zien hoe het donkerder werd in de kamer. De marmeren
tafel glansde maankleurig.

Mooi dus.

Het is een eenvoudige zaak, zei Abel. Het land waar hij was geboren en dat hij bijna tien jaar geleden had verlaten, was in de tussentijd in drie à vijf nieuwe landen opgesplitst. En geen van die
drie à vijf nieuwe landen meende iemand als hem een staatsburgerschap verschuldigd te zijn. Hetzelfde gold voor zijn moeder,
die nu tot een minderheid behoorde en evenmin een paspoort
kreeg. Hij kon hier niet weg, zij kon daar niet weg. Ze telefoneer-
den. Een vader was er ook, die bezat zelfs de nationaliteit van
een zesde, dus onafhankelijk buurland, maar die was bijna
twintig jaar geleden verdwenen en sindsdien niet te vinden. O
ja, en omdat hijzelf geen gehoor had gegeven aan een oproep
voor militaire dienst, stond hij nog steeds te boek als deserteur.

O, zeiden Mercedes en Omar. Zo zit het.

Ja, zei hij en betuigde opnieuw zijn spijt.

Ik zou zeggen, zei Tatjana later, dat dát het moment was. Iemand als Mercedes kan onmogelijk weerstand bieden aan een
man die zich zo in de nesten heeft gewerkt dat hij de identiteit
van een dode aanneemt. Alles wat louche, belachelijk en tragisch is. Zo is het.

Totdat ze afscheid namen, zeiden ze niets meer. Een man in het
donker. Witte handen die elkaar losjes vasthielden.

Voorjaar

Vorig voorjaar, destijds nog: na school stapte Mercedes een antiquariaat binnen in de buurt van haar school. Een piepklein antiquariaat, tussen de buitendeur en de kassa is maar net plaats genoeg voor Mercedes om zich, hoewel ze niet erg lang is, op de grond uit te strekken, mocht daar ooit een aanleiding voor zijn. Bijvoorbeeld als je verdwaalt en bij sluitingstijd de uitgang van deze zogenaamd piepkleine ruimte niet meer kunt vinden. Dat is heel wel voorstelbaar, want alles staat zo vol met boeken, overal stapelen ze zich op, in kasten, op tafels, op de grond, dat er vermoedelijk geen levende ziel te vinden is, te vinden kan zijn die hier de weg weet.

Vraag het toch gewoon aan mij, adviseerde de eigenaar. Zelfportret van de kunstenaar als de gezalfde, zijn cognackleurige Christushaar hing tot onder het tafelblad waarachter hij zat, kaarsrecht. Heeft hij benen? Waarnaar zoeken *we* dan?

Mercedes dacht aan iets in de trant van een tweetalige Rimbaud-uitgave.

In haar plaats zou hij daarheen gaan. De man die eruitzag als Dürer wees in een richting. Het is niet ver.

De gazellen zijn maar twee dagmarsen verwijderd, dacht Mercedes terwijl ze zich grinnikend een weg baande door de stoffige chaos. De randen van de stapels boeken raakten haar dijbenen: witte stofstrepen op haar donkere kleren. In de andere gangen klonk geritsel. Andere klanten of muizen. Ratten. Duiven. Mercedes had aan bepaalde dieren een hekel en kreeg kippenvel.

Hebt u het? De stem van de eigenaar. *Normaal gesproken* zou u er nu precies voor moeten staan.

Ze keek in de boekenkast en inderdaad, precies op ooghoogte: een tweetalige Rimbaud. Ze lachte. Over deze man moet ik de anderen vertellen. Is het mogelijk dat er een antiquariaat bestaat waarin iedereen vindt wat hij zoekt? (Alegria bellen). Nu kwam iemand de winkel binnen, je hoorde de deur en de antiquaar die met iemand praatte. Op haar weg naar buiten volgde Mercedes de stem. Toen ze weer bij de kassa kwam, stak de klant net het wisselgeld in zijn broekzak.

O, hallo, goedendag, zei Mercedes tegen de leraar Russisch van haar zoon. En omdat ze de indruk had dat hij haar niet herkende, voegde ze eraan toe: Ik ben Mercedes, de moeder van Omar. Abel knikte. Natuurlijk. Dat wist hij. Goedemiddag.

Het geld in zijn broekzak, het gekochte boek in de zak van zijn zwarte jas. Het paste er niet helemaal in, een streepje van de lichte linnen band stak erbovenuit, je zag al van verre: Deze man draagt een boek bij zich. Op haar beurt kocht Mercedes *De hel van Rimbaud* en daarna liepen ze een eindje samen op.

Mercedes is klein, ze reikt niet eens tot aan zijn schouder, hij liep wat gebogen naast haar. Door die houding lijkt hij ouder dan hij is. Of jonger. Een tiener die niet weet wat hij met zijn lichaam moet beginnen. Bij hem denk ik aan een grijsaard en aan een kind tegelijk. De eerste keer dat ze hem ergens anders dan thuis ontmoette, het eerste gesprek onder vier ogen. Ze liepen in de richting van het park, een april in openhangende winterjassen, alles was een beetje vochtig hoewel het niet regende. Ontwakende natuur midden in de stad.

Khrm, zei Mercedes. Hoe gaat het met de lessen?

Fantastisch, zei Abel.

Het deed haar genoegen dat te horen. Ze had gehoord dat hij nog meer kinderen lesgaf.

Ja.

Blijkbaar deed hij dat graag.

Ja.

Ook zij was graag lerares.

Daarop antwoordde hij niets.

Hoe het stond met het proefschrift?

Weer: Pauze. Intussen: het opmerkelijk synchrone geluid van hun voetstappen en als contrapunt, het onritmische rinkelen van het wisselgeld in zijn broekzak. Mannen die hun kleingeld in hun broekzak hebben. Mercedes stond daar tweeslachtig tegenover. Zoals eigenlijk *alles* op het moment *enerzijds-anderzijds* leek te zijn. Hier het elegante ritme van zijn voetstappen, daar de wanklank van het proletarische gerinkel van de munten. Hetzelfde gold voor zijn antwoorden. (Vooral: Er waren *al-*

leen maar antwoorden. Zelf iets vragen gebeurde deze keer helemaal niet, en later ook alleen dan wanneer het absoluut niet anders kon. Waar is het station?) Aan de ene kant zijn stem: naar volheid en timbre het beste uit mannelijk en vrouwelijk, aan de andere kant moest je alles uit hem trekken en dan wist je weer niet of hij het ironisch bedoelde of alleen onbeholpen was. Op de vraag hoe het met zijn werk stond, antwoordde hij na een korte, maar onmiskenbare pauze: Het *gaat*.

Ik heb mijn proefschrift ook nooit afgemaakt, zei Mercedes. Pardon, ik bedoel, *ik* heb mijn proefschrift nooit afgemaakt. En nu ze lesgaf, was haar zonneklaar geworden dat ze nooit een wetenschappelijke manier van denken of zelfs maar wetenschappelijke belangstelling had gehad.

Daarop zei hij weer niets, wat zou hij er ook op moeten zeggen.

Zeg eens iets in het Russisch! zei Mercedes later thuis tegen haar zoon.

Dat gaat niet zomaar, zei Omar. Je kunt niet gewoon zomaar iets zeggen.

Zeg dan maar: Ik houd van mijn moeder.

Ja ljoebljoe mojoe matj.

Dat klinkt goed, zei Mercedes. Waarover praten jullie verder?

Omar haalde zijn schouders op, wat anders niet zijn gewoonte was, en zei: Waar je zo over praat. Grammatica, land en volk.

Ik geloof, zei Mercedes tegen haar ouders, dat hij op hem gesteld is. Hij doet niet iemand na die hij niet mag. *Hij* haalt ook altijd zijn schouders op als een tiener.

Dat heb je dus opgemerkt. (Alegria)

Mercedes: Tibor heeft helaas geen tijd om zich met het kind bezig te houden. Hij leeft uitsluitend voor zijn werk.

Miriam knikte: Zoals alleen totale egoïsten als hij dat kunnen.

Alegria deed alsof hij in gedachten verzonken was geweest en nu opeens opschrok: Wie?

Abel en Mercedes liepen samen op tot aan de psychiatrische inrichting, namen beleefd afscheid, toen liep hij naar rechts en zij naar links, en de rest is bekend.

Toen, op die straathoek, was voor het laatst *alles in orde*. Een niet slecht moment in hun beider leven, alles had een plaats en stond op zijn plaats, maar toen raakte hij de weg kwijt, raakte in een gewelddadige kwestie verstrikt en verdween, en ook haar omstandigheden werden er allesbehalve beter op. Nu deed zich de gelegenheid voor opnieuw te beginnen. We zijn min of meer in kringetjes rondgelopen, of nee, het is niet meer hetzelfde kringetje, ik ben iemand anders geworden, niet helemaal, maar toch in doorslaggevende nuances, en hij? Dat wist niemand nog precies.

Mercedes had het paspoort met de belastende datum erin niet gezien, maar aan de hand van de gegevens waarover ze beschikte, rekende ze uit dat de tien jaar binnenkort om moesten zijn. Enerzijds was er dus de factor tijd, anderzijds moest je toch behoedzaam te werk gaan. In ons geheugen graven: Wat weten we al over hem? Wat weet Omar? Wat vermoeden we? Wat is er te zien?

De volgende weken bieden gelegenheid tot observatie. Deze keer wil ik graag niet alleen Russisch leren, zei Omar, maar ook Frans. Maandags Russisch, donderdags Frans. Dat is goed, zei Mercedes en gaf de opdracht aan Abel. Zonder te aarzelen of zich te verwonderen accepteerde hij. Mercedes nam op haar beurt alsnog het aanbod van Erik aan, die lessen moet ik tenslotte ergens van betalen. Aanvankelijk werkte ze met het oog op haar enkel thuis, en dat kwam goed uit, want zo kon ze en passant ook haar Frans opfrissen. Ik ga heel stil in een hoekje zitten luisteren, en bovendien zie ik dan ook wat.

Hoe ziet hij eruit? Hoe is zijn houding, zijn bewegingen? Tijdens het eten, tijdens de les, bij het komen-en-gaan? Hoedanigheid en staat van zijn zichtbare lichaamsdelen? Een paar zwarte haren op de onderste vingerkootjes, verder een vrijwel perfecte lichtgekleurde mannenhuid en pezen. Sporen van lichamelijk werk: geen. Onberispelijke vingernagels, misschien iets langer dan je zou verwachten. Een kleine onregelmatigheid in de snijtanden onder. Alsof de wijsheid hem plotseling in het midden samendrukt. Haar als ravenveren, een kapsel zou ik het niet willen noemen. Ziet hij er alles bij elkaar genomen goed uit? Soms zou ik ja zeggen, dan weer weet ik het niet. Hetzelfde gezicht, en toch. Een kwestie van gezichtspunt en daar zijn er talloze van. Lichtinval, tijd van de dag, gespreksonderwerp. Een gezicht als de maan: nu eens kraters en duisternis, dan weer vol, wit en stralend. Dat laatste komt door zijn ogen. Wat een ogen.

Wanneer je vraagt of hij na de les wil blijven eten en hem vragen stelt, antwoordt hij. Beleefd, kort en naar het schijnt volstrekt oprecht.

Waar komt hij vandaan? Hoe is het daar? Beter gezegd: Hoe was het daar? Het klimaat, de architectuur? Was er een schouwburg, alleen voor reizende voorstellingen, een hotel, godshuizen en autodealers?

Een metro? (Dat was Omar.)

En u kunt uw moeder dus niet bezoeken?

Mijn vader is ook spoorloos verdwenen, zei Omar.

Mercedes is sinds kort in vluchtelingenkwesties geïnteresseerd, wat is de juridische situatie, welke specifieke ziektes. Maar daarvoor is hij geen goede gesprekspartner, verbaast je dat, hoe zou jij je in zijn plaats voelen, ik schaam me bijna, laten we ons weer wijden aan een vermoedelijk minder netelig onderwerp:

Wat is er allemaal gebeurd sinds ze elkaar voor het laatst hebben gezien? Heeft hij een ander huis? Waar? Waar leeft hij van? (observatie: neemt vaker taxi's dan je van *iemand als hij* zou verwachten.) Heeft hij geld? Waar komt dat vandaan? Geen papieren, maar wel geld? Kan dat? (Ben je bij de maffia, vroeg Mira op een dag aan de telefoon.) Vaak weet je niet waar mensen van leven. (Wat was dat toch ook weer met drugs?)

Wat interesseert u meer: wetenschappelijk werk of lesgeven?

Het is allebei goed. Ja, maar wat is beter?

Mercedes zegt dat ze de kinderen mist. Of die mij ook missen?

Waarom vind jij hem aardig, vroeg ze op een ochtend zonder enige inleiding aan Omar, maar hij wist niettemin wat of wie ze bedoelde. Hij haalde zijn schouders op en sprak wijs: Het is gewoon zo.

Toen ze later weer mobieler was, vroeg ze ook andere dingen.

We gaan volgend weekend naar zee. Hebt u zin om mee te gaan?
Hebt u de houten kathedraal gezien sinds hij voltooid is? Kun je
me iets vertellen over de iconen? Mijn moeder heeft hoogte-
vrees, ga jij met me in het reuzenrad? Hij is trouwens helemaal
niet zo'n stijve hark. Over kunst en boeken kun je met hem praten. Hij is goed op de hoogte van de permanente opstellingen in
de musea, nieuwere dingen heeft hij nog niet bezocht. Wij gaan
komende vrijdag, zin om mee te gaan?

Iedere keer zei hij ja. Ze zagen elkaar zeker twee, meestal drie
keer per week. En op zeker moment begin je, of je wilt of niet,
het verschil te merken tussen het soort dagen dat je met hem
doorbrengt en het soort dat je niet met hem doorbrengt. Op de
dagen die je met hem doorbrengt, hoef je aan niets te denken.
Op de andere dagen moet je aan hem denken. Mercedes had
niet kunnen zeggen wat beter was. Ja, psychologie speelde waarschijnlijk ook een rol. Dat ik het, *hem*, goed wilde vinden, waarom niet? De belangrijkste hoekstenen van haar leven stonden
weer op hun plaats, maar met een nieuwe spanning tussen de
delen, een nieuw gebouw, het werkte in de voegen. Ze merkte de
terugkeer van de duizelingwekkende toestand die haar zo vertrouwd was geweest: iemands heimelijke geliefde zijn.

Ce jour

En op zekere maandag verscheen ze toen arm in arm met deze
kerel op de vaste maandelijkse avond. De laatste tijd vonden die
weer plaats, nu onder auspiciën van het echtpaar Erik-Maya, in
een café in de buurt van de uitgeverij. De tijd vraagt om sociaal
leven en nieuwe discussies. Wanneer jij (Mercedes) er niets tegen hebt. Waarom zou ik er iets tegen hebben? Ze luisterde naar
de stem van haar hart, en inderdaad: geen pijn meer. Eerlijk gezegd ben ik al bijna vergeten hoe het in *dat huis* is geweest.

Het weekend voor die maandag was ze aan het werk geweest.
Een van haar auteurs – hij heet Maximilian G., maar naar aan-

leiding van zijn gedrag noemen we (Erik) hem gewoon Madmax – belde haar al voor het ontbijt met trillende stem op. Kunnen we iets afspreken? Ik weet, het is weekend, maar ik … (Het was een verschrikkelijke nacht.)

Een aardige jongen, zei Erik, buitengewoon intelligent, maar krankzinnig. Hij vindt dat hij zich kapot moet denken. We zijn even oud, twaalf jaar in dezelfde schoolbank en kijk eens naar mij, kijk eens naar hem. Zijn haar is grijs en dun, en die hoofdhuid!, die tanden!, dat hele lichaam! Zijn rug is gebogen, net als zijn vingers waartussen zijn peuk trilt, elk kwartier wordt hij overvallen door een rokershoest die zijn hele lichaam door elkaar schudt. Elke bladzijde snijdt hij regelrecht uit zijn eigen vlees, van bladzij tot bladzij blijft er minder van hem over. Als een windvlaag hem op een dag het raam uit blaast, zal hij even aarzelend en langzaam als een blad wegzeilen.

Geen enkel probleem, zei Mercedes zacht en kalmerend. Ik bel grootmoeder of ze op jou (Omar) wil passen, nee, ik formuleer het anders, of ze je gezelschap zou willen houden.

Of ik ga, zoals afgesproken, zei Omar, met Abel naar de dierentuin.

Ik weet niet …

Het is toch al te laat, hij kan elk moment hier zijn.

Nu klonk de bel.

Zie je wel?

Even later waren ze weg, ik heb het idee dat ik niet eens de tijd had om 'maar' te zeggen of – Wat een metamorfose! – Madmax zat op Omars plaats aan de eettafel en staarde met koortsige blikken ergens in de richting waar het manuscript lag, terwijl Mercedes voor de derde keer aanstalten maakte een lange zin hardop voor te lezen waarvan de betekenis zich aanvankelijk van bijzin naar bijzin, zoals het hoort, steeds indringender ontvouwde, maar vlak voor het einde raakte er iets in de war, en opeens wist je niet meer …

Soms vraag ik me werkelijk af, zei MM bitter, of eigenlijk wel één gedachte overeind te houden is.

Zijn hand lag op het tafelblad en zijn vingers trilden zo erg dat

276

het oversloeg op de ijsthee die in een glazen kan ernaast stond. De echo van een verre aardbeving.

Ik weet zeker, zei Mercedes rustig, dat het alleen een taalprobleem is.

Natuurlijk, zei MM. Het is altijd alleen een taalprobleem. Mercedes merkte geschrokken dat het trillen zich over zijn hele lichaam had uitgebreid, alsof hij door een elektrische stroom door elkaar werd geschud. Hij stond op, zijn stoel schoof met veel kabaal achteruit.

Ik moet een sigaret roken, neem me niet kwalijk, zei hij, maar hij ging niet, zoals te verwachten was, voor het open raam staan, maar zette zich op de vensterbank en leunde met zijn rug tegen de raamlijst: schoenen, sokken, broekspijpen en de rest van zijn lichaam boven een spits achterwerk in elkaar gevouwen, als een lappenpop die men al vele winters lang vergeten heeft zijn grijze gebreide vest aan te trekken, en zelfs zo leek hij het nog koud te hebben. Van zijn vingers woei witte as op straat. Als hij zich later naar beneden zou laten vallen, zou ik daar niets tegen kunnen doen.

Ik geloof, zei Mercedes, dat ik heel goed begrijp wat u bedoelt. O ja?! Hij keek haar agressief aan. Ronde ogen, spitse neus. Een beetje minachtend, leek het wel. Dat heeft ze pas op dit moment voor het eerst gemerkt. Hij koestert minachting. Dat doet een beetje pijn. Een stem als een zweepslag, met een ratachtig gefluit als ondertoon: Wat bedoel ik dan?

Op rustige toon en met een correcte lange zin waagde Mercedes zich aan de in de war geraakte tekst, en inderdaad. Hij gooide zijn peuk uit het raam – haar oogleden trilden: ook dat had ze niet verwacht – en ging zonder een woord te zeggen weer aan tafel zitten, de rook uit zijn mond walmde over de bladzijden.

Zullen we het zo formuleren? vroeg Mercedes.

Vlak voor het donker werd kwamen het kind en diens begeleider terug en volgde het voorstellen aan elkaar. Omar en Max kenden elkaar al, de knappe lange man was nieuw. Goedenavond, zei hij met een beleefde glimlach en een wat scheef gehouden hoofd. MM staarde hem verbluft, zelfs uitgesproken eerbiedig aan. De temperatuur, de textuur, de druk van zijn niet door nicotinevlekken geschonden hand. In de minuut die Mercedes nodig had om de nieuwkomers naar de aangrenzende kamer te brengen, bleef mm voornamelijk roerloos zitten en zei vervolgens tegen de terugkerende Mercedes:

Weet u, ik denk dat ik de rest wel alleen af kan.

Ik adoreer u, zei hij nog in de deuropening, zijn holle ogen straalden vanuit hun oogkassen, de schilfers lichtten op in zijn haar. Ik dank u en ik hoop dat u me niet kwalijk neemt. Ik zal de peuk weer ophalen. Als ik hem kan vinden. Als dat niet zo is, neem ik een andere. Gewoon een of andere peuk.

Hij glimlachte, zij ook, ze keerde glimlachend haar rug naar de deur. En, jullie? Hebben jullie een leuke dag gehad?

In ruil voor het weekend vol werk nam Mercedes 's maandags vrij, ze handelde een paar vervelende klussen af – niemand strijkt beter dan de vrouw van de Thaise wasserij – en wachtte op de les 's middags. Die verliep zoals altijd, ze dronken thee. Daarna ging zij naar de maandelijkse gezellige bijeenkomst en hij naar huis. Dat was dezelfde weg.

Normaal gesproken is het (altijd) aan haar een gesprek te beginnen en op gang te houden, maar deze keer zei ze niets en dus zwegen ze. Halverwege vroeg een toeristenpaar hun naar de weg. Hij vertaalde de vraag voor haar, zij beantwoordde hem, hij vertaalde weer en de vreemdelingen dankten hen. Daarna liepen ze weer zwijgend door. Op de laatste hoek voor het café nam hij afscheid. De handdruk was van beide kanten zo teder dat hij nauwelijks bestond. Zij liep door, maar bleef al na twee stappen weer staan, sssss, stond op een been. Overdag te veel op pad geweest en nu: stekende pijn in haar enkel.

Wat kon hij voor haar doen? Een taxi laten komen?

Dat is de moeite niet meer. Het is vlakbij, daarginds.

In dat geval zal hij haar begeleiden. Ze is zo klein en licht dat hij haar erheen had kunnen dragen, maar zoals het hoort bood hij haar weer alleen een arm en zij klampte zich daaraan vast.

Kijk eens aan! schreeuwde Erik aan het hoofdeinde van de tafel. Wie hebben we daar?! (Abel sloeg beschaamd zijn ogen neer. Tatjana trok een wenkbrauw op.) Natuurlijk herinneren we je allemaal, met grote hartelijkheid en oprechte belangstelling nemen we je op in onze kring, je kent mijn vrouw Maya toch nog, en dat zijn Max, och, hebben elkaar ook al ontmoet, mijn oude vriend Juri, hem nog niet, en natuurlijk mijn oude vijandin Tatjana die nu, zoals te verwachten was, haar voor mijn smaak veel te rode mond verbijt, wat wil je drinken?

Hoe staat het met het lang verbeide *universele werk*? vroeg Erik toen de espresso en cognac werden gebracht,

Dank u, zei Abel tegen de dienster.

Hm? (Erik)

Neem me niet kwalijk, zei Abel, ik heb niet ...

Erik herhaalde zijn vraag. Dat verhaal over vergelijkende linguïstiek.

Abel nam een slok espresso.

Mijn computer is gestolen.

O, zei Maya. Hoe kwam dat?

Nou en? zei Erik. Je had toch zeker wel een reservediskette?

Nee, die had ik niet.

O.

Zwijgen.

Hoe gaat het met Omar? vroeg Maya.

Heel goed, dank je, antwoordde Mercedes.

Wat die avond lange tijd het laatste was dat ze hardop zei.

Waar waren we gebleven?

Ik begrijp u heel goed, wendde Tatjana (die deed alsof haar beste vriendin en de man die ze had meegebracht haar niet interesseerden) zich tot Madmax. Eerst worstel je met je eigen idiotie, dan met die van de anderen, het is niet gemakkelijk.

Ja, zei Erik, we voelen met je mee, maar we hebben geen medelijden met je. Het is precies wat je verdient. *Uit eigen lust en liefde heb je je in de sfeer van het fatale begeven. Wees nu voegzaam en geduldig.* Beng, zijn grote hand belandde op de kromme rug van Madmax. Achter diens ribben donderde het. MM hoestte. Vanwege de klap op zijn rug of iets anders. Hoestte, knikte, glimlachte instemmend als een boer die kiespijn heeft.

Max heeft namelijk net een boek voltooid. (Erik verklarend tegen Abel.)

Het liefst zou ik op reis gaan, zei MM. Het liefst onmiddellijk, voor een jaar of langer. Zolang had het bij zijn laatste boek geduurd voordat de wonden geheeld waren. Als er maar niet zoveel onzekerheden waren, hoesten, om te beginnen het geld. Nog afgezien van het feit dat je buiten je gewone actieradius van alledag volkomen verloren bent.

Als u wilt, ga ik met u mee, zei Tatjana.

MM keek haar verschrikt aan.

Waarom wilt u hem om zeep helpen? De arme man heeft u toch niets gedaan, murmelde Juri in haar oor. Ze deed alsof er een haar of een vlieg in haar oor zat. Geërgerd er overheen wrijven. Enzovoort. Erik zei iets, Tatjana sprak het tegen, Madmax raakte tussen hen beiden vermalen, Maya ontfermde zich over Juri, ze voerden terzijde een beleefd gesprek over onbeduidende zaken. Mercedes en Abel zaten in de hoek tussen raam en buitendeur en zwegen. Rondom hen de gebruikelijke herrie van het café, Mercedes zat er als verdoofd bij, haar enkel onder de tafel jeukte en alles had een parfum dat tot dan toe *hier* niet gebruikelijk was geweest. Het was de geur van de man naast haar, niet een concrete geur, meer iets als de *air van zijn aanwezigheid*, en plotseling zei ze zacht en zonder hem aan te kijken:

Wat vindt u ervan om te trouwen?

Wat was de vraag?

Erik was net bezig iets uit te leggen, tot de *kern van de zaak* te komen, hij nam een laatste aanloop, haalde diep adem, er ontstond een minieme pauze – en uitgerekend op dat moment barstte iemand aan de andere kant van de tafel in lachen uit. De man die Abel heette en daar de hele tijd zwijgend als het graf had gezeten. Plotseling lachte hij luidkeels en hoe! Dat had niemand hem ooit zien doen, zo uitbundig lachen. Iedereen die aan tafel zat keek nu naar hem. Erik, van de aandacht beroofd en toch al de draad kwijt, trok gepikeerd zijn wenkbrauwen op. Wat valt er te lachen?

Niets! Abel draaide verontschuldigend het lege cognacglas rond. De dienster begreep het verkeerd. Nog eentje?

Dat zou dan al de vierde of vijfde zijn, viel Mercedes nu op. Tel liever de borrels voordat je iemand een huwelijksaanzoek doet. Hij lachte en schudde van nee. Een misverstand! Hij zette het glas neer.

Het was geen goed teken dat hij zo lachte, aan de andere kant, wat verwachtte je dan als je iemand aan een volle tafel zoiets vraagt, ik weet het ook niet. Aan de andere kant van de tafel werd nog steeds gezwegen, hij kon dus geen woord zeggen.

(Uitstekend idee.

Wat is een 'uitstekend idee'? (Dat zou Erik zijn geweest.)

Hij, beminnelijk: Ik heb een vraag van Mercedes beantwoord.

En wat was die vraag?

Iets persoonlijks, zou zij vlug hebben gezegd, waarna er weer werd gezwegen totdat de vriendelijke Maya hopelijk een nieuw gespreksonderwerp zou hebben aangesneden.)

Hij wuifde naar de anderen: Praat alsjeblieft door, laat je niet storen en laat mij vooral met rust zodat ik het zoveelste lege glas met zachte krasgeluidjes op het tafelblad kan ronddraaien en kan doen alsof ik door het raam naar buiten kijk.

Dus, om mijn zin af te maken ... Zei Erik en maakte zijn zin af en begon weer een nieuwe, maar de aandacht, zijn aandacht, was verdwenen, wat hij nu ook zei of deed, hij kon zijn ogen niet meer van die twee afhouden.

Zij staarde met rode wangen in het koffiekopje voor haar, *hij* deed alsof hij uit het raam keek, maar je kon niet uit het raam kijken, er was niets te zien, het was donker, hoogstens zijn eigen spiegelbeeld, maar ook daaraan ging zijn blik voorbij, zo zag Erik. Zo, zonder kijken, hij kon niet eens hebben vastgesteld of het moment werd opgemerkt of niet, greep hij naast zich, pakte haar hand, bracht die naar zijn mond en drukte er een kus op. Vier mensen aan tafel praatten met elkaar –

Onlangs zat een vriendin van mij ook in zo'n café, vlak bij het raam, en opeens viel er een man langs dat raam. Was van het dak van het warenhuis gesprongen, midden in de mensenmenigte.
Heeft hij iemand geraakt?
Nou zeg …
Nee, voorzover ik weet.

– en merkten er niets van, de vijfde was Erik. Ach, kom …! Een handkus. Dat is zo ouderwets, onverwacht, afgezaagd dat ik helemaal ziek van afgunst ben. Niet eens van jaloezie. Simpele, eerlijke afgunst op een onuitvoerbaar gebaar.
Nam haar hand, kuste die, legde hem weer naast zich neer, nu lag haar hand weer op haar knie en die van hem op de zijne. De rest van de avond zeiden ze geen woord meer. Dank je, ja of dank je, nee? Wat een situatie! Om weg te rennen, stom genoeg doet haar enkel pijn, lopend beslist niet, hoogstens hinkend, maar zelfs daarvoor zou ze *hem* nog eens moeten aanspreken, hij zit in de weg, zij ingeklemd in de raamlijst en ze hoort alleen nog het kloppen van haar hart.
Maar later was hij zo beleefd zich duidelijker uit te drukken. Dat dacht ik destijds in elk geval. (Mercedes, wuift weg.) Erik bood aan haar te brengen, maar toen had hij al een taxi besteld.

Ik moet je wat vertellen, zei Mercedes de volgende ochtend tegen Omar. We gaan trouwen.
Echt waar? vroeg Omar. Niet bijzonder verrast.
Dat wil zeggen, zei Mercedes, als jij het ermee eens bent.
Ik ben het ermee eens, zei Omar plechtig en smeerde een boterham.
Mercedes lachte en kuste zijn hand met het mes.
Voorzichtig, zei Omar.

De afspraak was op een zaterdagochtend om twintig over negen. Hij kwam te laat, zocht met trillende vingers naar zijn identiteitsbewijs en rook merkwaardig. Dat was een beetje ergerlijk, maar hij had de vernederingen van de bureaucratie de afgelopen weken – nee, niet zoals gebruikelijk: dapper, maar eerder *elegant* verdragen alsof die een weliswaar ouderwetse, maar toch stijlvolle manteau waren en geen ordinair loden schort (Hoe dan ook, zei Tatjana. *Jij* hoeft daarom geen slecht geweten te hebben), zodat je *dit* nu werkelijk wel door de vingers kon zien. Hij heeft immers alles wat je nodig hebt, is jongensachtig en vaderlijk, je kunt heel goed arm in arm met hem voor officiële instanties verschijnen. Ja, wij willen trouwen, ja.

Daarna gingen ze naar het park, zoals te doen gebruikelijk is, om foto's te laten nemen. Mercedes over knersende paden op schoenen die daarvoor niet geschikt waren. Het boeket zwaaide losjes in haar hand. Af en toe zei Tatjana: Stop! en bleven ze staan: bij bomen, banken, beelden, een bruggetje, een meertje, wat dan ook. Tatjana draaide eindeloos aan instelknopjes van haar all manual-spiegelreflexcamera, ze stonden erbij als in vroeger tijd, in poses verstard aan de oever van een kunstmatige poel, omringd door de groene hoopjes uitwerpselen van eenden en ganzen die om de een of andere reden hier blijven leven. Dikke witte vogels waggelden door het beeld. Bruidspaar met gevogelte. Een gans poepte vlak naast Abels schoen. Omar begon te giechelen, Abel antwoordde met iets soortgelijks. De arm waar Mercedes de hare door had geschoven, begon te trillen.

Neem die foto nou, hoe lang moeten we hier nog, ik heb geen zin meer!

Haar woorden verleidden ook de vogels tot snateren, zij was snel uitgesproken, en de vogels toen ook. Eindelijk: klik. Ze liet zijn arm los en begon terug te lopen, haar voeten voorzichtig tussen de hoopjes plaatsend, naar de rand van het grasveld, waar Tatjana stond. Ze wierp haar het bruidsboeket toe.

Vangen!

Ze wierp het met kracht, maar toch niet hard genoeg, het viel voor het beoogde doel in het gras. Tatjana had trouwens geen vin verroerd. Ze volgde geboeid de vluchtbaan van het boeket totdat het geland was. Vervolgens ging ze door met het uit elkaar nemen van het statief. Omar pakte het boeket op.

Vangen!

Hij wierp het naar Abel, Abel ving het op en gooide het terug. De twee vrouwen voorop, de mannen erachter, ze gooiden elkaar het bruidsboeket toe en giechelden. Mercedes keek naar haar gehavende schoenen, besloot dat ze niet meer te redden waren en koos niet voor tranen, maar om zich om te draaien, haar armen uit te breiden en te roepen: Ook naar mij! Het boeket bevond zich op dat moment bij Omar, hij gooide het lachend tegen haar borst. Geel stuifmeel op zwarte kleren. Ze hield het bij zich.

Nog eentje! zei Tatjana.

Maar de bloemen ... Een groot deel van de bloembladeren was verdwenen.

Dan laat je die weg.

Ten slotte liet ze ze toch niet weg. Als het zo was, moest het maar zo zijn. Op de laatste foto van die dag staan ze in de schaduw van de haag voor het vogelgebied, hun zwarte kleren zijn nauwelijks te zien tegen de donkergroene bladeren, alleen hun witte gezichten, kragen en handen lichten op, Mercedes heeft een verfomfaaid boeket in haar hand, bloemen met hangende kopjes, en boven de haag kijkt een pauw met een geïnteresseerd scheef gehouden kopje naar het tafereeltje.

Voordat Erik kon vragen: Wat is er aan de hand?, moest hij al vragen: Dat klopt toch niet, hè? Wat Tatjana de heks vertelt?

Wat vertelt ze dan? vroeg Mercedes vriendelijk.

Ben je werkelijk met die kerel getrouwd? Ik vraag niet waarom, al vraag ik me dat ook af, ik vraag alleen: Waarom ben ik niet uitgenodigd?

Zelfs mijn ouders waren niet uitgenodigd.

Waarom niet? vroeg Miriam aan haar man.

Het is een schijnhuwelijk.

Niettemin. Onze enige dochter. Des te echter had het eruitgezien.

De vader van de bruid haalde zijn schouders op: Met welk doel?

Ja zeggen, foto's. Daarna uit elkaar gaan was moeilijk, dus bleven ze bij elkaar, wandelden door het park, zaten op banken, aten een wafel, later hotdogs en ten slotte, enigszins voorovergebogen: ijs. Nu kon ook Mercedes weer lachen. Ons bruiloftsmaal. Ergens vandaan klonk in de wind rock-'n-roll-muziek – een draagbare radio. In de afgelopen uren was het vol geworden in het park: mensen die picknickten en zonnebaadden, honden, frisbees. In de kooien werd gevoetbald. Mannen van Abels leeftijd. Kijk, zei Mercedes tegen Omar. Een oude vrouw met een sneeuwwit ballerinaknotje had een vogelkooi bij zich. De vogel zag eruit als een mus. Twee jongens van Omars leeftijd lieten hun sierschildpadden in het gras een wedstrijd lopen. Een hondenoppasser droeg een hoed in alle kleuren van de regenboog. Achter het bruiloftsgezelschap in de boom: een eekhoorntje. Mercedes bood het de rest van haar boeket aan. Het keek alleen. De schildpadden zou het waarschijnlijk beter smaken, zei Omar. De kerkklokken sloegen. Tatjana schoof haar zonnebril op haar voorhoofd en keek op de klok, opende haar mond om iets te zeggen, maar op dat moment begonnen de klokken weer eens te luiden en ze deed haar mond weer dicht. Ze wachtte geduldig tot ze waren uitgeluid en zei toen: Alles goed en wel, maar ze moest nu gaan.

Gedrieën liepen ze naar het huis van Mercedes. Voor de deur nam ook de bruidegom afscheid.

Tot maandag.

Tot maandag.

Tot maandag.

Drie jaar, nietwaar? Zo lang duurt het voor je een eigen paspoort krijgt. Eigenlijk is het een duidelijke zaak. Waarom ben ik (Miriam) dan zo ongerust?

Pauze.

Hij gaat fantastisch met de jongen om en ook verder is er eigenlijk niets mis met hem. Een beleefde, stille, knappe man. En toch

… ik weet het niet, er is iets met hem, iets …
Ja, zei Alegria, ik begrijp het.

Ze gingen uit elkaar, maar zagen elkaar twee dagen later weer bij
de les. Omdat het de laatste van de maand was, overhandigde
Mercedes Abel opgevouwen bankbiljetten. Hij bedankte haar
beleefd. Daarna antwoordde hij dat hij graag voor het avondeten zou blijven.
Omar vertelde een lang verhaal over een geografische situatie
die hij nooit had gezien. De oceaan, de zee, het meer, de kust, de
golven, de golfbrekers, het eiland, het schiereiland, de uitsteken-
de rotspunt, het strandmeer, de monding. De delta, de stroom,
de rivier, de beek, het beekje, het meer, de poel, het moeras, de
vlakte, het grasland, de bossen, de berken, de populieren, de ei-
ken, de dennenbomen, het kreupelhout. Lang verwijlde hij bij
het Siberische woud. De beren. Daarna ging het weer verder
met reliëf, heuvels, bergen, bergketens, hooggebergte.
De volwassenen zwegen voornamelijk.
Toen Omar was uitverteld, vroeg Mercedes of hij zin had het
land waarvan hij de taal leerde te bezoeken en de geografie ervan met eigen ogen te aanschouwen. We zouden een reis kunnen maken.
Omar dacht even na en zei toen: Eigenlijk is dat niet *noodzakelijk*.
Over het geheel genomen bleef alles zoals het was. Die leegte nadat een doel was bereikt. Wanneer een tijd lang de tijd alleen
verstrijkt. Twee, drie keer per week les, eten, pedagogisch waardevolle vrije tijd. Ook verder deed *onze huisvriend* wat hem
werd gezegd, wat hem bij wijze van noodzakelijk doen-alsof
werd gevraagd. In het begin was hij buitengewoon betrouwbaar. Het meeste komt natuurlijk toch op jezelf neer. Ik ben
mijn eigen echtgenoot. Gebruik zijn tandenborstel, zijn overhemden en zijn eau de cologne. Je weet niet wat hij daar eigenlijk van merkt.
Is dat belangrijk, vroeg Tatjana. Het is *jouw* spelletje.
Jij bent zo slim, zei Mercedes en trok een gezicht.

Ze kocht een paar zwarte mannenoverhemden (wat voor maat heb je eigenlijk?) en droeg die als nachthemd. Zodat er altijd iets in de wasmand lag.

De volmaakte misdadigster, zei Alegria. Ik ben trots op je. Het zag ernaar uit dat de vrede deze keer een tijdje zou duren.

Het leven in de bergen en op volle zee

'Hij heette Gavrilo, Gábor of Gabriel, toen hij werd geboren, stak hij zijn hoofd in de nieuwe eeuw. Een kleine overdrijving, het was eigenlijk iets eerder, anders zou hij nog te jong geweest zijn voor de oorlog. Aan zijn verloofde schreef hij roze front-briefkaarten over helemaal niets, het enige noemenswaardige dat hij meemaakte scheen te zijn dat we in de hitte half stervend van dorst onder de sinaasappelbomen lagen en het op straffe van de dood verboden was die verdomde dingen te plukken. Hij keerde terug naar huis, trouwde, een boer onder boeren, ver-wekte drie dochters en niemand herinnert zich dat hij ooit iets gedenkwaardigs heeft gezegd. Maar toen de volgende oorlog uitbrak en hij, een bijna veertigjarige vader van drie kinderen, werd gemobiliseerd, verborg hij zich in de bergen.

Ik weet niet waar hij is, zei zijn vrouw tussen de bergen opgesta-peld huisraad op de binnenplaats. Rustig, alsof niet het onder-ste boven was gekomen. Volgens haar had ze hem al maanden niet meer gezien.

En van wie heb je die buik dan, hoer? vroeg de officier tussen twee oorvijgen door. Hij sloeg op haar in en verkrachtte haar ten slotte voordat hij haar – in plaats van haar te doden – toch vrijliet. Terwijl *hij* boven bij zijn schone, de natuur, was en uit heldere bronnen dronk. Toen was ik toch wel woedend op hem, zei ze later.

Toen ze dreigden het huis te vernielen, bleek de hinkende dorpsgek, die geen gek was maar een alcoholist met een klomp-voet, de enige man in het dorp. Zonder dat iemand dat van hem vroeg, greep hij in en beweerde dat het kind in de buik van mijn grootmoeder van hem was.

Als dat geen reden voor feest is, zei de officier, en goot de dorpsgek een hele fles alcohol van 60 procent naar binnen. Hij ging bijna dood, maar hij stierf niet. Hij overleefde het en bleef bij mijn grootmoeder en haar – intussen – vier dochters op de boerderij. Zo heeft de hinkelaar onze boerderij en ons leven gered, althans voor de paar jaar daarna. Mijn grootmoeder noemde haar jongste dochter liefdevol hoertje en dwong haar haar braaksel op te eten, maar dat kan ook de opvoeding van destijds zijn geweest.

Toen het einde van de oorlog naderde, verdween Gavrilo naar lagergelegen regionen. Verschillende mensen beweren hem gezien te hebben, hij zwierf in de buurt van het dorp rond, maar kon blijkbaar niet besluiten daar definitief naar terug te keren. Hij had een gewei gekregen, of wie weet, kon hij gewoon niet meer terugkomen nadat hij in de eerste winter, die bijzonder streng was, niet was omgekomen. Sinds het *verhoor* door de officier had hij zijn vrouw noch iemand van zijn familie in de bergen meer bezocht.

Jaren verstreken, hij is een soort berggeest geworden, de Oude Man die je in vollemaansnachten over de bergkam ziet zwerven. Papieren had hij allang niet meer, in de statistieken kwam hij niet meer voor. In de oorlog vermist. Hinkepoot nam zijn plaats in het gezin in, dat ging moeiteloos, afgezien natuurlijk van het feit dat hij nog steeds alcoholist was, en bovendien is een goede daad in het leven voldoende voor een dag vakantie uit de hel. Meer verlangt een hinkepoot toch niet.

Gavrilo in de bergen leek ook met zijn lot tevreden. Hij had honger en leed kou en moest af en toe mensen en grotere dieren ontwijken, maar verder ontbrak het hem aan niets. Het bericht van de stichting van de nieuwe staat bereikte hem blijkbaar met enige jaren vertraging, misschien had hij last van de grenspatrouilles daarboven of was er eigenlijk helemaal geen directe aanleiding, in elk geval arriveerde er op zekere dag opeens een brief van hem. Die was met houtskool op een stuk smerig karton geschreven. De exacte woorden laten zich niet meer recapituleren, de oorlogsweduwe gebruikte hem terstond om het vuur in de kachel te ontsteken, maar in essentie ging het erom dat mijn grootvader Gavrilo op welke manier dan ook anarchist was geworden. Weg met de politie, met het leger, met het parlement, met de regering, de bureaucratie, de eucharistie, kortom: de staat, dat zinloze en gevaarlijke speelgoed! zo luidde de boodschap op het stuk karton. Lang leve de natuur, het individu, de vrijheid, de gedachte, de schoonheid en de vreugde! Lang leve de mens! –'

Na de teleurstellende zomer, het vertrek van het kind en een paar *weinig serieuze pogingen* met jonge lovers daarna, kwam Kinga tot de slotsom dat het langzamerhand tijd werd iets verstandigs met haar leven te beginnen, en ze schreef eindelijk *de vermaledijde geschiedenis* van haar grootvader, de anarchist, op. De eerste versie was te kort, vier bladzijden maar, ze bewerkte het en stuurde het naar een tijdschrift.

Nog afgezien van de spelfouten, zo schrijven die papzakken me terug, heeft het verhaal zelf hen helaas ook niet kunnen overtuigen. Niet kunnen *pakken*. Wat wil dat zeggen: niet pakken?! Te subtiel, of wat? Het enige dat in staat is jullie te pakken is hoogstens een stevige hand: aan je *kloten!* Wij daarentegen raken door alles geschokt! Onlangs liep ik op straat en plotseling rook het naar platanen en naar eten, zoals voor de fabriekskantine, en ik was zowel gelukkig als dodelijk gedeprimeerd. Maar ja, zo iets is niet *sexy* genoeg! Staat te ver af van *onze* belevingswereld. Ach, armzalige zeikers zijn jullie!

Na die nieuwe teleurstelling dronk ze heel veel. Struikelde dagenlang huilend over straat totdat ze zichzelf op een middag in een regenplas zag. Die plas water had zich verzameld in een ondiepe plek op haar binnenplaats. Op de bodem van de ondiepe plek vertoonde het asfalt een scheur die eruitzag als het oog van God. Ik zag mezelf in het oog van God, een onevenwichtig wezen, toen viel ik op mijn knieën, het kraakte afschuwelijk, en huilde als een wolvin. Toen ze uitgehuild en weer wat nuchterder was, vermande ze zich, waste zich, kamde haar haar en gedroeg zich weer als een mens.

Maar even later, twee, hoogstens drie weken daarna, begon het weer. O, wat mis ik de bergen toch! Stond urenlang voor het raam te zuchten. Met haar vettige vingers tekende ze bergkammen op de ruit. Wanneer de zon kwam langsglijden, lichtten ze zilverig op. O, zei Andre, zeilschepen. Zoiets, zei ze.

Maar meestal was ze te onrustig om op een plek te blijven staan en bergen of zeilschepen te tekenen. Ik ben onrustig! riep ze en ijsbeerde urenlang over het niet zo brede pad dat tussen de bergen rotzooi was overgebleven. Sinds er *chez Kinga* nauwelijks meer party's werden gegeven, dreven steeds meer spullen van de randen naar het midden. Langzaamaan was het met de bijeenkomsten *op niets uitgelopen*, en blijkbaar vond niemand dat eigenlijk jammer. Een tijd lang was het leuk om te doen alsof het nog steeds de jaren tachtig was en wij in onze provinciestad de uitverkorenen waren, maar dat is nu eenmaal ooit voorbij, zoals Janda zei, en ook Kinga leek niet te huilen om het verdwijnen van haar salon. Ze huilde helemaal niet. Ze ijsbeerde. Als er iets in de weg lag, schopte ze het met haar blote, roetzwarte voeten opzij en marcheerde verder. Intussen was het weer voorjaar. De zon schijnt, de natuur bloeit weer, alleen ik word er niet vrolijker op. Waarom, waarom toch? Ze mompelde. Alles gaat bergafwaarts. Alles gaat bergafwaarts.

Als de musici er waren, zaten ze verdeeld over de ruimte, zoals in vroeger tijden. Kontra knutselde geduldig een joint in elkaar, Andre deed iets nuttigs, zorgde voor de instrumenten, Janda las de krant.

In K. zegt nog maar 0,9 procent orthodox katholiek te zijn, las Janda voor.

Andre: O ja?

Kontra likte aan de plakstrip van het sigarettenvloeitje.

Alles gaat bergafwaarts, mompelde Kinga. Alles gaat bergafwaarts. Alles gaat bergafwaarts.

Ze hebben de kerel die Che heeft vermoord tot ambassadeur benoemd.

Andre: Hm.

Ssssst. Kontra steekt een lucifer aan.

Bergafwaarts, bergafwaarts, bergafwaarts.

Dusko T. –

Andre: Die klootzak…

– is op elf van de eenendertig punten van de aanklacht schuldig bevonden.

Alles gaat bergafwaarts, alles gaat bergafwaarts, alles gaat…

Kinga, *alsjeblieft*…

… bergafwaarts. Alles…

Janda sloeg de krant dicht: KUN JE DAAR NIET MEE OPHOU- DEN?!?

VERTEL ME NIET WAT IK MOET DOEN!

Sst. (Dat was natuurlijk Andre.)

Dat hoor ik nu al… ik weet niet hoelang. Dagen, weken, maan- den? Ik kan het niet meer horen.

Ik kan er niets aan doen! Ik ben ziek!

Ga dan naar de dokter.

Ga naar de dokter, ga naar de dokter. Mompelt en trappelt ver- der. Ga naar de dokter, hé! Ja, waar wonen we dan? WE HEBBEN ZEKER WAT GEMIST, *KAMERAAD*! Ga naar de dokter. Als ik een van die… een van *hen* was, kon ik naar de dokter gaan, me twee wangen vol hersentabletten laten voorschrijven, in therapie gaan. Maar ik ben ik en voor mij bestaat er geen therapie! Je moet blijven wat je bent of wat je wordt, een gek die een gevaar is voor de openbare veiligheid. Ze bleef staan en keek de man- nen veelbetekenend aan: Er zijn vrouwen die vlak voor hun menstruatie tot doden in staat zijn.

Ga door, zei Janda. Je ziet wel wat ervan komt.

Mijn grootmoeder – niet die die verkracht is, de andere – heeft zich op haar achtenveertigste opgehangen.

Nou ja, dat doet minder pijn dan je polsen doorsnijden. (Janda)

Klootzak!

Jullie moeten ophouden!

Hier, zei Kontra en overhandigde Kinga de joint.

Een tijdje zat ze nors en stil te roken, daarna dronk ze en begon weer te brullen. Ik kan niet in slaap komen, ik kan niet in slaap komen! Ik kan niet dronken worden! Ik kan niet dronken wor-

den! Natuurlijk was ze allang bezopen. Wankelde door de chaos. Stootte haar kleine teen tegen de kant van een zwaar boek
dat op de grond lag, huilde als een wolvin. Aoeoeoeoeoe!

Met een zucht stond Janda op en ging voor haar staan. Ze liep
koppig op de plaats verder. Tilde haar zwarte voeten op.

Janda (zacht): Het is niet zo dat er niets is om woedend over te
zijn, (luid) maar alles waaraan jij kunt denken is: Ik, ik, ik!

Ze hield op met trappelen en hamerde met haar vuist op zijn
schouder: Jij! Jij! Jij! Is het zo beter?

Nee, het is niet beter! Het doet pijn!

Goed zo! Je moet lijden als een hond! Hond, hond, hond ...

Hij gaf haar een draai om haar oren met de krant, pakte haar
haar en trok haar aan haar haren omhoog. Zou hij haar zo hoog
kunnen optillen dat haar voeten niet meer op de houten vloer
trappelden?

Afgelopen uit! (Andre)

Kinga brulde: Aaaaaaaaaaaa!

Ophouden!!!

Ze werden uit elkaar getrokken, Kontra gaat weg met Janda,
voor alle zekerheid, Andre blijft. Iemand moet bij haar blijven.
Elke aanraking doet haar ineenkrimpen. Als hij haar niet aanraakt, raakt ze zichzelf aan, huivert. Oeoeoeoeoe! Verzucht: O,
Daniil!

Wie is Daniil?

Mijn geliefde.

Je hebt een geliefde die Daniil heet?

In mijn ... in mijn dromen heb ik een geliefde die Daniil heet,
moet je weten.

Ik begrijp het, zei Andre.

Heb jij ook een geheime liefde? Hoe heet ze?

Ilona.

Ze gaat de vernieling in, zei Andre tegen de twee anderen.

Pure hysterie, mompelde Janda. Maar hij wist dat het niet klopte. Geen mens, zelfs Kinga niet, kan doorlopend PMS hebben.
Het is waar: Ze gaat de vernieling in. Ze kan geen kinderen meer
verdragen. Helemaal geen andere mensen meer. Geen bood-

schappen doen. Niet schoonmaken. Thuis al helemaal niet. De mannen moeten alles voor haar doen. Dagenlang wast ze zich niet. Ze stinkt. Het komt nog zover dat ik haar in de tobbe moet zetten en schoon schrobben. Of haar een week of twee in haar vuil moet laten zitten, totdat alle blikken leeg gegeten zijn, kijken wat ze dan doet. Gaat op zeker moment toch naar buiten om eten te kopen of ze rolt zich in elkaar op de vloer en gaat dood. We moeten er zelfs voor zorgen dat ze komt opdagen bij het enige baantje dat ze nog heeft. Dan dweilt ze 's nachts in de richting van haar miniatuurspiegelbeeld aan het einde van een lange gang en praat in zichzelf. Waanzin.

Janda moest tot zijn ongenoegen aan Abel denken. Sinds die was vertrokken, maanden geleden, had hij nog maar een of twee keer van zich laten horen om iets met haar *buitenshuis* af te spreken. Hij leek de musici te ontwijken. Niet dat we hem missen. Maar goed, hij gaf haar geld en een telefoonnummer dat ze nooit belde. Alsof ze (ook hem) had opgegeven.

Nu belde Andre hem.

Hallo, zei Abel, alsof hij hem gisteren nog had gezien.

Het gaat om Kinga, zei Andre. Ze is binnenkort jarig.

Dat weet ik, zei Abel. Ze wordt veertig. Natuurlijk was hij van plan te komen.

Toen hij zijn hoofd door het dakluik stak, stond ze kaarsrecht op de schoorsteen, een boegbeeld en sirene, en schreeuwde de nacht in: Tuuuuuuut! Tuuuuuuut! Vanaf nu heet dit niet meer Kingania, vanaf nu heet het … Titanic! Een andere scheepsnaam schoot haar zo gauw niet te binnen. Dan maar zo. Dan heet dit schip dus: Titanic. Het dak is het bovendek, de woonkamer het benedendek! Rondom ons de donkere wateren van de stad! Om acht uur gaan de sluizen achter ons dicht! Alle hens aan dek! We keren pas terug bij zonsopgang!

Haar spijkerbroek was net gewassen, ze droeg een rode bloes, was opgemaakt, haar haar gekamd en achter haar oor stak een stoffen camelia. De camelia hing wat treurig naar beneden, maar zijzelf lachte. Haar lippen glansden vuurrood, haar bovenlip was geschoren, met hetzelfde scheermes waarmee ze ook haar oksels had bewerkt: een paar betrekkelijk kleine snijwondjes, geeft niets, ze stond wijdbeens boven op de schoorsteen, maaide met haar armen in het rond en lachte keihard.

Weten jullie wel, vroeg Kontra, dat ze werkelijk de deur op slot heeft gedaan?

Jullie willen toch niet op volle zee uitstappen? Hallo, kleintje, zei ze tegen Abel. Ook hier? En zweefde vrolijk langs hem heen. Moet me met mijn gasten bezighouden.

Later bleek dat ze ook alle borden en bestek had verstopt. De enige lepel, een beschilderde van hout, had ze in haar hand. Liep met een pan en de lepel rond en schepte iets dat Janda had gekookt – rood en scherp – in de monden. In een melkkoker droeg ze ook een fles drank mee die ze erachteraan goot. Pssss. *Om te blussen.* Er moest trouwens steeds uit de fles worden gedronken, want ook alle glazen waren verdwenen. Is dat een probleem, mijn beste welvaartsinvaliden?!

Abel zat met zijn rug tegen de brandmuur, ze bleef met de lepel voor hem staan. Hij schudde zijn hoofd. Ze maakte een klokkend geluid en hield de lepel dichter bij zijn lippen. Hij schudde zijn hoofd. Ze barstte in lachen uit alsof ze werd gekieteld, en smeerde de chili met de lepel over zijn gesloten lippen. Het liep over zijn kin, viel op zijn boord en droop met een rode streep over zijn buik naar beneden. Kinga lachte. Ze pakte de fles, goot drank in zijn gezicht, waste hem, net als vroeger de buil, weet je nog, en liep lachend weg.

Later wilde ze dat er niet alleen op het benedendek muziek was. Alle hens aan dek! Ook het orkest!

Nee, zei Janda, maar ten slotte zaten ze toch boven, aan de voet van de schoorsteen, en speelden zo zacht ze konden. Ze danste met een brandende kaars op haar hoofd. De vlam flakkerde, de was liep in haar haar, ze juichte, ze rook verbrand. Later deed ze alsof ze een aanloop naar de rand van het dak wilde nemen. Joehoeoeoeoe! De kaars ging uit en viel op de grond, de musici, eerst Janda en toen de andere twee, hielden midden in een lied op met spelen.

Spelen! schreeuwde ze. Zien jullie de ijsberg niet?

Janda verdween door het luik naar beneden, de andere twee en de meeste gasten volgden hem. Abel bleef. Ben je bang dat ik anders spring? Ze lachte. Dans met mij!

Beneden zijn ze weer gaan spelen, in elk geval Andre en Kontra, voorzover te horen viel, terwijl Janda de sleutel van de ijzeren deur zocht. Het kind had nog nooit van zijn leven gedanst. Zal er ook nu niet mee beginnen. Hij bleef zitten. Ze trok een tijdje aan hem, uiteindelijk gaf ze het op en liet zich naast hem neervallen. Au! Ze was op de kaars beland. Ze lachte.

Op het meest vermoeide moment van de nacht zaten Kinga en Abel alleen bij de brandmuur. Om hen heen de contouren van de stad. Bomen op sommige binnenplaatsen. Donkere ijzeren installaties. In de verte kranen tegen de achtergrond van de hemel die langzaam oranje kleurde. Een kudde giraffen op de savanne. Ze draaide zich naar hem toe en ging schrijlings op zijn schoot zitten. Ze rekte en strekte zich ongegeneerd uit alsof ze naar de gemakkelijkste houding zocht, maar wel ononderbroken. Ze rekte zich ernstig, geconcentreerd uit. Door de harde spijkerbroek trok langzaam de warmte van haar lichaam op. Ze drukte haar knieën in zijn zij, sloeg beide armen om zijn hoofd en drukte zijn gezicht tegen haar boezem. Wiegde zichzelf en hem. Kleine ellendeling. Hief zijn gezicht van haar boezem, nam zijn hoofd in haar handen die naar chili, rook, vuil, verbrande koffie, verbrand haar, was en alcohol roken en zijn oren belandden tussen haar vingers. Omdat hij alweer zijn lippen niet opende, beet ze hem, hij kreunde, hè, eindelijk een reactie. Ze maakte van de gelegenheid gebruik om haar tong in zijn mond te duwen. Haar mond smaakte zoals haar handen roken, de zijne naar helemaal niets.

Een beetje bloed. Ze zoog het op. Langs haar haren heen keek hij naar de hemel. Het schemerde.

Ik wil antwoord op één vraag, Antonius, zei de stem naast zijn oor. Houd je van oesters of heb je liever slakken?

Kijkt me niet begrijpend aan.

Ze gaf hem een stomp met haar bekken. Hé?! Haar gezicht was één groot oog. Nou?

Ze ging wat achteruit en glimlachte. Hij glimlachte ook en zei zachtjes: Dat gaat je helemaal niets aan.

Alsof een glimlach op de rand van huilen van een gezicht valt.

Klootzak, zei ze, stapte van hem af en verdween door het luik naar beneden. Hij bleef.

Later kwamen de anderen terug en keken rillend van kou naar de zonsopgang. Kinga was er niet bij. Hij klom naar beneden.

Ze stond in de keuken, zo te zien nuchter, en was met koffie bezig. Hij ging op een stoel in de buurt zitten. Ze zeiden geen woord.

Waar is de sleutel, vroeg Janda. Er willen mensen weg.

Ze deed of ze hem niet hoorde. Bleef neuriënd bezig.

Kinga! zei Janda streng. Waar is de sleutel?

Welke sleutel, liefje?

Janda heeft geen tijd of geen zin, uit ervaring weet hij dat een discussie helemaal niets oplevert, hij ging naar haar toe en greep in haar broekzak.

Alsof er een speenvarken werd gekeeld: ze krijste, stampte, rolde over de keukenvloer, de partygasten stonden er in een halve cirkel omheen. Shit, zei Kontra. Andre stond er met een gezicht van steen bij. Toen Kinga's blouse scheurde, grepen eindelijk een paar mensen in. Ogenblikken later was de keuken één grote vechtpartij, iemand trapte tegen Abels stoel, een loszittende poot brak er met veel gekraak onderuit, maar nog voor het wrak op de grond belandde, stond hij overeind en stapte over de vechtenden heen. Kontra schudde een fles mineraalwater en Andre zag als enige hoe Abel in de richting van de deur liep. Op het moment dat het bruisende water over de vechtersbazen werd uitgestort, opende het kind de deur en ging weg.

Dat was de dag voordat hij het huwelijksaanzoek kreeg. Daarna zagen ze elkaar lange tijd niet meer.

Vliegeren

De bruiloft vond plaats in het vroege voorjaar. Ergens in mei, zodra het weer het toestond, vertrok het gezinnetje naar zee.

Een dag tussen verbranden en kou vatten, de zon scheen volop, maar de wind was nog koud, je zweette en rilde tegelijkertijd. Mercedes' blote voeten werden koud in het zand, maar ze houdt vol, het gaat om eer en status, vaderland en familiealbum. De vlieger fladderde in een windvlaag, Omar hield het touw vast, Abel stond achter hem en deed alsof hij hem onopvallend hielp, maar zijn handen beroerden die van de jongen niet. Op de foto zullen de linkerhanden afgesneden zijn, op de gezichten zal vreugde en intimiteit te lezen staan. Mercedes bedierf meer dan de helft van de foto's omdat ze speelde dat ze een onstuimige fotografe was zodat de andere twee lachten, en ze lachten ook omdat iets van Abel aan Omars oor kietelde. Je kietelt! Op de duikbril van de jongen sloegen opgewervelde zandkorrels neer. Een mooie dag. Plotseling:

Hé! Hé! Ben jij dat? *Kurva*, Abelard, wat doe jij hier?

Met blote voeten schopte ze zand tegen zijn kuiten, sprong op zijn rug, omklemde hem met haar benen, stompte in zijn zij, de vlieger zwaaide klapperend heen en weer. Niet in het familiealbum: Foto van een vreemde vrouw die haar echtgenoot tegen de grond worstelt.

Kutvanjemoeder, wat doe jij hier?

Blik op de jongen die de vlieger in bedwang probeerde te krijgen, de vrouw met de camera merkte ze niet eens op. Abel had zand in zijn mond.

We laten vliegers op, deelde de jongen de vreemde vrouw mee.

Dat wil zeggen: We *lieten* vliegers op.

Hij had de bril op zijn voorhoofd geschoven, een oog is star, maar dat zie je niet op het eerste gezicht.

Kinga bekeek hem alsof hij een ding was.

Hallo, zei Omar. Ik ben Omar.

Dag, zei Mercedes, die zich intussen bij hen had gevoegd. Terzijde, vlak bij het water, een vrij jonge kerel, hij hoorde bij Kinga, rekte zijn hals, maar kwam niet naderbij en vertrapte met zijn tenen het aangespoelde schuim. Een tijdlang stonden ze te staan. Toen, Mercedes:

Kunnen we helpen? (Wie bent u?)

Kinga tegen Abel: Wie is dat?

Mercedes, vriendelijk: Ik ben Mercedes. Aangenaam.

Ze stak een kleine, bruine hand uit. Kinga staarde ernaar. Een trouwring. Ze pakte Abels hand: dezelfde. Smal, van geel goud. Mercedes trok haar hand terug om haar ogen te beschermen.

Kinga: Heb je daarom niets meer van je laten horen?

Alsof ze bij 'daarom' een hoofdbeweging had gemaakt: vanwege die daar. Haar mond stonk naar tabak en een slecht gebit. Op haar kin groeide een wrat met haren erop. Ze ziet er meer en meer uit als een heks. Kijkt kwaad voor zich uit, blaast en vertrekt zonder afscheid te nemen. Haar metgezel keek een paar keer om toen ze wegliepen. Alsof ze daarvoor aan zijn arm had getrokken.

Wie was dat?

Een oude vriendin.

Waarom is ze zo boos?

Een paar dagen later ontmoetten ze elkaar in een café. Zij droeg oorbellen en had haar haar gekamd. Hij zag er knapper uit dan ooit. *Het huwelijk doet hem goed.*

Hoe lang al?

Twee maanden.

Waarom heb je het geheim gehouden?

Ik heb het niet geheim gehouden.

Pauze.

Hm, zei ze. Je hebt het dus voor elkaar. Ik wil wedden dat ze van je houden. Een barbaar is zelden zo gecultiveerd. En daarbij passend het kleine vrouwtje. *Kleine vrouwtje*, ik zou geen beter woord weten. Zo beleefd, elegant en ontwikkeld. Open, vol begrip, tolerant. Vermoedelijk net zulke ouders. De appel valt niet ver van de boom. Niet het flauwste benul. Neukt ze in elk geval goed?

Nee.

Nee?

Het is geen echt huwelijk. Het is vanwege de papieren.

Sukkel. Je laat vliegers op met die snotaap van haar.

Hij heet Omar.

Pauze.

Is het vanwege het geld?

???

Ik heb het uitgerekend. Ik ben je tot nu toe bijna zesduizend schuldig.

Hij wuift het weg. Dat geeft niets.

Wat geeft dan wel? Wat ben je toch voor iemand? Hé? Niets geeft wat. Ik geloof niet dat je goed bent. Ik geloof dat alles je eigenlijk koud laat. Geld, mensen. Wat is het toch met dat voortdurende verdwijnen van je, wat ben je eigenlijk? Een fata morgana? Je bent geen fata morgana, beste jongen, je bent een mens, andere mensen maken zich zorgen om je! Zo kun je je toch niet gedragen! Zonder een woord te zeggen! Is het om Janda?

(???) Nee.

Wat heeft hij gedaan? Wat heeft hij tegen je gezegd? Je weet toch dat hij een idioot is, niet? Het is een aardige jongen, maar een idioot. Wat hij zegt, kun je vergeten. Hij heeft niets te zeggen. Luister niet naar wat hij zegt. Ik sla hem op z'n smoel.

Met Janda heeft het niets te maken.

Waarmee dan? Wat is het probleem? Hè?

Abel schudde zijn hoofd.

Wat is er aan de hand? Wat is er gebeurd?

Geen antwoord.

Misschien moeten we liever jou op je smoel slaan. De jongens willen dat allang. Ik zeg: Hij doet toch niets. Zij zeggen: We weten dat hij niets doet. Maar hij heeft iets over zich.

Nu glimlachte hij.

Zou je dat leuk vinden? Je zou het leuk vinden. Een pak slaag, niet? Daar ben je op uit. Wat heb je uitgevreten?

Abel glimlachte niet langer. Pauze.

Je vindt me gênant.

Nee.

Je vindt ons niet gênant?

Nee.

Die bezopen, haveloze troep zwervers?

Hij schudde zijn hoofd.

Wat dan? Wat ben ik voor jou?

Je bent mijn. Geliefde. Peetmoeder.

Ze lachte schor. Haar gezicht had de kleur van de botten die zich sterker dan ooit onder haar huid aftekenden. Wanneer ze lachte, trokken haar neusvleugels terug. Uit het linkerneusgat stak een haar. Ze werd weer ernstig:

Charmante klootzak. Dat heb je erbij geleerd. Beleefd was je altijd al. Zo beleefd dat je handen jeuken om je een draai om je oren te geven. Heb je vroeger veel draaien om je oren gekregen? Dan weet je nu waarom.

(Wat moet dat, bij vreemden door het raam naar binnen klimmen? Fatsoenlijke mensen gaan door de deur! Wat is dat voor gedrag, gewoon op de ruit kloppen en dan ... Wat hebben jullie te verbergen? Wat hebben twee zeventienjarigen voor geheimen? Wat doen jullie als jullie samen zijn, in die kamer waarin alleen plaats is voor een tafel en een bed, de boekenplanken hangen tegen de muur en er is maar een stoel? Waarom zeg je niets tegen me, terwijl ik me dag in dag uit voor je uitsloof? Waarom zeg je niets? Al jaren, heb ik het gevoel, heeft geen mens meer een verstandig woord tegen me gezegd, vind je het gek dat ik oud en krankzinnig word? Haal niet je schouders op! Haal het niet in je hoofd je schouders op te halen! Haal het niet in je hoofd zo arrogant te kijken! Wie denk je eigenlijk dat je bent? --- Neem me niet kwalijk, ik wilde je niet slaan, ik was alleen zo wanhopig.)

Kinga: ik had ook kunnen trouwen. Een oudere man wilde met me trouwen. Maar dat kan ik niet. Ik kan niet met een van hen trouwen. Begrijp je dat? Dat kan ik niet. Ik had niet gedacht dat ik tien jaar later zo in de vernieling zou zijn. En van *dit hier* raak je nog meer in de vernieling. Ik ben zo in de vernieling dat ik niet eens meer de kracht heb om op te geven. Ik heb je geld niet nodig. Ik geef het altijd door, nu eens de een, dan weer aan een ander. Ik weet dat jullie elkaar niet kunnen uitstaan. Tegen hen zeg ik: Jij kunt er niets aan doen. Dat je geen hart hebt. Daar kun je niets aan doen.

Hij zocht naar kleingeld, legde het op tafel.

Sorry. Dat doe ik nou altijd. Altijd moet ik op je hakken. Natuurlijk heb je een hart. Nu wil je me niet eens meer aankijken. Dat doe ik nou altijd. Je moet me niet au serieux nemen. Je weet toch dat ik gek ben, of niet? Of weet je dat niet? Ga maar. Kan ik beter huilen.

Puzzel

Kijk eens aan! Dus toch geen impotente homo?

Waar heb je het eigenlijk over?

Je hebt gelijk, zei Tatjana. Het was nog te vroeg om definitieve conclusies te trekken. Hoewel het idee me wel bevalt dat ze *iets als zijn vrouw* zou kunnen zijn. Ruimte voor een driehoeksverhaal.

Alsjeblieft, zei Mercedes. Schrijf dat vooral! Of: Nou en? Wat is er helemaal gebeurd? Ontmoeting met onbehouwen onbekende, onverwacht en ergerlijk, maar zoiets komt voor. Mensen kennen andere mensen.

Waarom vertel je het dan? (Tatjana)

Had ik het maar niet gedaan.

Het was merkwaardig weer, tussen de windvlagen door werkelijk warm, af en toe had hij de mouwen van zijn overhemd tot zijn bovenarmen opgerold. Vlak onder de rand was het litteken van een pokkeninenting te zien, en Mercedes dacht: Nu heb ik iets van hem gezien. Inderdaad: tot nu toe het grootste lichaamsoppervlak: bijna een hele arm. De volgende keer gaan we zwemmen. Of ik vraag of hij bij me wil komen en zich uitkleden. Als reden kan ik opgeven: Als me ooit iets wordt gevraagd, moet ik van zijn lichaam op de hoogte zijn. Waar heeft hij moedervlekken? Natuurlijk zal dat nooit gebeuren. En zwemmen is ook zo problematisch. Omar houdt niet van water. De zee bekijkt hij alleen. Misschien heeft dat te maken met zijn oogkas, hoewel hem gezegd is dat water niets uitmaakt.

Ik weet het, zegt hij, dat is het niet. Tegen Abel: Kun jij zwemmen?

Ja.

Ik niet. En ik zal het ook nooit leren.

Weet je, zei Mercedes op de terugweg van het strand, zij reed, Abel zat naast haar voorin en keek hoe de zee langzaam achter het landschap verdween, weet je dat ik vandaag voor het eerst iemand uit jouw vriendenkring heb ontmoet?

Dat komt omdat er geen kring is, zei hij, blik onveranderd naar buiten gericht. Alleen zij is er. Ze heet Kinga. We hebben elkaar een tijdje niet gezien.

Ik heb ook geen vrienden, zei Omar vanaf de achterbank.

Ik ben jullie vriendin, zei Mercedes.

Daarna zwegen ze.

Van het zwemmen kwam niets terecht, het weer veranderde van gedachten, de winter kwam terug, rukte aan de bomen in de leuke straat, floot tussen de containers op het overslagstation. Van zwemmen kon geen sprake zijn. Bovendien, zo zei Abel, had hij volgend weekend helaas geen tijd.

Nu zou het de beurt van het kind zijn geweest om met kinderlijke nieuwsgierigheid te vragen: Wat ga je dan doen? Maar Omar vroeg niets, en dus horen we (Mercedes) het ook niet. Waarom blijft dat nu door mijn hoofd spoken?

Opeens verschijnt er iets. Een *moment*. Een suikertante genaamd voorzienigheid heeft me een gigantische echtgenootpuzzel geschonken, stukje voor stukje kom ik vanaf de randen dichterbij, observatievermogen en doorzettingsvermogen worden getraind, in één woord: het is moeizaam werk, maar je kunt er niet mee ophouden, nog niet, hoewel het resultaat te voorzien en meestal – dat moeten we toegeven – teleurstellend is: een tweedimensionaal beeld vol barsten. Of – andere metafoor

– alsof je in een droom op weg bent en het *iets* dat je zoekt bevindt zich altijd om de volgende hoek. Zo voel ik me, zei Mercedes. Wat ik ook hoor, een deel van het verhaal ligt altijd verborgen om de volgende hoek. Fantastisch spel. Of een ellendig spel. Dat weet je niet precies.

Als we toch bezig zijn, zei Erik, heb ik nog een nieuwe aanwijzing voor je. Dat wil zeggen, nee, een Erik doet dat anders.

Luister, zei hij op gedempte toon en deed de deur achter zich dicht, hoewel er behalve zij tweeën niemand was. Ik heb wat gehoord.

Hij haalde diep adem en liet de lucht zuchtend weer ontsnappen: Luister. Er was toch, zo herinneren we ons, dat twijfelachtige moment betreffende bepaald *werk* in een gestolen laptop dat niet op diskette was opgeslagen. Ik wilde er destijds niet verder op ingaan, maar *in zo'n situatie* (???) ga je je toch afvragen: Hoe is dat mogelijk? Wat is dat? Pech, incompetentie, fatalisme, leugens? Wat leert de ervaring? De ervaring leert dat het meestal niet bestaand werk is dat niet op diskette is opgeslagen en vervolgens door invloeden van buitenaf verloren gaat. Heeft ooit iemand ook maar één zin *van dat werk* gelezen? Is die laptop werkelijk gestolen? Heeft hij eigenlijk ooit een laptop bezeten? Waar heeft hij die gekocht, hoeveel heeft die gekost? Kent hij eigenlijk wel al die talen? Wie kan dat controleren? (Mercedes opent haar mond.) Laat me uitspreken! Goed, zeg ik, misschien is het alleen mijn jaloezie, ja, ik kan niet bewijzen dat hij geen proefschrift over wat voor onderwerp dan ook heeft geschreven. Maar afgestudeerd schijnt hij in elk geval niet te zijn.

???

Triomfantelijk: gewoon, de universiteitsbibliotheek, taalkunde, vreemde talen, catalogus van doctoraalscripties, niets.

Pauze.

Dat zegt helemaal niets, zei Mercedes, Waarom ben je eigenlijk aan het snuffelen naar wat hij doet?

Ik snuffel niet. Ik was geïnteresseerd in zijn werk. Het spijt me, zei Erik. Ik achtte het mijn plicht als vriend …

Hartelijk dank, zei Mercedes.

Tegelijkertijd was een team van zeven deskundigen, linguïsten, neurologen en een radiologe, bezig om met behulp van gecompliceerde technische apparatuur met een hoge rekencapaciteit het brein van Mercedes' echtgenoot in kaart te brengen.

Er bestaan verschillende methodes, CT, MRT, contrastmiddelprocédé etcetera. Al die methodes hebben gemeen dat je op zeker moment in een buis ligt die zo krap is als een doodskist en dat je je hoofd niet kunt bewegen. Fysiek is dat niet bijzonder aantrekkelijk en inhoudelijk, zei Abel toen ze hem eindelijk hadden gevonden (Lieve God, we hebben u overal gezocht! Was u op reis?) vond hij het ook niet erg interessant.

Ik wil u graag aan iemand voorstellen, zei de teamleider en pakte Abel vaderlijk bij de arm, behoorlijk stevig. Hij liet hem pas los toen ze voor een broodmagere, boos kijkende grijsharige man stonden.

Meneer N., ik wil u graag de heer L. voorstellen. Meneer L., dit is de heer N.

Goedendag.

Hoemtemt. Of *gantetoe.*

De heer L. komt uit Zwitserland, vroeger een L5-spreker. Daarmee zijn vier van de talen die u spreekt gedekt.

B-b-b-b, zei de heer L. *B-b-b-bazmeg,* fuck you, mijn zoon. Hij knikte, rolde met zijn ogen. Begrijp je wel? *Bazzmmm* –

Begrijpt u nu wat ik bedoel. We kunnen hier iets zinnigs doen, en er is ook wat geld voor beschikbaar.

Het weekend na het tochtje naar zee had Abel een test. De maandag daarna bracht hij een ingekleurde foto voor Omar mee. Dat is de regenboog van mijn hersens. Sommige dingen zijn belicht, andere niet. De belichte velden hebben verschillende kleuren. Van L1 tot L10. L als in lingua. Omar hield zijn gespreide vingertoppen onder het glanzende stuk papier, als onder een presenteerblad waarop je in een droom ongetraind waardevolle glazen door een veldslag moet dragen, bracht het naar zijn kamer en prikte het boven zijn bed.

Mijn kleinzoon valt in slaap terwijl hij het brein van zijn stiefvader bestudeert. Ik kan het niet uitleggen, maar het heeft iets huiveringwekkends, zei Miriam.

Huiveringwekkends? Echt waar? vroeg Alegria.

Mercedes bestudeerde de foto zogenaamd serieus. Hm, zei ze, hm, en keek steeds weer naar Abel alsof ze de binnen- en de buitenkant met elkaar aan het vergelijken was, en iedereen lachte.

Dus de veronderstelling dat hij zijn talen niet zou spreken was in elk geval op dat moment al weerlegd.

Dank je hartelijk, zei Mercedes tegen Erik, Tatjana en alle anderen die hun mond opendeden (en de *meesten* voelden zich daartoe geroepen). Dank je, zei Mercedes. En laat me nu met rust. Ik ben een alleenstaande moeder, en hij is mijn schijnechtgenoot. Ik heb tijd noch reden om hem te observeren.

Maar eerlijk gezegd wachtte ze al die tijd tot er iets *aan het licht kwam*. Mensen die zich jarenlang uitgeven voor arts, priester of postbode. Echtgenoten. De worm knaagde niet pas in haar hoofd sinds het vliegerverhaal en Eriks vragen. Die worm zat erin sinds *dat* lachen. Sindsdien is alles een teken. Te laat komen, zuchten, een aarzeling voor een gangbaar blauwbaardantwoord. Zijn hele merkwaardig-zijn, zijn niet aanwezig zijn. Sinds kort zijn er ook sporen van obscure herkomst in hem te bespeuren. Zegt dat hij ook het volgende weekend, nee, niet kan. Dan komt hij maandags en het is of hij iemand anders is. Zoals hij eruitziet en die geur. Gedestilleerd. Parfum of alcohol. Opmerkelijk is: alsof hij er niet zelf naar ruikt, alsof alleen zijn kleren, zijn haar en in mindere mate zijn huid die geur hebben aangenomen. Alsof hij ze draagt als een jas. Twee jaar geleden, toen ze een rechte, zwarte jurk met een witte kraag droeg en een bos margrieten in haar hand had, had hij al zo geroken. Naar seks en illegaal-zijn.

Omar, die vrijwel het hele weekend in het park wilde doorbrengen om *naar de mensen te kijken* (= wachten of hij toevallig voorbijkwam), was verkouden en kon dus geen mening geven ten aanzien van de geur, en het verfomfaaide gezicht en het troebele rood in zijn ogen schenen hem niet op te vallen. Ze dronken thee.

I ogoertsy i vodkoe! riep Omar, maar Mercedes begreep het niet. Dus bleef die wens onvervuld.

Dinsdag of woensdag onderbrak ze abrupt waar ze op dat moment mee bezig was en belde de vroegere faculteit van haar man, dezelfde waar ook zij had gestudeerd.

Jazeker, liefje, zei *Ellie*, een vriendelijke oudere secretaresse, natuurlijk herinner ik me hem. Of ze een uur later kon terugbellen.

Zo, liefje, zei Ellie, ik heb het voor je nagezocht. Gezocht en gezocht, ik herinner me hem toch duidelijk, zo'n knappe jongeman, en toen schoot het me opeens te binnen. De *toehoorders* zitten in een ander kaartsysteem, liefje.

Ik begrijp het, zei Mercedes.

Ja, zo is het, liefje, zei Ellie. Gaat het goed met je?

Laten we de zaak samenvatten, dacht Mercedes op donderdag terwijl ze deed of ze werkte. Eén: Erik had gelijk. Toehoorders kunnen geen examen doen. Twee: Dat had ik allemaal al voor de huwelijkssluiting te weten kunnen komen. Een telefoontje. Laten we erkennen, drie: Dat was haar zelfs door het hoofd gegaan. Inlichtingen inwinnen zou verstandig zijn geweest. Waarom heeft ze dat dan toen niet gedaan, maar nu wel en wat volgt daaruit? Daaruit volgt dat het blijkbaar geen rol speelt dat mijn echtgenoot nooit een gewone student is geweest, en het speelt ook geen rol dat hij dat heeft verzwegen, en in feite speelt het ook geen rol of je zijn oude vrienden wel of niet kent. Dat interesseert Mercedes eerlijk gezegd geen zier. Maar wat interesseert haar wel? Wat speelt wel een rol?

Diezelfde dag vond, zoals altijd, 's middags de Franse les plaats. Wat zag ze nu als ze hem aankeek, nu ze meer over hem wist? Iemand die zo onberoerd leek door welke inspanningen en vermoedelijke uitspattingen dan ook alsof, sinds de vier jaar dat ze hem voor het eerst *bewust* in de deuropening van Tibors sarong had gezien, alle dagen langs hem heen waren gegaan zonder een spoor na te laten. Een glad, wit gezicht, nuchter, onschuldig, schoon en vierentwintig jaar oud. Geen vlieg kwaad doen, geen emmer omschoppen, niet tot tien kunnen tellen. Dit gezicht ergerde haar nog meer dan dat andere onlangs. Oorspronkelijk was ze van plan geweest hem te vragen om te blijven. Nu liet ze hem gaan.

Hij was de deur nog niet uit of de telefoon ging.

Ja, zei ze. Nee. Mijn man is net de deur uit. Vijf minuten. Natuurlijk. Nee, het spijt me. Dit weekend is mijn man niet in de stad. Maandagmiddag zou kunnen. Ja, ik wacht. Begrijp ik. Dank u. Natuurlijk. Geen probleem.

Ze legde op. Bleek.

Wat is er aan de hand? vroeg Omar.

De les maandag gaat vermoedelijk niet door, zei ze.

Wat is er aan de hand?

We krijgen bezoek.

Van wie?

Ze keek op de klok, rekende en draaide een nummer.

Bel zo snel mogelijk terug, zei ze in zijn antwoordapparaat. Het is belangrijk.

Ze legde op. Omar wachtte op zijn antwoord.

Van de vreemdelingendienst. Ze willen controleren of we een echt gezin zijn.

O, zei Omar. Aha.

Het volgende uur keek ze voortdurend op de klok. Te voet is het in zijn tempo hoogstens een kwartier. Vooropgesteld dat hij meteen naar huis is gegaan. Kun je dat vooropstellen? Wat kun je vooropstellen? Misschien doet hij nog een paar boodschappen. Wat? Een brood, een ronde worst, een pak melk en een fles whisky verschijnen voor Mercedes' geestesoog. Dat is goed, weer tien seconden afleiding. Om middernacht belde ze weer. Antwoordapparaat.

Was het overdreven de hele nacht wakker te liggen? In feite was er nog niet veel tijd verstreken, was niets nog *urgent*, maar ik heb het idee dat ik een gevoel herken. Zo is het al eens geweest, bijna elf jaar geleden, toen ze over een muur en door een raam was geklommen om in een bed te kruipen dat naar wiet en zweet rook, en als het ware nog naar iemand anders, een derde, een extra pijn, maar die telde nu nauwelijks nog. Omar sliep diep.

Abel liet vrijdag noch zaterdag iets van zich horen. Alsof ik het voorvoeld had. Nee, komt u niet op zondag, komt u op maandag. Voor de lessen is hij tot nu toe altijd komen opdagen. Afgezien natuurlijk van die keer dat hij zonder iets te zeggen maandenlang was verdwenen. Ze sprak nog meer berichten in. Kom alsjeblieft onmiddellijk thuis, *we krijgen bezoek*! Opbellen naar de voor de hand liggende instellingen, ziekenhuizen, politie? Of helemaal niets doen? Bij de controle een of ander verhaal verzinnen. En vanaf dat moment altijd. De echtgenoot die in werkelijkheid niet bestaat. Gegeven voor een romantische komedie. Het schijnhuwelijk.

Misschien toch liever bij hem langsgaan. In de doodlopende straat bij het spoor voor zijn deur staan en aanbellen. Omar keek geïnteresseerd rond: muren, lucht, dingen die hij zelden had gezien, fijnkrullende wolkjes. Als een bloeiende boom. Of schimmel. Daar rook het een beetje naar: schimmel. Afgezien van andere onaangename geurtjes. Zo ruikt het dus waar mijn man woont. Daarbij nog de wirwar van geluiden uit de nabije en verder afgelegen omgeving die door de doodlopende straat werd versterkt en opgeslokt: cafés, wagons, straten en de wind. Verder: niets. De intercom – ziet die eruit of hij het eigenlijk doet? – blijft stil.

Mercedes drukte op de knop waar FLOER op stond – (vermoedelijk) de vorige bewoner, zoveel had hij nog wel verraden – en belde een syncope: Mer-ceee-des, alsof ze dat zo hadden afgesproken, alsof er een gezinsbelletje bestond. Toen ze dat bedacht, gezinsbelletje, en vervolgens dat hij een sleutel van haar had, maar zij geen van hem, werd ze voor het eerst woedend. Vanwege *al dat gelazer*. Zo kun je toch niet omgaan met mensen. Zo kun je toch ... Wat?

De buren, herhaalde Omar naast haar. Probeer het eens bij de buren.

De enige andere echte naam op de bordjes. Op de onderste verdiepingen blijkbaar alleen firma's. *Schijn*firma's. De buren heten Rose. Rose en Floer. Is dat eigenlijk normaal? Ze keek om zich heen, bekeek alles nog een keer: normaal? Ja? Nee? God mag het weten.

Nu komt er iemand. Van het vroegere bedrijventerrein aan het afgesloten einde van de straat wankelen twee gestalten in hun richting. Een man en een vrouw, gekleed in een minimum aan futuristische kledij, glinsterend en bizar opgemaakt, zochten tastend een weg door de zonnige zondagmiddag. Letterlijk: handen voor zich uitgestrekt waggelden ze naar de rij auto's toe. De vrouw en de jongen op het trottoir zagen ze niet eens. Struikelden giechelend naar een auto, lieten zich erin vallen en reden weg. Een bekende geur bleef achter. Mercedes keek in de richting waaruit ze waren gekomen. Nu is ze heel dichtbij.

Erheen gaan, op de ijzeren deur kloppen, Thanos voor zich zien opdoemen, binnengelaten worden, om deze tijd is de tent bijna leeg, er wordt geveegd, hier en daar nog wat gestalten die om wat voor reden dan ook hebben besloten het hele weekend hier door te brengen totdat het maandag is en de zaak dichtgaat.

Niets ervan. Ook niet bij de buren bellen. Van hun balkon uit kun je op dat van Abel komen en vandaar door de glazen deur in de flat kijken. Voor het geval dat hij daar al dagenlang ligt.

Kom, zei Mercedes tegen Omar. Hij komt wel weer boven water.

Onder controle

Bij sommigen hangt het samen met het seizoen, bij anderen met de situatie, en bij weer anderen weet je het niet. Soms kunnen ze gewoon niet meer naar huis. Dan blijven ze dagenlang, onze logiesgasten, alsof ik (Thanos) niet aan een aantal van hen woningen heb verhuurd. Zelden of nooit is Het gekkenhuis tussen vrijdag één uur en maandagmorgen negen uur gesloten. Je slaapt, eet, drinkt en hebt seks in ploegendienst. Net als de eigenaar en zijn personeel sluit je de ogen waar en wanneer dat voor een uurtje, een halfuurtje kan, in het magazijn, in het kantoor. De genade eindigt om negen uur maandagmorgen, als de laatsten de deur uit worden gegooid. Ze knipperen met hun ogen in het altijd te felle licht. Thanos zelf is te moe om naar huis te gaan, hij laat zich op het vochtige rode pluche van een separee vallen en valt snurkend in slaap. De ijzeren deur naar de binnenplaats staat open. Thanos slaapt zo diep dat iedereen die brutaal genoeg is naar binnen zou kunnen komen en zichzelf aan de bar bedienen. Alles van waarde jatten. Maar niemand komt, drinkt of jat iets. Thanos wordt vroeg in de middag wakker. Gaat onder de douche, kleedt zich als een *fatsoenlijk mens*, een grijs, goed gesneden pak, naar maat vanwege zijn zwaarlijvigheid, en bezoekt zijn moeder in het nabijgelegen verzorgingshuis.

Hallo, zei Greta A. die doodziek, mager en rechtop op een rijdend bed onder een boom aan het rand van het park zit, tegen haar buitenechtelijke zoon Thanos.
Wat is er aan de hand? Waarom zit je op straat?
Iemand heeft me hierheen gereden.
Waarom?
Om tien voor elf. Zoals je ziet zijn we gedeeltelijk nog in pyjama.
Ja, maar waarom?
Iemand heeft een verdacht pakketje in de gemeenschappelijke ruimte gevonden. Waarschijnlijk heeft iemand het gisteren laten staan. M. en E. hebben hun verloving gevierd. Er was zelfs pers aanwezig. Op z'n 81ste eindelijk de grote liefde gevonden, er bestaat dus hoop voor ons allemaal, voor jou en, wie weet, zelfs voor mij.
Een bomalarm?
De fotograaf heeft waarschijnlijk iets vergeten, of het is een pakket met eten of een trui, op zondag is er altijd van alles aan de hand, maar de laatste tijd worden ze van alles hysterisch, daarom zijn we hier.
Hé, seniele sukkels! (Oude man in het raam van het bejaardentehuis, brult naar de straat beneden.)
Iedereen, behalve Uljanow. Hem kan het, ik citeer, allemaal geen donder schelen. Boven mij broeden duiven.
Wat?
In de boom hierboven. Een soort vogels. Misschien duiven. Al dat gedoe maakt ze nerveus. Ze laten voortdurend iets vallen.
Zal ik je ergens anders heen rijden?

Nee. Kan me niet schelen.

Pauze. De bomen ruisten. Verder weg verkeer. Wat nieuwsgierigen, bezoekers en daklozen, waren naar het kordon gekomen, eens kijken wat er gebeurt. Greta gaapte luidruchtig en hield een tengere hand met levervlekken voor haar mond. Een vrouw aan de andere kant van het lint nam haar van top tot teen op. Greta keek terug. Jij komt ook nog aan de beurt, schatje. Vlakbij maakte een in het zwart geklede man ruzie met een politieagent.

U mag hier niet door, zei de agent. De straat is afgesloten. Bommelding. Voor uw eigen veiligheid.

Maar ik woon hier, ik woon daarginds, in deze straat, bij mijn vrouw, ik moet erdoor, een andere weg weet ik niet, als ik om het blok heen moet lopen, raak ik misschien de weg kwijt, nog afgezien van het feit dat ik te laat kom, dat ik nu al te laat ben ...

Ongeveer op hetzelfde moment als zijn café-eigenaar en huisbaas was ook Abel Nema ontwaakt, luisterde alle negen berichten op het antwoordapparaat af en belde terug.

Neem me niet kwalijk, zei hij. Ik kom direct.

Een halfuur voor het aangekondigde bezoek was Mercedes niet meer in staat wat dan ook te antwoorden.

Het spijt me, zei de agent nu en draaide zich om. Wat mij betreft is de zaak hiermee afgedaan.

Abel bleef een tijdje gewoon staan, keek om zich heen en richtte toen weer het woord tot de agent. Beleefd:

Neem me niet kwalijk, maar daarginds, aan de andere kant van de versperring, zitten mijn vader en mijn grootmoeder, die onder die boom in dat bed, en die dikke man daarnaast. Ik moet beslist ...

Nu is het opeens uw grootmoeder?

De agent bekeek de zaak.

En dat zou uw vader zijn?

Naar wie zwaai je, vroeg Greta.

Naar een kennis, zei Thanos. Daarginds.

Ik heb niet de indruk dat ze het niet alleen kunnen redden, zei de agent.

Dat is voor het eerst dat ik een van je *kennissen* zie, zei Greta en zwaaide ook.

Het spijt me, u moet om het blok heen lopen.

Hij is knap. Binnenkort moet je hem maar eens aan me voorstellen.

Het is alleen maar een klant, moeder. Een onderhuurder.

Ik ga binnenkort dood, zei Greta.

De vogels kwetterden.

Wat doet hij daar? Hij probeert door de afzetting heen te komen. Onbegrijpelijk, bent u doof of zo? Levensmoe? Om het blok heen lopen, dat is toch niet zo moeilijk! Laat uw papieren maar eens zien, en kijk niet alsof u me niet begrijpt, u begrijpt me heel g---

Wat kun je dan nog doen? Je zou kunnen weglopen, *opnieuw weglopen*. Abel overwoog die mogelijkheid serieus. Weliswaar is zijn laatste training al een tijd geleden, maar de man tegenover hem maakt een behoorlijk logge indruk, misschien is het zelfs wel dezelfde smeris als destijds, op de een of andere manier komen ze elkaar bekend voor.

Nou? Komt er nog wat van?!

Niets helpt, alleen nog een deus ex machina, en daar is die al, in de gedaante van een tweede politiebeambte die nu uit het bejaardenhuis naar buiten komt, met zijn armen maait, niets, het is niets, vals alarm.

Met zijn hand nog in zijn binnenzak deed Abel onmiddellijk een stap opzij, neem me niet kwalijk, en liep haastig langs de eerste agent heen.

Denkt u dat het zo eenvoudig gaat?

Ja, blijkbaar. Hij is al weg. En natuurlijk interesseren *vader* en *grootmoeder* hem geen zier. De gefopte ambtenaar in functie keek kwaad. De oude dames en heren applaudisseerden voor de vertrekkende deskundigen. Uljanow spuwde uit het raam op straat, maar raakte niemand.

Eindelijk! Mercedes rukte de deur open. Waarom gebruik je je sleutel niet?

Dat vroeg ze niet meer, want het was niet degene op wie we allen wachtten, maar: een vreemde man en een vreemde vrouw. Mogen we binnenkomen?

Mijn man, mijn man komt helaas te laat naar het zich laat aanzien. Hij moest nog iets doen, werken, een test afleggen, het verkeer...

Een test...?

Ja, het is, het zijn... (Waarom stotter je zo en word je zo rood?) Psycholinguïstische tests om de hersenactiviteit van sprekers van verschillende talen te onderzoeken, zei iemand op de achtergrond. Zwarte jongen met een ooglapje. Ik heb er een foto van in mijn kamer, wilt u die zien?

Blik in het meegebrachte dossier: Omar, niet?

Ja. Zal ik de foto halen of komt u mee?

Mijn man is op weg naar huis van zijn werk of een test door een auto (een taxi?) aangereden. Overvallen. Door de politie gecontroleerd. Is verdwaald. Van mening veranderd. Hij...

... krast met zijn sleutel op het slot van de voordeur. De deur vliegt van binnenuit open.

Ze vroeg niets, zelfs niet fluisterend, de andere drie bevonden zich nog in de kamer van de jongen, ze keek alleen.

Ik weet het, ik weet het, zei hij luid en opgewekt. Ik ben weer eens te laat. Neem me niet kwalijk, lieveling.

Dat sloeg me werkelijk met stomheid. Zwijgend draafde *lieveling* achter hem aan de woonkamer in, waar hij zelfverzekerd binnenstapte en nog steeds enthousiast Omar! Ik ben thuis! riep. Hij excuseerde zich opnieuw, deze keer bij de ambtenaren, vanwege een bommelding was een straat afgesloten en had hij een omweg moeten maken. En hij keek ze daarbij aan met die ongelooflijk blauwe ogen, vooral de vrouw.

En zo ging het verder. Hij was perfect en Omar niet minder, ze gaven een feilloze voorstelling, zaten naast elkaar op de bank, raakten elkaar als vanzelfsprekend aan, gaven elkaar wachtwoorden, zorgden er onopvallend voor dat Mercedes niet werd buitengesloten, wat niet eenvoudig was omdat ze er stijf en stil bijstond.

Hier laten we vliegers op, waar precies weet ik niet meer, mijn vrouw rijdt, ik heb helaas geen rijbewijs, of niet helaas, heb andere dingen aan mijn hoofd, hij de theorie en zij de praktijk, ieder doet wat hij kan, hier zijn we in de dierentuin, hier in het museum, dit is onze bruiloft, nee, dat is niet mijn schoonvader, dat is de overleden man, correctie: levensgezel, van mijn vrouw, nee, niet de vader van de kleine Omar, hij staat alleen in de schaduw, wat is dat, een kastanjeboom, een onbekende binnenplaats, ik heb hem goed gekend, hij was mijn hoogleraar, vergelijkende linguïstiek, onverwacht aan kanker, het toilet is de tweede deur rechts, en als u toch bezig bent, kunt u meteen mijn aftershave in ogenschouw nemen die ik hier speciaal heb neergezet, aan het feit dat ik niet weet waar de suikerklontjes staan, kunt u me niet ophangen, wijs me de man aan die dat wel weet, we hebben helemaal geen suikerklontjes, de zoetheid van het leven is suiker genoeg voor ons, zegt mijn vrouw, ga uw gang.

Beleefd als altijd, vriendelijk, af en toe zelfs charmant, nooit te opdringerig en zelfs bijna elegant – en daar begint het te haperen. Alsof iets aan hem niet *echt* was. De meest authentieke en meest ongeloofwaardige man. Bijvoorbeeld hoe slecht hij gekleed is. Die rubber zolen, die broek met wijde pijpen dateren toch nog uit de jaren tachtig. Z'n jasje heeft hij van zijn eerste kleedgeld bij het Leger des Heils gekocht, waar we destijds allemaal onze kleren kochten. Een verkoopster keek hem aan en verlaagde de toch al minieme prijs nog eens met 25 procent. Later droomde ze dat ze op een zolder met hem danste. Daar teerde ze jarenlang op. Maar nu, hier, past het eenvoudig niet bij de *rest*. De vrouw en de jongen zijn van een heel ander *niveau*.

Mercedes, die de gedachten van de onbekende vrouwelijke ambtenaar als het ware zwart op wit voor zich zag, kwam in actie.

Ze speelde dat hij het bewonderde genie was en zij zijn bewonderaarster. Hij schonk haar een goedmoedige, gevleide glimlach, hetzij omdat hij het spel begreep, hetzij bij toeval. De onbekende vrouwelijke ambtenaar moest toegeven dat het een heel echte indruk maakte. Wat zich in de onbekende mannelijke ambtenaar afspeelde, weten we niet. Eerlijk gezegd leek hij nogal dom. Zijn vrouwelijke collega was aan te zien dat ze nu eens dit, dan weer dat dacht. Eveneens een slachtoffer van hem worden of de jonge vrouw voor hem waarschuwen?

Sinds wanneer kent u elkaar?

Zij: Sinds zeven jaar.

Hij: Eigenlijk (pauze, hij wacht tot hij ieders aandacht heeft, nu komt de pointe) hebben we elkaar ruim tien jaar geleden voor het eerst gezien. De eerste dag dat ik in dit land was.

Ja, dat klopt. Maar heel even maar.

Niettemin had hij haar direct herkend.

Ze glimlachte.

Wie heeft die aftershave uitgekozen, u of u?

Hij, met een glimlach: Voor mijn persoonlijke toilet zorg ik zelf. Hij interesseerde zich ook niet voor de cosmetica van zijn vrouw. Van haar jeugd, vader, moeder, vriendenkring en haar werk is hij daarentegen op de hoogte.

Welke kledingmaat heeft uw vrouw?

Met een beminnelijke glimlach: 32/34. Dat is overigens dezelfde maat als de jongen heeft.

Kun je goed overweg met je stiefvader, Omar?

Het kind, ernstig en uit de hoogte: we zijn verwante zielen.

Alsof *zij* bij die zin kippenvel kreeg. Zich nu direct tot haar wenden:

Hoe zou u de relatie tussen u beiden willen karakteriseren?

Hij (laat haar niet aan het woord komen): Van het begin af aan … (Weer die pauze, iedereen luistert gespannen, hij begint opnieuw:) Het was liefde op het eerste gezicht.

Opeens barstte ik bijna van woede. De stress van de afgelopen dagen. Ten eerste. En dan zegt hij zoiets. Ze stonden in de gang, een klein gezinnetje, de jongen in het midden, en zwaaiden de ambtenaren keurig uit, zoals een vertrekkende trein met lieve grootouders, de man sloeg zijn arm om de schouders van de vrouw, zijn andere hand op de schouder van de jongen. Toen ging de deur dicht, hij haalde beide handen weg, *schakelde het licht uit* en ging zonder overgang weer over op spaarlampen. O, dat welbekende melancholieke zwijgen! Als dit een echte relatie was, als er ook maar de minste vertrouwdheid tussen ons bestond, zou er nu een fraaie scène volgen. Wat moet dat? Hè? Wat moet dat theater? Maar zij, Mercedes, was zo in rep en roer dat ze geen woord kon uitbrengen.

Of ze daar beneden in een auto zitten en de ingang in de gaten houden om te zien of je werkelijk hier blijft, vroeg Omar.

Verstandig gedacht, kleintje, laten we nog even gezinnetje spelen, koekjes eten. Na zo'n belevenis blijven mensen bij elkaar, doen het licht aan, draaien de kraan open en dekken de tafel. Laten we zegge en schrijve nog twee uur bij elkaar blijven, totdat het donker wordt, de volwassenen voornamelijk zonder iets te zeggen.

Maar nu ben ik moe, zei Omar. Tegen Abel: Breng jij me naar bed?

Hij bracht het kind, dat allang niet meer naar bed hoefde te worden gebracht, naar bed. Vanuit de woonkamer hoorde Mercedes ze praatten. Vertelt hij hem een verhaaltje voor het slapengaan? Omar is niet geïnteresseerd in sprookjes. Ware verhalen!

Wat is waar? vroeg Alegria een keer listig.

Dat weet ik niet, zei Omar. Dat weet je pas op het moment zelf.

Hij vertelde hem alleen maar ware verhalen, beweerde Omar.

Vertel je me er dan eentje?

Die kun je niet vertellen. Het zijn doodgewone dagelijkse dingen. Hij gaat wandelen.

Gaat hij graag wandelen?

Graag weet ik niet. Hij gaat wandelen. Meestal 's nachts.

Hij gaat 's nachts wandelen?

Als hij niet kan slapen.

Komt dat vaak voor?

Dat weet ik niet.

Hij gaat dus wandelen?

Ja.

En verder?

Hij ontmoet soms mensen.

Wat voor mensen?

Bijvoorbeeld mensen die auto's willen kopen.

Auto's? 's Nachts?

Ja.

En dat geloof jij?

Ja.

Hij bracht het kind naar bed en kwam terug in de woonkamer. Er brandde een klein lampje, verder was het donker. Ga je nog even zitten? De lamp zo draaien dat zijn gezicht belicht wordt, of nee, gewoon verdergaan met het verhoor.

Misschien is het al te laat om dit te vragen, zei ze. Maar is er nog iets dat ik weten moet?

Hij dacht van niet.

Pauze.

Heb je intussen iets van je vader gehoord?

Nee.

Pauze.

Hoe is het met je moeder?

Gaat wel, zou ik zeggen.

Zegt dat zonder enige emotie. Waarom doet *mij* dat pijn?

Zwijgen.

Denk je dat ze ons werkelijk in de gaten houden?

Nee, zei hij. Dat denk ik niet.

En toen was hij verdwenen. Mercedes kan zich niet herinnneren dat ze hem heeft uitgelaten. Was ze misschien even in de badkamer? Heeft ze daar de deur horen open- en dichtgaan? Voorzover ik weet niet. Kan hij gewoon in lucht zijn opgegaan? Houdt hij zich hier soms ergens verborgen?

Op deze hoogst merkwaardige – er is gewoon geen beter woord voor – avond deed Mercedes nog eens alle lichten in huis aan.

Keek voorzichtig in de kamer van het kind en daarna ook nog, belachelijk, maar angst is nu eenmaal angst, in de bezemkast.

Het echtelijk bed bleef onbeslapen. Ze sliep op het kleedje voor Omars bed.

Moeder, zei het kind de volgende ochtend. Wat doe je daar?

Kleine dingen

Wat leert de ervaring? De ervaring leert: het zal ook deze keer niet goed gaan. Waarom zou het uitgerekend deze keer goed gaan? In het licht van de volgende dag bezien is de stand van zaken duidelijk. Hoewel niet aan alle betreffende personen in gelijke mate. Ze weten niet evenveel over niet precies dezelfde dingen en ze hebben bijvoorbeeld, zoals vaak gebeurd, heel verschillende, onduidelijke verwachtingen. Dan helpen ook de meest oprechte inspanningen van beide kanten om ellende te vermijden niet altijd.

Ik zeg niet dat hij het opzettelijk doet, me opzettelijk *kwelt*, niettemin had Mercedes er nu eigenlijk schoon genoeg van.

Eerlijk gezegd heb ik er eigenlijk schoon genoeg van, zei ze de ochtend daarna tegen haar spiegelbeeld.

Wat zei je? vroeg Omar vanuit de gang.

Ik vroeg me af of we door de test zijn gekomen.

Dat kunnen we nu nog niet zeggen, zei het kind wijs.

We praten er gewoon een poosje niet over en wachten af. Laten we Frans spreken en niet over het weekend praten. Laten we de tijd horen in de vorm van asynchrone kerkklokslagen en als hamerslagen die in de houten constructie van een nieuw dak verklinken, en laten we hopen, en ook die hoop weer laten rusten, al naar gelang wat we toevallig kunnen opbrengen. Nog minstens een jaar moeten we getrouwd blijven, wat er ook gebeurt. Dat is niet meer dan fatsoenlijk. Mijn gekwetste trots tegenover zijn uitzetting, dat kun je werkelijk niet tegen elkaar afwegen. Maar een beetje *terneergeslagen* was Mercedes wel. Natuurlijk gingen ze nog steeds beleefd en vriendelijk met elkaar om. Alleen de gezamenlijke recreatieve activiteiten lagen de laatste tijd stil. Voorstellen daarvoor hadden altijd van haar moeten komen, en op het moment deed ze die niet. En je kunt lang wachten voordat hij iets voorstelt.

Hoe is het met *hem*?
Wie is *hem*?
Je man.
Dank je. In elk geval gezond.

Een paar weken later vond er een zogenaamd ruisend feest plaats. Mercedes en haar vader vierden hun verjaardag op dezelfde dag. Daarbij was een beetje gesmokkeld, zij is een minuut na middernacht geboren, dus eigenlijk de volgende dag, maar zo precies zijn we niet, zei de dokter en gaf zijn zegen aan 23 uur 59, vader en dochter op dezelfde dag, dat is leuk. Nu werd hij vijfenzestig en zij zesendertig, in de tuin kon geen markies worden opgezet. Die eeuwige wind. Uit alle richtingen stroomden metgezellen van alle leeftijden en de onvermijdelijke familieleden toe. Van deze laatsten informeerde een aantal – soms schijnheilig, soms onschuldig – naar de nog nooit aanschouwde echtgenoot van het jongste feestvarken.
Hij komt later. Hij moet nog iets doen. Hij had, *uitgerekend vandaag!*, weer een test. Wij zijn vooral geïnteresseerd in de motorische en auditore taalvelden in de linkerslaap- en frontaalkwab, bekend als de Broca- en Wernicke-arealen, maar ook de organen die het geheugen en de emoties bepalen, de hippocampus etcetera, spelen een belangrijke rol, legde de stiefzoon van de proefpersoon uit aan zijn geïnteresseerde toehoorders.
Wat ben jij groot en verstandig geworden.
Als ik iets niet uit kan staan, zijn het wel vroegwijze snotjongens.
Het menselijk brein is een verbazingwekkend duidelijke landkaart. Je schijnt er alles op te kunnen zien. Trauma's vormen afgebakende gebieden die aan tumoren doen denken.
Deze tuin is werkelijk een oase! Moet veel werk zijn geweest.

Helaas is het aantal kraaien enorm toegenomen.

Er schijnen dorpen te zijn waar meer kraaien dan mensen wonen.

Ze pikken schapen de ogen uit.

Joggers.

Dat is als in de …

Die dikke, oude, chauvinistische etterbak heeft T.H.'s carrière om zeep geholpen.

We dragen de tragikomische last, wezens met drie breinen te zijn, het reptiel in ons, het kleine zoogdier …

De meeste religieuze extases waren waarschijnlijk epileptische aanvallen.

Weet je waar de flessenopener is?

Ja, ja, dank je, dank je, alleen om te proosten!

Van poëzie verwacht ik dat ik in mijn menszijn wordt verheven, als ik om verstrooiing verlegen zit, kijk ik wel …

Aha, daar ben je! Hij is er!

Hij arriveerde als laatste en zonder cadeau, verontschuldigde zich beleefd voor die nalatigheid. Was er niet meer toe gekomen.

Iemand die zes uur in de tomograaf heeft gelegen …

Zes uur in de tomograaf, hoe gaat dat dan, m'n beste jongen?

(Alegria, terzijde:) Als dat geen heimelijke moordfantasieën zijn! Maar waarom zou ze haar schoonzoon willen doden? Het motief kennen we nog niet.

Kun je iemand doden met een tomograaf?

Je kunt iemand met een diaprojector doden.

Weer eens wat anders.

In de meeste gevallen doodt mijn vader met vergif.

Smakelijk eten.

Hij zag er afgepeigerd uit, pakte het bord aan dat Miriam hem aanbood, eten erop, zijn andere hand werd door Omar vastgehouden, die hem meetrok naar een bank. Abel raakte het eten niet aan, zat alleen een tijdje met het bord op schoot, later zette hij het onder de bank.

Goedenavond, dat is het enige dat we van hem te horen hebben gekregen. Praat de hele avond met een kind van tien.

Elf, zei Mercedes. En: Nou, en? Ze hebben elkaar blijkbaar iets te zeggen.

Waar hebben jullie over gepraat, vroeg ze later aan Omar.

Over eskimo's.

Jullie hebben over eskimo's gepraat?

Ja.

De hele avond?

Nee. Later zijn we afgedwaald.

Afgedwaald? Waarheen?

We hebben in het Russisch gepraat.

Waar ik het over heb, schreeuwde Erik, is dat de eis van een geloof in *een* abstracte God ons denken per se te boven gaat. Sinds het niet meer om praktische belangen gaat als weer, vruchtbaarheid of het overwinnen van vijanden en buren ...

Sinds wanneer is dat dan het geval?

Uit groepsexperimenten is gebleken dat ... alleen omdat ze steeds bij andere groepen ... volkomen willekeurig ...

Ja, ja, ja, ja.

Tonetidi, hoorde Tatjana, die Russische voorouders had en aan de andere kant van Abel op de bank was gaan zitten, de jongen zeggen.

Zijn leraar knikte. *Hostize.*

Later was Omar naar bed gegaan. Mercedes liet gasten uit. (Hartelijk dank voor het eten en het gedempte licht!) Toen ze terugkwam, stond Abel midden in de kamer, tegenover hem stond Erik en diens uitpuilende buik raakte hem bijna. Erik wankelde. Hij was erg dronken.

Wat moet dat worden? vroeg Maya eerder op de avond aan haar man. Wat? vroeg Erik. Hij keek haar niet aan, Hij zat, na een uitputtende, luidruchtige discussie over taal en politiek, in een fauteuil in de buurt van de tafel met drank, hield de bank tegenover hem in de gaten, telde de glazen die Abel dronk en volgde diens voorbeeld.

Maya: Dat is al het zesde.

O, zei Erik, dan moet ik me ergens hebben verteld, ik dacht dat het pas het vijfde was.

De eerdere discussie had hij, zoals altijd, in feite met Madmax en Tatjana gevoerd, behalve dat hij zich deze keer na elke derde of vierde zin tot Abel wendde en vroeg:

En wat vind jij ervan, Abel?

De man van de tien talen vroeg elke keer, alsof hij van heel ver weg opdook: Pardon, wat was de vraag?

Erik herhaalde de vraag, waarop Abel zei – verdomd, werkelijk elke keer! – daar heb ik geen verstand van, ik heb geen flauw idee of ik weet het niet.

Het is ook niet iets om te weten! riep Erik wanhopig uit. Het is geen kennisvraag! Wat ik vraag, is je *mening*!!!

Ssst. (Maya).

Waarom schreeuw je zo, jongen, doet er iets pijn? (Alegria in het voorbijgaan.)

Intussen had Abel zich alweer tot Omar gewend, en daarmee was de discussie doodgelopen. Alsof ik niet besta. Erik liet zich in de fauteuil naast de tafel met drank vallen en mompelde voor zich heen: De onbeschaamdheid! ... De onbeschaamdheid!

Mercedes: vragende blik.

Maya: maakt een afwerend gebaar.

Mercedes keek naar haar man. Niets. Hij luistert naar de jongen. Maar zijn gezicht, nu zien we zijn gezicht, en Mercedes zou het voor het eerst zo beschrijven: treurig. Zijn ogen zijn roodomrand. Gedronken of gehuild? De computer? De test? Links van hem zit *onopvallend* Tatjana en doet alsof ze geboeid luistert naar Madmax en niet naar die twee. Dus Russisch was het niet ...

Mercedes ging op de leuning van Eriks stoel zitten. Alsof ze nu over werk moesten praten. Hoe het met dit of dat telefoontje was afgelopen.

Erik zweeg. Gezichtsuitdrukking: recalcitrant. Of alsof hij probeerde niet te gaan overgeven. Staart strak naar Abel en het kind.

Alsof het allemaal niet gebeurde ...

Wat zeg je? vroeg Mercedes beleefd. Ik versta je niet.

Erik (opeens hardop): Waar ik het over heb is dat eeuwige ... dat arrogante, nietswetende ... (mompelt weer onverstaanbaar) Hoe kun je toch zo ... (nauwelijks hoorbaar) Niet van deze wereld. Ik bedoel ...: je *moet* er toch ooit iets bij leren!

Mercedes: Hm ...

Steeds dat vreemd-zijn voor je uit dragen als een ... als een ... schild. Waarom zijn jullie toch zo gecompliceerd? Zo somber? Alsof jullie permanent gekwetst zijn. WIE heeft jullie gekwetst? Ben IK dat soms geweest? Voorzover ik weet NIET! (Alsof hij – gedempt – vanaf grote afstand riep:) Ik heb moeite gedaan. Werkelijk. Ik. Heb. Moeite. Gedaan.

Mercedes (wilde zeggen): Ja natuurlijk ... Erik liet haar niet aan het woord:

Maar ik wil wedden dat ze zich zelfs als ze voor hun Schepper staan nog gekwetst gedragen.

Wie? Wie staat voor zijn Schepper? Wie is gekwetst?

Erik (schreeuwde): Oké, IK. Ik ben gekwetst.

Sssst, zei Maya, het is goed.

Toen hij vervolgens zag dat Abel wilde weggaan, kwam Erik moeizaam uit zijn stoel overeind en stelde zich voor hem op.

Zijn uitpuilende buik raakte bijna de man tegenover hem, hij zwaaide heen en weer, hij leek moeite te hebben om zijn grote stierenkop recht op zijn nek te houden, zijn gezicht was vochtig. Hij legde een zware klauw op Abels schouder. Niet zozeer uit vertrouwelijkheid als wel om iets te hebben om zich aan vast te houden.

Vertel me ..., vertel me nog één ding, vriend. Vertel me één ding.

Hij bracht zijn gezicht heel dichtbij, fluisterde met consumptie, de kleine naaldenprikken van zijn speeksel in Abels gezicht. Wat? fluisterde hij. Wat was ook weer de titel ... van je doctoraalscriptie?

Ze keken elkaar van zo dichtbij aan dat het niet veel scheelde of ze konden elkaar kussen. Een intiem tafereeltje. Abels ogen helder en klaar. Neem me niet kwalijk, fluisterde hij terug, zou u mij alstublieft niet willen aanraken?

Zodra hij werd losgelaten, deed hij onmiddellijk een stap achteruit om de nodige afstand te herstellen, of nee, zich direct om te draaien en weg te gaan. Erik stond als vastgenageld, verroerde zich niet en lalde alleen:

Wat ben je toch voor een … voor een …? Hé? Uit wat voor zwijnenstal ben je eigenlijk ontsnapt? Kun je eigenlijk … kun je eigenlijk … Een freak … Mercedes is gek op freaks. Verzamelt ze als … als … die kleine dingetjes (wappert met zijn handen) … Die dingetjes, het woord wil me even niet te binnen schieten, dat stomme woord …, help me, jij moet dat toch weten, hé?!, talenman! Hoepla …

Hij zou gevallen zijn als Maya niet plotseling achter hem was opgedoken en hem had ondersteund, als in een trucagefilm. Nu is het genoeg, we gaan naar huis.

Wat is er eigenlijk gebeurd? vroeg Mercedes.

Niets. Help me even hem naar buiten te brengen.

Toen ze een paar minuten later terugkwamen, was Abel nergens meer te bekennen.

Waar is hij?

Demonstratief ongeïnteresseerd haalde Tatjana haar schouders op.

Mercedes ging de donkere tuin in en luisterde aandachtig. Abel?

Niets. Krekels.

In flagranti

Hij had zijn jas laten hangen, Mercedes merkte dat pas de volgende ochtend. Hing op de gang. Legitimatiebewijs, geld, sleutelring waaraan zijn sleutel en de hare hingen. Wat rommel, de groene pluizen van een als zakdoek gebruikt servet. Op het identiteitsbewijs: Naam, voornaam, volledige voornamen, geboren te, geboren op. Adres, hetzelfde als het hare. Maar de sleutel, zowel de zijne als de hare, is hier. Net als het geld voor een taxi. Een lange nachtelijke wandeling? Of ligt hij misschien vlakbij in het kreupelhout? Blik op de tuin: uitgebrande fakkels, de gebruikelijke rotzooi van de volgende ochtend, niets.

Mercedes en Omar bleven tot in de middag, hielpen met opruimen. Zijn bord vond Miriam onder de bank, onaangeroerd, de inhoud bijna versteend, alsof het daar al heel lang had gestaan. Ze zei er niets over. Omar vroeg ook niet naar hem. Ze reden terug naar de stad.

Daarna: het gebruikelijke. Dagen van zwijgen. Ook Mercedes belde nergens heen. Dat weet je op een gegeven moment.

Ik ben bereid me te verontschuldigen, zei Erik tijdens het werk. Als je me zijn nummer geeft.

Niet nodig, zei Mercedes.

Zoals je wilt. Erik haalde zijn schouders op.

Thuis stond Omar voor het raam en draaide zijn hoofd heen en weer.

Wat doe je daar?

Als je één oog dichtknijpt, zei Omar, zie je een tweedimensionaal, onscherp beeld van je neus aan de rechter- of linkerkant van je blikveld, al naar gelang. Als je je oog weer opent, verdwijnt je neus uit de wereld. Het is niet wereldschokkend, maar: Ik zal de wereld nooit zonder de schaduw van mijn neus zien. Ik steek mijn neus in de wereld.

Sindsdien betrap ik mezelf erop dat ik, als ik zo zit na te denken of niet na te denken, alleen maar zit te zitten, nadat ik van de tekst heb opgekeken omdat je af en toe, veelvuldig, van een tekst moet opkijken, een oog dichtknijp en de opmerkelijk hobbelige lijn van mijn neus bekijk. Kort en goed, dacht Mercedes, we kunnen er niet omheen, het is waar, het bestaat, zo duidelijk dat het belachelijk zou zijn het te ontkennen: Ik houd van je.

Ze dacht: Ik houd van je, pakte haar tas, ik werk vandaag thuis, en reed naar de doodlopende straat bij het spoor. Pakte de sleutel, opende de deur. De trappen zijn steil, halverwege gaat het licht, dat zelfs op zonnige dagen nodig is, uit. Tastend door een doofstom huis. Zo stil dat het lijkt alsof er helemaal niemand woont. Het gebruikelijke huiveren in het donker, in een vreemde omgeving. Helemaal boven eindelijk gezelliger geluiden. Een radio. Een beetje buiten adem blijven staan, luisteren waar het vandaan komt. Onduidelijk. Voorzichtig je oor tegen de deur houden. Koele kleur. De muziek komt ergens anders vandaan. Diep ademhalen. Openmaken. Voor het eerst het huis van de echtgenoot betreden.

En meteen verbijsterd blijven staan en het gevecht aangaan met Joost mag weten wat: dat allemaal. De geur (zuur en bitter), de temperatuur (zwoel), de vorm van de ruimte (vol hoeken en gaten), de geluiden (dof gestamp van muziek achter de keukenkast), de inrichting (geen, afgezien van een paar rondslingerende zwarte kledingstukken en woordenboeken die als meteorieten in de vuilgrijze vloer zijn ingeslagen) en boven dit alles, door deze sombere burchtzaal van heilloze eenzaamheid dwarrelen: de lichtreflecties van een trein die buiten voorbijrijdt.

Als in slowmotion: buiten de onbekende machine, hoog als het huis, een zware vracht die tergend langzaam over de rails wordt getrokken, en hier binnen: een vrouw die in de deur staat, een man die op de enige stoel aan het bureau zit, en tussen hen in, in een tempo dat met feilloos gevoel is afgestemd op dat van de trein, een naakte jongen die zich om zijn as draait. Hij vertoont zich van alle kanten aan zijn toeschouwers – dat wil zeggen: twee intussen. Vanillekleurige rug, achterwerk, benen, armen, zijden, borst, buik, geslacht …

O, zei de jongen toen hij zich zover had omgedraaid dat hij Mercedes kon zien. Een tijdje bleven ze staan. Toen begon de jongen te lachen. Daar stond hij met zijn mooie lichaam en lachte. Wat voor gezicht haar echtgenoot bij dit alles trok, weet Mercedes niet, ze kon niet langs het lichaam heen kijken, ze zag alleen vanuit haar ooghoek dat de zwarte bundel kleren op de stoel geen vin verroerde.

Sorry, fluisterde ze, boog haar hoofd en ging weg. Ze moest nog even stoppen en de sleutel ergens neerleggen. Maar er was niets, niet het gebruikelijke tafeltje, alleen de vloer. Gooien wilde ze niet, dus moest ze zich bukken en de sleutel met haar rug naar de twee anderen gekeerd neerleggen. De deurklink, toen was ze eindelijk buiten. Achter haar verroerde zich al die tijd geen mens.

Hij was naar Thanos gegaan voor een tweede sleutel, bleef toen wat langer hangen dan nodig was, in het totaal twee dagen, en ging pas op maandag weg toen ze sloten. De jongen die hij daar had opgepikt nam hij mee.

Zo, zei hij toen hij aannam dat zijn vrouw nu het trappenhuis had verlaten. En donder nu op.

Je hoeft niet zo onaardig te zijn, zei de jongen. Ik kan er niets aan doen.

Kleed je alsjeblieft aan en verdwijn, zei Abel. Of kleed je niet aan. Het voornaamste is dat je verdwijnt.

Daarna duurde het nog een dag voordat hij zich bij Mercedes meldde.

Zich beleefd verontschuldigde voor de vervelende toestanden.

Zij zweeg.

Van buiten bekeken ziet hij eruit als een heel gewone man, correctie: een heel normaal *mens*, correctie: schrap de hele zin, omdat Mercedes nog net op tijd te binnen schoot dat ook het eerste deel, dat 'van buiten bekeken' bij een *mens* (man) geen enkele zin had en daardoor het geheel niets meer had dat, eenmaal uitgesproken, ook maar enigszins overeind bleef. Niets bleef enigszins overeind. *Soms betwijfel ik of eigenlijk wel één gedachte ...* Ze had het gevoel of ze op haar benen wankelde, als ze hem wilde aankijken moest ze steeds weer scherp stellen, als in een rijdende trein, mijn ogen deden al pijn, en opeens leek hij eigenlijk geen bepaald geslacht meer te hebben, een ikweetnietwat, een merkwaardig tweeslachtig wezen, de *mens* gleed zijdelings van haar tong naar beneden, daar ergens waar die tong in haar speeksel roerde. Ten slotte bracht ze het toch te berde.

Ik vind dat je het me rustig had kunnen zeggen. (Het staat tenslotte niet op zijn voorhoofd geschreven.)

Het spijt me.

Och, hou toch op met dat eeuwige het spijt me!!!

Dat was vermoedelijk het luidruchtigste dat ze sinds jaren heeft gezegd. Daarop volgde weer een poosje zwijgen.

Dat ze zich zou houden aan de gemeenschappelijke afspraak, zei Mercedes. Dat wil zeggen, nog ruim een jaar met hem getrouwd zou blijven. Maar het zou het beste zijn als hij zich in het vervolg verre hield van haar minderjarige zoon.

Zo kwam er voor de tweede keer een abrupt einde aan Omar A's taalonderwijs.

Iedereen heeft een talent, zei Mercedes. Het mijne is dat ik houd van het onmogelijke.

Aangenomen dat je om duidelijke, en dus uiterlijke, of verborgen, en dus onbekende redenen, iemand graag mag. Tot op zekere hoogte verloopt alles ook probleemloos, hoewel of juist omdat hij niets bijzonders doet. In feite doet hij helemaal niets, hij bestaat alleen, op de een of andere manier. En plotseling of geleidelijk aan ontpopt die man zich tot een reeks irritaties en ergernissen. Allerlei chicanes die een beleefde man zijn schijnechtgenote niet zou horen aan te doen. Maar daarom gaat het niet. Voor het meeste kan ik werkelijk begrip opbrengen, waarom ook niet, dat is verdomd mijn voornaamste eigenschap, begrip opbrengen. En natuurlijk heeft ook een rol gespeeld dat Omar ..., maar ik wil hem niet als excuus gebruiken. Je eigen straatje schoonvegen, dat is wel het minste, hoe pijnlijk ook. Feit is: van het begin af aan ben ik steeds meer betrokken geraakt en op iemand verliefd geworden van wie ik niettemin voorvoelde dat hij niets anders wilde dan koste wat kost eenzaam zijn, een randfiguur die nergens werkelijk mee te maken wilde hebben. Zijn tien talen heeft hij alleen maar geleerd om eenzamer te kunnen zijn dan met drie, vijf of zeven talen. Ik heb het voorvoeld, eigen schuld dus, en *daarom* ben ik ook niet kwaad op hem. Maar wat ik niet begrijp, zei Mercedes, is dat hij haar hand had gekust, haar naar huis had gebracht, haar had ondersteund en geholpen de trap op te gaan en hier, voor de deur, zou waarschijnlijk de volgende handkus gepast zijn geweest, of misschien een handdruk, als het ware om de overeenkomst te bezegelen, maar wat deed hij? Ze wilde net stotterend wat te berde brengen, uitleggen, natuurlijk, wilde ze zeggen, natuurlijk ging het om niets anders dan *die bureaucratische kwestie betreffende zijn status...*, toen hij zich vooroverboog en haar op haar mond kuste. Niet iets dat je nog nooit had meegemaakt, hij deed niets spectaculairs, het was gewoon alleen maar: goed. Verrassend, veelbelovend. Een *getalenteerde* kus. Toen ging hij weg, en ik dacht nog, wat een gentleman.

Ik wil niet zover gaan dat ik zeg dat hij het had berekend: hand, naar huis brengen, kus. Maar het is uitgesloten dat hij niet geweten zou hebben dat hij bij mij verwachtingen wekte, steeds weer, om die dan ook steeds weer de bodem in te slaan. Dat was niet aardig, helemaal niet, hoe vriendelijk en beleefd je ook bent. Op zeker moment deed het me helemaal geen pijn meer, het was alleen heel inspannend, vier jaar lang was het voornamelijk dat: inspannend. Nu wil ik niets anders meer dan het achter de rug hebben. Dat is het wel wat dit huwelijk betreft. Ik bel je als er iets is, maar er was niets.

De erkende redenen voor een scheiding zijn: één: ontrouw, twee: onvruchtbaarheid, drie: criminaliteit, vier: krankzinnigheid. Alleen de besten hebben ze alle vier. Tatjana lacht.

Tegenwoordig heb je geen reden meer nodig, zegt Mercedes. Ja zeggen, nee zeggen, klaar.

Een tijdje lang zegt niemand iets. Dan, Tatjana:

Je weet dat je het huwelijk ook kunt laten annuleren?

Redenen daarvoor kunnen zijn: Incest, bigamie, huwelijken van minderjarigen of krankzinnigen, een huwelijk dat met bedrieglijke middelen is gesloten, alsmede seksuele impotentie ten tijde van de huwelijksvoltrekking.

Als ik het huwelijk laat annuleren, is hij zijn paspoort kwijt, zegt Mercedes.

Schouderophalen.

VII. BINDEN EN LOSMAKEN

Overgang

Wie denk je, dat je

Het is weer eens misgegaan. Essentiële kleinigheden die zich niet wilden schikken, of wel wilden schikken, maar volgens hun eigen merkwaardige logica. Mercedes gaf alleen nog het sein tot vertrek. Ze verlieten het gebouw gezamenlijk. Attent pasten de vrouwen zich aan zijn tempo aan. Hij liep naar het park en ging op een bank zitten. Rondom hem het gebruikelijke gejoel, gebeier en geblaf, maar dat stoorde hem niet, hij viel algauw in slaap. Nu wordt hij wakker en *die gek* zit naast hem. Dat ontbrak er nog maar aan.

De sprong in de tijd is aanzienlijk, maar hij is het zonder twijfel. In feite ziet hij er nog precies hetzelfde uit als destijds. Ik zie er ook zo uit als destijds. We dragen zelfs nog dezelfde kleren. Min of meer. Misschien iets verkreukelder. Slaapt verkreukeld op een bank in het park, maandagmiddag, wordt wakker, knippert gedesoriënteerd met zijn ogen, waar, wanneer ben ik en wie ben jij? Zeven jaar geleden hebben ze elkaar voor het laatst gezien. Sindsdien elkaar nooit meer tegengekomen, een hele prestatie als je bijna bij elkaar om de hoek woont. Wie heeft dat zo geregeld? Overdreven of niet, misschien zelfs wel volkomen normaal, in elk geval moest Konstantin nog jarenlang aan hem denken, soms kwam hij op het idee bewust naar hem uit te kijken, maar: niets. En nu.
Niemand anders zou na zeven jaar naast een slapende man op de bank zijn gaan zitten en ondanks zijn knorrende maag – dat zijn de risico's van vreemde keukens – hoe lang? blijven zitten totdat de ander eindelijk ontwaakte, en vervolgens te doen alsof hij een draad weer oppakte die een paar uur geleden was gevallen: Jij bent dus ook nog hier.

Opsommen wat Konstantin in de tussentijd allemaal is overkomen zou te ver gaan. Het ging met hem verder zoals het altijd was gegaan: een lange reeks van onhandigheden en onrechtvaardigheden, met als voorlopig einde het middageten bij de gaarkeuken.

Ja, honger heeft ook een rol gespeeld, maar in essentie gaat het erom de tijd te vullen tot de avond, wanneer Konstantin een ontmoeting heeft met een paar figuren die je normaal gesproken liever kwijt dan rijk bent, maar ja, wat moet je! De dag beginnen met een vernedering, zodat het niet erger kan worden. Maar jou hang ik daarover niets aan je neus.

Ook over de omstandigheden waaronder ze elkaar voor het laatst hebben gezien zwijgt hij, over *het voorval* zelf en over wat daarna gebeurde, geen woord, geen jammerklacht. Hij zit daar gewoon, iets dichterbij dan prettig is, in zijn linkermondhoek heeft hij een rode sausveeg, en hij vraagt:

Wat doe je hier (oude vriend)?

Een ogenblik lang hoopte Konstantin dat het antwoord zou luiden: Ik woon nu hier. De warmte van het leedvermaak stroomde door zijn lichaam. Maar direct daarna volgde al medelijden, ik ben een solidair mens die er alleen op wacht op een dag als deze iemand te vinden wie het nog ellendiger gaat. En dan? Hem mee naar huis nemen? Van voren af aan beginnen? Steeds opnieuw? Waarom? Wat zou het alternatief zijn?

Maar langzaam aan. Dat gezicht nauwkeuriger bekijken. Wat is dat? Ben je gevallen? Heeft iemand je in elkaar geslagen? Wat heb je gedaan? Of heb je helemaal niets gedaan, was het gewoon, zoals zo vaak, de willekeur van alledag? En wat is dat hier? Alsof het make-up is. Er zijn ogenblikken dat alles je glashelder is. Op zo'n ogenblik was het Konstantin nu opeens volstrekt duidelijk, hoe had het me ooit kunnen ontgaan: Deze man naast hem heeft een duister geheim van seksuele aard. Bovendien hoor ik dat hij getrouwd is. Hoezo heb jij, geluksvogel, een pas door een schijnhuwelijk en ik niet?

Abel beantwoordde, wat had je dan verwacht, geen enkele vraag. Gesteld of niet. Zei niet wat hij hier deed. Ik zit op een bank, dat zie je toch.

Zeker een zware nacht gehad?

Abel maakte een beweging met zijn hoofd, iets tussen knikken en nee schudden in. Zozo.

Wat volgde is vervaagd. Waarover ze praatten, dat wil zeggen, hij: Konstantin, die vanwege zijn opspelende maag, nee, dat zijn mijn darmen, heen en weer schoof op de bank, Abel overigens ook, maar om andere redenen.

Alles oké? vroeg Konstantin toen Abel zich na een paar keer reutelend adem te hebben gehaald vooroverboog, zijn ellebogen op zijn knieën steunde en naar de stoffige grond vol sigarettenpeuken tussen zijn voeten staarde. In zijn nek glom zweet.

Hm, zei Konstantin en wachtte een poosje zwijgend. Tot de wind hem had gedroogd.

Luister, zei Konstantin. Ik wil je nu echt niet lastig vallen, maar … De kwestie was dat zijn rekening achthonderd euro rood stond. Je mag tot duizend rood staan, maar die klootzakken geven me niettemin geen geld meer. Of Abel hem wat kon lenen. Minstens honderd euro, en je ziet me nooit meer. Hm?

Eerst alleen de wind die door zijn donkere krullen woei, toen haalde hij zijn ellebogen van zijn knieën, richtte zich op, keek Konstantin niet aan, stak zijn hand in zijn broekzak en haalde een paar munten en een sleutel te voorschijn. De sleutel haalde hij eruit, de munten schudde hij tot een klein hoopje, op zijn handpalm in de zon, en hij overhandigde ze.

Wil je me verneuken? Konstantins gezicht werd vuurrood.

Het spijt me, zei Abel. Dat is alles.

K. zag eruit alsof zijn hoofd zo dadelijk bij de slapen zou barsten, aaaaaaaa, niet in staat te articuleren, hij zwaaide met zijn armen, een doelloos rondmaaien in de lucht, totdat hij eindelijk de juiste beweging had gevonden: van onderen sloeg hij tegen de uitgestrekte hand. De munten sprongen eruit en vielen tussen de sigarettenpeuken. Dat maakte nauwelijks geluid, maar de daklozen keken niettemin in hun richting.

Denk je dat het een goeie grap is? Hé? Hé? Wat denk je eigenlijk? Wie denk je dat je bent?

Abel stak zijn lege hand in zijn broekzak en ging weg.

Kijk, die verrader daar! Konstantin schreeuwde, sproeide spuug in het rond: die onsolidaire etterbak die zich in zijn eigen mest wentelt en ons niet meer wil kennen, die denkt dat hij beter is dan wij, maar je bent niet beter, je bent degene die je bent, die je was, net als wij allemaal, je kunt er nog zo hard van weglopen, ze zullen altijd bij je zijn, in je eigen vier muren zullen ze je weten te vinden ---

De rest viel vanuit de taxi niet meer te horen.

Hartkloppingen: drieëntachtig komma vijf, opvliegers: eenentachtig komma vijf, benauwd gevoel, achtenzeventig komma vier, trillen en beven: vijfenzeventig komma drie, beklemde gevoelens, tweeënzeventig komma twee, zweten: tweeënzestig komma negen, pijn in de borst: vijfenvijftig komma zeven, ademnood: eenenvijftig komma vijf, angst om dood te gaan: negenenveertig komma vijf, angst de zelfbeheersing te verliezen: zevenenveertig, buikklachten: vijfenveertig komma vier, flauwvalverschijnselen: drieënveertig komma drie, verlammingsverschijnselen: tweeënveertig komma drie, depersonalisering: in zevenendertig komma een procent van de gevallen.
Waar de hand de leren stoel aanraakt, glijdt hij weg. Er stroomt zweet. De poging het hoesten te onderdrukken loopt uit op een lang aangehouden geloei dat spookachtig, dierlijk onder de voorovergebogen kin vandaan komt. De bijgelovige ogen van de taxichauffeur in het binnenspiegeltje. Wat voor metamorfoses voltrekken zich op de achterbank? Een merkwaardig, maar niet slecht ogende man komt uit het park, duikt achterin, knarst met zijn tanden, snuift door zijn neus als na een buikschot, dat komt voor, zelfstandig het toneel van het duel verlaten en pas later krom van de pijn gaan liggen sterven. Zal ik u niet liever meteen naar het ziekenhuis brengen? Of, al naar temperament: als je van plan bent de wagen vol te kotsen, kun je beter meteen weer uitstappen, vriend. Niets daarvan deze keer. Alleen angstige, donkere ogen in de binnenspiegel. Een mietje van een man met een tulband, die jong is of er jong uitziet, met die verschrikkelijke bereidheid om te lijden die onlangs gearriveerden ken-

merkt. Als ik hier zou sterven, zou hij zijn handen ineenslaan en huilen. Zijn eerste huilen hier. Gemakkelijk rollende kindertranen. Iemand anders zou de ambulance moeten bellen. Een resolute roodharige vrouw met een mobieltje. Maar wees niet bang, vriendelijke man, wat u hier ziet is maar een middelzware aanval, zo dadelijk gaat het beter. Paniek is niet ---, paniek is ---.

De eerste keer denk je nog dat het een hartinfarct is, of juist niet, je bent te jong om zoiets te denken in het restje nacht na je eindexamenfeest, ik houd van je, maar ik niet van jou, misschien was het ook maar een nachtmerrie, een nachtmerrie die je je niet meer herinnert, alleen dat gevoel van zo dadelijk ga ik dood, is gebleven. Bezweet hurk je op de vloer, met je voorhoofd in het vuil, als voor een gebed, hoe ben je naakt geworden, geen herinnering, Alles van het leed, correctie: van het lijf gerukt, en nog steeds het gevoel dat je stikt, door niets, door alles. Druk je voorhoofd tegen de rugleuning van de passagiersstoel, zo dadelijk gaat het beter.

Helaas ontstaat aan de voorkant van de stoel een zichtbare bobbel, de chauffeur durft er niet eens naar te kijken, wat groeit daar? Als er nu maar het minste of geringste gebeurt, springt hij uit zijn eigen taxi in het genadeloze verkeer, voor de wielen van zijn collega's, een kegel met een tulbandhoofd. Alsof hij van die bobbel, die angst kon wegrijden, rukt hij het stuur naar links, de wagen slingert, in Abels maag stijgt een golf misselijkheid op, maar hij blijft zijn ogen stijf dichthouden en zijn hoofd tegen de stoel duwen, totdat de knarsende druk op zijn trommelvliezen verdwijnt. Ook zo moet de chauffeur, voordat hij het hoort, een paar keer herhalen: We zijn er. Dit is het adres.

Hij tilt zijn hoofd op, op zijn voorhoofd de afdruk van de rugleuning, en het lijkt of hij uit het zwembad komt, verder een heel normaal, gematigd gezicht. Rommelt in de binnenzak van zijn jas, haalt een paar bankbiljetten te voorschijn die hij van zijn scheidingsadvocate heeft geleend – uitgerekend jou, armzalige snorder, geef ik daar wat van! – en geeft iets meer dan de gangbare fooi.

Een tijdje blijft hij gewoon op het trottoir staan, de wind doet

zijn zwarte jaspanden bewegen als vleugels, de chauffeur bekijkt dat terwijl hij bezig is met keren. Vandaag heb ik een man
gezien die uit de hemel gevallen of uit de hel gekomen moet
zijn, toen hij in de auto stapte, was hij nog niet helemaal mens,
op de achterbank worstelde hij om zijn vorm te vinden, gromde
en zweette enorm, en toen hij later op straat stond, kon je aan
hem zien dat hij kon vliegen, een zwart-witte man. De vrouw
van de chauffeur heet Amina, ze kijkt met grote ogen naar hem,
naar het zweet in zijn honingkleurige hals.
De eerste keer denk je nog –. Mettertijd raak je getraind. De
wind is weldadig als een hoestbonbon, daar een tijdje in staan
doet goed. Een paar minuten maar, toen ging Abel op weg naar
boven.

Wat het is

Toen hij 's morgens het huis had verlaten, echode de radiowekker van ernaast die een uur eerder was afgegaan, nog steeds door
het trappenhuis. Nu is het middag en stil. Wat je met een super-
gehoor stil noemt. Terwijl hij voor zijn voordeur staat en met
zijn sleutel bezig is, heeft Abel bijvoorbeeld heel duidelijk de indruk dat er iets of vermoedelijk iemand in de aangrenzende flat
beweegt. Wat ongebruikelijk is. Normaal gesproken is Halldor
Rose 's maandags om deze tijd niet thuis. Nu: alsof er wordt gelopen, gescharreld. Abel registreert het en maakt er zich verder
geen zorgen over. Doet de deur open, trekt hem weer achter zich
dicht, trekt zijn bezwete kleren uit en die welke hij twee avonden
geleden gewassen heeft aan. Ze ruiken een beetje naar tas en
wasserette.
En nu?
De computer staat uit, de monitor is stoffig. Alsof hier al heel
lang niemand meer is geweest, terwijl het nog maar uren geleden is. Het laatste, ongelooflijke weekend is nog vlakbij, net als
al het andere. Alles is hier, alsof het maandag, dinsdag, woensdag of donderdag gebeurde en het nu vrijdag is. In werkelijk-

heid is het nog steeds maandag, helemaal niet zo laat in de middag. De snijwond aan zijn voet klopt. Zitten. Nog beter: liggen.

Voordat de dingen in het honderd lopen, zijn ze meestal weinig spectaculair. Je leeft, nu eens zus, dan weer zo. Van Abel Nema's pogingen tot nu toe is zijn leven in verschillende gevangenissen en veelsoortige gewelddadige relaties het vermelden waard. Je gaat bijvoorbeeld 's zomers met een paar vijandig gezinde vrienden naar het platteland, en dan.

Ja, laten we weer beginnen bij de tournee, dat wil zeggen: bij het abrupte einde daarvan waarover zoveel stennes is gemaakt; begrijpelijk als je de omstandigheden in aanmerking neemt. Over de nacht in het koolveld nadat ze uiteengingen, is niets bekend. Later stond hij in het toilet van het benzinestation voor de smerige spiegel, zag zijn gezicht, daarnaast de foto in het paspoort, ging naar buiten en keek om zich heen wat er nog meer te zien viel. Niet veel: de weg, bomen, verderop huizen. Nu: overal naartoe.

Maar uiteindelijk deed hij alleen wat hij op een andere schaal al de hele tijd had gedaan. Hij reisde kriskras door het land of de aangrenzende landen, zo ver hij kon komen zonder het paspoort te moeten tonen. Ik heb een nieuwe identiteit, maar gebruik die niet. Kontra had ook geld in zijn zak en zelfs een bankpasje, maar Abel liftte liever. Nou ja: liften. Het was niet zo dat hij zijn duim ooit had opgestoken. Hij liep voort, en de mensen stopten en vroegen of ze hem konden meenemen.

Waar wilt u heen?

Kan me niet schelen.

In de auto kleefde hij met zijn wang tegen het portierraampje en keek uitsluitend naar buiten: lucht, landschap.

Bent u hier voor het eerst?

Mmhmm.

Hoe ziet het eruit waar u vandaan komt?

Net zoals hier. Het is dezelfde klimaatzone.

Er werd over planten en dieren gepraat. Hij was hier geboren, zei een zwarte man van middelbare leeftijd, maar toch voelde hij een *zekere genegenheid* voor de vegetatie *in het land van zijn voorouders*. In zijn voortuin *koesterde* hij een bananenstruik. Later vroeg hij, net als anderen na hem, of Abel onderdak voor de nacht nodig had. Hij stelde hem voor aan zijn vrouw en zijn twee kinderen, een meisje van negen, een jongen van vijf, en maakte eigenhandig een bed op voor hem op een slaapbank met een afschuwelijk patroontje in de hobbykelder, waar hij zelf sliep als hij dronken was. Luchtverkeersleider bij het leger.

De volgende was gewoon *vervelend*, een man van mijn leeftijd, afgekloven snorretje, hij reed alleen in de buurt rond om hem te kunnen oppikken. Hij sprak een nauwelijks verstaanbaar dialect, en afgezien daarvan hadden ze elkaar niet veel te zeggen. Hij schoof een cassette in de recorder met een cabaretprogramma waarvan Abel aanvankelijk geen woord verstond. Later ging het beter en op zeker moment was hij zelfs zo ver dat hij moest lachen om een allesbehalve goede grap. Snorretje lachte dankbaar mee. De volgende keer was het een vrouwelijke taxichauffeur, een mollige, blonde vrouw die hem aan het einde van haar dienst mee de stad uit nam, ik woon liever in een dorp. En u? Waar komt u vandaan? Nee, ik bedoel *daarvoor*. U hebt helemaal geen accent. Hoe ik dan toch heb gemerkt dat u nog niet zo lang hier bent? Ach, zo lang al? Wilt u bij mij blijven slapen en me alles over uzelf vertellen?

Enzovoort. Als een estafettestokje ging hij van hand tot hand, alsof het *ergens* zo was afgesproken, goed georganiseerd, er was altijd iemand. De laatste, een treurige oude man, bracht hem naar de kust. Het was nu een andere zee. Hij zat op een bank op de winderige boulevard, achter hem klapperde een rij nationale vlaggen in de wind, draadkabels sloegen tegen metalen vlaggenmasten: pling, pling, pling. De losse hoeken van de affiches op een aanplakzuil in de buurt ritselden droog. Ze hadden betrekking op evenementen in het congresgebouw achter de vlaggen. Een congrescentrum zoals hem bekend was, hij had daar om een baan kunnen vragen – voor alle zekerheid zeg je dat je maar vier talen kent, maximaal zes, zodat ze je niet aanzien voor een … – en kijk, weer een mogelijkheid om een nieuw leven te beginnen. New, neues, nouvelle, nuovo --- Maar hij wilde geen baan hier. Voor het eerst voelde hij vreemd genoeg een soort heimwee naar de stad waar hij de laatste jaren had gewoond. Hij kocht een bus- of treinkaartje, reisde via de kortste weg terug en ontmoette zijn latere vrouw weer.

Die toevallige ontmoeting beschouwden beiden als een teken – een grondslag die niet slechter is dan welke andere ook. Haar vrienden verzieken weliswaar de sfeer, maar er is ook de jongen, en *zij* heeft eveneens alles wat je nodig hebt, ze is jongensachtig én moederlijk, arm in arm kun je met haar voor de officiële instanties verschijnen. Een tijdlang liep alles dan ook op rolletjes, de eerste tijd functioneerde het/hij feilloos. Afgezien van seks, natuurlijk viel hem dat op, je moest wel blind zijn om dat niet te zien. Eerlijk gezegd had hij de mogelijkheid zelfs overwogen, volkomen van goede wil, in het begin meed hij zelfs Het gekkenhuis – een offer dat niet nodig was geweest. Al met al is het daar niet op stukgelopen. Op een zeker moment hadden zich gewoon te veel merkwaardige zaken opgehoopt, dan kun je beter afstand houden. Maar natuurlijk zou hij op haar verjaardag komen.

Op die dag had hij een test, een van onze tot nu toe *spectaculairste* tests, een soort simultaanschaaktoernooi, behalve dat hier tegenover u geen tegenstanders zitten, maar gesprekspartners. Ook voor ons is dit nieuw terrein, tot nu toe was het alleen mogelijk statische beelden te produceren, maar we moeten ernaar streven de processen zelf op het spoor te komen. Toen hij binnenkwam, werd het stil. De paus is binnengekomen. Overal mensen, geen zuchtje lucht. Zou er een raam open kunnen? Er werd een raam geopend. Straatgeluiden. Alsof er een colonne bussen over de brug van de tafels midden in de kamer reed. We zullen het raam weer moeten sluiten. Wil iemand alsjeblieft het raam dichtdoen, dank je. In principe is de oefening eenvoudig, maar de uitvoering is behoorlijk lastig, als u moe wordt, moet u het zeggen, maar het gaat er ook om dat u moe wordt, om de manier waarop het vermogen om te switchen verandert naarmate de vermoeidheid toeneemt, dat begrijpt u. Hij knikte.

Vreugde in het lokaal. De tientalenman heeft geknikt. Studenten aan opnameapparaten en EEG, zo gaat het urenlang door, arme aap, van L1 naar L2 naar L3 naar L1 naar L5 naar L7 naar. Binnen en tussen taalfamilies, van welke naar welke is eenvoudiger, moeilijker, waar raken de woorden door elkaar, welke taal verdwijnt als eerste. De een na de ander verdwijnen alle talen. Kunnen. We. Alstublieft. Ophouden. Applaus, felicitaties, werkelijk heel buitengewoon, dank u, dank u, dank u, tot ziens, dank u wel, zal ik een taxi voor u bellen?

Zes uur lang testen, daarna terug naar de stationsbuurt, vlug douchen, eventueel even slapen. Hij opende de brievenbus. Een zinloze gewoonte. Post van overheidsinstanties liet hij naar Mercedes sturen, en privé schreef niemand hem behalve zijn moeder en die stuurde haar brieven niet per luchtpost; tegen de tijd dat ze arriveerden had ze het meeste al door de telefoon verteld. Misschien zat de bus ook barstensvol reclame van de laatste dagen. Toen hij hem opende, stortte alles eruit, de hele kakelbonte wirwar, en daarmee de verkreukelde envelop met Mira's handschrift. Hij opende hem met zijn pink terwijl hij trap voor trap vijf etages opklom, een kleine verstrooiing. Hij liet een spoor van papiersnippers achter.

Een vel papier, een stuk van een krantenpagina. Verdwenen op een julidag zeven jaar geleden: I. Bor, een piepjonge arts, in dienst van zijn medemensen, onder onopgehelderde omstandigheden, om zijn onvindbaar gebeente treuren vrienden en familie.

Ik neem aan dat ik *nu* werkelijk kan ophouden je te zoeken.

Dat hij waarschijnlijk binnenkort zou teruggaan, dacht Abel toen hij op de bank voor het congrescentrum zat. Hij keek nog eens om zich heen, wat geef ik hier op. Niets: rivier, beton, vlaggen, affiches. Totdat hij, eindelijk!, besefte wat er op het aanplakbiljet stond waarnaar hij de hele tijd had gestaard: Volgende ochtend een lezing over posttraumatische stressstoornissen, door dr. Elias B.R.

De hele nacht waakte hij op de bank. De geluiden van de rivier in de nacht. Het klokken van het water tegen de oeverstenen. Misschien schepen. Wellicht iets van de stad, lichten, geluiden, vrij ver weg. Het onvermoeibare pling-pling van de vlaggen. Later ging de zon op. Natuurlijk. Mist. De eerste voorbijgangers. Sommigen keken misschien naar hem. Roerloos als een standbeeld zit hij daar.

De hele tijd was hij wakker geweest, en toen, vlak voordat het tijd was op pad te gaan, een toilet te zoeken, zich een beetje op te knappen, gezicht en handen voornamelijk, te informeren: hoe kom ik bij die en die lezing, viel hij in slaap. Hij versliep de hele lezing. Toen hij wakker werd, was het al middag. Hij was verbrand en verkouden geworden. Hij ondernam een (vruchteloze) poging wakker en helder te worden, maar kiepte opzij en bleef liggen in de stevige bries die van het water kwam. Voorbijgangers kwamen en gingen, hij lag op de bank en kon zich niet verroeren, niet controleren of *hij* erbij was. Voor het eerst sinds mijn kinderjaren dat ik ziek word. Voor het eerst dat Abel Nema eraan dacht dat je, dat hij *werkelijk* kon doodgaan. Dat het mogelijk was dat *van zo dichtbij te beleven*. Misschien wenselijk, omdat het het eenvoudigste was. Blijven liggen totdat ik verdroog als een opgerold blad en tussen de stenen beneden waai. Maar nee. Niet zo goedkoop. Verdomme, dit hier is niet eens de zee. Alleen een rivier, een monding. Hij kwam overeind en ging behoorlijk zitten. Zijn gezicht brandde, zijn hals jeukte, hij sloot zijn ogen. Hij besloot gezond te worden en was binnen een halfuur beter. Hoogstens wat zwak voelde hij zich nog. Drinken. Drinken is altijd goed. Hij ging het eerste het beste café binnen, het was een internetcafé. Hij kocht een halfuur tijd en tikte de naam van het aanplakbiljet in de zoekmachine.

Een driecijferig resultaat. Publicaties, lezingen, programmaverwijzingen. De man was sinds vijf jaar actief. Zou van mijn leeftijd kunnen zijn. Maar dat is hij niet. Na een paar pogingen stuitte hij op een biografie met een foto: een man van middelbare leeftijd, bril, lange baard. Toen had hij nog een minuut. Hij aarzelde en tikte toen met trillende vingers – haast! – 'Andor Nema' in het vakje. Daarna keek hij hoe de klok seconde voor seconde terugliep naar 0, en op het beeldscherm stond hetzelfde: 0 resultaten.

In zijn ene hand Mira's brief, in de andere de sleutel. Uit de flat ernaast sijpelde sentimentele muziek. Hij deed de deur open en sloot hem weer achter zich.

Later bleek hij op de grond te hurken, hoe is hij naakt geworden, geen idee, achter de ramen pokdalig licht, woedende windvlagen, hij rolde zich ineen rond zijn razende hart, lang geleden is dat al eens gebeurd, toen ik nog in een kast woonde. Met zijn voorhoofd sloeg hij tegen de vloerbedekking, kruimeltjes vuil bleven op zijn huid kleven en vielen weer naar beneden. Ademnood, hoesten, drinken, water uit de kraan ondanks het moeilijke slikken, weer hoesten of toch niet, dat maakt het alleen maar erger. Op zeker moment vermande hij zich zover dat hij op de tast het balkon wist te bereiken. Hij ging op het rooster zitten, in de wind, ademde door zijn mond en keek door de tochtige tralies naar de wagons die trekken, trekken, trekken, kolen, graan, vuilnis, mensen, nu is het goed, nu is het goed.

Hij ging de kamer weer in, douchte en begaf zich naar het feestje van zijn vrouw. De rest is bekend. Terug ging hij te voet. Als het erger werd, bleef hij staan, steunde ergens op en ademde tot het weer beter werd. Een keer drukte hij zijn voorhoofd tegen een telefooncel. De afdruk had de vorm van een vlinder. Sindsdien leefde hij teruggetrokken. De helft van de tijd in Het gekkenhuis, de andere helft vertaalt hij lachwekkende verhaaltjes. De wereld is vol krankzinnigen. Je houdt je hoofd boven water. Van de buurman is meestal alleen muziek te horen. Stoort dat? Nee. Niets. Om het even.

Nog vragen

De taakstelling voor de volgende dagen was zover duidelijk. Eén: papieren vervangen. Dat is niet prettig, maar in elk geval niet onoplosbaar wanneer je je een beetje inspant. Aan de andere kant is het ook niet iets dat niet tot morgen zou kunnen wachten. Of tot overmorgen. Of, laten we zeggen tot donderdag, als ik toch al de deur uit moet (twee): afspraak met Omar in het park. Sinds een jaar mijn enige vaste afspraak in de week.

Tot donderdag, fluisterde Omar hem op de trappen voor het gerechtsgebouw onder dekking van Abels profiel in het oor. Abel antwoordde niet, drukte alleen zijn hand wat steviger.

Dus, zei Omar een jaar eerder tegen zijn nieuwe Franse lerares, de deal is als volgt: u krijgt het geld, maar u leert me niets. Mijn stiefvader geeft me les. We blijven op die bank daar in het park zitten, voorzover het weer het toestaat. U kunt ons vanuit uw raam zien. Ik blijf veertig minuten bij hem. Daarna kom ik terug en vertel ik u in vijf minuten wat ik vandaag heb geleerd. En u vertelt dat aan mijn moeder, als ze ernaar vraagt.

Ik weet niet, zei de lerares – ze heet Madeleine – ik weet niet of ik dat kan ver…

We blijven op die bank zitten. We praten alleen.

In de winter wordt het om die tijd al donker, en je kunt niets zien. Sorry, zei Madeleine, met een mantel aan. Maar zo gaat het niet. Komt u alstublieft binnen. Een keer was Mercedes te vroeg gekomen om Omar op te halen. Madeleine verstopte de man in haar badkamer zonder ramen. Slecht idee, nietwaar, stel dat ze die wil gebruiken. Wil ze niet. Achteraf verontschuldigde ze zich voor de onaangename situatie.

Wat hebt u misdreven? Ze wilde dat vragen, maar vroeg het niet.

Later werd het weer voorjaar. Ze zaten weer op de bank.

Kan ik je iets persoonlijks vragen? vroeg Omar. Of: *Mag* ik je iets persoonlijks vragen.

Abel glimlachte: Ja en ja.

Van wie heb je het meest gehouden in je leven?

Een schot uit een pistool: Ilia. Zeg dat niet. Zeg wat de waarheid het meest benadert: Van jou.

Bij mij is het Mercedes, zei Omar.

Abel knikte begrijpend. Natuurlijk. Tenslotte is zij je moeder.

Pauze.

Waarom? vroeg Omar.

Wat waarom?

Waarom houd je van mij?

Dat weet ik niet. Het is gewoon zo.

Hm, zei de jongen. Ik heb hetzelfde gezegd.

Hoe lang zal het nog zo doorgaan? vroeg Omar vorige week.

Ik weet het niet.

Jij zegt altijd: Ik weet het niet.

Omdat ik het niet weet.

Eerst dacht ik dat het een teken was dat je wijs bent.

En nu?

Nu weet ik het niet meer. Mettertijd weet ik steeds minder. Vroeger dacht ik dat mijn hoofd op een dag van slimheid uit elkaar zou springen. Intussen denk ik niet dat dat gevaar nog dreigt. Het moet te maken hebben met het feit dat ik binnenkort in de puberteit kom. Waarschijnlijk verandert dan ook mijn persoonlijkheid. Misschien wil ik dan niet meer hier met je zitten. Nu is al duidelijk dat jij meer op mij steunt dan ik op jou. Pauze.

Neem me niet kwalijk, zei Omar. Ik wil je geen pijn doen.

Dat doe je niet.

Jawel. Geef het eindelijk eens toe.

Het spijt me, zei Abel. Dat ik je heb teleurgesteld.

Dat heb je niet.

Jawel. Geef het maar toe.

Nou goed. Dan geef ik het toe.

Pauze.

Weet je, dat zijn moeilijke dingen, zei Abel. Gecompliceerd.

Ja, dat weet ik, zei de jongen. Sorry.

Nee, zei Abel. Ik moet sorry zeggen.

Nee, zei Omar. Zo is het nu eenmaal. Zo is het leven.

Hij draaide zijn hand die tussen hen in op de bank lag naar boven, Abel legde zijn hand erop.

Als we toch bezig zijn, zei Omar na een poosje: In feite ben ik niet in talen geïnteresseerd. Ik kan ze leren, maar ik heb er helemaal geen gevoel voor.

Je sais, zei Abel. Dat geeft niets.

Glimlachen.

Nog drie dagen tot donderdag. Abel bleef liggen.

Elke keer dat een nieuwe poging verzandde, brak die tijd van het niets aan. Dat is prettig noch efficiënt, anderzijds heb je niets anders tot je beschikking. Zoals gewoonlijk sloot hij zijn ogen, zoals je doet om beter te kunnen nadenken. Zich een gedachte laten invallen die iets anders is dan de dood, of wat mij betreft ook niets anders dan dat, iets, zoal geen definitieve, dan in elk geval alsjeblieft een draaglijke oplossing. Later verloor hij meestal het bewustzijn of viel in slaap, het verschil is voor iemand die nooit droomt moeilijk vast te stellen. Als hij weer bijkwam (ontwaakte), had hij meestal een nieuw idee: voor een nieuwe baan of iets anders, een nieuwe mens.

Deze keer niets daarvan. Hij bleef wakker. Achter de keukenkast heerste nog steeds een wisselend geluidsvolume. Soms zwol de muziek aan, brak dan weer af. Alsof iemand naar iets zocht dat hij niet kon vinden. Wanneer ik dan niet kan slapen en Het gekkenhuis ook dicht is, kan ik in elk geval een beetje buiten gaan lopen. Blok na blok tot je de weg verder niet meer weet. In je eigen stad de weg vragen. In een klein dozijn levende talen. Of niet de weg vragen. Het in Gods (?) hand leggen, totdat er voldoende rust of uitputting is ontstaan en het probleem voor het moment zou zijn opgelost. Maar deze keer was dat om objectieve redenen – een snee in zijn voet – niet mogelijk. De randen van de wond onder de bal van zijn rechtervoet waren verkleefd met de stof van de zakdoek die hij eromheen had gewikkeld, en daar doorheen met zijn sok. Daar moest je ook iets aan doen, in elk geval een nieuwe zakdoek eromheen wikkelen. Of kijken of je het soms kunt genezen. Dat is al een keer gelukt, al was het toen maar een verkoudheid. Misschien openen zich heel nieuwe, zij het wat occulte perspectieven in die richting? Maar uiteindelijk deed hij niets. Hij bleef gewoon wakker en wachtte.

Later was het weer zonsondergang en hij begaf zich in elk geval naar het balkon.

Het balkon bestaat eigenlijk uit twee balkons, twee kleine kastjes die door een wand vol gaten worden gescheiden. Soms komt de buurman naar buiten om te roken en zien ze elkaar.

Wat doet u?

Ik vertaal. U?

Chaosonderzoek.

Wat rookt u daar?

Heilige salie.

Wat doet dat?

De laatste keer een kanovaart over de Amazonerivier. Als u zoiets leuk vindt.

Ik kan niet in een roes raken.

U hebt gewoon nog niet het juiste middel gevonden.

Dat kan zijn.

Wilt u het proberen?

Ik kan ook niet roken.

Nou ja, dan houdt het op. Neem me niet kwalijk, ik geloof dat het begint, ik kan beter naar binnen gaan.

Dat was in feite alles.

(Neem me niet kwalijk. Ik wil u niet … Maar u knielt nu al een hele poos naakt op het balkon en rochelt. Voelt u zich niet goed? Jawel, jawel, zei A.)

Neem me niet kwalijk, klonk het nu weer uit het donker achter de scheidingswand. Een vrouwenstem. Is Halldor Rose in een vrouw veranderd? Nee. Ik ben zijn zus Wanda. Zou u misschien even hier kunnen komen? Tenzij u natuurlijk met iets bezig bent.

Nee, eigenlijk niet.

De hemel boven onze doodlopende straat

Toen hij naar de deur hinkte, stond zij al in de deuropening. Treffende gelijkenis. Blond haar, rode wangen, haakneus, zware wenkbrauwen, groene vogelogen er vlak onder. Kijkt me streng aan.

Mijn broer Halldor, uw buurman, is sinds drie dagen verdwenen. Ik weet niet of u dat is opgevallen. Dat wil zeggen, zei ze, hij is verdwenen *geweest*. Nu is hij weer terug. Is weer terug en beweert ... Beweert dat hij de afgelopen drie dagen in levenden lijve in de hemel is geweest. Hemel als hemelrijk. Begrijpt u wel? Vanwege die voet stond hij praktisch op één been, ze nam hem van top tot teen op. Of hem, de buurman, iets was opgevallen aan H.R.? Abel dacht nauwkeurig na en zei: Nee.

Ik dacht dat u met hem bevriend was.

???

Komt u binnen, zei Wanda, ik wil u iets laten zien.

Geen denken aan tegenspreken.

Voor het eerst zag hij de aangrenzende flat. Een bed, een tafel, op de tafel een monitor.

Die stond al aan toen ik hier kwam, zei Wanda. Eerst dacht ik dat het de televisie was, maar het is de beeldschermsaver. Daarachter bevinden zich louter bestanden met wetenschappelijk gedoe dat ik niet begrijp, en foto's van naakte vrouwen met grote boezems. Nou ja, daaraan valt niets te begrijpen, hoewel het me altijd weer verbaast hoezeer de smaak van boerenkinkels en genieën, voorzover het mannen zijn, op dit gebied overeenkomt, nou ja, dat wilde ze helemaal niet weten. Ze had naar iets persoonlijks gezocht, of u dat nu veroordeelt of niet, je zit nog niet in het krankzinnigengesticht of er graaft al iemand in je persoonlijke spullen, of er misschien een verklaring, een ... brief. Maar er is niets, geen woord, alleen formules en vlees en dat hier. Ze bekeek het nu al een paar uur, in die tijd had het zich tientallen keren herhaald, en haar gedachten draaiden net zo in een kringetje rond, kortom: ik begrijp het gewoon niet. Ik begrijp het niet. Kunt u het misschien uitleggen?

Weken geleden had Abel eens zijn werk moeten onderbreken omdat er iets tegen zijn raam was gevlogen. Een vogel. Een vogellijkje op het balkon. Wat moet je daarmee aan? Of alleen maar verdoofd. Wat moet je daarmee aan?

Maar nee hoor. Het was een Iets. Een vliegrobot met oranje tafeltennisballetjes aan het einde van een soort benen. Voorop was er met isoleerband een kleine camera aan bevestigd.

Sorry, zei Halldor Rose over de scheidingswand heen. Abel boog voorover en reikte hem het iets aan.

Dank u, zei H.R. De besturing functioneert niet goed.

Abel bekeek wat er voor hen lag en vroeg wat hij hiermee wilde fotograferen.

De wiebelende vlucht richting muur, rails, maar voornamelijk hemel. Wilt u die zien?

Hij heeft opnames van de hemel gemaakt, zei Abel tegen Wanda. Op de opnames, die een paar seconden duren en in vierhoekige pixels uiteenvallen, is de hemel groen en de aarde oranje. Af en toe komen er rails tussendoor. De opnames zijn ten dele zo wiebelig en gefragmenteerd dat het lijkt alsof de wagons over de hemel rijden. Ze huppen rond tussen de wolken.

Daar! Wanda wees triomfantelijk op het beeldscherm. Een ogenblik lang flitsten Abels hoofd en hand onder in het beeld voorbij.

Ja, zei Abel. Dat.

Luister, ik begrijp dat u zich zorgen maakt, maar u moet mij ook begrijpen, ik heb talloze zware nachten en dagen alsmede een recente paniekaanval achter de rug, eerlijk gezegd zou ik nu liever weggaan om, bijvoorbeeld, de komende tien jaar te slapen …

Natuurlijk was dit absoluut niet het moment om zoiets te zeggen. Wanda zette het verhoor onverstoorbaar streng voort:

En wat is dat?

Plastic zakjes, ze had ze in de keuken gevonden, met wat erin? Kruiden? Zaden? Ze las de kleine witte etiketjes voor: Acorus, calamus, lopphora williamsii, salvia divinorum, psilocybe cyanescens, amanita muscaria, atropa belladonna. Hè?

Ik neem aan dat het psychofarmaceutische planten zijn, antwoordde de ondervraagde braaf.

Zoveel weet ik ook, zei ze. Belladonna. Dat kent iedere boer. Van die andere weet ik niets. Het zakje met de Mexicaanse cactus is leeg. Alleen nog wat vuil. Als hij dat allemaal heeft ingenomen … Kun je daarvan doodgaan?

Abel weet het werkelijk niet.

Wanda gooide de zakjes op het bureau, sloeg haar armen over elkaar en keek rond in de flat: Hoe kunnen *jullie* in godsnaam zo leven?

Hoe dan ook, zei ze ten slotte. Hij is niet dood. Hij leeft en werkt volkomen normaal, afgezien van het feit dat hij blijft beweren dat hij in de hemel is geweest. We zijn niet eens gelovig!

Ze keek door het raam. Naar die hemel. In Abels flat rinkelde de telefoon. Je weet niet of zij het ook kon horen, ze liet het door niets blijken. Een van de zakjes gleed van de tafel. Abel raapte het op.

We zijn met zes kinderen, zei Wanda tegen de ruit. Ik ben de oudste. Halldor is de jongste. We zijn allemaal aardappelboeren. Van 's morgens tot 's avonds praten we over aardappels verbouwen of over onze kinderen en natuurlijk over de crisis waarin we verkeren. Onze enige afnemer, een patatesfritesfabrikant, neemt niet voldoende af. De schuren liggen vol. Gelukkig hebben we de familie, sinds acht maanden zien we af van salaris en eten we aardappels. Hoe lang kan een twintigkoppige familie leven van vijfenveertighonderd ton aardappels? Totdat ze verrotten. We klagen niet, als het goed gaat worden we miljonair, maar we kunnen nu eenmaal over niets anders praten. En Halldor? Halldor kan over niets anders praten dan over zijn chaos, en niemand van ons begrijpt er verdomd – neem me niet kwalijk – maar één woord van. Zo staan de zaken. We houden van hem. Hij is onze … god. Begrijpt u? Maar we zijn helemaal niet gelovig. Hij is datgene wat we niet begrijpen. De woorden die we tegen hem zeggen lijken ons gestamel. Hij is ons idool, we houden van hem, we verwennen hem sinds hij ter wereld is gekomen, maar tegelijkertijd zijn we bang en zouden we ons het liefst voor hem verstoppen. Als we naar de stad gaan, bezoeken we hem steeds minder. Ik ben nog nooit in deze flat geweest. En ons bezoekt hij niet. Sinds wanneer kent u hem?

Sinds drie jaar.

Hebt u in die tijd iemand hier gezien?

Nee. Maar hij had er ook niet op gelet.

Mijn hart breekt, zei Wanda en ze keek weer door de balkondeur naar buiten. Achter haar profiel flikkerden de stukken hemel.

Later ging Abel terug naar zijn eigen flat. Het antwoordapparaat knipperde, iemand had gebeld.

In het totaal kennen zeven, nee: zes mensen dit nummer. Wil ik op het moment van een van hen een bericht ontvangen? Wat leert de ervaring? De ervaring leert dat je beter maar meteen kunt weten wat er te weten valt. Hij drukte op de knop.

Vrijdag, zei de stem. Die en die trein.

Toen Ilia *definitief* stierf, raakte hem dat met zo'n kracht dat hij uit zijn baan vloog, met een klap op de harde, grijze vloer belandde en vrijwel niet meer overeind kon komen. Toen hij onlangs werd opgebeld om hem hetzelfde over Kinga te melden, deed dat hem zo goed als niets. Het doet me pijn, maar het is de waarheid.

Ze hadden elkaar al een hele tijd uit het oog verloren. Sinds dat gedoe met de vlieger had ze niets meer van zich laten horen. Soms dacht hij aan haar, maar deed dan toch niets. Op de dag dat het overlijdensbericht van Ilia kwam, was zij de eerste die hem te binnen schoot. Nadat de aanval voorbij was: de eerste. Heen gaan. Zijn hoofd in haar schoot leggen. Alle verdovende middelen gebruiken die daar te vinden waren. Tongkussen. Maar toen leek het verjaarspartijtje toch het minst pijnlijke alternatief. Later, toen hij was hersteld van de *schandalen* waartoe die beslissing had geleid, ging hij naar Kingania, maar daar woonden ze niet meer. Hij drukte zijn oor tegen de deur en hoorde dat daar sinds enige tijd niemand meer woonde. Alleen een berg spullen hadden ze achtergelaten. Op het internet kwam haar naam niet voor, ook via de musici vond hij alleen verwijzingen naar oude optredens. Misschien hadden ze de stad intussen verlaten. Dat was het dan. In feite had hij geen enkel contact meer. Vanaf dat moment wisselde hij een jaar lang praktisch met niemand meer een woord, behalve af en toe met de buurman en de caféhouder Thanos.

Later ging de telefoon.

Is dat Abel N.?

Hij zou niet direct hebben kunnen zeggen wie van de drie het was.

Ze is uit het raam gesprongen, zei de stem. Voor het geval het je interesseert. (Dat klonk als Janda. Hartkloppingen.)

Natuurlijk interesseert het me.

Wanneer?

Gisteren een week geleden.

Pauze.

Wanneer is de begrafenis?

Er is geen begrafenis.

Zwijgen. Wat zijn jullie van plan? Haar in de rivier te gooien?

We sturen haar as naar huis. (Dat klinkt weer eerder naar Andre.)

Ze wilde verstrooid worden.

Ik begrijp het. Wanneer?

Weet ik nog niet. We hebben het geld nog niet bij elkaar.

Dat is de enige reden dat ze hebben gebeld.

Hoeveel?

Weet ik niet. Vijfhonderd?

Pauze.

Wanneer jullie me vertellen wanneer. Met welke trein.

Pauze. Alleen een ademhaling. Maar toch: pauze.

Dat weten we nog niet. We bellen je.

Hij geloofde ze niet, maar hij zei: In orde.

Gecondoleerd, zei Thanos. Hoeveel heb je nodig?

Hij was hem toen al twee maanden huur schuldig. Die merkwaardige story's leveren minder op dan je denkt.

Niet mager en met een vogelkop, en ook niet klein en met een vierhoekig voorhoofd, dus niet Janda of Andre, maar Kontra was degene die het geld kwam halen. Ze ontmoetten elkaar op straat, geld overhandigen op neutraal terrein. Zo alleen, buiten zijn normale context, maakte hij een merkwaardige indruk. Abel keek naar de hoek van de straat of de anderen misschien achter hem aan kwamen, maar er kwam niemand meer.

Ze had zijn saxofoon uit het raam gesmeten, vertelde Kontra. Ze hadden ruzie over iets, zoals altijd, en zij brulde: Ik ben dus gek, hè? Ik zal je laten zien hoe gek ik ben! En boing, de saxofoon door het open raam op de binnenplaats van het energiebedrijf. Terwijl het gerinkel nog klonk, pakte Janda haar bij haar lurven en begon haar om haar oren te slaan. Handpalm, handrug, handpalm, handrug. En toen waren ze alle vier elkaar weer te lijf gegaan, rolden vechtend over de vloer. Uiteindelijk alleen nog zij drieën, Kinga had zich weten los te maken, zat met haar rug tegen de muur onder het raam, snikte, en haar tandvlees bloedde. Janda rukte zich los, Andre lag op de vloer en graaide nog een keer naar zijn voet, maar kreeg hem niet meer te pakken, hij lag tussen de rotzooi op de vloer en brulde snikkend: Jullie zijn volkomen geschift! Niet normaal! Rijp voor het gesticht! Hij bloedde uit een krab naast zijn oog. Hij veegde eroverheen. Ik kom niet nog een keer tussenbeide, zei hij alleen nog tegen Kinga, die haar bloed inslikte. Wat mij betreft vermoorden jullie elkaar maar. En nu ga ik naar huis, naar mijn gezin! Kontra bleef. Later ging hij naar de binnenplaats beneden, klom over de met glasscherven bezette muur naar de aangrenzende binnenplaats en haalde zijn saxofoon terug. Hij ging in de keuken zitten en probeerde geduldig hem weer recht te kloppen. Een instrument zou het nooit meer worden, niettemin hield hij niet op met kloppen. Het werd steeds donkerder. Klop, klop, klop. Hij bleef overnachten, maar de volgende ochtend vertrok ook hij.

Een stormachtige liefde van twintig jaar, zei Kontra. Ik geloof niet dat ze elkaar daarna nog ooit hebben gezien. Kort daarna trouwde ze met een elegante, oudere, homoseksuele heer bij wie ze schoonmaakte en die haar dat al eerder had aangeboden. Etaleur in een groot warenhuis, verzamelaar van gruwelijke meubels met houtsnijwerk. Hij had in zijn huis een kamer voor haar ingericht, daar kon ze wonen als ze wilde, maar het hoefde niet. Ik hoef helemaal niets, zei ze tegen Andre die haar een keer toevallig op straat tegenkwam. Dat was de laatste keer dat ze haar hadden gezien. Ze was nu ook verzekerd, zei ze, een arts had haar medicijnen voorgeschreven, over een paar weken zou in haar lichaam voldoende weerstand zijn opgebouwd. Voordat het zover was, sprong ze uit de keuken, aan de achterkant van het huis, en viel op de binnenplaats te pletter.

Pauze.

Hoe het met de andere twee ging, vroeg Abel.

Zoals te verwachten in de omstandigheden, zei Kontra. Andre heeft in elk geval zijn gezin. Zijn dochter is al twee. Abel wist niet eens dat hij iemand had.

Hoe zou je dat ook moeten weten, zei Kontra.

Nu was het moment om het geld te overhandigen. Kontra stak de bankbiljetten in zijn broekzak en liet zijn hand meteen in zijn zak. Zei tot ziens en ging weg.

Hoe moet ik verklaren wat het precies is, had Kinga vroeger eens gezegd, die keerzijde van onze dapperheid. Wie dat niet zelf heeft meegemaakt. Soms word je er wanhopig van, zoals met blinden over kleuren, aan de andere kant kun je het ook niet veranderen, je hebt het of je hebt het niet, en dan begrijp je het of je begrijpt het niet, maar eigenlijk maakt het ook niets uit, kijk nou, ik heb het begrepen en wat heb ik eraan gehad? ---

Abel zat een paar minuten naast de telefoon en haalde pas toen het zakje dat hij had opgeraapt, maar niet op H.R.'s bureau had teruggelegd, uit zijn broekzak. Amanita muscaria. Gewone vliegenzwam. Achter de keukenkast nog steeds geluiden van Wanda. Eén: papieren, twee: Omar, drie: as. Toen besloot hij toch niet meer zo lang te wachten.

CENTRUM

Delirium

En ik – Ik dus – knielde niet tussen toiletpot en badkuip op het klamme linoleum, en ik smeekte niet een god mij te helpen en te vergeven of te vergeven en te helpen, maar ik pakte de melk, goot die ergens in, mijn enige diepe bord, mengde die met de hele inhoud van het zakje en wachtte. Nadat ik een bepaalde tijd had gewacht, pakte ik de bruin gemarmerde melk, dronk hem op en sprak: nee, ik viel, zoals bekend, na stuiptrekkingen, schemertoestanden, misselijkheid en gevoelloosheid in mijn voeten, in een halfslaap. Toen ik weer ontwaakte, lag ik verstrooid over de aarde.

Wat en waar ben ik? Niet onder de vrije hemel, dit plafond is geen sterrentent. Het is donker als in een souterrain, maar de wind klinkt alsof het hogere etages zijn. Dat houdt hier nooit op, het huis staat in een trekgat of op een verhoging die overigens niet van natuurlijke oorsprong is. De praalgebouwen uit het verleden zijn de steengroeven van de eerstvolgende achtergestelde, correctie: onbeschaafde, correctie: … samenleving. Wie op puin bouwt. 't Kan ook zijn dat het gefluit alleen in mijn oren is, waar die nu ook mogen zijn. Siberische sjamanen beschrijven het: alsof je in stukken verdeeld op de grond ligt. Waar is mijn been, mijn hoofd, mijn hand. Is dat versteende lid het mijne? Deze archaïsche tors? Gevallen zijn de helden van het Parthenon en de heidense afgoden, niets dan wat kruimels, door alle winden verwaaid, planken vol voeten, links, rechts, neusgaten, ellebogen. God alleen kent het geheel. Dat is niet mijn kuit, dat zijn niet mijn zaadballen, deze borsten neem ik graag. Hoewel ze overal met schuimplastic zijn aangevuld. Overal scheuren. I'm puzzled. Heb ik altijd al in een magazijn met archeologische vondsten gehuisd?

Tenminste één keer ben ik hier al geweest. Zou me verbazen als dat niet zo was. Mijn moeder was lerares, ze hechtte er veel waarde aan de barbaar in mij uit te drijven. Rococococo, zeg ik en strijk door mijn gestylde haar. Als de omstandigheden het toestaan. Als er bijvoorbeeld een hand en haar aanwezig zijn. Stenen krulletjes, daartussen druipt duivenpoep en loopt in mijn altijd open ogen. Niettemin kan ik mijn voeten niet zien. Stijf als na een nekschot. Dat komt van het vele zitten. In feite heb ik mijn voeten niet nodig. Ik deel mijn overbodige organen uit aan de behoeftigen van deze wereld. Maar kon ik mijn handen maar terugkrijgen. Ik moet werken. Ik werk heel veel. Dat op zich maakt mij nog (lang) niet tot een rechtschapen mens, ik weet het. Ik ben nu eenmaal gewend dat te melden. Waarbij ik aanneem dat het hier waarschijnlijk geen rol zal spelen. Wat speelt wel een rol?

Er zijn ramen, maar je kunt er niet doorheen kijken. Ze zitten te dicht bij het plafond boven, bovendien is de onderste helft van matglas. Natuurlijk zitten er geen handgrepen aan. Het behoort tot de plichten van de conciërge ze los te schroeven. Het eerste dat hij elke ochtend doet is de handgrepen losschroeven. Zijn broekzakken zijn loodzwaar, de handgrepen rammelen, boren zich in zijn dijbenen, hij kan zijn benen nauwelijks optillen, niettemin is hij in een oogwenk achter een deur verdwenen, voor je hem wat dan ook kunt vragen. Achter blijven de zoemende neonbuizen aan het plafond en wij. Mijn directe buurman is een Hermes die zijn sandalen vastbindt. Maar toch.

Nu verloopt er wat tijd. In die tijd gebeurt en beweegt er niets. Het is niet uitgesloten dat we het eeuwen moeten uithouden en intussen bekeken worden. Lieve jongetjes op schoolreisje, ze kauwen op de achterkant van hun ballpoint, maken tekeningetjes op grote notitieblokken en korte aantekeningen die ze later niet meer begrijpen. En dan trekken ze weer verder in hun te grote kleren, ritselen naar buiten. Hunkerend kijk ik ze na. Weg, ze zijn weg. Weer alleen maar piepschuim en steen.

Later wordt het nacht en ik kom tot leven, zoals in sprookjes, ik ga langs de erehaag van apollinische jongelingen en meisjes. Ik

gebruik 'gaan' in de ruimste zin van het woord. *Het* gaat. Steeds
kouder en donkerder. Mijn tanden klapperen. Ze liggen overal
verstrooid, kleine gelige steentjes met zwarte puntjes, en ze
klapperen. Magere oude vrouwen dobbelen ermee. Deze hier is
mijn moeder. Lang niet gezien. Je bent ouder geworden. Jij ook.
Haar hoofd is rond, ze heeft haar haar getoupeerd, zoals het
mode was toen zij jong was. Ze is er ingeluisd door die roodharige Hongaar, zijn opgeheven hoofd was wat me verleidde, en
zijn stem. Als geen ander kon hij die veranderen, hij kon met de
stem van een klein meisje door de dichte deuren tegen de me-
teropnemer zeggen, mijn ouders willen niet dat ik de deur
opendoe voor vreemden. Niet dat we de rekening niet hadden
kunnen betalen, maar wat hebben we gelachen! snap je, zo was
hij bij alles, het was ook helemaal de tijd ervoor, maar toen,
maar toen.
De andere twee heten Oma en Vesna. Ze zijn allemaal even oud,
ze hebben dezelfde witte kleren aan, daarboven witte kapsels uit
de rococotijd. Gele plastic haarkammen houden ze bij elkaar.
Ze zitten in een witte gang, aan een witte tafel, twee dobbelen,
eentje breit. De wol is gelig.
Dat wordt een vestje voor jou.
Ze warmen hun ziel met dat soort maaksels. Begrijpelijk, bij de
poolkou die hier heerst.
Hartelijk dank, zeg ik. Maar het is te klein voor mij. Het is nog
geen handbreedte wijd.
Maak je geen zorgen, kleintje.
Ze lachen: Maak je geen zorgen.
De wol waarmee moeder breit is smerig. Er kleven zwarte, olie-
achtige kledders aan. Alsof ze hem uit de rivier heeft geplukt.
Daarin drijft van alles en nog wat voorbij, blijft tussen de stenen
onder de brug hangen en stinkt. Ik zou niet in vuilnis gekleed
willen gaan. Uiteindelijk zal me natuurlijk niets anders resten.
Een beleefd kind zijn. De hele kerstavond lang een hemd van
brandnetels dragen. Daaronder komen puistjes op. 's Nachts op
een bed van doornen liggen. Krab niet zoveel, en nog wel aan tafel, dat is walgelijk.

Alles wat ik hoor zijn jammerklachten! Jou schijnt de situatie niet helemaal duidelijk te zijn, m'n beste jongen. We mogen blij zijn dat het gebouw niet boven ons hoofd instort. De wasberen lopen in en uit. De wind zeker. De gaten in de muren stoppen we dicht met olieblikken van de liefdadigheid. Later, als ze leeg zijn, kweken we er tomaten in en bewaren het water, dat alleen tussen zeven en negen uur 's morgens werkt. Zo staat het. We leven hier als in een kamp.

Dat komt omdat het werkelijk een kamp is. Voor weduwen als wij. Ik verwijt niemand iets. Ik leef nog, op mijn leeftijd is dat voldoende.

Je kunt je ook over kleine dingen verheugen.

Zo is het. We verheugen ons over de kleine dingen.

Soms gaan we met ons gezicht naar de zee zitten.

Er is hier geen zee, zeg ik.

Ze zwijgen. Moeder breit. De twee anderen schudden de dobbelbeker.

Ik ben niet bijzonder gecharmeerd van die vrouwen. Hoop dat ze het niet merken. Ze zullen binnenkort doodgaan. Hoop dat ze binnenkort doodgaan. Het is altijd jouw schuld, ook als het niet je schuld is.

Ze glimlachen vergevingsgezind, maar wat stijfjes. Dat komt omdat ze moeten doen alsof ze mijn gedachten niet hebben gehoord. Maar ze hebben ze wel gehoord. Ze weten alles. Hoe braaf je ook bent. Ze kiepen je tanden op de tafel.

In plaats van dat je driemaal per dag de hand kust van hen die zoveel voor je hebben gedaan.

Zo zie je maar weer dat het niet klopt. Kinderen zijn niet onschuldig.

Ik ben geen kind.

Nee, een vrij lange man.

Dat is en blijft onvoorstelbaar voor een moeder. Dat lichaam dat is ontstaan. Vierentwintig uur weeën gehad. Of waren het vijf dagen? Ben ik uiteindelijk van uitputting gestorven? Ik herinner me het niet. Het is zo lang geleden. Ook mijn zoon is al een oude man.

Ik ben drieëndertig.

Daarop antwoordt niemand iets. Geen ja en geen nee. Misschien klopt het en ben ik oud geworden zonder het te merken. Een spiegel zou handig zijn, al was het maar een scherf. Maar: niets. Ook mogelijk dat het gif me oud heeft gemaakt. Betekent dat dat ik nu het recht heb hier te blijven? Is dat wat ik behoorde te herkennen? Hallo?! Mag ik nu hier blijven?

Eerlijk gezegd wil ik dat helemaal niet. Maar ja, je weet niet wat er buiten is. Het matglas. Liggen daarbuiten zwarte puinhopen of glanzen er majolicamonumenten in de zon? Wat betekent die stilte? Dat de mens de aarde heeft verlaten of dat hij zich juist zover heeft ontwikkeld dat zijn leven in de steden zacht als fluisteren is? Misschien word je buiten vergiftigd door rook of het reukloze atoom, of wellicht ruikt het zoals het al heel lang niet of nog nooit heeft geroken: naar pure ether. Misschien is buiten wel de grote oceaan, zoals iedereen zegt, en zitten wij op de oever op een oneindige rij banken als oude mensen, met ons gezicht naar de zon en het ruisen gekeerd. Misschien is daar de eeuwigheid, alleen hier binnen gaat de tijd nog zijn oude kettinggang. Maar misschien is daar wel het helemaal niets. Het is een te groot risico om erachter te komen. Dat ik misschien op een dag toch zal nemen. Ik zal het raam openen en na een oneindig korte blik op het niets te hebben geworpen, zal ik daar zelf deel van worden. Iemand zal voorzichtig het raam achter me sluiten. Met een bezemsteel dichtdrukken.

Ik schuif onopvallend in de richting van de ramen om de situatie te verkennen. Het is geen verrassing dat er geen handgrepen zijn. Het is niet zo eenvoudig het raam naar het niets te openen. Of naar het iets. Dat weet je nu eenmaal niet. De ramen naar buiten zitten potdicht en zijn ondoorzichtig, maar de deuren binnen hangen juist scheef in hun scharnieren. Hier ziet u de troosteloosheid van de Tweede Wereld. In plaats van ervoor te zorgen dat wat kapot is wordt hersteld, hebben ze alles nog verder kapotgemaakt. Het stinkt huizenhoog. Alsof de lucht vol giftige sporen zit. Ik ben bang om adem te halen.

De oude vrouwen snuiven de lucht vergenoegd op: Zo dadelijk

komt er middageten. Wij eten geen middageten vanwege de lijn. Of omdat er geen middageten is. Goed, goed, er is geen middageten. Maar altijd ontbijt. En 's avonds eten we biscuitjes en drinken we thee. Zoete citroenthee, kleine gele wormpjes in glazen, de kelder staat er vol mee. Gelukkig is het niet meer schadelijk voor onze tanden. De middagen zijn erg. Tussen vier uur en tien uur heb ik de grootste honger. Ik val met een glimlach in slaap, omdat ik weet dat hij morgenvroeg weer heel klein zal zijn geworden. 's Morgens is de dood een zuigeling.

Alles goed en wel, zegt grootmoeder, maar de vraag is toch: Wat doen we met hem? Nu hij eenmaal hier is? Zonder van tevoren even te bellen, beleefd kun je dat niet noemen.

Maar nu zie ik hem na lange tijd terug, dat vergoedt veel.

Niettemin zou het prettig zijn te weten hoe lang hij denkt te blijven. Ik weet niet of we ons dat kunnen veroorloven. Zo'n man is een massa. Ik zou in zijn plaats kijken hoe ik mijn familie kon ontlasten. Misschien is er in het puin van de kantine naast het telegraafkantoor nog iets te eten te vinden. In as gepofte appels zijn een delicatesse.

Niet dat ik dat niet ontzettend graag zou doen, maar ik weet gewoon niet hoe je hier uit moet komen en waar het telegraafkantoor en de kantine is, dus ik doe alsof ik het niet heb gehoord.

We kunnen ons hem niet veroorloven, zegt grootmoeder. Zo'n grote man. Tot nu toe hebben we het uitstekend gered zonder mannen. Zoals met zusters. Het is beter hier geen mannen te hebben.

Maar als we hem de deur wijzen, zou het zijn dood kunnen zijn. (De lieve, oude Vesna.)

Nu zwijgen we allemaal een poosje. Ik probeer me zo klein mogelijk te maken. Zit voorovergebogen op een houten stoeltje. Hard hout, harde knoken. Voor de duur van de bezoektijd een aardig, betrouwbaar mens zijn die bejaarden respecteert en zonder opdringerig te zijn affectie toont voor zijn vrouw zonder in seksueel opzicht enkel- of dubbelzinnig te worden, niet tegenover voornoemde vrouw en zeker niet tegenover prepuberale stiefkinderen. Dat moet een volledig geïntegreerde indruk

maken. Onze normen en waarden zijn niet alleen een opper-
vlakkig laagje, ze zijn overgegaan in vlees en bloed. Gelukkig
hebben ze geen gedachtelezer in dienst.

Hij is trouwens niet onderzocht.

Van nieuwelingen dient een volledig dossier te worden aange-
legd. Anders gaat het niet. Kenmerkende ziektes zijn: impotentie, dehydratie, depressie, hart- en maagklachten. Wanneer je
onderweg kanker krijgt, weet je wat het is. Genezing is onzeker.
Maar voor een onderzoek is het nooit te laat. Vraagt zich alleen
af wie dat nu weer moet doen.

Uiteindelijk komt het toch weer op ons neer.

Wat wil je, wij zijn de enigen hier.

Het is jouw zoon.

Als ik me de melkachtige geur van zijn buik boven de schaam-
haargrens voorstel, als ik me de geur tussen zijn schouderbla-
den, als ik me de geur van zijn nek, de geur van zijn tepels, van de
binnenkant van zijn ellebogen en handpalmen voorstel, word ik
duizelig en mijn mond loopt vol speeksel.

Dat is een normale reactie. Die kan zelfs als prettig worden ervaren.

Dat is het ook: prettig. Maar wat me zorgen baart is dat ik, wat ik
ook doe, mijn vingers niet warm krijg. Ik wrijf mijn vingertoppen tot ze bijna afbreken, maar het helpt niet. Ik wil niet dat hij
onder mijn aanrakingen als bij een stroomstoot ineenkrimpt.

Het is maar zwakstroom.

Niettemin.

Het zou hem zelfs kunnen helpen. Zwakstroom leidt naar verluidt tot minder gevoeligheid.

Ja, maar alleen als je het via een infuus krijgt toegediend. Schokken zijn ouderwets.

Is er eigenlijk weer stroom?

Over het geheel genomen zou ik hem niet vertrouwen. Uiteindelijk geldt hij dan misschien als genezen, maar is hij heel iemand anders geworden.

Dat hoeft niet het ergste te zijn. Ik zou blij zijn geweest met zo'n
kans. (Oma)

Ik heb gedaan wat ik kon. Ik heb altijd geprobeerd hem voor schadelijke invloeden te behoeden.

Dan had je consequent moeten zijn en hem als meisje moeten opvoeden, te beginnen bij het zeer aangenaam te dragen damesondergoed. Zo is hij vlees noch vis.

Nog een reden waarom we ons het uiterlijke onderzoek kunnen besparen. Meteen door naar het EEG en dan de obductie. De hersenen meten, en de organen. Dat is heel interessant. Het gewicht van de lichaamssappen wordt afzonderlijk vastgesteld. Hoeveel gram gal, aantal cellen. Bij zijn geboorte woog hij maar 1375 gram.

Dat klopt van geen kanten.

Hoe kun jij dat nou weten? vraagt oma grof. Wat rest me anders dan mijn mond te houden?

Vertel zoiets toch niet aan het kind, zegt Vesna. Hij wordt nog bang.

Niet zozeer bang, zeg ik. Eerder verlamd. Ik ben de hele tijd verlamd alsof ik alleen nog een hoofd ben, een brein, een brein met een voorhoofd waarover zweet druipt. Zo moet ik rondlopen, al wil ik dat helemaal niet.

De zielenpoot, hij heeft koorts.

In een nat laken wikkelen en een pak op zijn billen geven. Helpt gegarandeerd. Maar niet vergeten het laken later weg te halen. Anders vat hij kou en gaat hij dood. Wat zullen de mensen dan wel niet zeggen!

Misschien is dit het moment om oma te zeggen dat ze haar vervloekte sadistische kop moet houden.

Zijn nek met ijswater begieten totdat hij een hersenvliesontsteking krijgt.

Houd alsjeblieft je vervloekte sadistische kop!

De hersenen zwellen op en drukken tegen de schedel.

Naaaaaaaaaaaaaaaaaaiiiiiiiiiiiiiii…!

De stuwkracht van de schreeuw drukt me eindelijk van hen weg, ik schakel nog een tandje bij, ik brul zoals ik nog nooit heb gebruld, ik schreeuw zolang ik schreeuwen kan. Mijn ogen houd ik gesloten, dan kan ik ze ook niet meer zien. Ik hoor nog het kletteren van de dobbelstenen in de beker, maar het wordt al zwakker, op zeker moment houdt het helemaal op, ik houd ook op, laat me uitdrijven zover het momentum nog reikt.

Veel later open ik voorzichtig mijn ogen. Het is weer donker, dat is goed. Ik glijd door een gang zonder ramen. Ik weet nog steeds niet of ik een lichaam heb en hoe dat eruitziet. Aan het onderzoek zijn we immers gelukkig ontsnapt. Ik heb geen flauw idee meer wanneer een dokter me voor het laatst heeft onderzocht. Ben ik bang voor injecties? Kan ik tegen bloed zien? Eerlijk gezegd is het helemaal niet slecht zo. Voor het eerst sinds lange tijd doet er niets pijn.

Het zweven wordt niet langzamer, maar de gang wel steeds smaller, en daarginds, bij de ijzeren deur, lijkt hij definitief te eindigen. Ik probeer iets als armen uit te strekken om mijn snelheid langs de wanden af te remmen, maar dan ben ik al door de deur in een nog diepere duisternis beland.

Het lijkt water, maar het is geen water. Achtereenvolgens duiken er witte dingen in op. Stenen, metalen, botten. Een deel van een eg. Ik weet niet hoe ik dat weet. Heb ik ooit eerder een eg gezien? De halsband van een hond. Een pan van gebutst rood email. En weer: beelden. Voornamelijk voeten en knieën. Een knie gaat de wereld rond. Een verminkt geslacht.

Nu weet ik wat het is: het is de aarde onder de stad. Geen paniek, Houdini. Dat maakt de materie om je heen maar poreus en verstopt je mond. Daaraan kun je doodgaan, net als door ingeademde deeltjes van een lawine. We zullen het heel gedisciplineerd aanpakken. Niet haasten, niet hoesten, niet spreken. Elk geluid speelt de vijand in de kaart. Probeer te ontdekken waar een trap naar boven is. Ga daar dan heen. Neem eerst die munten mee die hier zo losjes op een armlengte afstand tussen kruimelaarde liggen ingebed, krab ze eruit met je nagels – zie je, als je ze nodig hebt, heb je ze wel! Het zal nog een goed idee blijken dat je ze in je zak hebt gestoken. Zelfs geld dat allang waardeloos is geworden, mag je niet laten liggen. Mijn vader kon geen geld in zijn zak houden. Naar mij komt het vrijwillig toe. Het vindt een goed onderdak bij mij. In elk geval ben ik nog nooit blut geweest.

Nu zie ik ook waar ik heen moet. Daarvoor schijnt het licht van het oude keldercafé. Daar hebben we ons eindexamenfeest gevierd, weet je nog? Steeds twee straten verder hebben ze vreemde ruiten ingeslagen, maar daarvan wist ik toen nog niets. Zal ik jullie nu allemaal terugzien? Met kloppend hart ga ik naar binnen.

Het is anders dan ik verwacht had. Geen rustiek middeleeuws gewelf, maar een doodgewone culturele club, de wanden vol olieverf en affiches. Onder de discobal zit mijn vader in zijn witte bruiloftspak, het vest spant charmant om zijn slanke romp. Hij is solo-entertainer, heeft een witte narcis in zijn knoopsgat en speelt synthesizer. Dus dat heb je dus al die jaren gedaan!

Je vader, lieve jongen, zei mijn moeder, is een louche figuur. Alsof hij nog steeds vrijgezel is, trekt hij 's nachts door de dorpen en kent dubieuze types, met wie hij vermoedelijk geheimen deelt waarvan wij nooit een idee zullen hebben. Hij is bij hen geliefd, ze weten alles over hem, ze roepen hem kameraadschappelijk toe: Kijk eens, Andor, is dat niet je zoon?

Inderdaad. Mijn zoon is hier. Mijn zoon is gekomen. Mijn vrouw heeft alle foto's weggegooid, ik had er geen bij me, en toch herken ik hem. Hij vertoont een treffende gelijkenis met mij, hij ziet er maar een beetje ouder uit dan ik op veertigjarige leeftijd, toen we elkaar voor het laatst hebben gezien. Hij kleedt zich in zwarte slabladeren, zijn hoofd steekt erbovenuit als een verdrietig radijsje. Zijn gezicht verteerd door wellust, kapot van wanhoop, in de rimpels op zijn voorhoofd zit asgrauwe aarde. Zijn ogen zijn één bloeddoorlopen net, en die traanzakken! Precies de buik van een hagedis. En die trillende kin, het wordt steeds erger, zo dadelijk valt hij eruit en rolt weg als een oude rolschaats. Hallo, mijn zoon, voordat je in tranen uitbarst: hoe is het met je? Wil je wat drinken?

Ik geef geen antwoord. Ik ben nog helemaal van slag door het gemak waarmee hij te vinden was. Het duizelt me, zo meteen ga ik modderige melk overgeven. Iets drinken zou inderdaad niet slecht zijn.

Maar mijn vader kan het niet voor me halen, hij moet op de synthesizer spelen, lichtgevend wit in zijn spot, alles om hem heen glinstert. Het is heel heet waar mijn vader zit.

En? vraagt hij op conversatietoon. Hoe is het je vergaan? Ben je getrouwd? Heb ik kleinkinderen? Of ben je een eenzame wolf, net als ik? Nou?

Eerlijk gezegd ben ik homoseksueel, zeg ik tegen mijn vader als ik hem na twintig jaar weer zie. De jongens ontmoet ik in een bepaald etablissement of op straat. Eens heb ik er eentje gevraagd vierentwintig uur bij me te blijven. Hij bleef vierentwintig uur bij me. Hij legde zijn hoofd op mijn schouder en zo bleven we zitten. De zon ging rond. Ik wist niet eens of hij wakker was of sliep. Toen het etmaal voorbij was, op de minuut af, stond hij op, doorzocht mijn spullen en nam mee wat hij wilde hebben. Al mijn geld, zelfs de munten. Hij zag in mijn paspoort de foto en mijn naam en keek me geamuseerd aan. Toen vertrok hij. Dat heb ik nog nooit aan iemand verteld.

Begrijp ik, zegt mijn vader. Impotentie is de laatste tijd een volksziekte. Ik begrijp je, mijn jongen, ik begrijp je heel goed. Mij is het vergaan zoals de meeste mannen, vooral diegenen die wel eens nadenken: Ik ben getrouwd om kinderen te krijgen. Een zoon. Jou.

Wat dat betreft heb je je anders niet in zorg uitgesloofd.

Ik kon het alleen niet zo tonen. En wat had ik dan moeten doen, mijn jongen, wat? Met hen viel geen verstandig woord te wisselen. Alle oude haat en alle nieuwe, ze stonden letterlijk klaar om op iedereen af te stormen. Elke man boven de achttien die over de brug komt, zal ik doden, dat waren hun woorden.

Voorzover ik me herinner, was dat pas nadat je was weggegaan. Daar weet hij niets op te zeggen. Hij weet dat ik gelijk heb. Maar hij is geen man die zich rechtvaardigt. Hij hoopt dat de tijd de verschillen vervaagt. Wat dat aangaat zijn vaak vijf minuten al genoeg om niets meer te kunnen bewijzen. Als je dus naar me toe bent gekomen om me verwijten te maken, m'n jongen, kun je je de moeite besparen.

Ten eerste ben ik niet *naar je toe gekomen*, ten tweede heb ik dorst. Is dat de deur van het toilet daar achter je? Kon ik daar maar heen komen. Water uit de kraan drinken, iemand leren kennen.

Eén ding, mijn zoon, spreekt de vader nu als een vader, één ding moet ik je nageven. Je hebt je er al die jaren wakker doorheen geslagen, en dat zonder de steun van een clan. Daarom bewonder ik je. Voor mij was dat geen kunst. Nooit wanhopig zijn is geen kunst voor iemand die zich daar geen voorstelling van kan maken. En een voorstelling ervan heeft alleen wie het al eens is geweest. Of je bent het óf je bent het niet, en dan weet je het of je weet het niet. Wie – één – beweert te weten wat het is en dan – twee – beweert het nooit te zijn geweest – die liegt. Zoals ik daarnet heb gelogen. Maar ik was in elk geval al eens in de voorhof ervan, en ik zal het nooit vergeten, exact op de elfde juni negentienhonderdiks.

Ja, zeg ik. Dat herinner ik me goed. De vakantie begon. Je verliet ons zonder een woord te zeggen. Sindsdien ben je degene over wie we niet spreken. Je hebt pianogespeeld. Songs. O, wat is de bananenschil toch glad. Een keer kwam je als invaller. Tot dan toe wist ik helemaal niet dat je piano kon spelen. Misschien deed je ook maar alsof. Later ben je overgestapt op synthesizer. Als solo-entertainer trok je door de clubs in het Westen, toen de Radniks nog samen waren. Je droeg een wit pak, draaide als je zat een knie naar buiten tussen de magere X-benen van de synthesizer en tikte mee met je voet. Je had witte slippers aan en mosterdkleurige sokken. De sokken hingen afgezakt rond je enkels. Je hebt het fototoestel in de bus laten liggen, onze gemeenschappelijke foto's van het tochtje naar de steengroeve zijn verdwenen, wij samen in de reusachtige grijze hallen, achter ons duisternis. De rest heeft Mira weggegooid. Na een poos kon ik me je gezicht nauwelijks meer herinneren, maar die enkel vergeet ik nooit. De enkel van mijn vader met de afmetingen van een monumentaal beeldhouwwerk tikt voor mijn ogen.

Hij glimlacht en speelt zijn smartlappen. Goede muziek leidt tot goede mensen. De songs van mijn vader hebben tot mijn vader geleid. Hij speelt en speelt, het interesseert hem geen zier wat ik hem vertel. Na twintig jaar ziet hij zijn zoon terug die hij, tussen twee haakjes, heeft achtergelaten in een stad waar later een oorlog uitbrak, en hij heeft de euvele moed gehad al die jaren niet één keer te informeren of we nog leven. Als ik een goede zoon was, dan zou ik je nu op je smoel slaan. Geen verwijten. Gewoon met mijn vuist raak slaan waar zijn neus, mijn neus, begint tussen mijn lilahemelkleurige ogen. Je neusbeen in je laffe gezicht stompen. Dat zou ik kunnen doen, hoewel ik je – dat moet ook maar eens worden gezegd – niet haat. Op zeker moment, in de rust, na de vijfde of zesde vrouw, merkte ik dat ik voor je begon te duimen. Uit de achterkamer van een café klonk synthesizermuziek, iemand studeerde, vergiste zich voortdurend en ik kreeg hartkloppingen, omdat ik dacht dat we je hadden gevonden. Toen werd me duidelijk: Ik duimde dat we je niet zouden vinden. Zo rechtvaardig en onrechtvaardig is een kind.

Vader glimlacht, speelt Rosamunde. Dat is aardig van je, mijn zoon. Afgezien daarvan, zegt hij, kan iemand wiens handen van krijt zijn geen neuzen breken.

???

Het zijn mooie handen, als ik dat als man zo mag zeggen, pianistenvingers, daaraan heeft het niet ontbroken, aan vlijt misschien ook niet, nou ja.

Wat mompel je daar?

Met mompelen, mijn zoon, zou ik voorzichtig zijn. Zodat je niet ergens in verzeild raakt. Je mag alleen heel rustige spelletjes met je handen van krijt spelen, anders brokkelen ze af. Onder de pianokruk, op de katheder, in het straatstof. Je vader ermee slaan gaat natuurlijk al helemaal niet. Je slagen zouden immers niet meer dan schmink op mijn gezicht zijn. Blijft zitten tot de dichtstbijzijnde wastafel.

O, zeg ik. Zit dat zo.

Ja, zegt hij, zo zit dat.

Nu zwijgen we. Pianomuziek.

Begrijp ik dus goed, zeg ik, dat er hier niets voor mij te doen is?

Nee, mijn zoon, helemaal niets. Maar blijf toch nog, luister even naar de muziek, drink wat.

Hij speelt wat, ik luister. Vader en zoon.
Nu ga ik dan maar.
Hij glimlacht en speelt. Ik wend mijn blik van hem af.

Dat, of het draaiende podium waarop hij zit, draait van mij weg
en zie, er opent zich een weids vergezicht en ik zie dat deze spe-
lonk slechts een plek te midden van vele is, een miniem, afzonderlijk celletje. Ernaast, eromheen openen zich, in een verwrongen panorama van 360 graden, talloos veel wegen. De keuze is
aan jou. Als ik deze insla, zou ik via een steeds donkerder steeg in
varkensstallen terechtkomen. Hier is een bordeel. Dat zou het
overwegen waard zijn. De verstandige man kiest de weg van de
minste weerstand. Op deze tweesprong zou dan al snel een oplossing gevonden zijn. Al weet ik niet of snelheid hier en nu van
betekenis is. Is mijn tijd beperkter dan anders of juist niet: Be-
vind ik me hier al in het voorportaal van de eeuwigheid? Op het
eerste gezicht zijn sommige paden heel smal, zo smal dat een
heel mens er onmogelijk door kan, hoogstens een magneetpasje, helaas heb ik dat niet, onlangs is mijn portemonnee gestolen,
met mijn bibliotheekpasje, maar dat speelt nu geen rol meer.
Zodra je naderbij komt, openen de betreffende spleten zich
trouwens automatisch, het is goed georganiseerd. Meestal gaan
erachter louche en als gevaarlijk bekend staande buurten schuil,
sinds Ur en Babylon altijd dezelfde wijken, persoonlijk voel ik
me daar het meest thuis. Van mijn vader heb ik mijn ogen en slapeloosheid geërfd, zodat ik net als hij altijd twee levens heb geleid. Overdag werkte ik, 's nachts ging ik op pad en bezocht eta-
blissementen. Terwijl ik toch uit heel andere kringen kom. Provinciale burgerij, jazeker. Het is een wonder dat ik weet dat er
twee soorten mensen bestaan. Die ernaar streefden de hemel te
bestormen, de manwijven etcetera. Voor straf zijn we nu gespleten als de aardschol door de spade.
Aanvankelijk had ik geluk, ik ontmoette mijn andere helft al op
mijn twaalfde. Maar zoals zo vaak bij kindsterretjes het geval is,
viel het succesrecept helaas niet te vertalen naar de volwassen-
heid, maar daar waar het rode pluche tot de enkels reikt, is het

bijna weer zo goed als destijds, toen de zoutige sneeuwsmurrie onze slecht gemaakte schoenen, onze goedkope sokken en onze tenen aanvrat, maar wij liepen en bleven lopen. Als ik ergens moet sterven dan graag daar, een beetje rust zou ik nu wel kunnen gebruiken, maar ik heb het idee dat ik eerst nog iets moet doen. Waarschijnlijk heb ik met mijn vrouw afgesproken. Af en toe, regelmatig of niet, moet je met je echtgenote afspreken. Dat schrijft de wet voor. Meestal *thuis*, voor het avondeten, zodat mijn geur blijft hangen, minder vaak in een café. Dan vertellen we elkaar, dan vertelt onze niet-gemeenschappelijke zoon wat we de afgelopen week hebben beleefd. Aardrijkskunde, biologie, wiskunde, menswetenschappen. Wat mij betreft, ik zeg niet zoveel. Dat komt omdat er bij mij niet zoveel aan de hand is. Daar heb ik niets tegen. Langzamerhand is dat het fatsoenlijkste dat je kunt doen. Dat is mijn opinie. Niets. Dat wil zeggen, helemaal niets is het niet, niets is niets, ik word gevoed, maar ik voed me ook zelf en organiseer het ritme van mijn dagen en nachten. Praat toch niet zo veel, zegt Bora. Ze staat blootsvoets in een deuropening, de ritssluiting van haar ruwzijden jurk is onder haar oksel gedraaid. Met haar stevige witte armen maakt ze uitnodigende bewegingen. Kom eindelijk. Wij wachten allemaal op jou.

Wie zijn *wij*?

Ze wijst naar een reusachtige, met zilver en damast gedekte tafel. Dat zijn wij: Anna, Olga, Marica, Katharina, Elsbeth, Tímea, Natalia, Beatrix, Nikolett, Daphne, Aida en ikzelf. Twaalf vrouwen in verschillende stadia van ouder worden. De jongste is natuurlijk degene die zich van het leven heeft beroofd. Ze heet Esther. De dertiende ben jij.

Is dat wel goed? Om de dertiende te zijn?

In het paradijs is alles goed, zegt Aida. Zwart haar, witte huid, dikke rode lippen, verleidelijk om te zien, goed om te eten.

In dit geval ziet het paradijs eruit als een zwoelwarm palmenhuis. Dat ook hier de ruiten beslagen zijn, is duidelijk. Het komt door de planten, de mensen en de gerechten die dampen. Er zijn veel gerechten. De vrouwen blijven ze maar opdienen. Ze wisselen elkaar af bij zitten en opdienen. Een schaaltje kaviaar, een suikerpotje. De volgende neemt het weer mee, komt dan terug met een mandje fruit. Vers uit de koelmachine, met dauw bepareld, heel schilderachtig.

Dit is de nacht van de totale overvloed, zegt Bora, die als oudste van het gezelschap de bijeenkomst voorzit. Jij bent onze eregast en mag alles eten wat je wilt.

Dank je, zeg ik, maar ik heb helemaal geen honger. Eerlijk gezegd weet ik niet eens zeker of ik wel spijsverteringsorganen heb. Wees niet zo'n etter, zegt Natalia. Ga zitten, dat hoort zo.

Ze duwt me met ferme hand op de lege stoel naast haar. Er staan nog meer lege stoelen aan de tafel, steeds een lege tussen twee vrouwen.

Je zult op elk van die stoelen een keer hebben gezeten.

O, zeg ik. Gaat het zo in het paradijs?

Precies.

Als dit hier het paradijs is, zeg ik, waar zijn dan eigenlijk de vier rivieren Nosip, Nohig, Sirgit en Tarphue? Waar zijn de muren, de torens, de tuin, de troon en de glazen zee? In plaats daarvan proberen jullie me met een paar palmen in potten een rad voor ogen te draaien! Ik wil niet ondankbaar zijn, ik ben ook niet ondankbaar, maar zouden er in het paradijs niet ruimten onder de vrije hemel moeten zijn? Anderen vliegen in hun dromen over eindeloze weilanden, ik spook zelfs nu nog door de donkere hoeken van mijn kamer. Kunnen we in elk geval niet het dak openen? Door middel van een gecompliceerd hydraulisch mechanisme? In tegenspraak met de uiterlijke schijn en wat gezegd wordt, ben ik namelijk niet tegen een beetje schoonheid der schepping, bijvoorbeeld in de vorm van natuur. Het ontbreekt me aan niets, maar wel aan groene beemden. Soms ben ik naar het park gegaan. Maar dat is om verschillende redenen voorbij. Bovendien: wat is een park nu helemaal? Afwezigheid van een echt landschap. Net als een palmenhuis de afwezigheid van echte palmen is. Dat is het probleem met het paradijs. De tamme dieren waarover je zoveel hoort bevinden zich op borden en presenteerbladen. En dat fruit, al uren onveranderd, is volgens mij van was. Proef eens, zegt Marica, dan weet je het.

Wil ik het dan weten? Ik heb allang geen smaakzin meer. Hard, zacht, vochtig, droog: dat is alles. Bovendien, zeg ik hardop omdat ik me bij dit onderwerp veilig voel, hoeft niemand me uit te leggen hoe het in het paradijs is. Ik ben daar al jaren stamgast. Eros, aards of hemels, kan verpletterend zijn, en het vlees alleen al helemaal. Maar ik ken een plek die dat niet is, die heet: Het gekkenhuis. De beleefdste en oprechtste mensen ter wereld celebreren daar de demon die tussen God en de mens middelt. Ze zijn mooi en lelijk, wijs en onwetend zoals wij allemaal, alleen spannen ze zich een beetje meer in. Ik ben de uitzondering. Ik probeer altijd de indruk te wekken dat ik meer aan lager wal ben geraakt dan ik werkelijk ben. Ik zou me daarvoor moeten schamen, maar dat doe ik eerlijk gezegd niet. Ik verontschuldig me beleefd voor eventuele onaangenaamheden, maar al met al valt er niets te verontschuldigen.

De vrouwen zwijgen, kijken me treurig aan en ten slotte zegt de lieve Nikolett met de kalfsogen: Dat hij geen enkele vorm van liefde in zich heeft, geloof ik niet. Waar het hem gewoon aan ontbreekt is deemoed.

Zo is het, zeggen de vrouwen.

Precies, zeg ik.

Daarvoor verdient hij in elk geval een behoorlijke straf. (Dat was Anna. Haar stem is diep en bars. Ze is de dikste van allemaal.)

Eerlijk gezegd geloof ik niet dat iemand bereid zou zijn die aan hem te voltrekken. (Beatrix. Niet op haar mondje gevallen, kleine hamsterwangetjes.)

Jammer genoeg is zijn vader verdwenen. (Katharina, mager en door verdriet getekend, zuinig met woorden.)

Die heeft helemaal niets over me te zeggen!

Ze knikken instemmend. God zegene hem, hij was een bastaard.

Er rest je dus niets anders dan voor jezelf te zorgen. (De genadeloos verstandige Olga.)

Overwin jezelf en word fatsoenlijk. Knap je een beetje op en gedraag je een paar uur lang als een gentleman. (De strenge Tímea.)

Dat kun je best. (De zachtmoedige Elsbeth.)

Ja, ergens heeft hij dat wel, die combinatie van elegantie en onhandigheid die algemeen geliefd is. (De speelse Daphne.)

Dus doe alsjeblieft de, correctie: je plicht.

Wat doe ik dan de hele tijd? Alleen omdat ik nu graag naar de club zou willen gaan?

Och, wie interesseert nou jouw opgeblazen geheimpje!

Sorry dat ik het zeg, maar daaraan kun je zien hoe provinciaals je in feite bent.

Zelfs je manier om aan de wereld te lijden is provinciaals. Een van ons zit in het gekkenhuis en eentje is dood. In jouw plaats zou ik daar maar eens over nadenken.

Het doel van het lijden is de zelfoverwinning, dus de verlossing. Maar uit jouw lijden komt niets anders voort dan verder lijden. Ga in het klooster, Abelard!

Wie heeft dat gezegd? Ik bekijk haar beter. Maar zij is het niet.

Ik moet toegeven, zeg ik, dat ik dat al heb overwogen. Ik bedoel: een klooster. Graag ook eentje in de bergen dat voor toeristen interessant is. Geïnteresseerden kunnen aan rondleidingen in tien talen deelnemen. De fresco's in de hoofdkerk laten een mengsel van Byzantijnse en westerse stijlen zien. De gezichten zien eruit of ze broers en zusters zijn, of honderd keer dezelfde in verschillende gewaden. Een prachtig gezicht, met vrouwelijke, mannelijke en kinderlijke trekken. Eerlijk gezegd is het iedere keer *zijn* gezicht. In zo'n omgeving is het niet moeilijk nooit te vergeten waarom je gekomen bent. Alsof ik permanent de liefde met hem bedrijf, terwijl ik alleen honderden keren zijn gezicht bekijk. Soms dicht bij elkaar als wijnranken tegen de druif, soms alleen in een hoek, door de neus loopt een barst, de ene wang op de ene muur, de andere op de andere. Bidden zal ik helaas nooit kunnen. Maar ik kan mijn dagen doorbrengen met zijn gezicht in liefde bekijken.

Nu zwijgen ze een tijdje. Ben ik er eindelijk in geslaagd indruk op hen te maken?

Je vader, zei Bora ten slotte, was een opmerkelijke vrouwenliefhebber. Geen van ons had veel ervaring, dus een vergelijking ontbreekt, maar voor de tijd van toen was het een opmerkelijke zaak.

Allen, mompelend: O ja.

Ben jij niet ook getrouwd?

Ja zeker, dat is hij.

Maar hij slaapt niet met zijn vrouw.

Zo'n huwelijk is het niet.

Nou ja, wat moet je daarover zeggen. Tegenwoordig is toch iedereen gay. Dat klopt niet helemaal, zeg ik, maar ze laten me alweer niet uitpraten en ratelen door elkaar. Ik verhef mijn stem, wat ik anders niet snel doe.

Wanneer houden jullie eindelijk op, kletstantes?

Daarop vallen ze stil. Ziezo, het lukt toch. Voor me staat de fruitmand. Hoogste tijd dat ik een voorbeeld stel.

Dus, zeg ik voorzichtig, als dit hier het paradijs is, dan moet het ook mogelijk zijn dat was als rijpe vruchten smaakt. Ik kies niet de appel, maar de vijg. Onder de aandachtige blikken van de paradijswachters breng ik die naar mijn lippen.

In het begin voelt het aan mijn tanden nog als was aan, maar nog voor ik tijd heb te schrikken of me op te winden – ik wist het toch! weg ermee, wat mij betreft kunnen jullie me in elkaar slaan, maar we zullen een einde maken aan die hysterie van jullie! – explodeert de smaak van het paradijs in mijn mond. Applaus klinkt op. Sluit je ogen. Laat je vallen. Ja, zo. Wees niet bang. Een net van vrouwenarmen vangt je op. Handen strelen over je hoofd. Ze ruiken naar schoot en zeep, de een na de ander streelt je glanzende, compacte haar.

O, is dat mogelijk? Zouden we terug kunnen gaan? Anders beginnen, dus anders voortgaan? Bora? Waarom niet dat verdomde bad nemen, van geur wisselen. Een handdoek voor de gast heeft ze vergeten, die van haar nemen, hij is oud, beige en een beetje vochtig. De reiskleding verfrommeld tegen je buik drukken, je blootheid voor de laatste keer bedekt, op blote voeten door de keuken, de deur, over het tapijt. Bij haar gaan liggen. Op

kijkafstand van thuis. Veertig jaar leeftijdsverschil. Geluk is een gemakkelijke schoot. Wat is dat voor een zin? Ik weet het niet, laat me dichterbij komen. Maar ze trekt me al naar zich toe, ze is ervaren, gemakkelijk glijd ik in het binnenste bereik van de warmte. Haar buik doet me denken aan moeder, maar deze hier is donkerder, harder, zelfs heel hard, alsof ik tegen een houten tobbe druk, een schede als een pit – dat is niet eerlijk, nu ik het eens een keer probeer. Kijk naar beneden en zie: het is inderdaad hout, een gebeeldhouwd lichaam, gepolijst, de Y van een gestileerde joni is erin gekerfd, net als de navel. Ik klop op dat wat de buikwand wordt genoemd om te kijken of die hol is, en dat is zo, een sarcofaag? De mummie lacht, dat lachen ken ik, ik kijk omhoog en zie: Tatjana's gezicht. Daar ligt ze in de houding van de liggende boeddha, dat ze zich niet schaamt, alleen haar hoofd kan bewegen, ze heeft hem in haar hand gelegd en lacht. Bestaat haar haar uit slangen? Houten kut! Waar is mijn paradijs?
Je gelooft zeker ook in Sinterklaas?
Waarom niet, stomme k…!
Ze lacht: Ik zou mijn schouders ophalen als ik kon. Ik laat me niet door je beetnemen, daarom haat je me. Van mij krijg je geen onderdak, ik leef niet de helft van je leven voor je. Je moet alles alleen doen, van begin tot eind, en daar heeft ons kleintje geen zin in. Wat niet betekent dat ik niet bereid zou zijn met je te neuken. Niet om jou te gerieven, maar omdat ik het wil. Waarbij ik natuurlijk tegelijkertijd jou zou gerieven. Je zou een mens worden – misschien. Garanderen kan niemand dat natuurlijk. Aan de andere kant zou het, al was het maar voor het moment, zeker prettiger zijn dan je pik in gespleten hout te steken en niet meer los te komen. Houd op je bekken zo te ontwrichten, Abelard, je scheurt hem nog af.
Noem me alsjeblieft niet zo!
Je vrouw denkt, zegt het beeld onverstoorbaar, dat ze je vrouw is. Verder denkt ze dat je een geheim hebt. Maar je hebt geen geheim. Je bent een dood mens, dat is alles.
Ik ben niet degene die van hout is!
Nee. Maar waarvan ben je wel, kun je me dat vertellen?

Ergens, alsof sirenen zingen: *In heaven everything is fine. In heaven everything is fine. In heaven ...*

Daar krijg ik koude rillingen van, koude rillingen, koude rillingen! Wie bevrijdt me uit deze onwaardige situatie? Het zijn werkelijk huiveringwekkend slechte zangeressen, zegt iemand.

Omar?

Of weer alleen de wind. Weer wakker. Verder is er niets meer te horen of te zien. De houten maagd is verdwenen, net als de palmen. Voor het eerst sinds uren een beetje rust. In de trein door de bergen naar zee reed je soms tussen zulke witte muren van mist. *Tussen*tijd. Dat doet goed. Maar eerlijk gezegd komt bij mij eigenlijk de eerste twijfel boven of ik hier wel tegen opgewassen ben. Wat heb ik me daar eigenlijk bij voorgesteld? Misschien niets. Net als miljoenen anderen het slachtoffer geworden van de mythe over de positieve kanten van ontremming door drugs, dans en seksuele extase. En nu heb ik het aan de stok met *al die figuren*. Hoeveel komen er nog? Alleen degenen die ik zou willen of moeten ontmoeten zijn nergens te vinden.

Verder ziet het er hier al min of meer uit als het lievelingscafé van mijn vrouw. Ging gemakkelijker dan ik dacht. Zo is dat. Je hoeft alleen maar een tijdje rusteloos, correctie: radeloos rond te hangen en op zeker moment lost de zaak zich vanzelf op. Normaal gesproken wacht ze al op mij, gaat zo zitten dat ik haar bij het binnenkomen meteen zie. Bovendien zwaait ze vriendelijk naar me. Deze keer niet. *Nergens ben je.*

Ik vind deze plek eigenlijk helemaal nogal merkwaardig. Veel details zijn geslaagd, maar uiteindelijk passen ze toch niet echt bij elkaar. Alsof deze ruimte uit de tijd is geraakt. Is hij ouder dan nu of is het vroeger dan nu? Warm of eigenlijk koud? Ruikt het naar kolenkachels of ruikt het naar helemaal niets? Dat kan toch niet, dat zoveel mensen helemaal niets ruiken. Want mensen zijn er genoeg, overal zitten ze, op de grond, je weet niet meer waar je moet lopen. Dat gebeurt me vaker dan me lief is. Plotseling ben je onderdeel van een massale arrestatie.

Je kunt rustig op ze trappen, zegt iemand. Het zijn net madeliefjes, ze richten zich weer op. Tenslotte weet je niet hoe lang we vertraging zullen hebben, hoe lang we hier als het ware op een rangeerspoor zullen moeten staan. Hopelijk rijdt niemand van achteren op ons in. 's Nachts en met grote snelheid. Dat zou een mooie rotzooi geven. Voorlopig kunnen we het net zo goed gezellig maken.

Wat? Beter gezegd: Wat heb je hier te zoeken?

Zijn naam is Erik. Uitgerekend hij is het. Hij troont aan het hoofdeinde van zijn belachelijke stamtafel tussen de toegangsdeur en het raam. De anderen zijn er vast en zeker ook, al kan ik ze niet onderscheiden. Iets grofs zeggen en ze met stomheid geslagen achterlaten. Of helemaal niets zeggen. Alleen achterlaten. Met stomheid geslagen.

Ik kijk om me heen, voorzover dat over de hoofden van de zittenden mogelijk is. Weer alsof er gangen, wegen en mogelijkheden zijn. Maar wees nu verstandig en maak een juiste keuze. Ver, ver weg, waar modderig ruikend gras groeit, leggen de zwervers zich in een zwart-wit film ter ruste. Leggen zich ter ruste, ter ruste, en leggen zich ter ruste. Er hapert iets. Ter ruste en leggen zich ter ruste. Daar moet ik heen. Waar ze zich ter ruste leggen. Alleen jammer dat ik nog steeds niet op de hoogte ben van het concept van het lichamelijk vooruitkomen in de ruimte onder de huidige omstandigheden. Maar ik moet het niettemin proberen. De mens moet vechten. Dat is gewoon zoals het hoort. Soms ben je bang, maar dat is niet nodig. Geen angst voor zwart-wit. Daar zal het goed zijn. Weliswaar straatarm, lelijk en stinkend, maar goed. Een rustig idee is dat er blijkbaar geen haast bestaat. De tijd daarginds wacht op me. Leggen zich ter ruste en ter ruste.

Ik kan niet. Kan me niet verroeren. Alsof ik ben vastgeplakt. Een kwajongensstreek. De zwervers leggen zich voor eeuwig ter ruste, maar niettemin kan ik ze niet bereiken. Dat is me niet beschoren. Wat is me beschoren? Kun je daar niets tegen doen?

Waarom zoek je niet een mooi plaatsje? zegt Eriks vrouw vriendelijk – haar naam ben ik vergeten. Kijk, daar op de rode pluchen bank is nog zo'n twintig centimeter plaats!

Daar zit ik dan, ingeperst tussen onbekende dijbenen. Twintig centimeter is minder dan je denkt. Wanneer ik beweeg, wordt

mijn bekken vermalen. En ook verder verkeer ik in een onmogelijke situatie. Zelfs mijn hoofd kan ik niet bewegen. Ik zit hier
vast – met hen. Zoals altijd praten ze, maar deze keer is er nog
minder van te verstaan dan anders. Behang van gemompel. Eerlijk gezegd zou een keldertribunaal me liever zijn.

Kkkrm, kkkrm. Kunnen storende geluiden (kuchen, het ritselen van papieren) worden vermeden? Dank u. Zit iedereen
goed? Dank u. Gaat het goed met de jongens? Dank u. Zullen we
beginnen? We beginnen. Dank u.

Ik wend mijn blikken naar voornoemde jongens. Staan ze urenlang roerloos in nissen langs de wand, tussen kruiken en opgezette vossen? Houden ze hun hoofd zo of zo? Hun mooie voeten
in sandalen nonchalant gekruist, losjes een fluit in de hand,
voor het dijbeen? O, konden ze maar iemand liefhebben!

Is de afgod klaar? Dan kunnen we misschien beginnen. Dank u.
Wie bent u? Drie enorme hoofden, alle drie op dezelfde manier
gebeeldhouwd, dezelfde gelaatstrekken, geen gelaatstrekken.
Waarvan bent u? Steen? Zeep? Kamelenmest? Kan me trouwens
niet schelen. Ik erken dit gericht niet. Ik vertolk mezelf. Niemand is te vertrouwen. Afgezien daarvan weet ik niets. Ik zal de
getuigen niet door handige vragen in het nauw kunnen drijven,
omdat ik helemaal niets weet. Ik zou me alleen kunnen verdedigen als ik schuldig was. Maar zo? Zou ik niettemin een kogel-
vrije glazen box en een microfoon kunnen krijgen? Onder alle
omstandigheden heb ik recht op een goede gezondheid. Waarschijnlijk gaat het de meeste mensen beter dan ze verdienen.
Maar afgezien van dat alles, was het alleen maar een grapje,
mensen, alleen een ...

Naam?

Celin des Prados.

Wie antwoordt er in mijn plaats? Dat is niet mijn ...

Leeftijd?

Drieëndertig.

Wie ...?

Kleur van haar en ogen?

Zwart, blauw.

Hallo! Dat was alleen een … Ik wil alleen mijn vrouw … Een koffie, misschien een cognac …

In orde, laten we beginnen.

Geritsel, gehoest. Het is hier erg licht. Mijn ogen tranen. Plus dat voortdurende verdraaien om iets (wat dan ook) te zien. Want mijn hoofd kan ik alweer niet bewegen. Wie maakt daar lawaai? Pers? Geïnteresseerd publiek? Betrokkenen?

Hkkrm. Krm. Geritsel. Neem me niet kwalijk. Dank u. We beginnen. Is degene aanwezig die de verwijten formuleert?

Dat ben ik.

Erik.

Dat had ik kunnen bedenken. Daar maak ik bezwaar tegen. Deze man is bevooroordeeld! Hij is verliefd op mijn vrouw, en afgezien daarvan haat hij mij. Ik heb hem ooit vernederd, maar daar kan ik niets aan doen. Ik kan er toch niets aan doen dat hij zo'n onnozele idioot is die in zijn tijd past! Hij weet absoluut niets, en al helemaal niet over mij! U heeft geen enkel bewijs tegen mij in handen!

Aangeklaagde, houd uw mond! Verbale aanvallen op de getuigen zijn geen behoorlijke vorm van verdediging. Zo kunt u zich bij ons niet gedragen! Een volwassen man! We zijn hier niet in een derdewereldland! --- Gaat u alstublieft door. Dank u.

Dank u, mevrouw de voorzitter. Ik citeer de verklaring van de getuige W. Letterlijk staat daar: Ik beschuldig A.N. ervan een handelaar in drugs te zijn. Toen ik even niet keek, heeft hij een zakje giftige paddestoelen in zijn zak gestoken. Hij wilde zijn sporen uitwissen. Hij is een drugsdealer uit de Balkan. Zo ziet hij er ook uit.

Dat is een leugen! Ik houd me uitsluitend bezig met de handel in prehistorische voorwerpen en efeben. In de ruïnes van verdwenen steden zeef ik het zand. De tanden gooi ik weg, de munten haal ik eruit. Afgezien daarvan gaat mijn seksuele gerichtheid niemand iets aan.

Nou, in bepaalde omstandigheden kan de omstandigheid dat de delinquent pedofiel is zeker van belang zijn, ongeacht of dat nu in woorden, daden of bij verstek is.

Wanneer je het zo bekijkt, zou iedereen schuldig zijn. (Ik lach.) Dat zou toch belachelijk zijn!

Wilt u soms ontkennen dat u hebt deelgenomen aan massaverkrachtingen?

Zeker ontken ik dat! Bij ons doet iedereen vrijwillig mee! Sterker nog, ik deed zelfs vrijwillig niet mee! Ik was alleen maar toeschouwer! Alleen toeschouwer!

Dat speelt geen rol. Mee geblaft, mee gestraft. Vaak valt de schuld van afzonderlijke individuen achteraf niet meer vast te stellen en dan zijn allen schuldig of, als dat niet gaat omdat het er gewoon te veel waren, is het individu nu eenmaal de klos. Dat kan ook willekeurig worden gekozen, zie het voorbeeld van de zondebok.

We zullen je de woestijn in jagen. En, wat vind je daarvan, slaplul?

Degene die dat zegt zit rechts van het midden. Een slank lichaam in een uniform. Boven zijn dikke bovenlip de eerste haargroei. Ik walg van je, maar tegelijkertijd ben ik ook blij. Dat je nog leeft en er blijkbaar een plek voor je is, ook al moet je daarvoor doen alsof je ruw en stoer bent. Die in het midden speelt daarentegen de oude protestant die vermoedelijk wijs, maar in elk geval beleefd is, overdrijft dat een beetje, dankt voor elke lulkoek, die links is een sarcastische, laatdunkende hond. Geen erg originele opstelling, maar wat moet je. Het onzichtbare publiek lacht natuurlijk.

Gefeliciteerd, zeg ik elegant. Je pijlen op de voortplantingsorganen richten heeft altijd succes. Jammer dat het niet erg chic is.

Hier en daar boegeroep en gefluit uit het publiek.

'En ze zeiden dat ik zijn teelballen moest afbijten, en ik beet zijn teelballen af.' Dat is dus niet van u?

Nee.

Hoe voelen teelballen aan als ze in je mond ronddrijven?

Ze drijven niet. Daar zijn ze te groot voor. Door de haren heb je het idee dat je een stuk uit een hond bijt.

Heeft u wel eens een hond gebeten?

Nee. Omgekeerd ook niet.

Bent u bang voor honden?

Is dat relevant?

Graag notuleren dat de ondervraagde, ook wel genoemd: de afgod, de vraag niet beantwoordt. Dank u.

De waarheid is …

Ja. Wij luisteren. Gaat u door. Dank u.

De waarheid is …

Ja?

De …

Ja?

U moet het anders formuleren, fluistert mijn bewaker mij toe. Het is mijn vroegere professor, mentor en voorganger in een postbodenuniform. Dus jij bent er ook.

Dank u, fluister ik terug.

Wat zegt u?

Ik heb alleen dank u gezegd.

Kunnen we doorgaan? Dank u.

Wat ik dus wilde zeggen: Ik heb niet gefolterd, ik *ben* gefolterd.

Gemompel voorin. Gaat u door. Dank u.

Eerst praatten ze alleen, maar toen zijn ze met meerderen gekomen en hebben me in elkaar geslagen. Ze hebben tegen mijn scheenbeen getrapt zoals voor het laatst mijn moeder deed toen ze al te klein was om me in mijn gezicht te raken. Doet er niet toe. Ik hink niet meer, ik ben alleen nog principieel kwaad.

Woonde u vaker zulk soort sadomasochistische handelingen bij?

Soms.

Bezorgde u dat lustgevoelens? Meer dan andere dingen?

Het was zoals het was.

U heeft dus alleen genomen wat voorhanden was.

Zo zou je het ook kunnen zeggen.

En hoe nog meer?

Wat bedoelt u?

U heeft gezegd: Zo zou je het *ook* kunnen zeggen. En hoe nog meer?

Ik verzoek u het *ook* te schrappen.

Akkoord. Dank u.

Misschien kunnen we nu een korte pauze inlassen en dan een grotere sprong voorwaarts maken? Dank u.

Neem me niet kwalijk? Zou ik misschien, zolang de pauze duurt, hoe lang duurt de pauze?, zou ik misschien iets te drinken kunnen krijgen? Mijn mond is zo droog. En daarbij komt dat ik weliswaar niet weet waar mijn stuitbeen is, maar het doet wel helse pijn. Het stuitbeen naar de nek verhuisd. Hallo? … Hallo?

Geen antwoord.

Een sigaret?

Nee, dank je, mijn vaderlijke vriend en oppasser. Nu ziet hij er weer meer uit als mijn school…, correctie: mijn schoonvader. Ik wil geen sigaret. Water zou prima zijn. Jenever. Heroïne. Paddestoelenragout.

Merkwaardig hoe vaak dat voorkomt, zegt mijn oppasser.

Ik wil het niet vragen, maar vraag het toch: Wat?

Dat ter dood veroordeelde misdadigers zo weinig kleine ondeugden hebben.

Daar kan ik niets op antwoorden.

Afgezien natuurlijk van seks. Daarvoor zijn ze meestal erg in.

Dat is mij ook opgevallen. Dat dit hele proces geseksualiseerd is.

Wat had je dan verwacht? Alles draait om paring en oorlog.

Daar valt niet veel tegen in te brengen. We zeggen een tijdje niets. Om ons heen het gebruikelijke geritsel en gekuch. Ten slotte zeg ik:

Het zou leuk zijn als mijn vrouw hier kon zijn.

U hebt geen vrouw.

Jazeker, ik ben getrouwd.

Dat telt niet. *Ik* ben getrouwd. Al bijna veertig jaar. Ideaal is het niet. Maar het telt.

Ik zeg: Ik heb zin om lang te tongkussen met mijn vrouw. Het zal anders zijn dan de krachtige tongbeweging van jonge kerels, maar ik heb het voordeel dat ik veel groter ben. Ik kan haar praktisch in mijn mond nemen. Haar in mijn wangzak bewaren als een gestolen krokodillentand.

Een poosje zegt hij niets. Ben ik te ver gegaan? Tenslotte is het zijn dochter.

Nou goed, zegt hij. Hoe heet ze?

Dat weet ik op het moment helaas niet. Ik ben zelfs mijn eigen naam vergeten.

Dat klopt niet. U kent haar naam wel.

Nee.

Jawel. U weet ook wat daarbuiten is.

Wat moet dat nu weer? Ik doe alsof ik die laatste woorden niet heb gehoord. Gelukkig gaat hij alweer verder.

Kan iemand een schone asbak brengen? Dank u.

Neem me niet kwalijk, mag ik voor we verdergaan iets zeggen? Natuurlijk.

Nou, wat ik graag wil zeggen is dat ik een kleine man ben. Ik ben een kleine man. Ik heb de afgelopen tien jaar niets anders gedaan dan werken. Zoals op de lopende band de panelen langstrekken, trekken bij mij de woorden langs. Ik heb mijn werk gedaan. Het ging me er alleen om zo doeltreffend mogelijk te werken en niet te sterven. Dat is alles.

Zouden we dat 'dat is alles' in het vervolg achterwege kunnen laten? Dank u.

Ik heb mijn werk gedaan.

U heeft *wat* gedaan?

Ik heb mijn werk ...

Al goed. De vraag heeft betrekking op de details. Waaruit bestond dat werk?

Ik heb talen onderwezen en in verschillende talen vertaald en getolkt.

Gebeurde dat regelmatig?

Vrij regelmatig. Ja. Praktisch elke dag.

We zouden dus kunnen zeggen dat het uw beroep was?

Ja.

Was u in vaste dienst?

Nee, mijn hele leven ben ik vrij geweest.

Heb ik gelijk met het vermoeden dat u nooit in het bezit bent geweest van een geldige werkvergunning? U hebt nooit een cent belasting betaald, nietwaar?

386

Mijn inkomen was te laag.

Dat wil ik wedden.

Een ziektekostenverzekering had ik ook niet!

Heeft u gezondheidsproblemen?

Nee. Ja. Ik weet niet.

Is er ooit schizofrenie, paranoia, manische depressiviteit of dementie bij u vastgesteld?

Wat zegt u?

Is er ooit schizofrenie, paranoia, manische depressiviteit of dementie bij u vastgesteld?

Dat is mijn eigen zaak.

JA of NEE?!

Nee. Niet vastgesteld.

Hoe staat het met incidentele duizelingen? Geslachtsziekten? Aids?

Ik zou niet weten wat dat met de zaak ...

Tropenziekten?

Verdomme, nee. Mijn hele leven ben ik maar in een stuk of twaalf plaatsen geweest. Allemaal in de gematigde klimaatzone.

Weilanden, vruchtbare beemden.

Zei u *vluchtbare* beemden?

Of vruchtbaar. Een van tweeën is het geweest.

Hebt u last van dyslexie? Maakt u bij het schrijven regelmatig fouten?

(Lachend:) O ja, dagelijks.

Graag voor de notulen dat de afgod ...

Dat is niet mijn ...!

... een tot nu toe niet vermelde manier van denken en gedragen aan de dag legt die gewoonlijk sarcasme wordt genoemd.

(Giechelend:) Gelijkwoon carsasme?

Het lachen vergaat je nog wel, onnozelaar!

Maar dat kan van verschillende zijden worden weerlegd! Over mij staat een rij in de dossierkast van het onderzoeksinstituut die even lang is als ikzelf ben!

Tjonge, jonge, wat zijn we daar van onder de indruk!

Gelach in de zaal.

Nu weet ik niet meer waar ik gebleven was.

Uw werk.

Ja, dank u. Ik vertaal verhalen. Hartverscheurende en komische, aangrijpende en belachelijke, sentimentele en sceptische verhalen. Menselijk, kinderlijk, dierlijk. Geloof, hoop, liefde. Zoiets.

Nu is het stil om me heen. Ik heb het gevoel dat ik heel goed bezig ben. Ik voer het nog een beetje op. Mijn stem klinkt zacht en sonoor, melodieus en mannelijk:

Er zijn twee mensen die elkaar liefhebben, maar het duurt vaak uren voordat ze een woord van elkaar verstaan. Zij is doofstom, hij is spastisch. Ze heten Ling en Bo, ze wonen samen in een tehuis ...

Gegiechel aan de randen. De jongens?

Blablablabla, zegt die links. Een waarlijk targisch noodlot! En zo relaistisch beschreven! Startverscheurend! Ik kan het niet meer horen, die verdomde nieuwe vertelgraagte! Je denkt toch zeker niet dat dat je zal redden?

Kreten uit het publiek: Weg met de anekdoten! Weg met de leugen en de kitsch! Weg!

Mijn gezicht achter glas, doodsbleek. Mijn stem klinkt raar, ik ben woedend:

De wereld als woord! Dat is mijn troost! Waarom begrijpen jullie dat niet? (Huilerig:) Het is niet eerlijk.

Die links, verveeld: Is dat niet wat overdreven? Wat denk je dat je bent?

Een nietsnut! Een kniesoor! (Kreten uit het publiek.)

Die links, honend: IJverig als de kleine miertjes zijn we. Zo'n onopvallend, ongevaarlijk diertje. Wat kan ik u zeggen, ik heb al die jaren niets anders gedaan dan werken. Geen vlieg kwaad. Het spinnenweb in je hand voor niets. Een armetierig haarnetje waarin je leven hangt. Het beste kun je het maar verfrommelen en er iets zinnigers mee doen. Applaus van de toehoorders.

Ook ik zou een buiging maken als ik daar fysiek toe in staat was. Eén ding moet mijn jaloezie je nageven, zeg ik tegen Erik. Ik demp mijn stem en richt mijn woorden direct tot hem, het is een zaak tussen hem en mij. Eén ding moet mijn jaloezie je nageven.

Voor iemand die zo door en door stom is, waren dat een paar goede vergelijkingen. Wat niets verandert aan het feit dat het een ware kwelling is om in je nabijheid te zijn. Alsof de stront in je blijft steken. En uitgerekend nu. Dat heb ik niet verdiend.

Het applaus ebt weg.

In orde, zegt die in het midden. We lassen een korte pauze in. Dank u.

Luister, zeg ik, kunnen we het geheel niet versnellen? Ik wil niet over mijn lichaam spreken, dat hoort niet, hoewel ik eerlijk gezegd bang ben voor de gevolgen van dagenlange slaapdeprivatie. Bovendien zou ik van dorst kunnen omkomen of het in mijn broek doen. Uiteindelijk word je door je lichaam verraden. Begrijpelijk dat ik dat wil vermijden. Maar afgezien van zulke persoonlijke dingen beschouw ik het als mijn plicht u erop opmerkzaam te maken dat dit systeem in principe zichzelf gaande houdt. Ongetwijfeld zouden we tot in alle eeuwigheid zo door kunnen gaan en dat zou, afgezien van het feit dat het stomvervelend is, tot een volstrekt voorspelbaar en steeds identiek resultaat leiden: tot niets namelijk. Dit hier, edelachtbare heren, leidt tot helemaal NIETS, want u bent niet in staat om u een oordeel te vormen, en u zult dat nooit zijn. Omdat u het lef niet hebt of omdat het onmogelijk is.

U vergist u. Het is mogelijk en we hebben het lef. Dit hier is een van de dingen die functioneren onafhankelijk van de vraag of je erin gelooft of niet. Ondanks alle twijfel aan de legitimiteit en de methodes van deze rechtbank dienen we het diepere, menselijke doel ervan niet uit het oog te verliezen: namelijk dat we een waardevol precedent zullen scheppen. Maar wat de verveling betreft hebt u gelijk. U verveelt ons. U ontwikkelt u geen zier verder. U draait in een kringetje rond, u gaat steeds aan de essentie voorbij – Waarbij, als ik me deze persoonlijke opmerking mag veroorloven, ik me niet aan de indruk kan onttrekken dat u zich opzettelijk dommer voordoet dan u bent, alleen daarvoor zou u al een paar draaien om uw oren verdienen, maar ik ben uw grootmoeder niet, godzijdank kan ik alleen maar zeggen – als in een centrifuge kleven uw afzonderlijke delen tegen de rand, terwijl uw midden leeg blijft. U hebt gelijk, het is nu genoeg geweest, en komt u nu niet aanzetten met het verhaal dat iets *daarbuiten* u zo heeft verscheurd, dat geldt alleen in de eerste drie jaar als verontschuldiging, zo lang is ook heimwee toegestaan. Daarna is het tijd voor toekomstgerichte integratie, en niet langer voor een jezelf kwellend vastklampen aan het allesbehalve roemrijke verleden. In uw geval zijn alle verontschuldigingen dus allang verjaard, het wordt tijd dat we er wat u betreft een punt achter zetten, of u dat nu bevalt of niet. Heeft iemand uit het publiek nog iets toe te voegen aan de aanklacht?

Een hoge, overslaande mannenstem, Konstantins hoofd is niet groter dan een appel: Uit louter lust en luim heeft hij me zijn munten geweigerd!

Dat is een belangrijk punt, dank u!

In de eerste plaats klopt dat niet en in de tweede heb ik de munten zelf nodig. Mevrouw de voorzitter, is er misschien een mogelijkheid deze heer samen met zijn demagogische retoriek uit de zaal te verwijderen?

Boegeroep uit het publiek.

Laten we zeggen: voordat ik hem zijn nek omdraai?

Gemurmel, geklap en gefluit uit het publiek.

Aha! Langzaam komen we nader!

Ik weet niet waar u het over hebt, bijt ik haar toe.

Nou en of!

Nee, zeg ik. Geen flauw idee. Ik ben een beleefd mens. Ik ben er absoluut niet op uit ruzie te maken met de autoriteiten. Ik ben volgzaam, op het onderdanige af. Onmiddellijk heb ik mijn papieren paraat. Als me iets wordt gevraagd, antwoord ik: beleefd, kort en zo te zien volkomen oprecht.

Blablabla. Dat weten we allemaal. Van onbesproken gedrag, tot en met wat seksuele moraal betreft.

Alweer. Ik lach gekweld. Dat is toch nonsens! U probeert mijn verstand in de war te brengen door absurde causaliteitsreeksen en u maakt doorlopend inbreuk op juridische normen. Misschien weet ik te weinig over de meeste dingen, maar van taal heb ik verstand en ik merk wanneer iemand me wil bedonderen. Normaal gesproken zou ik nu weggaan. Gewoon weggaan, elegant en zonder een woord te zeggen. Helaas is dit op het moment om fysieke redenen niet mogelijk, al schijn ik intussen een lichaam te hebben, alleen de macht erover heeft iemand anders. Alsof ik in een blok zit, zoals gevaarlijke dieren. Helaas kan ik me ook niet op een andere manier verweren. Dat is niet eerlijk. Ik zeg nadrukkelijk: niet eerlijk. Dat is niet wat ons is beloofd! Dat is niet wat ons beloofd is!!

Hmmm. Nou ja, nu. (Geritsel.) Ik denk ... hmmm.

Waarom, roep ik er tussendoor, waarom zouden er ook niet een paar zijn die *vóór* mij spreken? Ik wens eigen getuigen! Ook ik heb vrienden, hoe onwaarschijnlijk dat ook mag lijken! Ten dele zijn het echte mannen. Ik kijk graag naar ze wanneer ze dingen doen. Wanneer de aderen in hun onderarmen zwellen, wordt mijn mond helemaal droog. Helaas hebben ze een hekel aan mij. Of wat dan ook. Liefde is het in elk geval niet. Speelt dat nu of ooit nog een rol? Maar de vrouw die bij hen is of bij wie zij zijn, mijn petemoei, zou beslist voor mij getuigen. Niet omdat ik het verdien, maar omdat het haar rol is uitsluitend het goede voor mij te willen. Hetzelfde geldt ook voor mijn vrouw en mijn stiefzoon. Helaas heb ik een slecht geweten wat alle genoemde personen betreft. Gedeeltelijk ben ik vergeten waarom. Maar er bestaat toch ook iets als vergeving, nietwaar?

Stilte. We wachten.

Nietwaar? zeg ik.

Niets.

Tja, zegt Erik.

Welnu, zegt die in het midden – Is het mijn schoonmoeder? – volgens mij is alles hiermee gezegd. We komen tot het oordeel. Dat is voor het begin van het proces opgeborgen in een gesloten envelop. Mag ik de envelop hebben? Dank u.

Opgewonden geschuifel in de onzichtbare zaal. Een ceremonie waarop met spanning is gewacht staat op het punt te beginnen. Vreemd. Nu het einde in zicht komt, krijg ik toch hartkloppingen, zou ik graag om nog een paar uur willen smeken. Nog een paar uur lang deze kwellingen! Pardon, maar ik ... Hallo? ... Ik wil graag wat zeggen! Ik ga iets zeggen. Desnoods draait u mijn microfoon uit, maar dat kunt u niet, alles is namaak, het glazen hok, de microfoon, in feite is er geen middel om mijn stem uit te schakelen als ik eenmaal praat. Ik wil, ik wil …

Nou?

Alle beschuldigingen tegen mij zijn vals! Ik heb niets gedaan!

Dat weten we.

Wat willen jullie dan van mij?

Goed. Laten we al het andere vergeten. Beantwoord alleen deze vier vragen: Was je verstandig? Was je rechtvaardig? Was je moedig? Heb je de juiste maat gehouden?

Nee.

Nee.

Nee.

Nee.

Wie antwoordt daar in mijn plaats?

Goed, wat wil je dan?

Diep stilzwijgen.

Plechtig: *Aangezien ge niet koud of warm zijt, maar lauw, zullen we u uit onze mond spuwen.* Voordat het oordeel wordt uitgesproken, dient nog het volgende te worden gezegd: De misdaad begint met de verbeeldingskracht en is als zodanig fundamenteel verbonden met ons menszijn. Dat rechtvaardigt niettemin niet … Ik wens verschoond te blijven van het duivelse gegrijns van de aangeklaagde! Wat valt er te lachen?

Ik kan niet worden geëxecuteerd.

O nee? En waarom niet?

Ik ben nog onberoerd! (Jubelend) Ik heb mezelf *bewaard* voor de ene en enige *bruidegom!*

De hoge heren overleggen onderling. Ik lach. Ten slotte zegt die in het midden:

De meningen lopen uiteen omtrent het belang van dit feit, dat wij niet kunnen controleren. Zeker, er is een tijd geweest waarin men aannam dat de duivel niet in een maagd kon varen, dat was ook het tere punt van het hele Jeanne d'Arc-verhaal. Daarom én om geen risico te lopen, luidt het vonnis: Massaverkrachting.

Rumoer, geschuifel van stoelen, hier en daar applaus, tongge-klak. De stem van een ordebewaker door een luidspreker: Graag in een rij opstellen. De jongens eerst!

Een beetje bang ben ik wel, maar ik voel ook een zekere vreug-devolle verwachting. Wat zullen de jongens met mij beginnen? Zal ik er iets van merken, of is mijn achterwerk net als al het an-dere aan mij van krijt en gips?

Kop dicht! zegt een dikke roodharige man. Die heb ik ook al eens eerder gezien. Om te beginnen lezen we de foltermethoden voor. We hebben ze ingedeeld naar landen en culturen, maar er zijn natuurlijk veel overlappingen. De Chinezen snijden de neus af, de Mongolen villen liever. In Spanje heten de oefenin-gen badkuip, buidel, rad en operatiezaal. Bovendien kennen we over de hele wereld de gril, de telefoon-B en de knuppel met ste-kels. Stroom, water, plastic zakken, gummiknuppels, uitwerp-selen en motorolie spelen een hoofdrol, net als de uitwerking van gedwongen lichaamshoudingen en verschillende manieren van boeien. Met het hoofd naar beneden hangen leidt volgens de meeste volkeren tot inzicht. In individuele gevallen kan ook het afhakken van lichaamsdelen doeltreffend zijn. Niets van le-vensbelang: een vinger, een oor, een tong, jij middeleeuwse dief, jij valse prediker, jij majesteitsschenner. Lippen met draad dichtnaaien is een andere traditionele mogelijkheid. Zou dat niet een aanzienlijk deel van je problemen oplossen? Wees eer-lijk. Als je geen voedsel tot je neemt, neemt ook het gevaar af dat je met spijsverteringsproducten wordt besmeurd. Al hoef je je geen zorgen over je kleren te maken, want je zult meestal naakt zijn. Kijk eens naar dat verschrompelde pikje!

Het is goed, zeg ik. Ik kies voor de jongens.

Kop dicht! We zijn nog niet klaar! Terwijl we lezen, worden nieuwe methodes uitgevonden, we hinken praktisch steeds ach-ter onze tijd aan. Je kunt niet teruggaan voorbij een punt dat je al gepasseerd bent, dat zou je toch moeten weten, dus zet die lie-ve jongens maar uit je hoofd. Maar het is altijd mogelijk nog een stap verder te gaan. Wanneer als het niet nu is? Je was toch al nooit als slachtoffer voorzien. Jij zult degene zijn die dat alles uitvoert. Tien procent van de mensheid beleeft genoegen aan het kwellen van anderen, dat is wetenschappelijk bewezen. Kijk, hier zijn ze allemaal, bekenden en onbekenden, ze zijn van jou, je kunt met hen doen wat je wilt.

Janda's gezicht ziet eruit als een speldenkussen, in elkaar gerold zit hij in de hoek, zijn tandvlees bloedt.

Je kunt hem neuken als je wilt. Maar kom niet in de buurt van zijn mond. Zijn tanden zijn als die van een verroeste zaag, en zijn botten steken uit, maar zijn darm is zacht, die verdroogt als laatste, hij kan nog wel tien dagen in leven blijven.

Weet je wat, zeg ik (mijn stem trilt, al wil ik dat niet), verneuken jullie jezelf maar!

Je wilt dus nog steeds geen kleur bekennen, je ontdoen van je onmacht en de fantastische macht voelen van een man die boven zichzelf is uitgegroeid?

Nee!

Waar ben je anders bruikbaar voor, misselijk kreng? Deserteur! Maagd! Verrader!

Jawel, zeg ik. Jawel! En nog een keer, nu brullend, ik moet eeuwen van me af schreeuwen: JaEEEEEEEEEEEEEEEEEEEEEEEEEEE EEEEEEEEEEEEEEEEEEEEEEEEEEEEEEEEEEEEEEEEEEE ---

Wat ben je toch een belachelijke, stomme vogelverschrikker! Schreeuwen is hier onderdeel van het programma!

Kan me niet schelen, ik schreeuw verder EEEEEEEEEEEE EEEE, EEEEEEEEEEEEEEEEEEEEEEEEEEEE, kom toch en breng me tot zwijgen, stop mijn bek dicht, dood me!

Dat laatste heb ik nog niet gedacht of ze zijn weg en ik lig op de grond. Dat wil zeggen: ik geloof dat ik lig en dat het de grond is. Niemand zegt meer iets – want ik houd mijn mond. Weer ben ik alleen in de lege zandvlakte van Agirmoroe Poet. De rust is weldadig. Meer dan ooit hunker ik naar eenzaamheid. Ik verberg mijn gezicht. Hier verstrijkt heel veel tijd.

Later open ik mijn ogen of ik had ze de hele tijd al open. Het ziet ernaar uit dat ik nog steeds leef. Welk recht heb ik daarmee verworven? Ik heb het recht verworven in mijn eentje in grijze ruïnes te zitten. Ze zien eruit of ze de pokken hebben. Zwaluwnesten. Ik zou ze met een hand kunnen verkruimelen. Het ziet er niet uit zoals het er zou moeten uitzien, en toch weet ik wat het is. Is het ruiterstandbeeld er nog, de duiven, het theater, de paden met uitgezette wandelingen? Ja, nee, ik weet het niet. Behalve het melaatse metselwerk is er niets te zien of te horen. Behalve ikzelf is hier niemand.

Jawel. Jij bent er. Daar ben je dus.

Heb je een idee van wat ik allemaal heb doorgemaakt om je te vinden? Waar heb ik je niet allemaal gezocht! En hoe lang niet! Onder hoeveel namen! Ik heb alles geprobeerd. Alles wat je had kunnen worden. Priester of dokter, die het vijandige met elkaar verzoenen, of juist: veldheer. Nergens was je te vinden. En nu. Zit daar gewoon op een steen langs de weg, een oude mijlpaal, een vuilnisemmer van beton. Ben je jong zoals je destijds was of nu zou zijn, of oud, zoals je nog niet zou kunnen zijn? Ik kan het niet zeggen. Alles aan je is perfect. Je kleding is elegant cool. Je lichaam erin. Pas op, leun niet tegen de muur, je prachtige jas komt vol as.

Hoe gaat het met je? Met mij gaat het naar omstandigheden goed, ik heb niet te klagen.

Je zit daar maar en zegt niets. In een droom is mijn vader bij me gekomen, zei grootmoeder, maar hij heeft niets gezegd. Doden in dromen spreken niet. Vroeger praatte je aan één stuk door. Nu lijkt het wel of je lippen opgeschilderd zijn. Misschien ben je helemaal niet jij, maar een pop die sprekend op je lijkt en bij wijze van grap op straat is gezet. Een van die etalagepoppen die ze destijds massaal uit de winkels hebben gegooid. Later zag je die poppen overal terug, in vuilnisbakken, op balkons, in alle mogelijke houdingen. Bij vele ontbraken armen of benen, die leidden al hun eigen leven. Handen staken uit keldergaten. Hoofden op palen gespiest in plaats van verkeersborden. Rompen dreven op hun buik in de rivier.

Nu knipper je eindelijk met je ogen. Behoedzaam en zonder ijdelheid, als een dier. Je staat op en loopt weg. Ik volg je.

Nu is het bijna als vroeger. Alleen kan ik me niet bij je aansluiten, maar dat wil ik ook niet. Beter zo. Ik zie meer van je dan ooit. Je hele gestalte, van top tot teen, al is het van achteren. Maar zo is het ook gemakkelijker. Het is nu als een klassieke droom. We lopen door straten, ik weet dat het de stad is waar we vandaan komen, al ziet hij er niet zo uit. Zijn er behalve wij nog andere mensen? Ik zie niemand. Alleen door een leeg vaderland. Daarvan te houden is onze plicht. Ik zeg: Naar de verdoemenis ermee! Ik ben een beetje bang om dat hardop te zeggen, maar behalve jij hoort immers niemand me. Dat mooie griezelgevoel als plotseling iedereen verdwenen is. Alleen jij en ik.

Dat is een merkwaardige rol. Normaal gesproken ben niet ik degene die spreekt. Hoewel ik me behoorlijk heb ontwikkeld sinds toen, ook al zie je dat op het eerste gezicht niet. Ik heb in mijn vrije tijd als het buiten koud was het een en ander gelezen. Ik zou je over veel dingen kunnen vertellen, wat algemene ontwikkeling wordt genoemd, je hoeft maar te vragen. Natuurlijk vraag je niets. Je loopt door en laat de zijwegen links en rechts voor wat ze zijn. Gelijk heb je, er bestaat geen keuzemogelijkheid. Die ene weg moet je tot het einde toe gaan. Ik hoop dat er werkelijk een einde is. Want eerlijk gezegd houd ik niet erg van die lange marsen. Waarom neem je me niet liever mee naar huis? Laten we in de schaduw van de oliekachel in het warme bed kruipen en ruimtevaartromans lezen! Vertel ik onzin? Ben ik een kind? Ja en ja. Laat me bij je wonen!

Ik weet dat je iemand bent die niet van zijn stuk te brengen is. Je loopt maar door. Daar is al de oude brug over de rivier. Soms voert die rood zand uit de bergen aan. Dat ben ik helemaal vergeten te vermelden. Onze stad heeft vele bruggen. Als een schietspoel zijn we erover heen en weer gegaan. Nu is er alleen nog deze ene. In de rivierbedding ligt oud vuil. Huishoudelijke apparaten. Een synthesizer. Ook een paar van die poppen. Jerrycans, bussen. Een varken. Ik begrijp niet hoe ze steeds weer kunnen klagen dat het hun niet goed genoeg gaat en intussen zo spilziek zijn. Begrijp jij dat? ---

Van dichtbij gezien zijn je bewegingen een beetje stijf. Hangt dat samen met je verleden als etalagepop of was je altijd al zo? Je had een zwak hart, hoefde niet met sport mee te doen. Zelfs als ik op sterven lig, geven de apparaten bij mij nog normale waarden aan. Ik vind het een beetje gênant om over mezelf te praten, maar aan de andere kant zou ik graag willen dat je me eindelijk opmerkte. Niet dat ik verder geen mogelijkheden heb. Er zijn zelfs mensen die me aantrekkelijk vinden. Nou ja, bij de jongens kom je daar helaas nauwelijks achter. Ik heb te veel macht over ze. Mijn leeftijd en zo. Hoewel, in feite heeft hij die zich onderwerpt de macht. Hiermee onderwerp ik me.

Zo ver buiten de stad zijn we nog nooit geweest. Zie je die verkoolde boom daarginds? Is die niet mooi? En die hut ernaast is ook grappig, hij is van olieblikken en meelzakken gemaakt, of is het een barricade? Dat was niet erg geestig? Het spijt me. Ik wil koste wat kost indruk op je maken, en daardoor loop ik steeds weer het risico mijn doel voorbij te schieten. Terwijl ik nog nooit een wapen ter hand heb genomen. Op school waren de handgranaten vervangen door stukken metaal met houten handvatten, en de toiletten stonken net zo als deze kamplatrines aan beide zijden van de weg. Fraai zou ik dat niet meer willen noemen. Gelukkig heb ik al geruime tijd niets gegeten. Ergens onderweg is de eetlust me vergaan. Hoewel gewoonlijk de vaderlandse gerechten de eerste zijn die je vergeeft.

Nu begrijp ik het. Jij bent degene die door de puinlandschappen tussen de vier rivieren rondzwerft, waar de straten vergeven zijn van de gaten in het wegdek. Onder het kapotte asfalt komt roodachtig woestijnzand tevoorschijn. Wat zou ik graag opkijken naar de sterrenhemel! Maar jij dwingt me alleen voor mijn voeten te kijken. Mijn enkels doen pijn. Mijn schoenen zijn afgetrapt. Overal wordt gewaarschuwd voor landmijnen. We kunnen de weg niet verlaten, niet de aanlokkelijke boomgaarden bereiken, kom we gaan onder een boom liggen. We moeten hier blijven waar in lompen gehulde kinderen – zijn ze zwart of alleen heel bruin verbrand? – langs de rand van de weg staan en met hun handen stof in de gaten scheppen: Kijk, we repareren ze! De wind graaft de gaten onmiddellijk weer uit. De rijwind van een voorbij stuivende jeep. Het meest praktische voertuig als de omstandigheden op de wegen onbetrouwbaar zijn, zoals vaak voorkomt na oorlogshandelingen en permanent wanbeheer. De portierraampjes kun je op een kiertje draaien en door de spleetjes kun je verfomfaaide bankbiljetten naar buiten schuiven. De wind neemt ze mee en dat is goed, want zolang ze daar achteraan rennen, lopen ze minder gevaar onder de wielen te komen. Wat ze ook doen, ze houden niet op pao, pao te schreeuwen. Een ander woord kennen ze niet eens. Ze noemen alles pao: het brood, de boom, de steen, hun vader, hun moeder, hun broertjes en zusjes. Ons natuurlijk ook. Is dat mijn echte naam? Pao? Ze staan langs de kant van de weg, pao, pao, hun armen zijn zo lang dat ze tot ons reiken, midden op de weg.

Hier, ik heb een paar oude munten gevonden. Misschien zijn ze nog geldig. Iets anders heb ik nu eenmaal niet. Jij loopt voor me, je draait je niet om, je ziet mijn goede daad niet. Ik verdeel mijn antieke erfdeel onder de armen van deze wereld. Ik maak me wel een beetje zorgen dat het misschien niet voldoende is, hoeveel munten heb ik eigenlijk, in mijn zakken zijn ze gewichtloos. Ik deel uit en blijf uitdelen, strooi roestige munten in kleine handjes als zaden in de aarde. Voor mijn ogen een waas van tranen. Ik ben niet ontroerd. Ik ben bang.

Dan is het voorbij, de kinderen zijn verdwenen, en de weg ook, we staan weer in de stad. De zon gaat onder. De muezzin schreeuwt. Sinds toen heb ik dat niet meer gehoord. Jij staat voor me, je hebt je toch omgedraaid en heft je lege hand. Ik weet wat je wilt. Je krijgt ze niet voordat je met me hebt gesproken. --- Eén zin. Zeg maar één zin. --- Ik houd van je. Ik haat je. Maar ik houd van je. Kun je niet één keer, zachtjes, hier hoort niemand ons, met niet precies die woorden zeggen: Ik ook van jou?

Je staat daar alleen maar en houdt je hand op. Als ik hier gewoon met jou blijf staan tot in alle eeuwigheid, wat doe je dan?

Ik weet, luister je?, ik *weet* dat jij ook van mij hebt gehouden. Je hebt alleen van mij gehouden. Van mij – in plaats van van God. Zoveel dat je me helemaal uit je hart moest bannen. Dat is de waarheid, ongelovige hond!

Je wacht geduldig. Je bent niet meer te beledigen en evenmin hoef ik me te verontschuldigen. Je weet alles van mij. Je hebt gelijk, ik zal niet huilen. Ik haal de laatste twee munten uit mijn zak. Een ervan is van jou.

A chacun sa part, zeg ik en leg de munt in je hand.

Jij opent je mond. Ligt daarachter een zwarte leegte? Ik kijk ernaar alsof ik het helemaal niet griezelig vind. Ik huil niet, hoewel je vanaf nu nooit meer tegen mij of tegen wie dan ook zult spreken. Jij neemt de ijzeren hostie en een kort moment van gelukzaligheid zie ik je tong. De grootste vreugde die ik ooit heb gevoeld stroomt door mijn lichaam. Eli! Eli! Eli! Ik heb hem mijn bloem geschonken, even later is mijn geliefde gestorven. Ik weet niet hoe het is gebeurd, ik was er niet bij, ik was het niet, hij is vredig ingeslapen, want wanneer het hart stilstaat, ben je dood, maar tevoren heeft hij me nog ontmaagd. Meer kan ik niet verlangen.

Nou goed, zeg ik ten slotte nadat ik lang alleen ben geweest. Nou goed. Ik zal me erkentelijk betonen en spreken. Lang, grondig en uitbundig zal ik spreken over de taal, de taal is de ordening van de wereld, muzikaal, wiskundig, kosmisch, ethisch en sociaal, het meest grandioze bedrog, dat is mijn vak. Een mens kan tweehonderd verschillende gezichtsuitdrukkingen produceren om uitdrukking te geven aan zijn gevoelens. Een baby kan ongeveer evenveel tonen voortbrengen. Later leert hij zijn moedertaal en vergeet de nutteloze rest. Dat wordt economisch genoemd. Hij leert door goede voorbeelden maar ook door fouten waaruit hij de juiste regels afleidt. Dat wordt universeel taalinstinct genoemd. *Gekomen van de regen in de drup wij zijn.* Hierbij definiëren we translatie als een aspect van communicatie, communicatie van interactie, interactie van handelen. Daarmee wordt vertalen, voorzover er een bewust plan aan ten grondslag ligt, tot handelen. Ik heb dat allemaal vroeger in een lang geschrift uiteengezet, de omvang ervan schat ik op veertig delen, maar helaas ben ik alles al kwijtgeraakt voordat ik het eerste deel had voltooid of was begonnen. Dat kan gebeuren. Strikt genomen was het niet jammer. Indien nodig kan alles in vele andere boeken worden nagelezen. 's Winters bijvoorbeeld, als de verwarming kapot is of lawaaiige vreemden het huis belegeren. In bibliotheken is het meestal stil en soms zelfs warm. In theorie heb ik er niets aan toe te voegen, in de praktijk is het zo dat ik officieel tien talen beheers, maar in werkelijkheid zijn het er oneindig veel. Alleen mijn moedertaal maakt het me al mogelijk zo'n vijfentwintig verschillende dialecten te onderscheiden waarvan sommige zichzelf als een aparte taal beschouwen, omdat vaak al één nuance in één uitdrukking een heel andere wereld oplevert. Mij kan dat niet schelen, ik maak er geen halszaak van. Ik spreek net zo goed Kajkavisch als Cavakisch, Stokavisch of Ijekavisch en ze zijn me allemaal even lief. Ik zou het dialect van elk dorp ter wereld kunnen leren. De dialecten die bestaan en die niet meer bestaan. (Waarover hebben de laatste drie Lijflanders met elkaar gesproken? Tja, waarover moeten drie mensen die zijn overgebleven met elkaar praten? Overigens waren het Lijflandse vrouwen. De vrouwen blijven altijd tot het einde. Moet je ze daarom benijden of niet? Soms zeg ik ja, soms zeg ik nee.) Iedereen ter wereld zou naar me toe kunnen komen en tegen me praten en ik zou het verstaan. Ook als het absolute nonsens was. Net bedacht koeterwaals. *Kerekeukeukokex.* Dat vermogen is me op zekere dag zonder verdere uitleg verleend, ik dacht dat ik doodging, maar ik ging niet dood, maar. Helaas – hoedt u voor de geschenken der goden! – heeft het ook wat neveneffecten gehad. Bijvoorbeeld dat probleem met mijn gehoor. Waar ik ook ben, in een openbare ruimte, ik hoor iedereen even luid spreken. Ik hoor de andere tolken in hun cabines, iedereen in het café en het park. Daarom ben ik vaak niet in staat op hun vragen te antwoorden. Het is gewoon te veel. Het is niet altijd zo, maar wel vaak, en jammer genoeg overvalt het me meestal onaangekondigd. Dat zeg ik niet om me te verdedigen. Het nog langer te verzwijgen heeft nu echter geen zin meer. Ik ben ook al op het idee gekomen naar een keel-, neus- en oorarts te gaan, maar enerzijds ben ik niet verzekerd en anderzijds weet ik dat het niets zou opleveren. Lichamelijk is alles bij mij in orde. Ik heb een stabiele borstkas waarin ik een stabiele borsttoon produceer: een gezonde man, in staat om kinderen te verwekken. Ik zeg dat niet om op te scheppen. Alleen omdat er allerlei geruchten over me de ronde doen en ze aan me twijfelen. Of ik wel ben wie ik ben, of ik wel kan wat ik beweer te kunnen. Beweer ik dat eigenlijk zelf of heeft iemand het over me beweerd en heb ik het niet weerlegd? Maar hoe zou wie dan ook moeten overtuigen? Wanneer je de meest competente vakman op een bepaald gebied bent, sta je helemaal alleen. Natuurlijk kan ik de lieve God aanroepen van wie wordt gezegd dat hij alle talen verstaat – wat moet hij ook anders. Bij hem is alles, verleden, heden en toekomst, dat is de reden dat hij zwijgt, terwijl ik hier word voortgedreven door mijn niet-weten. Of wat dan ook. Oecumenische, correctie: economische alsmede biologische noodzaken. Laten we zeggen dat ik meer dan gemiddeld door geluk en/of pech ben achtervolgd. Kan een mens zoveel meemaken? Al is het in tien jaar? Sommige mensen maken helemaal niets mee. Sommigen leggen zich daar bewust op toe. Ik ben niet louter uit overmoed op walvisvaart gegaan. Op achtenhalve kilometer hoogte te stikken vind ik geen opwindend idee. Ik heb niets van de avontuurlijke geest van mijn vader, ik ben geen rusteloos vragende geest als mijn vriend en idool. Daarvoor zijn we niet allemaal in de wieg gelegd. Ik zou mijn leven lang in dezelfde, door kastanjes omzoomde, straat hebben kunnen wonen, een heimelijk homoseksuele leraar in de provincie, meer heb ik nooit geambieerd. Ruim tien jaar lang is vrijwel geen kik van mij vernomen. Ik klaag niet en ik eis niet, zoals veel anderen in mijn situatie wel doen. Ik ben overgegaan op leren. Van de begrensde onveranderlijkheid van een jeugd in de contreien van de dictatuur in de alomvattende voorlopigheid van de absolute vrijheid, van een leven zonder geldige papieren beland en daarmee teruggeworpen op mijzelf en wat daarvan de gevolgen zijn, leek dat mij de enige begaanbare weg: me op niets anders concentreren dan het cultiveren en uitbreiden van mijn talent en niet verantwoordelijk te zijn voor de obscure rest. Tegenwoordig weet ik vrijwel alles over de terreinen waarop talen elkaar raken, en ook over die waar ze elkaar nooit raken. Er blijft altijd iets in duisternis gehuld. Meer weten betekent ook meer van het bestaan van de duistere terreinen weten. Vandaar dat ik terughoudend ben in mijn uitingen. Vijfduizend algemeen gebruikelijke woorden per taal, ongeveer. Later kreeg ik in het kader van een onderzoek de mogelijkheid veel over mijn hersens te weten te komen, zoveel als een leek kan weten. Bronnen in alle talen waren voor mij toegankelijk, bovendien ben ik ijverig en vind ik huiswerk maken leuk, dus het was niet moeilijk om mijn eigen deskundige te worden. Wist u dat de slaapbeenkwabben, waar de taal zetelt, en waar trouwens ook de godservaringen ontstaan, precies dezelfde structuur vertonen als de hersenregionen die te maken hebben met agressief gedrag? Of dat de zogenaamde berserkerwoede een waantoestand was die door hallucinogene paddestoelen werd opgewekt? Ja, zo is het. Extatische en gewelddadige ideeën gaan hand in hand. Gelukkig hebben we hier aan de voorkant van de hersenen ook nog een mooie beschaving. Een tien- of x-voudige taalbarrière. Ik heb mezelf onvoorstelbaar goed onder controle. Helaas leidt dat tot een sterk asymmetrische linkerhersenhelft, ik kan met mijn linkerhand niet langer dan een paar seconden een kopje of een half broodje vasthouden, aan de andere kant ben ik rechtshandig. Als kind dacht ik na over grote zaken als het heelal en de liefde, tegenwoordig denk ik over nagenoeg niets meer na. Ik leef als een amoebe, een taaie, economische levensvorm, de plaats die ik op aarde inneem is niet groter dan mijn voetzolen, de afdruk van mijn lichaam op een matras, liggend of zittend, een metalen kooi zo breed als mijn heupen, vijf verdiepingen hoog, en ik beoefen dag in dag uit de vrede. Mijn levensonderhoud verdien ik met slecht betaald, maar fatsoenlijk werk. Ik herhaal wat mij in de ene taal wordt voorgezegd in een willekeurige andere taal. Meestal zit mijn hoofd daarvoor tussen twee andere hoofden, deze opstelling staat bekend als de struisvogelhouding, maar velen noemen het ook stereo. De tekenen des tijds zijn communicatie. Iedereen die zijn mond opendoet is welkom, we spreken dus we zijn, we vormen klanken die zich samenvoegen tot groepen, tot kleine boeketjes die hier een woord zijn en daar helemaal niets, maar dat geeft niet, daarvoor hebben we immers mij. Wat tafelvorm aangaat dient de voorkeur uit te gaan naar rond of eventueel ovaal, omdat het ruimte bespaart, en dat is niet onbelangrijk, want aan het alomvattende samenzijn zijn niet in de laatste plaats fysieke grenzen gesteld. Materie heeft nu eenmaal plaats nodig, dat kan tot niet-onaanzienlijke conflicten leiden. De tolk moet ook de menukaart vertalen, de soep heet Royal, daarvoor zijn er toespraken, later praten ze allemaal door elkaar, zoals ze altijd doen. Wat ze ook zeggen, al is het moord, ik moet het herhalen en het uitstel van executie duurt exact zolang als ik spreek. Heb ik er niet af en toe aan gedacht dat ik, door die of die nuance te kiezen in plaats van een andere, langdurig of kortstondig invloed zou kunnen uitoefenen op de loop van de wereldgeschiedenis? Bijvoorbeeld door de zin nooit af te maken. Een EINDELOZE ZIN zeggen zou prachtig zijn, maar is dat niet te veel voor één mens?

Al met al klaag ik niet. Hoewel ik het niet besefte, ben ik de meeste tijd gelukkig geweest. Afgezien van de scheuren – ik weet niet, kun je zeggen: in de tijd? – als het opeens ondraaglijk werd, geen leven en geen dood maar een derde vorm waarvoor de mens niet is geschapen, als de vloedgolf van walging, van angst over je heen slaat en je meesleurt, niet eens naar de pijn, zelfs dat niet, maar naar het niets, niets, niets, tot het op zeker moment als water wegebt en met *idyllisch* gekabbel verdwijnt en ik als wrakhout op de oever achterblijf.

Een korte pauze, zodat ik de volgende woorden die me, niet afzonderlijk maar in deze volgorde, om bepaalde persoonlijke redenen *heilig* zijn, met de passende ruimte kan uitspreken:

Soms, zeg ik, ben ik volkomen vervuld van liefde en toewijding. Zo volkomen dat ik bijna ophoud ik te zijn. Mijn verlangen hen te zien en te begrijpen is zo groot dat ik wens de lucht tussen hen in te zijn, zodat ze me inademen en ik tot op de laatste cel één word met hen. Maar een andere keer word ik weer zo door walging overvallen als ik hen voor me zie, die kadavermonden die eten en drinken en kletsen, en alles verandert in moeras en leugen, en ik heb het gevoel dat ik, als ik het nog één moment langer moet aanzien en aanhoren, op het eerste het beste gezicht ga in timmeren totdat er niets meer van over is.

Zo. Nu is het eruit. Ja, verdomme, ik weet wat eruit is. Eruit is dat ik niet verder reis, maar de trein terug neem en al onderweg iedereen kill die de pech heeft mijn weg te kruisen. Plunderen en verkrachten ligt me niet. Ook martelen bevredigt me niet. Maar ik zou woordeloos en zonder noemenswaardige aarzeling, gedistantieerd en nauwkeurig kunnen: doden. Vriend of vijand – maakt niet uit. Ik zou volkomen onpartijdig zijn. Racisme en andere vooroordelen spelen voor mij geen rol. Mannen, vrouwen, kinderen en bejaarden zijn me evenveel waard. Ik ben een objectieve machine. In mij is geen genade.

Ik zit tussen grijze muren en knik als een oude man:

Ja, ja, zo is het. Ik verlang terug. Vierentwintig uur per dag. Tegelijkertijd weet ik zeker dat ik, als ik ooit in mijn stad zou terugkeren en de straten, de huizen, de kastanjebomen zou zien, als ik de sporen van de vernietiging zou herkennen, of als er helemaal geen sporen meer te vinden waren, want het was allemaal weer even sprookjesachtig mooi als vroeger onder de onvergelijkbaar blauwe hemel van het vaderland, als ik zou zien wat er wel of niet te zien was, op stel en sprong al mijn reserves het zouden begeven alsof ik giftige paddestoelen had gegeten, en ik onder hemeltergend gevloek alles kort en klein zou slaan. In zo'n toestand ben ik tot grotere krachtsinspanningen in staat dan gewoonlijk! Ik kan de stad met mijn vuist tot puin reduceren, dat labyrint in lucht laten opgaan, een andere uitweg weet ik niet, daarvoor ben ik te zwak, maar ik ben sterk genoeg het tot op de fundamenten te slopen. Dat kan best eeuwen duren, maar misschien is het ook maar een kwestie van een dag. Daarbij brul ik: Bloed en bodem! Hondenstank, rivierlucht! De peststank van de waterlijken, tegen elkaar aan gedrukt als de ruggen van de varkens op transport, vervloekt, vervloekt! Ik stomp, vervloekt, vervloekt!, maar na elke stomp groeit er nieuwe huid op mijn knokkels die elke keer weer afschaaft. Ik moet sneller slaan zodat er geen nieuwe huid op kan groeien, misschien zal het bloedverlies me dwingen op te houden. Of misschien zuigt het zandsteen me op totdat de hele stad verzadigd is en trillend als een bloedpudding blijft staan, een godenspijs.

Ik weet ook niet waarom ik nu snik. Een rol wc-papier zou van pas komen. In de eerste plaats vanwege de kosten en verder doet zo'n rol me denken aan de oneindigheid. AAN DIE KLOTEON-EINDIGHEID! Een volwassen man zonder zakdoek. Zonder handen! Zonder neus verdomme! Het is alleen de geur van de herinnering. De klotegeur van de kloteherinnering.

Toen ik hier kwam, ben ik toch verdrietig geworden. Of niet verdrietig. Nostalgie heb ik nooit gevoeld, en ook illusies heb ik evenmin ooit gehad. Toch wel, één keer. Een kinderliefde. Maakt niets meer uit. Daarom gaat het allang niet meer. Waar ik het over heb ... Waar ik het over heb, zeg ik nu, niet al te zacht, is natuurlijk mijn nieuwe vaderland: de schaamte. Hier en nu heb ik de vrede beoefend, elke dag, ja. Omdat het mogelijk was. En wanneer de prijs daarvoor was dat ik mijn geschiedenis, dus mijn herkomst en dus mijzelf moest verloochenen, was ik maar al te graag bereid die te betalen. Maar in werkelijkheid was ik toch te vaak een barbaar. Tegenover goede en minder goede mensen. In mij bestond liefde alleen nog als verlangen. Ik heb geluk, talenten en kansen gehad, je kunt niet eens zeggen dat ik ze helemaal heb verspild, maar niettemin ben ik nu verloren. Ik heb me gewoon te erg geschaamd. Dat ik niet op de juiste plaats ben, of op de juiste plaats niet de juiste mens ben. Al mijn kracht werd door schaamte ondermijnd, van 's morgens vroeg tot 's avonds laat en zelfs 's nachts. Vernederende, wanhopige schaamte. Dat ik kom vanwaar ik kom. Dat er is gebeurd wat er is gebeurd.

Pauze, dan nauwelijks verstaanbaar:

Op een dag is de getalenteerde man die ik ben gewoon wanhopig. Op het ogenblik, uren of jaren later, dat ik begreep dat het moment in mijn leven dat ik het meest mezelf was, het zuiverste en meest bevredigende moment, het moment was dat ik het raam achter het theater intrapte. Zo is het en niet anders.

Heel lange pauze. Toen, zachtjes:

Ik leg de munten hier neer. Wanneer je ze nog wilt hebben en toevallig voorbijkomt, kun je ze meenemen. Ik beloof dat ik je niets zal doen. Iets anders kan ik niet aanvoeren om mezelf te ontlasten.

Zodra ik de munten heb neergelegd, beginnen er klokken te luiden, o, lieve God, is dat nu nodig, zoveel pijnlijk gênante ophef. Introïtus, kyrie, graduale, tractatus, sequens, offertorium, sanctus, sanctus, sanctus, sanctus, God is met ons, met ons, met ons, met ons. Het drijft ze naar me toe, nu komen ze allemaal, mijn succubi, ze dansen om me heen. Ze dragen kenmerkende attributen mee zodat ik ze kan herkennen, een kettingzaag, een wandelstok. Wanda, die voor de helft haar broer is, de appelhoofdige Konstantin, Eka met de baby. De blonde Elsa draagt een gipsen engelenkop onder haar jurk en omhelst stevig haar kogelronde buik opdat hij er niet uitploft tussen al die mensen, een halve

stadswijk met de grond gelijk maakt en de pauszetel kost. En daar, mijn vrouw, ze heet genade, ze danst – wat doet me dat plezier! – wang aan wang met mijn goudgehelmde petemoei. Ze zingen:
Min bánat engele for
Ki häret sillalla tur
On vér quio vivír
Mu kor arga kun tier
En boven dat alles zonder ophouden het klokgelui. Het drijft ons voor zich uit, uit dit bizarre universum, licht als de zaden van het leeuwenbekje vliegen we. Is dit de uiteindelijke dood? Hoe ver kan het ons voortdrijven? Zullen we in het luchtledige belanden? Is dat mogelijk? Nee, dat is niet mogelijk. Dat is niet … Ik zal niet sterven. Verdoemd. Of niet verdoemd. Geleidelijk aan halen ze me in. Op zeker moment ben ik weer alleen. Zweef ik gewichtsloos. Hier zou ik ook kunnen blijven. Door bijvoorbeeld mijn ogen niet te openen. Laten we zeggen voor de komende drieduizend jaar. Dan zien we wel verder. Een bezoeker uit het verleden zijn, daarover heb ik als kind veel gelezen. Bij de gedachte daaraan wellen er alleen nog tranen van onder mijn gesloten oogleden. Dertien jaar geleden is het huilen in me blijven steken. Nu is het alsof alles uit mij wegspoelt. Vrede, vrede, vrede, vrede.

Nu: alleen nog wachten. In embryonale angst. Zal ik je een verhaal vertellen, een laatste verhaal, zodat je kunt slapen of wakker worden?
Die stem ken ik. Die is van mijn zoon. Het verlangen hem te zien is sterker dan schaamte en angst. Maar nog steeds houd ik mijn ogen dicht. Ik wil hem niet verjagen.
Ja, zeg ik heel zachtjes, ja.
Het verhaal heet: De drie verzoekingen van Ilia B.
Ilia B. was een vrome jongen, vanaf zijn geboorte dacht hij aan niets anders dan aan God. Hij zag zijn eigen leven alleen in relatie tot God, beschouwde enkel en alleen Hem, maar Zijn schepselen nam hij niet waar. Hij hield van de hemellichamen noch

van de aarde en evenmin van de levende wezens die deze bevolkten, andere mensen bestonden niet voor hem. Kortom: Ilia B. was een kille schoft van een egoïst die niet tot liefde in staat was. De natuurlijke en historische rampspoed die losbarstte in zijn vaderland raakte hem in algemene zin, maar niet in het bijzonder. De godzoeker heeft geen vaderland. Het enige dat van belang is, is het wonen in het goddelijke huis.

Later werd hij arts. Als medewerker van een religieuze hulporganisatie werd hij gezien in gebieden die te kampen hadden met natuurlijke en historische rampspoed; hij maakte daar zwerende vingers open, voerde keizersneden uit zonder verdoving en probeerde longontstekingen met aspirine te genezen. Op een dag werd de cel van zijn organisatie gearresteerd op verdenking van het bedrijven van zendingswerk. Een non werd zolang verkracht tot ze stierf en werd voor Ilia B.'s voeten gegooid, maar ook hij kon haar niet meer tot leven wekken. De tong van een priester werd afgesneden. Hij moest een prop in zijn mond steken om hem in leven te houden. Hij had zich verweerd tegen het mes, in zijn kin en hals zaten snijwonden. Dr. B. stelpte het bloeden met spinnenwebben en kalk. Na wekenlange gevangenschap, waarin de leden van de organisatie dagelijks baden zonder dat het aan enig uiterlijk vertoon te merken was – anders dreigde de dood – werden ze vrijgelaten en keerden terug naar hun vaderland. Ze werden grondig onderzocht, en lichamelijk en ook verder gezond bevonden.

Enige tijd later werd Ilia B. door vrienden van zijn verloofde uitgenodigd voor een feestje. Tientallen mensen, vrouwen en mannen, zeiden hem hoe ze meevoelden met wat hij had doorstaan en hoe ze zijn dapperheid bewonderden. Hij antwoordde beleefd en kort. Wat hij had gedacht? Of hij doodsangsten had uitgestaan? Wat hij had gevoeld toen het lijk van de non voor zijn voeten en het hoofd van de priester op zijn schoot had gelegen? Niets. Nee. Niets, niets. Hij had al die tijd niets gevoeld of gedacht. Hij vreesde niet voor zijn leven. Hij bad. Onze Vader die in de hemelen is. Ik ben niet waardig dat Gij U onder mijn dak vertoont, doch spreek slechts één woord. Daarna wilde hij graag een assistentenbaan, trouwen, weldra zou ook kroost op het programma staan.

Op weg naar huis van dat feestje, in de laatste nacht van zijn leven, was er geen taxi te krijgen. Ilia B. en zijn verloofde slenterden arm in arm door de straten om misschien ergens op goed geluk een taxi te vinden. Op goed geluk vonden ze een taxi. Maar later ontstond er ruzie met de chauffeur. I.B.'s verloofde beweerde terecht dat de chauffeur met opzet een omweg had genomen, waarna hij hen in een donkere, afgelegen straat uit de auto zette. De verloofde schopte – absoluut niet haar gewoonte, maar ze had die avond nogal wat gedronken – tegen de startende auto. De auto stopte weer, de chauffeur stapte uit, kwam op de jonge vrouw af, stak haar met een mes in de buik, stapte weer in en reed weg. Ilia B. drukte met zijn ene hand de getroffen ader in de buik van zijn verloofde dicht, met de andere belde hij een ambulance. Hij reed met haar mee naar het ziekenhuis, waar ze direct werd geopereerd. Hem werd gezegd dat hij in het ziekenhuis mocht blijven slapen, maar hij zei dat hij liever naar huis ging en later terug zou komen. Toen hij na twee dagen nog steeds niets van zich had laten horen, vroeg de verloofde haar moeder eens bij hem te gaan kijken. Ze vond hem in bed. Hij was diezelfde nacht nog in zijn slaap gestorven. Een paar uur na het intreden van de dood legden vliegen hun eieren in zijn ooghoeken.

Ja, zeg ik, zo ongemerkt gaat dat. Zo was het.

Kijk me aan, zegt mijn zoon.

Ik open mijn ogen. Hij zweeft met over elkaar geslagen benen onder het plafond, zijn naam is Uitweg.

Jouw naam is, zegt hij terwijl hij al verbleekt als oude filmopnamen, jouw naam is: Jitoi.

Abel Nema alias El-Kantarah alias Varga alias Alegre alias Floer alias des Prados alias ik: knikt.

Jazeker, zeg ik. Amen leba.

Nu ben ik in volkomen windstilte beland. Ik zucht om die te voelen: die lichtheid in mijn borstkas. Alles is nu licht. Niet meer in gips gegoten, ook niet in beton, geen hersenklomp spookt meer in de hoeken en gaten, ik voel en zeg: mijn lijden zal nu weldra ten einde zijn. Mijn decennium in de hel is voorbij. Wie was ik dat schuldig? Misschien aan niemand.

En het wankelde op weg, een pijnlijk, zwalkend lichaam, lopen of kruipen of iets in die trant in de richting van de rails.

0. AFLOOP

Gedaanteverwisselingen

Ontwaken

Waarschijnlijk afgeleid door de lichtjes en stomdronken van het balkon gewandeld, vijf verdiepingen, boem op het trottoir, zo'n veelbelovend talent. Ook alle anderen moeten al helemaal van de wereld of met iets anders bezig zijn geweest, of hoe is het anders mogelijk dat niemand op het idee kwam hem te beletten op het balkonhek te balanceren, wat heeft hem ertoe gebracht, sommigen dachten zelfs aan een hallucinatie, hé, daar staat iemand op het balkonhek, en floep, hij is weer weg. Er waren geen lichtjes, hij heeft geen woord tegen wie dan ook gezegd, er was niemand, hij was alleen, en wandelen deed hij ook niet, hij was blij dat hij kon kruipen, hoewel hij geen pijn had, het was een evenwichtskwestie. Omdat hij zo duizelig was, ging hij in het kleine traliekastje zitten dat hij zijn balkon noemt en bleef gewoon zitten, je kon hem van beneden af zien, gelooid door de zon, gedroogd door de wind, een sculptuur, jarenlang, de flat was van niemand, hoogstens waren mensen verbaasd over de smakeloosheid, iemand heeft zijn geraamte daar kleren aangetrokken en op het balkon gezet, maar er komen niet veel mensen langs in een doodlopende straat met uitzicht op het spoor, en dus verbaasden zich ook maar weinigen. Hij zat daarboven en keek naar de treinen, hoe ze aan het rangeren waren. In het begin wisselden de afstanden nog, hij moest zich uitrekken om bij de klink te komen alsof hij drie was of tussen reuzen leefde, het balkonhek daarentegen was heel laag, als voor Kleinduimpje, geen kunst om eroverheen te komen. Hij benutte een gunstig moment, toen de afstand naar de muur net klein en zijn been net lang genoeg waren, en stapte gewoon *over*. Dat was goed, als in zijn kinderjaren en soms ook nu nog, dat gevoel dat het maar één stap was naar de kustlijn ginds. Voorzichtig zijn voet tussen de rails zetten om niet om te vallen en misschien het huis mee te trekken waarin zijn andere, kleinere voet nog vastzat. Waar hij ook vandaan was gekomen, of hij over de muur was geklommen, door de rol prikkeldraad was gekropen of misschien gewoon aan de verkeerde kant uit een trein was gestapt, nu stond hij in elk geval tussen de rails, links en rechts van hem reden de wagons heen en weer, zodat hij later het gevoel had achteruit te lopen hoewel hij vooruit ging. Soms bleef hij ook staan, niettemin ging het door, nu eens voorwaarts, dan weer achteruit. Als in een grote, grommende, piepende kudde, wanneer hij niet liep, droegen ze hem. Eerst beviel hem dat wel, het geeft zo'n gevoel van saamhorigheid en dynamiek, ik loop niet en toch word ik door iets gedragen, en tussen de andere lichamen is boven de hemel met de wolken. Later viel hem op dat het steeds dezelfde wolken waren en hij besefte: de hemel is een eindeloos ronddraaiende band en dat betekent niets anders dan dat hij hier vermoedelijk nooit uit zal komen. Dat is zo'n moment dat de wanhoop toeslaat, in je opstijgt alsof je wervelkolom, je slokdarm een speciaal daarvoor ontworpen lift is, maar toen hield hij zichzelf voor: daarmee hebben we het toch gered en kalmeerde weer. Hij paste zich aan, liep soms, liet zich dan weer dragen, en vanaf dat moment is hij niet meer gezien ---

De toxische werking van een bijna fatale dosis amanita muscaria houdt ongeveer zesendertig uur aan. Daarna val je in een slaap die vaak net zo lang duurt. In het begin had hij allerhande dromen, later nog maar ééntje waarin hij probeerde op het balkon en vandaar op de rails te komen. Zijn pogingen mislukten de een na de ander, het verhaal nam een wending die niet voorzien was en elke keer stierf hij, maar hij bleef hardnekkig volhouden. Op zeker moment slaagde hij erin over de muur te springen en toen waren er urenlang alleen nog de treinen, de treinen, de treinen, en toen helemaal niets.
Op een vrijdagochtend werd Abel Nema wakker omdat hij klokken hoorde luiden. Ongeveer dertig klokken luidden onge-

veer dertig jaar lang. Hij hield zijn ogen dicht. De zon scheen op hem. Daar is die man. Hij had een beetje pijn in zijn ogen ten gevolge van het af en toe extreem verdraaien van zijn oogballen, maar dat was alles. Afgezien daarvan was het alsof er helemaal niets was gebeurd. Alsof er nooit iets was gebeurd. Zat op het balkon en onderzocht met gesloten ogen zijn lichaam: niets. Op zeker moment hield het klokgelui op en waren de treinen weer terug. Hun knarsen en dreunen. Hun geur in de zijdezachte wind die langs zijn gezicht streek. Hij opende zijn ogen.

En verloor bijna zijn evenwicht onder de druk van het onverwachte licht en de weidsheid van de hemel voor hem, hoewel hij zat en het uitzicht zag door de tralies van de onderste helft van het balkonhek. De balustrade boven bevond zich ongeveer ter hoogte van zijn voorhoofd. Tussen de tralies de bakstenen muur. Die leek oud geworden. Daarachter onderscheidde hij dertien paar rails. Stokoude en splinternieuwe wagons reden daarop heen en weer. Balletjes op een telraam. Dat dacht hij, en zijn buurman kwam hem voor de geest, de fysicus die er niet in was geslaagd uit te rekenen wat daar werd berekend. Of die er juist wel in is geslaagd.

Hallo, zei op dat moment Halldor Rose van achter de scheidingswand op het balkon. Ik ben er weer.

Want waarom gaat het nu eigenlijk? vroeg Halldor Rose een paar dagen eerder aan zijn zuster Wanda. Toch om het feit dat ik een godservaring heb gehad.

Lieve God, zei Wanda.

Laat me uitpraten! Een godservaring gehad, ik begrijp dat je daarvoor altijd in het gekkenhuis belandt, het was buitengewoon aardig van je mij daar weer uit te halen. Maar wat ik niet begrijp is waarom ik sindsdien, met korte onderbrekingen om voedsel tot me te nemen en te slapen, vrijwel ononderbroken door aardappelakkers en silo's moet worden gevoerd. Wat moet dat betekenen, die bergen aardappels die ze me samenzweerderig laten zien, nieuwe, ontkiemende en verdroogde, een metafoor voor het leven of zo? Hier is een ruwe weegschaal, ook dat klopt, met een paar lege zakken ernaast, moet dat een teken voorstellen? Moet ik soms uit de verdeling van de vlekken op de schillen of uit het stuiven van het stof over de akkers conclusies trekken? Moet ik uit de kromming of de kaarsrechte lijn van de rijen iets opmaken of uit de etensresten op de familietafel, waar ik aan het hoofdeinde zit, recht tegenover Wanda, zodat ik haar goed kan zien en zij mij. Moet ik de koffiedrab op de spons in de gootsteen lezen en er iets, wat?, uit afleiden? In feite draait het er toch uitsluitend om dat ze me hier in deze troosteloze idylle gevangen hebben gezet en tot dodelijke verveling veroordeeld, om geen andere reden dan dat ik weiger die ervaring, God, te loochenen. Al is Wanda van mening dat het allemaal een waantoestand is, opgeroepen door drugs ...

Tijdelijk, alleen maar tijdelijk, zei zijn besnorde zwager en bood hem een borrel aan.

Nee, dank je, ik drink niet. Wanneer dat zo is, waarom legt ze zich er dan niet bij neer, waarom blijft ze erop hameren dat ik afstand doe van dat, ik citeer: *hemelvaartverhaal?*

Ik begrijp er niet veel van, zei de zwager, maar heb je niet zelf gezegd dat je er eigenlijk niets meer mee te maken wilt hebben?

Nee, zei Halldor Rose somber. Dat is niet wat ik heb gezegd.

En nu schoot hem te binnen hoe het allemaal eigenlijk was begonnen, waarom het aanvankelijk was gegaan, en de volgende dag organiseerde hij, met een energie en doeltreffendheid die eigenlijk niet van hem te verwachten vielen, zijn vlucht uit de aardappelwoestijn. De patatesfriteschauffeur zette hem af op dezelfde brug waar hij een week geleden ook had gestaan. Hij ging niet eens eerst naar huis, hij ging regelrecht naar zijn werk, bij een researchinstituut voor theoretische fysica, waar ze verbaasd noch bijzonder verheugd waren hem weer te zien, ze zeiden dat er geen reden was haast te maken, het was toch al bijna weekend, waarom gunde hij zich niet nog wat tijd om bij te komen van zijn escapades, maandag zouden ze wel verder zien. Mij best, zei Halldor Rose en vertrok. En nu zat hij dus op het balkon. Hallo.

Abel keek in de richting van het geluid, ontdekte achter een spleet een paar lippen omgeven door een baard van zeven dagen, een lok lang, warrig haar waaide er dwars overheen terwijl ze zeiden: Is het geen heerlijke dag?

Een zwerm vogels vloog van links naar rechts.

Abel probeerde zijn tong te bewegen, maar die was te droog, hij knikte alleen: Ja, een heerlijke dag.

Godzijdank, zei H.R. door de spleet. Ik ben weer terug. Dat was me een week!

Zeg dat wel!

Zat op het balkon, en omdat hij niets vond dat daartegen pleitte, stond hij, na over de afscheiding een paar woorden met zijn buurman te hebben gewisseld, zonder veel moeite op en keerde terug in zijn flat.

Keerde terug in zijn flat en herkende die bijna niet. Hij herinnerde zich vaag: de incidentele pogingen van de laatste jaren om orde in de chaos te scheppen en schoon te maken, zonder enig succes, zoals nu te zien was. Hoewel de vorm van de ruimte minder hoeken en gaten vertoonde dan hij zich herinnerde – hij telde de hoeken na: het waren er maar vijf, eentje meer dan normaal – zag hij voor zich: een breed veld van vrijwel totale verwaarlozing. Dat er maar weinig voorwerpen waren, sjofel en zichtbaar smerig, hielp niets. Het stonk ook. Hij liep tussen de zwarte stapels door, voornamelijk kledingstukken, en hij wist al dat dat daar niet allemaal in het kielzog van het delirium gekomen kon zijn. Het moest er al eerder zijn geweest, waarschijnlijk al heel lang. Hij liep op blote voeten – zette zijn ene voet vol op de grond, de andere, de gewonde, alleen met de hiel – en het was of hij over scherven liep, terwijl het maar kruimels waren. Op, in en onder het kleed eindeloos veel vuil. Ook de nooit gebruikte keukenradio van de vorige huurder had een korst van vet en stof. Hij zette hem aan.

Krakend kwam het geluid van onder de korst te voorschijn. Nieuwsberichten. Omdat de beschuldigde S.M. griep heeft, moet de rechtszitting in het proces van H. opnieuw worden verdaagd. Volgens de nieuwe, minder strenge wet inzake genocide genieten zittende staatshoofden immuniteit enzovoort. Hij draaide de radio weer uit en ging in de badkuip met het laagje goudkleurig en zwart vet zitten. Hij waste zijn lichaam heel zorgvuldig en hield het intussen nauwlettend in de gaten, maar het resultaat bleef hetzelfde, laten we het een wonder noemen: Geen druppel gif meer in geen enkele cel van zijn lichaam, de drug was vervlogen en daarmee al het andere. Zijn waarneming, zintuigen en bewustzijn waren volkomen helder, en dat voor het eerst in ruim dertien jaar. Ik zie, ruik, voel nu net als andere mensen. En als ieder ander in zo'n situatie voelde hij een kleine vreugde trillen bij die ontdekking en een grote vrees opkomen, maar deze vrees had niets meer te maken met die andere vrees. Die was weg. Het was weg.

Maar vooral kalm aan. Heel voorzichtig door het mijnenveld. Te broos was deze vrede nog, één onbedachtzame beweging, één verkeerd geluid en alles zou weer voorbij of terug kunnen zijn. Het enige zintuig dat blijkbaar beschadigd was, was zijn gehoor. Hij kon de bewegingen van Halldor Rose in de flat ernaast niet horen, en ook de walviszang van de treinwagons als van heel veraf, hoewel de deur naar het balkon openstond, zoals anders zelden het geval was. In plaats daarvan zoemde er iets in zijn oren, het leek op het zoemen van een computer in een lege ruimte of een wind in de verte die een gelijkmatig sssssssss laat horen. Sssssssssss. De computer kon het in elk geval niet zijn, die had hij al dagen niet meer aangezet.

Mercedes kon de wagons daarentegen heel duidelijk horen, ze waren bijna even luid als zijn stem, alsof ze op elkaar waren afgestemd als in een atonaal muziekstuk, maar dat gaf niet de doorslag. De doorslag gaf het feit dat ze iets hoorde dat ze aanvankelijk niet thuis kon brengen, pas na een hele tijd, nadat ze al had opgehangen en uit de keuken, badkamer en slaapkamer waar ze in haar opwinding heen gelopen was – De telefoon gaat, niets vermoedend neem ik op, en wie is het? – was teruggekeerd naar de woonkamer, waar ze tussen de gebarsten marmeren ta-

fel en de oude ladekast bleef staan, zodat haar blik op de trouwfoto kon vallen die daar nog steeds stond, en ze keek naar dat gezicht en wist het opeens. Hij had een nauwelijks aanwezig, nauwelijks hoorbaar, maar toch merkbaar: accent.

Zelf had hij het ook al gemerkt. Hij schudde zijn hoofd en trok
een paar grimassen om zijn spraakorganen los te maken. Aah-
hummm, zei hij, en het klonk alsof hij met vertraging de baard
in de keel kreeg. Misschien lag het alleen aan de droogte, hij had
al dagen niets gedronken, elke cel van mij een kleine woestijn.
Hij dronk naar roest smakend, lauwwarm water uit de kraan,
maar ook dat hielp niet veel. *Het* lag *dieper.* Iets dat je niet kon
wegwassen. Eigenlijk wist hij dat het niet uitmaakte wat hij
deed, drinken, spraakoefeningen, de verandering voltrok zich
zonder zijn toedoen en nauwelijks merkbaar: een licht kriebelen in de buurt van de stembanden, dat was alles. Hij durfde niet
in de spiegel te kijken. Wanneer het waar is dat ik met een ge-
daanteverwisseling bezig ben, wil ik mezelf daarbij niet zien.
Die twee dingen durfde hij niet: praten en in de spiegel kijken.
Later wist hij de eerste angst te overwinnen door Mercedes op te
bellen. Waarbij niet alleen zij iets nieuws aan hem dacht te horen, maar hij ook aan haar: ook hij dacht een accent bij haar
waar te nemen, maar dat kon niet waar zijn, ze sprak haar moedertaal, het kwam alleen door zijn veranderde gehoor: Voor het
eerst hoorde hij de heesheid en de kleur die kenmerkend waren
voor haar stem.

Wat is er? vroeg ze. Heb je de papieren?

Ahkkrrm, zei hij. Nee, nog niet, ik ...

Ze wachtte.

Kan ik Omar spreken?

Die is er niet. Kan ik een boodschap doorgeven?

Pauze.

Zeg tegen hem dat het me spijt van Do ... Nee. Zeg tegen hem
dat ik weer zal bellen.

Goed, zei ze en hing op.

Mijn handen zijn kletsnat.

Laatste wending

De dag ervoor had Mercedes met Tatjana afgesproken.
Er is het een en ander gebeurd, en een deel daarvan moet ik je in elk geval vertellen.
Goed, zei de vriendin.
Eerst die kwestie met Erik.
Aha, zei Tatjana en tikte luidruchtig haar lepeltje af tegen haar kopje. Dat koppige melkschuim. Wat is er met hem aan de hand?

Hoe was zijn dag, waarschijnlijk als altijd. Toen het gezin wakker werd, stond hij al in de tuin, met blote voeten in het hobbelige natuurgras, zijn imposante broekspijpen opgestroopt, en hij bestudeerde het verloop van de molshopen. Vervolgens droogde hij in een oude rieten stoel op het houten terras de dauw van zijn voeten met een kleine, harde handdoek die alleen voor dit doel werd gebruikt en praatte met zijn dochters. In de keuken kuste hij zijn vrouw op haar haar, ze liet zich tegen zijn zachte buik vallen, wreef haar neus tegen zijn schouder, nam zijn geur op en aan: achter zeep en nieuw zweet een zweem van het geslachtsverkeer van een paar uur geleden, en bovenal de geur van de eerst diepgevroren en nu afgebakken broodjes die hij voor iedereen had bereid.
(Ach ja! Tatjana zucht.)
Op weg naar de stad overreed Erik een egel. De ingewanden van het dier lagen op de weg, een klein blauw niertje. Leuk is dat niet, maar voor het verdere verloop van de dag speelde het misschien niet echt een rol. Beslissend is, zoals hij altijd zegt, in de eerste plaats het moment te herkennen en het vervolgens in het licht van de eeuwigheid te bezien. Ik ben het dier dat (in principe) auto's kan bouwen, terwijl het dier dat stekels op zijn rug draagt stervend langs de weg ligt, dat is alles.
(Hm, zegt Tatjana.)
Om tien uur dertig had hij een afspraak met een auteur in hetzelfde café als waar wij nu zitten. Het manuscript waar het om

ging, was getiteld: 'De nar als koning. Geestelijk gehandicapte koningen en hun regeringen'. Of, zei Erik, om het in mijn eigen woorden uit te drukken: Is het beter of slechter voor ons als onze opperste machthebber een idioot is?

Hm, zei de auteur.

Even nadat ze waren gaan zitten, was al duidelijk dat de ontmoeting vruchteloos zou zijn. Op wederzijdse afkeer volgde prompt professionele desinteresse. Onvoldragen, ijdel, taalkundig slonzig, pseudo-wetenschappelijk gebazel, dat kan ik ook. Bijna zwijgend wachten op het helaas al bestelde ontbijt. Op dat moment verscheen – deus ex machina – Tatjana in het café. Deed alsof ze hem niet zag en ging aan de bar zitten. Haar haar, haar rug, haar achterwerk, haar benen werden door de vreemde auteur gemonsterd. Ook door Erik. Combinatie van objectief fysiek behagen en subjectieve, op ervaring gebaseerde afkeer.

Neem me niet kwalijk, zei Erik tegen de strak voor zich uit kijkende man die naast hem zat. Daar is iemand met wie ik even moet praten.

Tegen Tatjana: Ik ben hier met een vervelende, arrogante kwast. Praat in elk geval een paar minuten met me.

Tatjana draaide zich om op haar barkruk en wuifde vriendelijk naar de auteur. De auteur wuifde terug.

Goed dan, zei Tatjana, Waarover zullen we praten?

Wat ligt in zulke gevallen voor de hand? Gemeenschappelijke kennissen. Je (Erik) zou bijvoorbeeld kunnen vragen hoe het met Mercedes gaat, of het werkelijk, zoals ze beweerde, goed met haar gaat, de laatste tijd maakte ze zo'n merkwaardige indruk.

Waarop Tatjana, net als nu, het melkschuim van haar vuurrode bovenlip likte en zei: Nou ja, je vraagt je werkelijk af waarom ze eigenlijk niet opgelucht is dat ze van die vent af is, ik zou dat in elk geval wel zijn.

Zo hoorde Erik dat Mercedes en de Zwarte Man uit elkaar waren.

O, zei Tatjana en stak haar wijsvinger in het kopje om met het topje een restje suiker op te vegen. Ik wist niet dat je dat niet wist.

(Ja, zegt Tatjana, zo was het exact.)

Vervolgens deed Erik alsof hij helaas direct weg moest. Op kantoor aangekomen staarde hij door een open deur lange tijd naar Mercedes' rug, totdat zij het merkte. Ze wuifde naar hem, hij wuifde terug en ging naar zijn kantoor. Nadat hij daar het grootste deel van de dag geijsbeerd had, ging hij terug naar Mercedes.

Ik heb je twee dingen te zeggen, zei Erik vlak voor vijf uur.

Is het belangrijk? vroeg Mercedes. Ik moet zo weg. Omar.

Ten eerste. Erik bleef voor de deur staan, de vuisten in zijn zakken veroorzaakten plooien in de stof van zijn broek. Ten eerste voel ik me als je vriend gekrenkt en teleurgesteld dat je niets over je scheiding hebt verteld. In de tweede plaats heb ik zojuist de verschrikkelijkste zes uur van mijn leven doorgemaakt, en het resultaat is: Ik houd van je. Trouw met me.

(Tatjana lacht hartelijk.

Wacht even! roept Mercedes.)

Ze bekeek de zwetende man in haar deur. Toen zei ze opnieuw dat ze weg moest.

Heb je niet gehoord wat ik heb gezegd?

Jawel.

En?!?

Hij schreeuwde bijna.

Ik ben bereid alles voor je op te geven, mijn reddingsband van witgoud om mijn ringvinger, mijn hele ingewortelde leven dat me tot nu toe heeft behoed voor wanhoop, twee betoverende meisjes die me verafgoden, een verstandige, solidaire vrouw, een gezond huis met een tuin, om met jou te wonen in je benauwde flatje, volgepropt met kitschrommel, je verantwoorde vegetarische eten en je merkwaardige kind dat mij veracht, plus dineetjes met je ijdele, zonderlinge vader die op een middelmatige pauzeclown lijkt en je snobistische, verdroogde moeder zonder eigen talent, en voortdurend geobserveerd door die lelijke heks van een beste vriendin van je. Ik ben bereid me helemaal aan je te geven, zo langzaam aan is het voor jou ook tijd voor een normale, gezonde man, en jij zegt, ontdaan en een beetje walgend ...

Sorry, zei Mercedes zacht en schoof langs hem heen de deur uit.

(Tatjana lacht.

Wacht even, zegt Mercedes.)

Omar was al thuis. Wat is er aan de hand? vroeg hij.

Niets. Erik heeft me een huwelijksaanzoek gedaan. Waarschijnlijk was hij dronken.

Ze lachte. Het kind keek ernstig.

Erik is een idioot, zei Omar. Trouw niet met hem. Ik zou eronder lijden.

Mercedes lachte.

Waarom huil je? vroeg Omar.

Ja, zei Tatjana *nu*. Waarom?

Mercedes, peinzend: Ik huil helemaal niet. Maar ik zal waarschijnlijk wel een andere baan moeten zoeken.

Zo is het leven, zei Tatjana, een komen en gaan.

Hm, zei Mercedes. Ze keek naar de straat buiten. Misschien zou het nu het juiste moment zijn om nog een kind te krijgen.

Misschien, zei Tatjana.

Een dochter.

Aha.

Het zou Omar ook goed doen. Iemand te hebben. Al is hij gelukkig opgehouden te beweren dat hij de slimste mens ter wereld is.

Pauze.

Ik heb in mijn leven maar drie mannen liefgehad, zei Mercedes. En ook al mag het lijken of ik niets uit die relaties heb overgehouden, in feite heb ik steeds datgene overgehouden wat het waardevolste is. Eerst een kind, toen een manuscript.

Het spijt me, zei Tatjana. Ik ben bang dat ik niet begrijp waar je heen wilt. Of eigenlijk: Ik begrijp het maar al te goed en ik moet je één ding zeggen: dat, *dat* is werkelijk de druppel die de emmer doet overlopen!

Wacht, zei Mercedes. Maar de ander hoorde het niet meer. Ik heb genoeg van je, stomme trut, de hele tijd werk je al op mijn zenuwen, in feite heb ik je nooit erg gemogen! zei Tatjana, niet helemaal in deze bewoordingen, en stormde het café uit.

Alles in orde? vroeg de kelner.

Ja, alles is in orde, zei Mercedes en betaalde voor allebei.

Daarna gebeurde er niet veel meer. Een arbeider uit G. vond de portemonnee met de foto van zijn geliefde terug die hij tweeëntwintig jaar geleden had verloren, onder de vloerplanken van een kantoor bij de sloop van een fabriek waar hij destijds had gewerkt. Een man en een vrouw die zich jarenlang hadden uitgegeven voor controleurs van de immigratiedienst of medewerkers van de jeugdzorg werden gearresteerd. Tijdens een voetbalwedstrijd in een klein dorp in V. stalen twee mannen midden in de wedstrijd de bal. Ze renden ermee door de schaduwloze straten van hun dorp, wierpen elkaar lachend de bal toe, lachend en elkaar de bal toewerpend renden ze naar hun eigen huis, waar ze door de woedende menigte werden ingehaald en doodgeslagen. Een radio-DJ in S. werd doodgeschoten omdat hij weigerde een verzoeknummer te draaien, een achttienjarige sneed in een roes van heilige salie zijn tong en penis af en Konstantin T. werd betrapt bij een poging een vervalst legitimatiebewijs te kopen. De laatste nacht voor zijn uitzetting bracht hij geboeid op een keukenstoel door. Zijn mond was dichtgeplakt, omdat hij niet ophield met klagen, hij huilde verstikt, snot vulde langzaam zijn hele neus.

De ochtend daarna, een vrijdag, pakte Abel zijn jas en ging naar buiten. De deur van Het gekkenhuis stond open, maar er hing nog steeds een briefje op: Tot nader aankondiging gesloten.

Hoe lang nog?

Thanos haalde zijn schouders op. Wil je wat drinken? Helder als water, zei hij terwijl hij een borrel inschonk.

Abel nam een slok, merkte dat hij direct dronken werd en liet de rest staan.

Zozo, zei Thanos. Zozo. Kan ik soms iets anders voor je doen?

Abel ging naar Thanos, mijn vaderlijke vriend en beschermer, om hem voor het laatst om geld te vragen. Ik heb vorige week nagelaten de wond aan mijn voet te genezen, en nu ben ik ook dat vermogen kwijtgeraakt, net als alle andere – waar ik overigens niet erg rouwig om ben – zeg dat niet, zeg gewoon dat je naar de dokter moet en helaas niet verzekerd bent. Desnoods zou je kunnen vermelden, al is het een beetje goedkoop, dat je je verwonding hier hebt opgelopen en je geld hier hebt verloren, maar eigenlijk is dat niet nodig.

Is dat genoeg? Beterschap!

Geen ander zou dat doen, maar hij is na zo'n behandeling – toch altijd negen hechtingen – gaan lopen. Enerzijds werkte de verdoving nog, en wel zo dat het leek alsof hij geen rechtervoet, maar een wolk op die plek had. En anderzijds wilde hij gewoon kijken of het hem zou lukken. Of het hem, zoals hij aannam, inderdaad zou lukken zonder te verdwalen het bevolkingsbureau te bereiken dat slechts een paar straten verderop lag, eindelijk de vervangende papieren te halen en vervolgens naar de bank te gaan. Tot geen van beide kwam het meer.

Ze waren de enigen op het speelplaatsje, geen park, alleen een verwilderde driehoek zogenaamd gemeentegroen op een leeg plekje dat was overgebleven op het punt waar twee straten in een spitse hoek samenkwamen. Eentje zat op de verrotte rand van de zandbak en tekende in het zand, drie leunden tegen de piepend ronddraaiende houten schijf en twee hingen aan het klimtoestel, bim, bam, als twee klepels. Ze speelden zwijgend en serieus, ze draaiden, tekenden, bungelden en hielden *hem* in het oog. In feite kon je voorzien dat het niet goed zou aflopen, en vroeger zou hij het ook geweten hebben. Hij deed niets, zij deden niets en niettemin was het duidelijk. Van kleine autoradiodieven hadden ze zich ontwikkeld tot zware jongens, de afgelopen winter hadden ze een dakloze in brand gestoken. De man in het zwart liep langs de twee bungelaars, dwars over het groen in de richting van de houten schijf. Degenen die erop zaten, zetten hun hakken in het beton, de schijf bleef piepend staan. Hij deed een stap opzij om misschien toch nog langs hen heen te komen, verplaatste daarmee zijn gewicht op de gewonde voet, vanwege de wolk, hij sloeg dubbel van de pijn. De nieuwe hechtingen scheurden open en er begon vocht in zijn schoen te sijpelen.

Hoepla, zei een van de mannen die voor hem stonden. De twee achter hem waren geluidloos van het klimtoestel gesprongen, nu pakten ze hem onder zijn oksels alsof ze hem wilden ondersteunen.

Hoepla, zei Kosma. Sloeg het zand van zijn handen. Hij was groter en nog dikker geworden, ogen, neus en mond leken heel klein in zijn grote, rode gezicht. Hoepla, zei het kleine mondje.

Abel gaf met zijn lichaam aan dat hij nu op eigen benen kon staan, bedankt voor de hulp, maar ze lieten hem niet los, ze hielden hem aan beide kanten vast, hun vingers boorden zich in zijn oksels.

Het spijt me, maar ik heb het grootste deel van mijn geleende geld daarnet uitgegeven, een restantje zit nog in mijn linkerbinnenzak, meer heb ik niet. Toen voegde hij er nog aan toe dat hij haast had.

Ze verroerden zich niet, staarden hem alleen aan.

Shit, man, shit, zei Kosma. Jou ken ik toch.

Nu wist hij het ook weer. Het waren de Verschrikkelijke Zeven, alleen waren ze sinds enige tijd nog maar met z'n zessen.

Vlak voordat het begon, vroeg Abel zich nog af of hij *daarvoor* werkelijk al klaar was. Was hij zo ver om zonder klacht te sterven, want dat hij zou sterven leek zonneklaar. Klaar of niet, nu word je voltooid.

Kosma deed een stap naar voren en trapte hem in zijn genitaliën. Hij zou gevallen zijn als de twee lijfwachten hem niet hadden vastgehouden. Later vroegen ze of ze niet konden worden afgelost, niet altijd maar hoefden vast te houden. Och, zei Kosma, laat hem maar los. Ze lieten hem los. Langzaam viel hij, zoals grote standbeelden vallen. Vanaf het moment dat hij de grond raakte, weten we niets meer.

Later die dag kreeg Mercedes een telefoontje van het ziekenhuis.

Afloop

Het was niet gemakkelijk hem los te snijden, het plakband was weerspannig. De studentikoze jonge vrouw had een te klein zakmes bij zich, een grote, magere vrouw hield hem bij zijn scheenbeen vast en de dikke steunde zijn hoofd in haar handen. Ze legden hem op het asfalt, tilden hem direct weer op, droegen hem een paar stappen verder en legden hem in het gras. Voorzichtig het achterhoofd uit de mollige handpalmen laten glijden. Een ogenblik gingen zijn ogen open: een blauwe hemel, dan een eerst rode, toen zwarte duisternis. Is het goed zo? Ja, het is goed. Het is goed.

Hij had net zo goed dood kunnen zijn. Onwaarschijnlijk veel geluk gehad. Het lemmet drong tussen de vierde en de vijfde rib binnen, twee centimeter, en brak toen af zonder vitale organen te hebben beschadigd. De eigenlijke schade is, zoals gezegd, veroorzaakt door het hangen.

Het is goed!

De kamer staat vol: artsen en minstens tien logopedisten, voor elke taal een. Zodra ze door hadden wie hij was, iemand, een vroegere assistent bij het MRT, had hem herkend, was hij naar deze eenpersoonskamer gebracht. Intussen is ook de familie op de hoogte gesteld en aanwezig. Mercedes' ogen.

Het is goed!

Dat schijnt het enige te zijn dat hij nog kan zeggen. Een kleine bloeding in de voorste hersenen en een uitgebreide in de rechterslaapkwab. Hoeveel hij verstaat is niet zeker. Ten gevolge van de hersenbloedingen lijdt uw man aan afasie.

Wat is ...?

Het is gggg ...

Afasie, zegt Omar. Uit het Grieks: phanai, spreken. Verlies van het spraakvermogen, maar ook, in overdrachtelijke zin, van het beoordelingsvermogen.

Kortom: Hij is zijn taal kwijt. Wat een verstandige jongen hebt u overigens. In het onwaarschijnlijke porseleinwit van zijn rechteroog is de hele ziekenkamer samengevat.

Wat bedoelt u met: Hij is zijn taal kwijt? Allemaal?

Het is goed!

Vaak gaat dat helaas ook gepaard met geheugenverlies. Dat is op het moment nog moeilijk vast te stellen. Meneer N., hoe gaat het met u?! Uw gezin is hier!

Mercedes durft zich niet te verroeren. Omar legt een hand op Abels rechterarm. Helaas is dat de verlamde. Ook zijn gezicht kan hij maar moeilijk bewegen. Alsof ik nog steeds in stukken ben. Verwrongen klanken uit een halfzijdige mond: Goed, goed, goed!

Een deel van het spraakvermogen valt meestal wel te herstellen. Maar een geval als dit, een tientalige afasie, hebben we nog nooit gehad. Het is een grote uitdaging voor ons.

(Fuck you!) Het is goed!

Dertiende expeditie om de arke noachs te zoeken gestart alle boosheid wordt de mond gesnoerd psalm honderdzeven veertien opschrift x.y. leider van het instituut voor creationistische wetenschap en initiator van de expeditie de evolutietheorie geeft een troosteloos beeld van ons leven en ontwricht de samenleving wanneer ik slechts een toevalsproduct van de oersoep ben wat heeft het geheel dan eigenlijk voor ---

Ja, laat u de televisie aanstaan. Tegen hem praten. Dat is goed. We hebben ook buitenlandse zenders. U hebt geen vermoeden wat dit voor ons betekent. De wetenschappelijke belangstelling voor deze casus is misschien voor leken niet helemaal te begrijpen. Het is zonder twijfel een van de interessantste neurolinguïstische gevallen.

Het is goed!

Met de informatie die al over zijn hersenen is verzameld. Dat is uniek. Vergeef me mijn enthousiasme. Voor u is het natuurlijk in eerste instantie tragisch.

Het is goed!

Maar we hebben goede hoop. Weet u, dat zou een heel project waard zijn. Het Abel Nema Project, afgekort ANP.

Goeoeoeoeoed!

Het hangt natuurlijk af van de financiële middelen, maar in zo'n geval ...

Goeoeoeoeoeoeoe!
Het is een prima injectie, hij werkt meteen. Soms weet je niet wat in patiënten met een hersenbeschadiging omgaat, volkomen onverwacht krijgen ze woedeaanvallen,
Goed!
wentelen rond alsof ze in paniek zijn, de normaalste situaties kunnen hun opeens bedreigend lijken, u moet daar niet van schrikken. Helaas zijn ook gedachten aan zelfmoord geen uitzondering, ik beloof u plechtig dat we hem niet in de buurt van trappen en ramen zullen laten komen. U hebt misschien al gemerkt dat de deurklinken overal ontbreken, dat is een standaard voorzorgsmaatregel. We hebben een lange, moeizame leerweg voor ons, maar tegelijkertijd is het ook een van de mooiste wegen,
Gggg!
de weg van de hoop,
Gg!
elke dag, elk stapje voorwaarts is een overwinning.
Gggggrrrr ...
Ja, leg je hand maar op zijn voorhoofd, jongen.

Omar haalt zijn hand van het koude, bezwete voorhoofd van zijn stiefvader die nog steeds zijn stiefvader is en pakt het warme, kleverige handje van zijn zusje. Hij past zijn tempo aan aan haar stapjes. Samen rollen ze door het vochtige gras van het park. Hij praat tegen haar als tegen een volwassene. Zij zegt nog niets, knikt alleen, schudt haar hoofd of houdt het scheef en trekt een wenkbrauw op, al naar gelang wat ze de juiste reactie acht. En wat ze ook doet, ze glimlacht erbij. Ze heeft haar spiegelende ogen en lange ledematen van haar vader geërfd, haar vriendelijke wangen en argeloze mond van haar moeder. Haar broer is groter en slanker geworden, de schoonheid die zijn volmaakte gezicht en zijn hele lichaam, ook de onzichtbare, onder kleding verscholen delen, uitstralen is zo overweldigend dat gesloten ruimtes, metrowagons of kleine winkels soms stil vallen wanneer hij binnenkomt, maar ook in de openlucht verdraaien

vrouwen en sensitieve mannen pijnlijk hun ogen om hem ver-
stolen op te nemen. Hij lijkt daar niets van te merken, want zijn
linkergezichtsveld bestaat niet en rechts van hem trippelt het
kleine meisje aan wie hij al zijn aandacht besteedt. Behalve wanneer hij even achterom kijkt, naar een bepaalde bank, of hij er
nog zit, lief glimlachend en met zijn hoofd een beetje scheef, zoals hij vroeger ook soms deed – Abel Nema die naar hen kijkt.
Het geheugenverlies is bewaarheid geworden, hij herinnert zich
niets meer, wanneer ze tegen hem zeggen wat ze van hem weten,
dat hij Abel Nema heet, uit dat en dat land afkomstig is en vroeger ruim tien talen heeft gesproken, vertaald en getolkt, schudt
hij beleefd, vergevingsgezind en ongelovig glimlachend zijn
hoofd. Hij verstaat alles wat tegen hem wordt gezegd, hij kan
zich normaal bewegen, hoewel iets langzamer dan de meeste
mensen, en ook iets zeggen. Tegen alle verwachtingen in is maar
één taal, de landstaal, zo ver geregenereerd dat hij eenvoudige
zinnen kan zeggen. Hij kan zeggen dat hij iets te eten wil hebben
van het tentje in de buurt, en hij kan ook aan de kinderen vragen
of zij iets willen. Hij kan ook andere dingen zeggen, maar je
kunt zien dat het hem heel veel inspanning kost. Het liefst zegt
hij nog altijd: Het is goed. De opluchting, het geluk die zin te
kunnen uitspreken is hem zo duidelijk aan te zien dat degenen
die hem liefhebben hem er alle gelegenheid voor geven. Hij
spreekt het dankbaar uit: Het is goed. Een laatste woord. Het is
goed.